# Le Divin Enfer de Gabriel

## Acte II : L'Extase

DU MÊME AUTEUR
CHEZ LE MÊME ÉDITEUR

*Le Divin Enfer de Gabriel* (2013)

Sylvain Reynard

# Le Divin Enfer de Gabriel

## Acte II : L'Extase

*Traduit de l'anglais (États-Unis)
par Sébastien Baert*

Titre original
*Gabriel's Rapture*

# PROLOGUE

*Florence, 1290*

D'une main tremblante, le poète laissa tomber la missive à terre. Longtemps il demeura assis, immobile, comme une statue. Puis il se releva et traversa la maison avec agitation, les dents serrées, sans prêter attention aux tables ou aux objets fragiles, ni aux habitants de sa demeure.

Il n'y avait qu'une personne qu'il eût envie de voir.

Il traversa prestement la ville et se mit à courir à l'approche du fleuve. Les larmes aux yeux, il s'immobilisa devant le pont – leur pont –, scrutant la rive avec une certaine impatience, ne serait-ce que pour entrevoir sa bien-aimée.

Elle n'était pas là.

Jamais elle ne reviendrait.

Sa Béatrice chérie était partie.

# 1

Le Pr Gabriel Emerson, assis, nu sur le lit, lisait *La Nazione*, le quotidien de Florence. Il s'était réveillé de bonne heure dans la suite Palazzo Vecchio du Gallery Hôtel Art et avait appelé le service d'étage. Mais il n'avait pu résister à l'envie de regagner sa chambre pour regarder la jeune femme dormir. Elle était tournée sur le côté, face à lui, le souffle léger, un diamant étincelant sur le lobe de son oreille. Elle avait les joues un peu rouges, car la chaleur régnait dans la pièce et le lit était baigné par les rayons du soleil qui dardaient au travers des baies vitrées. Les draps étaient délicieusement froissés, imprégnés d'une odeur de sexe et de bois de santal.

Le regard brillant, il contemplait paresseusement sa peau nue et sa longue chevelure noire. Quand il reporta son attention sur son journal, elle remua légèrement et poussa un gémissement. Inquiet, il délaissa le quotidien.

Elle remonta les genoux contre sa poitrine et se roula en boule. Comme elle laissait échapper quelques murmures, Gabriel se rapprocha pour tenter de décrypter ce qu'elle disait. En vain.

Brusquement elle se contorsionna et poussa un cri déchirant, battant des bras et tentant de se libérer du drap enroulé autour d'elle.

– Julianne ?

Il posa délicatement la main sur son épaule nue, mais elle eut un mouvement de recul.

Elle marmonna son nom sans cesse, d'un ton de plus en plus angoissé.

– Je suis là, Julia.

Il avait haussé la voix. Quand il tendit de nouveau la main vers elle, elle se redressa brusquement en haletant.

– Ça va ?

Il s'approcha, résistant à l'envie de la toucher.

Elle avait le souffle court et, sous son regard attentif, porta une main tremblante à ses yeux.

— Julia ?

Après une longue minute difficile, elle se tourna vers lui, les yeux écarquillés.

Il fronça les sourcils.

— Que s'est-il passé ?

Elle déglutit bruyamment.

— Un cauchemar.

— À quel propos ?

— J'étais dans les bois derrière la maison de tes parents, à Selinsgrove.

Il prit un air interrogateur derrière ses lunettes à monture noire.

— Pourquoi rêves-tu de ça ?

Elle prit une profonde inspiration et remonta le drap sur sa poitrine nue jusqu'à son menton. D'un blanc éclatant, il dissimula complètement sa frêle silhouette avant d'en prendre la forme sur le matelas. Elle lui fit penser à une statue athénienne.

Il la caressa délicatement.

— Dis-moi tout, Julia.

Elle ne savait plus où se mettre sous son regard bleu perçant, mais il ne céderait pas.

— Le rêve a débuté de manière merveilleuse. On faisait l'amour sous les étoiles et je m'assoupissais dans tes bras. À mon réveil, tu étais parti.

— Tu as rêvé que je te faisais l'amour, puis que je t'abandonnais ?

Il avait pris un ton plus froid pour masquer sa gêne.

— Il m'est déjà arrivé de me réveiller dans la pommeraie sans toi, lui reprocha-t-elle doucement.

Le brasier dans son ventre s'éteignit instantanément. Il se remémora la soirée magique qu'il avait vécue, six ans auparavant, quand il avait fait sa connaissance. Ils s'étaient contentés de discuter. Le lendemain matin, à son réveil, il s'était éloigné, laissant seule l'adolescente assoupie. Son angoisse était compréhensible, sinon désolante.

Il lui desserra le poing, un doigt après l'autre, et embrassa sa main d'un air contrit.

— Je t'aime, Béatrice. Je n'ai pas l'intention de t'abandonner. Tu le sais, non ?

— Ça me ferait beaucoup plus de mal de te perdre maintenant.

Fronçant les sourcils, il la prit par les épaules, attirant sa joue contre lui. Une myriade de souvenirs lui revinrent en mémoire, quand il repensa à ce qui s'était passé la veille au soir. Pour la première fois il l'avait vue nue et l'avait initiée aux plaisirs de l'amour. Elle avait partagé son innocence avec lui, et il avait l'impression de l'avoir rendue heureuse. Il s'était sans aucun doute agi de l'une des plus belles soirées de son existence. Il réfléchit un instant.

— Tu regrettes ce qui s'est passé hier soir ?

— Non. Je suis ravie que tu sois mon premier. C'était ce que je voulais depuis notre rencontre.

Il posa la main sur sa joue, la caressant de son pouce.

— Je suis honoré d'avoir été ton premier, dit-il, se penchant en avant, le regard fixe. Mais je voudrais aussi être ton dernier.

Elle esquissa un sourire et tendit ses lèvres pour l'embrasser. Avant qu'il ait pu la satisfaire, le carillon de Big Ben retentit dans la chambre.

— N'y fais pas attention, chuchota-t-il d'un ton déterminé en la prenant dans ses bras, l'obligeant à se rallonger.

Elle jeta un coup d'œil par-dessus l'épaule de son amant, en direction de l'iPhone sur le bureau.

— Je croyais qu'elle ne devait plus t'appeler…

— Je ne réponds pas, alors ça n'a aucune importance. Je suis au lit, et il n'y a que nous deux.

Il s'agenouilla entre ses jambes et tira le drap.

Quand il approcha son corps nu du sien, elle le regarda au fond des yeux.

Il se pencha pour l'embrasser, mais elle tourna la tête.

— Je ne me suis pas brossé les dents.

— Je m'en moque.

Il l'embrassa dans le cou et sentit son pouls s'accélérer.

— J'aimerais me laver, d'abord.

Il poussa un soupir de déception et prit appui sur un coude.

— Ne laisse pas Paulina gâcher ce moment.

— Ce n'est pas le cas.

Elle tenta de se retourner pour lui échapper et emporter le drap avec elle, mais il l'en empêcha. Il la regarda par-dessus ses lunettes, le regard pétillant de malice.

— J'ai besoin de ce drap pour faire le lit.

Regardant tour à tour l'étoffe blanche qu'elle serrait entre ses doigts et son visage, elle ressemblait à une panthère prête à bondir. Elle jeta un coup d'œil à côté du lit, en direction du tas de vêtements par terre… hors d'atteinte.

— Quel est le problème ? demanda-t-il en réprimant un sourire.

Elle rougit et cramponna le tissu encore plus fort. Avec un gloussement, il lâcha le drap et attira la jeune femme dans ses bras.

– Ne sois pas si timide. Tu es magnifique. Si ça ne dépendait que
de moi, je t'interdirais à tout jamais de t'habiller.

Il l'embrassa sur le lobe de l'oreille, effleurant délicatement le diamant. Il était certain que Grace, sa mère adoptive, aurait été ravie que
Julia porte ses bijoux. Après un autre baiser, il se détourna et bascula
les jambes pour s'asseoir sur le bord du lit.

Elle se faufila dans la salle de bains, mais quand elle lâcha le drap
juste devant la porte, Gabriel eut le temps d'apercevoir son ravissant
postérieur.

En se brossant les dents, Julia songea à ce qui s'était passé. Très
émue d'avoir fait l'amour avec Gabriel, elle avait l'impression de ne
pas encore s'en être remise. Ce n'était guère surprenant, compte tenu
de leur histoire. Elle avait eu envie de lui depuis cette nuit chaste dans
la pommeraie, l'année de ses dix-sept ans ; mais le lendemain matin,
à son réveil, il avait disparu. Il l'avait oubliée en sortant des brumes
de l'alcool et de la drogue. Six longues années s'étaient écoulées avant
qu'il puisse la rencontrer, et il ne l'avait même pas reconnue.

Quand elle l'avait revu, lors de son premier cours de maîtrise à
l'université de Toronto, elle l'avait trouvé séduisant mais froid comme
une étoile lointaine. Elle n'aurait jamais cru qu'ils pourraient devenir
amants. Que ce professeur aussi lunatique qu'arrogant finirait par
partager ses sentiments.

Elle ignorait tant de choses, à l'époque. Le sexe était une sorte de
savoir, et désormais elle connaissait plus que jamais la jalousie. À la
simple idée que Gabriel puisse le refaire avec une autre femme et, dans
son cas, avec de nombreuses autres femmes, elle sentit son cœur se
serrer.

Elle le savait, ses rendez-vous galants n'avaient rien à voir avec ce
qu'ils avaient tous deux vécu, qu'il ne s'agissait ni d'amour ni de
sentiments. Mais il les avait dévêtues, les avait vues nues et avait couché
avec elles. Après cela, combien parmi ces femmes avaient voulu aller
plus loin ? Paulina. Elle était restée en contact avec lui après toutes ces
années, car ils avaient eu un enfant ensemble. Et ils l'avaient perdu.

Avec une meilleure compréhension des choses du sexe, Julia avait
changé d'avis sur le passé de Gabriel, et se montrait plus compatissante
envers la situation compliquée de Paulina. Et elle restait d'autant plus
sur ses gardes, pour éviter qu'elle – ou une autre – ne lui prenne son
homme.

Envahie par un fort sentiment d'insécurité, Julia agrippa le bord du lavabo. Gabriel l'aimait. Elle en était convaincue. Mais un homme aussi bien élevé n'avouerait jamais, le cas échéant, que leur union ne le satisfaisait pas pleinement. Et qu'en était-il de sa propre conduite ? Elle lui avait posé des questions, et lui avait parlé, alors que la plupart des amants seraient restés silencieux. Elle n'avait pas fait grand-chose pour le satisfaire, et quand elle avait tenté de s'y employer, il l'en avait empêchée.

Les paroles de son ex lui revinrent brutalement en mémoire et la tourmentèrent âprement : « Tu es frigide. Tu dois être nulle au lit. »

Elle se détourna du miroir, se demandant ce qui arriverait si elle ne contentait pas Gabriel. Le spectre de l'infidélité se profila, et avec lui des souvenirs de Simon couchant avec sa camarade de chambre.

Elle redressa les épaules. Si elle pouvait convaincre Gabriel de faire preuve de patience et de lui enseigner certaines choses, elle était persuadée de pouvoir le satisfaire. Il l'aimait. Il lui donnerait bien une chance. Elle lui appartenait aussi sûrement que s'il avait marqué son nom au fer rouge sur sa peau.

Quand elle regagna la chambre, elle l'aperçut par la porte ouverte de la terrasse. Au moment de le rejoindre, son attention fut attirée par un magnifique bouquet panaché d'iris violet foncé et d'autres plus clairs, dans un vase sur le bureau. La plupart des amants auraient acheté des roses rouges à longues tiges, mais pas Gabriel.

Elle ouvrit la carte nichée au milieu des fleurs.

« Ma chère Julianne,
Merci pour ce cadeau inestimable.
La seule chose de valeur dont je dispose, c'est mon cœur.
Il t'appartient,
Gabriel. »

Julia relut la carte à deux reprises, le cœur débordant d'amour et de soulagement. Les paroles de Gabriel n'étaient pas celles d'un homme mécontent ou déçu. Quels que soient les doutes qu'elle concevait, il ne semblait pas les partager.

Sans lunettes, il prenait le soleil sur le futon, le torse merveilleusement nu. Sa silhouette musculeuse et son mètre quatre-vingt-cinq auraient pu donner l'illusion qu'Apollon lui-même daignait l'honorer d'une visite. Devinant la présence de Julia sur la terrasse, il ouvrit les yeux et se tapota la cuisse. Quand elle l'eut rejoint, il l'enlaça et l'embrassa avec passion.

13

– Tiens, bonjour, vous, murmura-t-il en écartant une mèche rebelle du visage de la jeune femme. Qu'y a-t-il ?

Il la regarda plus attentivement.

– Merci pour les fleurs. Elles sont splendides.

Il déposa un baiser sur ses lèvres.

– De rien. Mais tu as l'air soucieux. C'est à cause de Paulina ?

– Non, bien que ça me fasse de la peine qu'elle continue à t'appeler. Merci pour la carte, dit-elle tandis que son visage s'illuminait. C'était ce que je mourais d'envie de t'entendre dire.

– J'en suis ravi. Dis-moi ce qui te tracasse.

Il la serra un peu plus contre lui.

Elle tritura la ceinture de son peignoir un long moment, jusqu'à ce qu'il lui prenne la main, puis leva les yeux vers lui.

– Hier soir, est-ce que tout s'est passé comme tu l'avais espéré ?

Pris au dépourvu, il en eut le souffle coupé.

– Quelle étrange question…

– J'imagine que tu ne t'attendais pas à ça. Je n'ai pas été très… active.

– « Active » ? De quoi parles-tu ?

– Je n'ai pas fait grand-chose pour te satisfaire.

Elle était écarlate.

Il lui caressa la joue du bout des doigts.

– Tu m'as plus que satisfait. Je sais très bien que tu étais nerveuse, mais ça m'a plu énormément. On s'appartient mutuellement, à présent. Dans tous les sens du terme. Qu'est-ce qui te préoccupe ?

– J'ai exigé qu'on échange nos postures, mais tu as préféré que je reste au-dessus.

– Tu n'as pas exigé, tu as demandé. Franchement, Julianne, j'aimerais beaucoup que tu exiges des choses de moi. Je veux être sûr que tu as autant envie de moi que j'ai envie de toi.

Il se détendit et esquissa des cercles autour de ses seins.

– Tu as rêvé que ta première fois se passerait d'une certaine manière. J'aurais bien voulu te l'accorder, mais j'étais inquiet. Et si tu n'étais pas à l'aise ? Et si je n'étais pas assez prudent ? Hier soir, c'était une première pour moi aussi.

Il la libéra, servit du café et de la mousse de lait de deux récipients distincts pour faire un *latte*, et disposa le plateau du petit déjeuner sur la banquette entre eux. Il y avait des viennoiseries, des fruits, du pain grillé et du Nutella, des œufs à la coque et du fromage, ainsi que des *Baci Perugina* que Gabriel avait demandé à un employé de l'hôtel d'acheter en même temps que le somptueux bouquet du *Giardino dell'iris.*

Julia ôta le papier d'un des *baci* et le porta à sa bouche, fermant les yeux de plaisir.

— Tu as commandé un véritable festin.

— J'étais affamé en me réveillant, ce matin. Je t'aurais bien attendue, mais… Ouvre la bouche !

Il s'empara d'un grain de raisin, secoua la tête et la regarda fixement, l'œil pétillant. Quand elle ouvrit la bouche, il y enfonça le grain, laissant traîner son doigt de manière suggestive sur sa lèvre inférieure.

— Et il faut que tu goûtes ça.

Il lui tendit un verre à pied rempli de jus de canneberge et de soda. Elle leva les yeux au ciel.

— Tu prends trop soin de moi.

Il secoua la tête.

— C'est ainsi que se conduisent les hommes quand ils sont amoureux et qu'ils veulent que leur chérie soit en pleine forme pour toutes les parties de jambes en l'air qu'ils prévoient de faire avec elle.

Il lui adressa un clin d'œil suffisant.

— Je ne te demanderai pas comment tu peux savoir ce genre de chose. Donne-moi ça.

Lui prenant le verre des mains, elle le vida sans le quitter des yeux. Il gloussa.

— Tu es adorable.

Elle lui tira la langue, puis se prépara une assiette.

— Comment ça va, ce matin ? demanda-t-il d'un air inquiet.

Elle avala un morceau de fontine.

— Très bien.

Il serra les lèvres, comme s'il était mécontent de sa réponse.

— Faire l'amour peut modifier bien des choses entre un homme et une femme, insista-t-il.

— Oh, ça ne t'a pas plu ce que, euh… ce qu'on a fait ?

Elle perdit soudain ses couleurs et devint pâle comme un linge.

— Bien sûr que si. J'essaie de découvrir si tu es heureuse. Et si je me contente de ce que j'ai vu jusqu'à présent, je crains que ce ne soit pas le cas.

Julia tritura son peignoir, évitant le regard inquisiteur de Gabriel.

— Quand j'étais à la fac, les filles de mon étage passaient leur temps à discuter de leurs petits amis. Un soir, elles se sont raconté leurs premières fois.

Elle commença à se ronger un ongle.

— Elles n'étaient pas nombreuses à avoir des choses agréables à raconter. Certaines de leurs histoires étaient horribles. L'une d'elles avait été victime d'une agression sexuelle quand elle était enfant. Les copains de quelques-unes d'entre elles leur avaient forcé la main. Plusieurs ont admis que leur première fois avait été vraiment gênante et très peu épanouissante : un petit ami qui grogne ou un peu trop rapide. Je m'étais dit : « S'il n'y a rien de mieux à espérer, je préfère rester vierge. »

— C'est horrible.

Elle regarda fixement le plateau du petit déjeuner.

— Je voulais me sentir aimée. J'ai compris qu'il valait mieux avoir une liaison platonique ou épistolaire qu'une relation sexuelle. Je ne pensais pas pouvoir trouver un homme susceptible de m'offrir les deux. Une chose est sûre, Simon ne m'aimait pas. À présent, j'ai une histoire avec un dieu du sexe, et je suis incapable de lui rendre tous les plaisirs qu'il me procure.

Il haussa brusquement les sourcils.

— Un « dieu du sexe » ? Ce n'est pas la première fois que tu me dis ça, mais, fais-moi confiance, je ne suis pas…

Elle l'interrompit, le regardant droit dans les yeux.

— Apprends-moi. Je suis certaine que cette nuit, ce n'était pas si, euh… épanouissant que ça l'est pour toi d'habitude, mais je te promets que si tu fais preuve d'un peu de patience avec moi, je ferai des progrès.

Il jura entre ses dents.

— Viens là !

Il l'attira de nouveau contre lui, en prenant garde au plateau, et la prit dans ses bras. Il demeura un moment silencieux avant de pousser un profond soupir.

— Tu pars du principe que mes précédentes relations étaient vraiment épanouissantes, mais ce n'était pas le cas. Tu m'as offert ce que je n'avais jamais eu : l'amour et le sexe en même temps. Tu es la seule à avoir jamais été mon amante au véritable sens du terme.

Il l'embrassa doucement pour confirmer solennellement ses paroles.

— L'impatience et le charme d'une femme sont indispensables à l'expérience. Je peux t'affirmer sans me tromper que je n'en avais jamais vu une avec autant de charme que toi et que je n'ai jamais éprouvé une telle impatience. Ajoute à cela le fait que tu faisais l'amour pour la première fois, et… les mots me manquent.

Elle hocha la tête, mais quelque chose dans son mouvement le troubla.

— Je te promets que je ne suis pas en train de te flatter.

Il marqua une pause, comme s'il pesait chacune des paroles qu'il allait prononcer.

— Au risque de me faire passer pour un homme de Néandertal, je t'avoue que je trouve ton innocence incroyablement excitante. L'idée que je puisse être celui qui va t'enseigner les choses du sexe… que quelqu'un de si pudique puisse se montrer si bouillonnant…

Il s'interrompit et la regarda attentivement.

— Tu pourrais progresser dans l'art de faire l'amour en apprenant de nouvelles techniques et de nouvelles positions, mais rien ne pourra te rendre plus attirante ou plus épanouissante, sexuellement parlant. Pas à mes yeux.

Julia se pencha pour l'embrasser.

— Je te remercie de t'être si bien occupé de moi hier soir, chuchota-t-elle en rougissant.

— Quant à Paulina, je m'en occupe. Ne pense plus à elle, s'il te plaît.

Elle reporta son attention sur son petit déjeuner, se retenant d'insister.

— Tu me raconteras ta première fois ?

— Il vaudrait mieux l'éviter.

Elle s'occupa avec une viennoiserie, tentant de penser à autre chose. La crise européenne lui vint aussitôt à l'esprit.

Il se frotta les yeux des deux mains, les recouvrant brièvement. Il lui serait aisé de mentir, il le savait ; mais après tout ce qu'elle lui avait donné, elle méritait de connaître ses secrets.

— Tu te souviens de Jamie Roberts ?

— Bien sûr !

Il baissa les mains.

— C'est avec elle que j'ai perdu ma virginité.

Julia haussa les sourcils. Elle n'avait jamais trouvé Jamie et sa mère autoritaire très agréables, les avait même toujours détestées. Elle ignorait que l'officier Jamie Roberts, qui avait conduit l'enquête après que Simon l'avait agressée le mois précédent, avait été la première fois de Gabriel.

— Ce n'était pas terrible, déclara-t-il tranquillement. En fait, je dirais même que c'était traumatisant. Je ne l'aimais pas. Elle m'attirait, bien sûr, mais je n'avais aucun sentiment pour elle. On est allés au lycée ensemble, à Selinsgrove. Elle a été ma voisine de table pendant un an, en histoire. On flirtait, après les cours, et on a fini par…

Il haussa les épaules.

— Jamie était vierge, mais elle m'avait menti, prétendant le contraire. Je n'ai pas du tout été prévenant envers elle. Je me suis montré égoïste et idiot. Elle me disait qu'elle n'avait pas mal, mais j'ai vu qu'elle avait perdu du sang. J'ai eu l'impression d'être un animal, et je m'en suis toujours voulu.

Il eut un mouvement de recul, et Julia le sentit envahi par la culpabilité. Sa description lui avait donné la nausée, mais cela expliquait bien des choses.

— C'est horrible. Je suis désolée, dit-elle en serrant sa main. Est-ce pour cette raison que tu étais si attentionné, hier soir ?

Il acquiesça.

— C'est elle qui t'a induit en erreur.

— Ça n'excuse pas ma conduite, aussi bien avant qu'après, dit-il en s'éclaircissant la voix. Elle est partie du principe que nous sortions ensemble, mais ça ne m'intéressait pas. Ça a aggravé la situation, je suis passé du statut d'animal à celui de salaud. Quand je l'ai vue à Thanksgiving, ça faisait des années que je ne lui avais plus adressé la parole. Je lui ai demandé de me pardonner. Elle a fait preuve d'une grande élégance. Je m'en suis toujours voulu de l'avoir mal traitée. À cause d'elle, je ne m'approchais plus des vierges, continua-t-il. Jusqu'à hier soir. La première fois, c'est censé être tendre, mais c'est rarement le cas. Pendant que tu te préoccupais de me satisfaire, je m'inquiétais de toi. Je me suis peut-être montré un peu trop prudent, mais si je t'avais fait mal, je ne l'aurais pas supporté.

Julia reposa sa tasse et lui caressa le visage.

— Tu as fait preuve d'une grande délicatesse et d'une grande générosité. Jamais je n'ai été si heureuse, et c'est parce que tu ne m'as pas aimée seulement avec ton corps. Je t'en remercie.

Comme pour lui donner raison, il l'embrassa avidement. Quand il lui caressa les cheveux, elle poussa un gémissement de plaisir et le prit par le cou. Il glissa les mains sous son peignoir et l'entrouvrit d'un geste hésitant, puis leva les yeux d'un air interrogateur.

Elle acquiesça.

Il l'embrassa dans le cou, remontant progressivement vers le lobe de son oreille.

— Comment ça va ?

— Très bien, chuchota-t-elle quand il posa ses lèvres sur sa gorge.

Il changea de position pour mieux voir son visage et glissa une main sur son bas-ventre.

– Ça te fait mal ?

– Un petit peu.

– On ferait bien d'attendre, alors.

– Non !

Il éclata de rire, avant d'arborer son habituel sourire de séducteur.

– Tu pensais ce que tu disais, hier soir… à propos de faire l'amour sur la terrasse ?

La manière dont sa voix l'enflammait la fit frissonner, mais elle lui rendit son sourire, enfonçant à son tour ses doigts dans ses cheveux pour l'attirer à elle. Il caressa ses courbes de ses deux mains et lui embrassa les seins.

– Tu étais plus timide ce matin, dit-il en lui déposant un baiser respectueux sur le cœur. Qu'est-ce qui a changé ?

Elle effleura une légère fossette sur son menton.

– Sans doute suis-je toujours un peu timide une fois nue. Mais j'ai envie de toi. Je veux que tu me regardes dans les yeux et que tu me dises que tu m'aimes en me pénétrant. Je m'en souviendrai toute ma vie.

– Je ne manquerai pas de te le rappeler, murmura-t-il.

Il lui ôta son peignoir et l'allongea sur le dos.

– Tu n'as pas froid ?

– Pas quand je suis dans tes bras, répondit-elle en souriant. Tu ne préférerais pas que ce soit moi, au-dessus ? J'aimerais essayer.

Il se débarrassa aussitôt de son peignoir et de son caleçon et s'étendit sur elle, une main de chaque côté de son visage.

– Quelqu'un pourrait te voir, très chère. Et je n'en ai pas envie. Personne à part moi ne verra ce corps magnifique. Et tant pis si les voisins ou des passants t'entendent… dans l'heure qui vient…

Il gloussa quand elle prit une profonde inspiration, parcourue jusqu'aux orteils par un frisson de plaisir, puis l'embrassa en écartant ses cheveux de son visage.

– Mon objectif est de voir combien de fois je peux te satisfaire avant de ne plus pouvoir me retenir.

Elle lui sourit.

– Ça me semble une bonne idée.

– À moi aussi. Alors, fais-toi entendre.

Le ciel bleu rougit à tant de passion, tandis que le soleil florentin esquissait un sourire, réchauffant les amants malgré la brise légère. Sur la table, le *latte* de Julia commença à refroidir et fit grise mine face à tant d'indifférence.

*
* *

Après un petit somme, Julia emprunta le MacBook de Gabriel pour envoyer un e-mail à son père. Elle avait deux messages importants dans sa boîte de réception. Le premier était de Rachel.

« Jules !
Comment vas-tu ? Est-ce que mon frère est sage ? Alors, tu as déjà couché avec lui ? Oui, je sais, c'est TOTALEMENT inconvenant de ma part de te poser cette question, mais bon, si tu sortais avec quelqu'un d'autre, tu me l'aurais déjà dit.
Je n'ai pas l'intention de te donner des conseils. J'essaie de ne pas trop y penser. Dis-moi juste que tu es heureuse et qu'il te traite convenablement.
Aaron te passe le bonjour.
Je t'embrasse,
Rachel.

P.S. : Scott a une nouvelle copine. Il est très secret à son sujet, je ne sais donc pas depuis combien de temps ils sont ensemble. Je n'arrête pas de lui casser les pieds pour qu'il me la présente, mais il ne veut pas.
C'est peut-être un professeur ? »

Julia eut un petit rire, ravie que Gabriel soit sous la douche et non en train de lire par-dessus son épaule. Il aurait sans doute été embarrassé que sa sœur pose à Julia des questions aussi intimes. Elle prit un moment pour réfléchir à la formulation de sa réponse.

« Salut, Rachel,
L'hôtel est magnifique. Gabriel est très gentil et m'a offert les boucles d'oreilles en diamant de votre mère. Tu étais au courant ?
Je me sens coupable, alors dis-moi si ça t'ennuie.
Quant à ton autre question : OUI, Gabriel me traite bien, et je suis TRÈS heureuse.
Passe le bonjour à Aaron de ma part. J'ai hâte d'être à Noël.
Je t'embrasse, Julia.

P.S. : J'espère que la petite amie de Scott est prof. Avec Gabriel, il n'a pas fini d'en entendre parler ! »

Le second e-mail venait de Paul. Certes, il se languissait d'elle, mais

20

il était ravi aussi qu'ils aient pu préserver leur amitié. Il préférait garder ses envies pour lui plutôt que de la perdre complètement. Et il devait reconnaître que depuis qu'elle avait commencé à fréquenter son copain Owen, elle était rayonnante. Même si pour rien au monde il ne le lui aurait dit.

« Salut Julia,
Désolé de ne pas avoir eu l'occasion de te dire au revoir avant que tu rentres chez toi. J'espère que tu passes un bon Noël. J'ai un cadeau pour toi. Tu peux me donner ton adresse en Pennsylvanie pour que je te l'envoie ?
Je suis retourné à la ferme pour essayer de trouver le temps de travailler à ma thèse entre les réunions de famille et les levers tôt pour aider mon père. Disons que mon quotidien tourne beaucoup autour du purin…
Tu veux que je te rapporte quelque chose du Vermont ?
Une holstein, rien que pour toi ?
Joyeux Noël,
Paul.

P.S. : Tu savais qu'Emerson avait accepté le projet de thèse de Christa Peterson ?
L'Avent doit vraiment être une période propice aux miracles ! »

Julia regarda fixement l'écran de l'ordinateur, lisant et relisant le post-scriptum de Paul. Elle ne savait qu'en penser. Il est possible, se dit-elle que Gabriel ait accepté son projet de thèse parce qu'elle le menaçait.

Elle préférait éviter d'aborder un sujet aussi désagréable pendant leurs vacances, mais la nouvelle la troubla quelque peu. Elle répondit brièvement à Paul, lui donna son adresse, puis écrivit à son père pour lui dire que Gabriel la traitait comme une princesse. Elle éteignit ensuite l'ordinateur et poussa un soupir.

— Ma Julianne ne semble pas des plus heureuses.

La voix de Gabriel retentit derrière elle.

— Je crois que je ne vais plus consulter mes e-mails jusqu'à la fin de nos vacances.

— Excellente idée.

Quand elle se retourna, elle le vit devant elle, encore mouillé de la douche, les cheveux ébouriffés, une serviette blanche autour des hanches.

– Ce que tu es beau, laissa-t-elle échapper avant de s'en rendre compte.

Il gloussa et l'aida à se lever pour pouvoir l'enlacer.

– Auriez-vous un faible pour les hommes en serviette, mademoiselle Mitchell ?

– Peut-être pour l'un d'eux en particulier.

– Comment tu te sens ?

Il haussa un sourcil interrogateur, l'air avide.

– Je ressens une petite gêne, mais ça en valait la peine.

Il plissa les yeux.

– Il faut que tu me le dises, si je t'ai fait mal, Julianne. Ne me cache rien.

Elle leva les yeux au ciel.

– Je n'ai pas mal, Gabriel. C'est juste un peu inconfortable. Je ne l'ai pas remarqué parce que j'avais autre chose en tête. Plein d'autres choses à penser. Tu es doué pour accaparer toute mon attention.

Il sourit et l'embrassa bruyamment dans le cou.

– Un jour ou l'autre, il va falloir que tu m'accordes toute ton attention sous la douche. J'en ai assez de la prendre seul.

– Quelle bonne idée ! Comment te sens-tu ?

Il fit mine de réfléchir à la question.

– Voyons… je viens de faire l'amour comme jamais à ma bien-aimée, à l'intérieur, dehors… Oui, je dirais que je me sens très bien !

Il la serra dans ses bras et le coton de son peignoir absorba les quelques gouttes d'eau encore présentes sur sa peau.

– Je te promets que tu ne ressentiras bientôt plus cette gêne. Avec le temps, ton corps finira par me reconnaître.

– Il te reconnaît déjà. Et tu lui manques, chuchota-t-elle.

Il écarta le col de son peignoir pour l'embrasser dans le creux de l'épaule. Après l'avoir de nouveau serrée contre lui, il se dirigea vers le lit, saisit une boîte d'antalgiques et la lui tendit.

– Je dois aller assister à une réunion à la Galerie des Offices, puis récupérer mon nouveau costume chez le tailleur, dit-il, l'air inquiet. Ça t'ennuierait d'aller t'acheter une robe toute seule ? Je t'aurais bien accompagnée, mais je ne vais pas tellement avoir le temps.

– Pas de problème.

– Si tu peux être prête dans une demi-heure, on sortira ensemble.

Elle le suivit dans la salle de bains, ayant complètement oublié Christa et Paul.

Après sa douche, elle se sécha les cheveux tandis que Gabriel se tenait devant l'autre lavabo. Elle se surprit à lui jeter un coup d'œil, à l'observer pendant qu'il préparait son matériel de rasage avec une précision toute militaire. Finalement, elle abandonna l'idée de se mettre du rouge à lèvres, se contentant de l'admirer.

Il était encore torse nu, la serviette à présent très basse sur les hanches, se rasant minutieusement de manière tout à fait classique. Concentré derrière ses lunettes à monture noire, il plissait ses yeux bleus brillants, sa chevelure humide impeccablement peignée.

Elle réprima un éclat de rire en voyant à quel point il était méticuleux. Gabriel se servait d'un blaireau au manche en bois noir pour mélanger un savon à barbe européen à une mousse épaisse. Après avoir étalé le tout sur son visage, il se rasa avec un rasoir de sûreté désuet.

Apparemment, pour certains professeurs, les rasoirs jetables n'étaient simplement pas assez bons.

– Qu'est-ce qu'il y a ?

Il se tourna, ayant remarqué qu'elle l'observait d'incroyablement près.

– Je t'aime.

Ses traits s'adoucirent.

– Moi aussi, je t'aime, très chère.

– Tu es la première personne non britannique que j'entends employer l'expression « très chère ».

– Ce n'est pas vrai.

– Ah bon ?

– C'est de cette façon que Richard appelait toujours Grace.

Il lui adressa un regard attristé.

– Richard était vieux jeu dans le bon sens du terme, dit-elle en souriant. J'adore le fait que toi aussi tu sois vieux jeu.

Gabriel gloussa et continua à se raser.

– Je ne suis pas si vieux jeu, sinon je ne te ferais pas l'amour dehors avec tant de passion. Et je ne rêverais pas de te montrer quelques-unes de mes positions préférées du *Kama Sutra*.

Il lui fit un clin d'œil.

– Mais je suis un vieux con prétentieux impossible à vivre. Il va falloir m'apprivoiser.

– Et comment vais-je devoir m'y prendre, professeur Emerson ?

– Ne me quitte jamais.

Il avait baissé d'un ton et s'était tourné face à elle.

– C'est moi qui suis inquiète à l'idée de te perdre.

Il se pencha et l'embrassa sur le front.

– Alors, tu n'as rien à craindre.

## 2

Julia sortit de la chambre avec une certaine nervosité. Gabriel avait pris ses dispositions pour qu'elle puisse faire ses emplettes sur son compte à la boutique Prada du quartier, et elle avait choisi une robe sans manches avec un col en V bleu Santorin en taffetas de soie. Sa jupe plissée en trapèze rappelait celles que portait Grace Kelly dans les années 1950. Elle lui allait à la perfection.

Toutefois, le responsable de la boutique avait insisté pour qu'elle accepte de moderniser la robe avec quelques accessoires. Ainsi avait-elle choisi une élégante pochette en cuir argenté et une paire d'escarpins de cuir mandarine à talons aiguilles qu'elle trouvait dangereusement hauts. Pour compléter l'ensemble, on lui avait proposé un châle en cachemire noir.

Elle entra d'un air hésitant dans le salon de la suite, sa longue chevelure noire bouclée libre, le regard vif et étincelant. Elle portait les boucles d'oreilles en diamant de Grace et son rang de perles.

Gabriel, assis sur le canapé, apportait quelques retouches de dernière minute au texte de son discours. En l'apercevant, il ôta ses lunettes et se leva.

— Tu es éblouissante.

Il l'embrassa sur la joue et la fit pivoter pour admirer sa robe.

— Elle te plaît ?

— Je l'adore. Merci, Gabriel. J'ai conscience qu'elle coûte une fortune.

Il baissa les yeux sur ses chaussures.

Elle cilla.

— Quelque chose ne va pas ?

Il s'éclaircit la voix, le regard rivé sur ses pieds.

— Euh… tes chaussures… elles sont… ah…

– Jolies, n'est-ce pas ? gloussa-t-elle.

– Elles sont bien plus que jolies, répondit-il d'un ton voilé.

– Eh bien, professeur Emerson, si votre conférence me plaît, peut-être continuerai-je à les porter après…

Gabriel redressa son nœud de cravate et lui adressa un sourire présomptueux.

– Oh, je ferai en sorte qu'elle vous plaise, mademoiselle Mitchell. Même si je dois vous la tenir en privé sous les draps.

La voyant rougir, il l'étreignit.

– On ferait bien d'y aller, déclara-t-il en l'embrassant sur le front.

– Attends, j'ai un cadeau pour toi.

Elle disparut et revint avec une petite boîte sur laquelle était imprimé le logo Prada.

Il sembla surpris.

– Tu n'étais pas obligée.

– Je le sais.

Il lui sourit et souleva précautionneusement le couvercle. Il tira sur le papier de soie et mit au jour une cravate de soie bleu Santorin à motifs discrets.

– J'adore. Je te remercie.

Il l'embrassa sur la joue.

– Elle est assortie à ma robe.

– À présent, tout le monde va savoir qu'on est ensemble.

Il ôta aussitôt sa cravate verte, la jeta sur la table basse et commença à nouer le présent de Julia autour de son cou.

Le costume neuf de Gabriel avait été fait sur mesure par son tailleur local préféré. Il était noir et droit, fendu sur les côtés. Julia trouvait le complet magnifique, mais plus encore l'homme séduisant qui le portait.

*Il n'y a rien de plus sexy qu'un homme qui met sa cravate*, se dit-elle.

– Je peux ? proposa-t-elle en voyant Gabriel se démener en l'absence de miroir.

Il acquiesça et se pencha, posant les mains sur la taille de la jeune femme. Elle ajusta son nœud et son col, puis laissa glisser ses mains sur les manches de son costume, et posa les doigts sur ses boutons de manchette.

Il la regarda d'un air curieux.

– Tu as redressé ma cravate, quand je t'ai emmenée chez Antonio. Dans la voiture.

– Je m'en souviens.

– Il n'y a rien de plus sexy que de regarder la femme qu'on aime ajuster votre cravate, dit-il, prenant ses mains dans les siennes. Que de chemin parcouru depuis cette première soirée...

Elle se hissa sur la pointe des pieds pour l'embrasser, prenant soin d'éviter de laisser sur sa bouche des traces de rouge à lèvres.

Il s'approcha de son oreille.

– J'ignore comment je vais pouvoir empêcher les hommes de Florence de t'approcher, ce soir. Tu vas devoir rester très près de moi.

Elle poussa un petit cri quand il la prit par la taille et la souleva pour mieux l'embrasser, l'obligeant à remettre du rouge à lèvres et les forçant tous les deux à contrôler leur apparence dans un miroir avant de quitter la suite.

Pendant le court trajet qui les conduisit aux Uffizi, Gabriel lui tint la main et refusa de la lâcher quand un homme plutôt potelé portant un nœud papillon à motif cachemire, qui se présenta comme étant Lorenzo, l'assistant personnel du *dottore* Vitali, les conduisit au premier étage.

– *Professore*, je crains que nous n'ayons besoin de vos services.

Lorenzo leur jeta un coup d'œil, arrêtant son regard sur leurs mains jointes.

Gabriel serra la main de la jeune femme.

– C'est pour le... comment dites-vous... sur l'écran... Power-Point ?

L'assistant indiqua la pièce derrière eux, où des invités s'étaient déjà rassemblés.

– Mlle Mitchell a une place réservée, déclara sèchement Gabriel, agacé que Lorenzo ne tienne aucun compte de sa présence.

– Oui, *professore*. J'y accompagnerai votre *fidanzata* personnellement.

Il salua respectueusement la jeune femme.

Elle s'apprêta à le reprendre, mais Gabriel lui déposa un baiser sur le dos de la main, murmurant une promesse contre sa peau. Puis il s'éloigna, et elle se laissa conduire à sa place d'honneur au premier rang.

Elle examina les lieux, remarquant la présence de ce qui semblait être des *glitterati* de Florence parmi les universitaires et les dignitaires locaux. Elle lissa le bas de sa robe, savourant le bruissement du taffetas sous ses doigts. Compte tenu de l'apparence des autres invités, et de la présence d'une troupe de photographes, elle était ravie d'être bien habillée. Elle n'aurait pas voulu faire honte à Gabriel lors d'une manifestation d'une telle importance.

La conférence se tenait dans la salle Botticelli, consacrée aux plus belles œuvres de l'artiste. En fait, le pupitre était installé entre *La Naissance de Vénus* et *La Vierge à la grenade*, *Le Printemps* se trouvant sur la droite du public. On avait ôté l'œuvre sur la gauche de l'auditoire pour la remplacer par un écran géant, sur lequel serait projetée la présentation PowerPoint de Gabriel.

Elle savait à quel point il était rare d'assister à une conférence dans un lieu si particulier, et prononça une prière de remerciement silencieuse pour cette incroyable bénédiction. Quand elle avait passé sa troisième année de licence à Florence, elle s'était rendue dans cette salle au moins une fois par semaine, et parfois plus souvent. Elle trouvait les œuvres de Botticelli à la fois apaisantes et exaltantes. En étudiante américaine timide qu'elle était, elle n'aurait jamais imaginé que deux ans plus tard elle accompagnerait un spécialiste de Dante de renommée mondiale à sa conférence dans cette même salle. Elle avait l'impression d'avoir gagné le gros lot.

Plus d'une centaine de personnes étaient entassées dans la salle, certaines étant même contraintes de rester debout, au fond. Julia observa Gabriel quand on le présenta à divers invités à l'air important. C'était un homme très séduisant, grand et fichtrement beau. Elle admirait particulièrement ses lunettes et son élégant costume sombre qui lui allait à la perfection.

Quand des personnes s'interposèrent entre elle et lui, elle concentra son attention sur sa voix. Il bavardait aimablement, alternant sans heurts l'italien, le français, l'allemand, et de nouveau l'italien.

Même son allemand était sexy.

Elle commença à avoir chaud en se rappelant à quoi il ressemblait sans son costume, son corps nu et tendu au-dessus d'elle. Elle se demanda s'il avait ce genre de pensées en la regardant, et au beau milieu de ses rêveries intimes leurs regards se croisèrent. Il lui adressa un clin d'œil. Cet instant fugace d'espièglerie lui rappela leur intermède sur la terrasse ce matin-là, et un agréable frisson lui parcourut l'échine.

Gabriel prit poliment place pendant l'introduction du *dottore* Vitali, qui ne dura pas moins d'un quart d'heure, le temps de passer méticuleusement en revue tous les talents et les réussites du professeur. Pour l'observateur moyen, Gabriel semblait détendu, à deux doigts de s'ennuyer. Sa nervosité se décelait à sa façon de manipuler inconsciemment ses notes, notes qui n'étaient qu'un bref aperçu des réflexions que lui dicterait son cœur. Il avait effectué quelques modifications de dernière minute. Il lui était impossible d'évoquer les muses, l'amour et la beauté sans remercier l'ange au regard noisette qui s'était courageusement donné à lui la veille. C'était sa source d'inspiration, et depuis ses dix-sept ans. Sa beauté réservée et sa généreuse bonté avaient su atteindre son cœur. Il s'était servi de son image comme d'un talisman contre les noirs démons de sa dépendance. Elle était tout pour lui et, Dieu du ciel, il le reconnaîtrait publiquement.

Après toutes ces flatteries et une salve d'applaudissements, il prit place derrière le pupitre et s'adressa au public dans un italien parfait.

— Ma conférence de ce soir sera quelque peu inhabituelle. Je ne suis pas historien d'art, pourtant je vais vous parler de la muse de Sandro Botticelli, *La Bella Simonetta*.

Sur ces mots, il chercha Julia du regard.

Elle lui sourit, s'efforçant de ne pas rougir. Elle connaissait l'histoire de Botticelli et de Simonetta Vespucci. À la cour de Florence, on la surnommait la « reine de beauté », avant sa mort, à l'âge de vingt-deux ans. C'était un immense compliment que d'être comparée à elle par Gabriel.

— Je vais m'attaquer à ce sujet polémique en tant que professeur de littérature, choisissant l'œuvre de Botticelli comme représentation des différents archétypes féminins. Historiquement parlant, il y eut de nombreux débats sur la proximité existant entre Simonetta et l'artiste, et sur le fait de savoir si c'était bien elle qui avait inspiré ses toiles. J'espère pouvoir vous faire oublier certains de ces désaccords en vous demandant de concentrer votre attention sur une comparaison visuelle simple entre quelques personnages. Je vais commencer par les trois premières diapositives. Vous allez y reconnaître des représentations à l'encre de Dante et Béatrice au paradis.

Il ne put lui-même s'empêcher d'admirer les images, se remémorant la première fois qu'il avait accueilli Julianne chez lui. Ce soir-là, il prit conscience de son envie de lui faire plaisir, tant elle était magnifique ainsi heureuse.

En contemplant la quiétude de Béatrice, il compara sa contenance à celle de Julia. Elle semblait captivée, son joli visage de profil admirant l'œuvre de Botticelli. Il voulait qu'elle le regarde.

— Remarquez le visage de Béatrice. Le plus joli visage qui soit…

Il prit une voix douce quand sa bien-aimée croisa son regard.

— Attardons-nous sur la muse de Dante et la personnalité de Béatrice. Même si je suis certain qu'il est inutile de la présenter, permettez-moi de souligner qu'elle incarne l'amour courtois, l'inspiration poétique, la foi, l'espoir et la charité. C'est un idéal de perfection féminine, à la fois intelligente, pleine de compassion et d'un amour désintéressé qui ne peut lui venir que de Dieu. Elle inspire Dante pour qu'il devienne un homme meilleur.

Il marqua une pause pour porter la main à sa cravate. Elle n'avait pas besoin d'être redressée, mais ses doigts s'attardèrent sur la soie bleue. Cela fit ciller Julia, et il sut qu'il s'était fait comprendre.

– À présent, regardez le visage de la déesse Vénus.

Tous les regards à l'exception de celui de Gabriel se tournèrent vers *La Naissance de Vénus*. Il s'empressa de consulter ses notes, tandis que son auditoire admirait l'une des plus belles et des plus imposantes œuvres de Botticelli.

– On dirait que Vénus a le visage de Béatrice. Une fois encore, ce n'est pas l'analyse historique du modèle de l'œuvre qui m'intéresse. Je vous demande simplement de remarquer les similitudes entre les deux femmes. Elles représentent deux muses, deux idéaux, l'un théologique, l'autre profane. Béatrice est l'amante de l'âme. Vénus est l'amante du corps. *La Bella* de Botticelli a deux visages : l'amour sacrificiel, ou *agapè*, et l'amour sexuel ou *éros*.

Sa voix se fit plus grave, et Julia commença à avoir chaud.

– Dans le portrait de Vénus, l'accent est mis sur sa beauté physique. Même si elle représente l'amour sexuel, elle n'en conserve pas moins une certaine pudeur en couvrant son intimité de sa chevelure. Remarquez son expression discrète et la position de sa main sur sa poitrine. Sa timidité accroît l'érotisme de sa représentation, elle ne la diminue pas.

Il ôta ses lunettes pour créer un effet théâtral, et regarda fixement Julia, sans ciller.

– Nombreux sont ceux qui ne voient pas que la pudeur et la douceur accentuent l'attrait érotique.

Julia tritura la fermeture Éclair de sa pochette, se retenant de s'agiter sur son siège. Gabriel rechaussa ses lunettes.

– L'*éros*, ce n'est pas le désir. D'après Dante, le désir est l'un des sept péchés capitaux. L'amour érotique inclut le sexe, mais ne se limite pas à ça. L'*éros*, c'est le feu dévorant de l'engouement et de l'attachement qui s'exprime lorsque l'on « tombe amoureux ». Et je vous prie de me croire quand j'affirme que ça permet de distancer tous les rivaux, et de loin.

Julia ne put s'empêcher de remarquer avec quel mépris il avait prononcé le terme « rivaux », en le ponctuant d'un geste de la main.

29

C'était comme s'il écartait tous ses amants précédents d'un simple mouvement, son regard bleu torride rivé sur elle.

— Tous ceux qui ont déjà été amoureux connaissent la différence entre l'*éros* et le désir. Ça n'a rien à voir. L'un n'est que l'ombre futile de l'autre. Bien sûr, on pourra m'objecter qu'il est impossible pour une femme de représenter à la fois l'*agapè* et l'*éros*. Si vous me permettez ce petit plaisir, je vous répondrai qu'un tel scepticisme recouvre une forme de misogynie. Car seul un misogyne prétendrait que les femmes sont soit des saintes, soit des séductrices. Des vierges ou des putains. Naturellement, une femme… ou un homme, d'ailleurs, peut être les deux. La muse peut être l'amante à la fois de l'âme et du corps. À présent, regardez la toile derrière moi, *La Vierge à la grenade*.

De nouveau, dans le public, les regards se tournèrent vers l'une des œuvres de Botticelli. Gabriel remarqua avec satisfaction de quelle manière Julia palpait de manière intentionnelle ses boucles d'oreilles en diamant, comme si elle avait compris ses révélations et les acceptait volontiers. Comme si elle savait qu'il lui montrait son amour pour elle à travers l'art. L'enseignant sentit son cœur se gonfler.

— Une fois de plus, nous voyons le même visage sur le personnage de la Vierge. Béatrice, Vénus et Marie, une trinité de femmes idéales, chacune ayant le même visage. L'*agapè*, l'*éros* et la chasteté, une combinaison enivrante qui ferait tomber à genoux même le plus robuste des hommes, s'il avait le bonheur de trouver la femme qui rassemble les trois.

Une toux suspecte résonna dans la pièce, comme si elle n'avait servi qu'à dissimuler une réflexion moqueuse. Furieux d'avoir été interrompu, Gabriel se tourna vers le deuxième rang, regarda derrière Julia en fronçant les sourcils. La toux se répéta, et une lutte chargée de testostérone s'engagea entre Gabriel et un Italien manifestement mécontent.

Conscient du fait qu'il s'exprimait dans un micro, Gabriel retint un juron et, lançant à son détracteur un regard cinglant, poursuivit.

— Certains ont prétendu que c'était une grenade et non une pomme qui avait tenté Ève au jardin d'Éden. En ce qui concerne la toile de Botticelli, beaucoup ont tenté d'expliquer que la grenade symbolisait le sang du Christ dans sa souffrance, et sa nouvelle vie après la Résurrection. Pour les besoins de mon exposé, la grenade représentera le fruit d'Éden, la Vierge une seconde Ève, et le Christ un second Adam. Avec la Vierge, Botticelli revient à la première Ève, l'archétype de la féminité, de la beauté et de la compagnie féminine. J'irai plus loin, en affirmant qu'Ève est aussi l'idéal de l'amitié féminine, l'amie d'Adam, et qu'elle est par conséquent l'idéal du *philia*, l'amour qui naît de l'amitié. L'amitié entre Marie et Joseph illustre également cet idéal.

Un chat dans la gorge, il prit le temps de boire un peu d'eau avant de poursuivre. À cause de cette comparaison entre Julia et Ève, il se sentait vulnérable, nu, repensant au jour où il lui avait offert une pomme et l'avait tenue dans ses bras sous les étoiles.

Le public commença à s'agiter, se demandant pourquoi une petite pause pour boire un peu d'eau s'était transformée en intermède. Gabriel rougit davantage quand il tourna de nouveau les yeux vers sa bien-aimée, prêt à tout pour qu'elle comprenne.

Elle entrouvrit ses lèvres vermeilles et lui adressa un sourire d'encouragement. Aussitôt, il soupira.

– La muse de Botticelli est une sainte, une amante et une amie, pas une silhouette en carton ni un fantasme d'adolescent. Elle est réelle, complexe et fascinante en tout point. Une femme à qui il faut rendre grâce. Comme vous le savez certainement, la précision de la langue grecque nous permet de parler de manière plus fine des différents types d'amour. On retrouve un traitement moderne de cette discussion dans *Les Quatre Amours*, de C. S. Lewis, si cela vous intéresse.

Il s'éclaircit la voix et adressa un sourire conquérant à son auditoire.

– Enfin, regardez la toile sur ma gauche, *Le Printemps*. On aurait pu s'attendre à trouver le visage de la muse de Botticelli sur le personnage central de l'œuvre. Mais regardez bien celui de Flore, sur la droite. Elle aussi ressemble à Béatrice, à Vénus et à la Vierge. Étonnamment, Flore figure deux fois sur la toile. En nous déplaçant du centre du tableau vers la droite, on la voit enceinte, attendant l'enfant de Zéphyr. Celui-ci est représenté à l'extrême droite, voletant au milieu des orangers avec la seconde incarnation de Flore, cette fois une nymphe vierge. Son visage est marqué par la peur, elle fuit son futur amant et se tourne vers lui d'un air inquiet. En revanche, une fois enceinte, elle prend une contenance plus sereine. Sa peur a fait place à la satisfaction.

Julia rougit en se rappelant à quel point Gabriel avait été prévenant avec elle la veille. Il s'était montré tendre et délicat, et dans ses bras, elle s'était sentie idolâtrée. Se remémorant le mythe de Flore et de Zéphyr, elle frissonna, espérant que tous les amants étaient aussi tendres avec leurs partenaires vierges que Gabriel.

– Flore représente la consommation de l'amour physique et la maternité. C'est l'idéal du *storgê*, ou amour familial, le genre d'amour que manifeste une mère à son enfant ou deux amants qui partagent un engagement qui n'est pas uniquement fondé sur le sexe ou le plaisir, et qui sont mariés.

À part Julia, personne ne remarqua ses jointures blanchies quand il saisit le bord du pupitre à deux mains. À part Julia, personne ne remarqua le léger frisson dans sa voix quand il prononça les mots « enceinte » et « maternité ».

Il fronça les sourcils et prit le temps de se ressaisir en faisant mine de parcourir ses notes. Julia reconnut sa vulnérabilité et se retint de se lever pour aller l'enlacer. Elle se mit à taper nerveusement du pied avec le talon aiguille de l'un de ses escarpins mandarine.

Gabriel remarqua son mouvement soudain et déglutit avec peine avant de poursuivre.

— Dans les premières analyses à propos du *Printemps*, on affirmait que Flore ressemblait à *la bella Simonetta*, la muse de Botticelli. Si c'est le cas, une simple observation visuelle permet alors d'affirmer que Simonetta est la source d'inspiration de Béatrice, de Vénus et de la Vierge, car ces quatre femmes ont le même visage. Ainsi, nous avons les icônes de l'*agapè*, de l'*éros*, du *philia* et du *storgê*, toutes représentées par un seul visage et une seule femme, Simonetta. Autrement dit, on peut prétendre que Botticelli voit en sa muse bien-aimée les quatre types d'amour et les quatre idéaux de la féminité : la sainte, l'amante, l'amie et l'épouse.

» Au bout du compte, je dois cependant revenir à mon point de départ avec Béatrice. Ce n'est pas un hasard si on a donné les traits de Simonetta à la source d'inspiration d'une des œuvres littéraires les plus connues d'Italie. Face à une telle beauté, une telle bonté, quel homme refuserait de l'avoir à son côté, non pas pour une saison mais jusqu'à la fin de ses jours ?

Il parcourut la salle du regard d'un air grave.

— Pour citer le poète : « La félicité vous est apparue. » Je vous remercie.

Quand Gabriel acheva sa conférence sous un tonnerre d'applaudissements enthousiastes, Julia retint ses larmes, submergée par l'émotion.

Le *dottore* Vitali s'approcha de nouveau du pupitre, remerciant le Pr Emerson pour cet exposé particulièrement édifiant. Un petit groupe d'hommes politiques locaux lui offrit divers présents, dont un médaillon représentant la ville de Florence.

Julia resta sur son siège aussi longtemps que possible, espérant que Gabriel viendrait la chercher. Mais il était accaparé par les membres de l'auditoire, dont plusieurs historiens de l'art un peu trop zélés. Car il était considéré comme effronté, sinon égocentrique, pour un simple professeur de littérature, d'analyser les plus belles pièces de la collection des Uffizi.

À contrecœur, elle se laissa entraîner derrière lui, tandis que plusieurs journalistes le bombardaient de questions. Elle croisa enfin son regard, et il lui adressa un petit sourire d'excuse avant de poser pour une séance de photos.

Agacée, elle alla faire un tour dans quelques-unes des salles adjacentes, admirant les toiles, jusqu'à l'une de ses préférées, *L'Annonciation* de Léonard de Vinci. Elle se tenait tout près de l'œuvre, trop près, en réalité, examinant les détails du pilier de marbre, quand une voix retentit à son oreille, en italien.

– Vous aimez cette toile ?

Elle se tourna vers l'homme à la chevelure noire et à la peau cuivrée. Il était plus grand qu'elle, mais pas trop, et plutôt musclé. Il portait un costume noir très coûteux, avec une simple rose rouge épinglée à son revers. Elle le reconnut comme étant l'un des invités assis derrière elle pendant la conférence.

– Oui, beaucoup, répondit-elle dans la même langue.

– J'ai toujours admiré la profondeur que Léonard de Vinci donnait à ses œuvres, et tout particulièrement les ombres et les détails sur le pilier.

Elle lui sourit et se tourna de nouveau vers la toile.

– C'est exactement ce que j'observais, ainsi que les plumes des ailes de l'ange. Elles sont incroyables.

L'homme la salua.

– S'il vous plaît, permettez-moi de me présenter. Mon nom est Giuseppe Pacciani.

Julia hésita, car elle connaissait ce nom. Celui de l'homme soupçonné d'être le plus célèbre tueur en série de Florence.

L'homme semblant attendre qu'elle réponde à ses salutations, elle se retint de s'enfuir.

– Julia Mitchell.

Elle lui tendit poliment la main, mais il la surprit en la lui prenant entre les deux siennes pour la porter à ses lèvres en la regardant dans les yeux.

– Enchanté. Et, si vous m'autorisez, votre beauté égale celle de *la bella Simonetta*. Surtout à la lumière de la conférence d'aujourd'hui.

Elle détourna le regard et ôta prestement sa main.

– Permettez-moi de vous apporter quelque chose à boire.

Il appela aussitôt un serveur et s'empara de deux flûtes de vin pétillant sur son plateau. Il trinqua à la santé de Julia.

La jeune femme savoura avec reconnaissance le *spumante* Ferrari, car il lui permettait de penser à autre chose qu'au regard intense de l'homme. Il était charmant, mais elle se méfiait de lui, en particulier en raison de son nom.

Il lui adressa un sourire avide.

— Je suis professeur de littérature à l'université. Et vous ?

— J'étudie Dante.

— Ah, *il poeta*. Je suis moi aussi un spécialiste de Dante. Où étudiez-vous ? Pas ici.

Il la toisa de la tête aux pieds avant de reporter son attention sur son visage.

Elle recula d'un bon pas.

— À l'université de Toronto.

— Ha ! Vous êtes canadienne. L'une de mes anciennes étudiantes étudie là-bas, à présent. Vous la connaissez peut-être.

Il s'approcha.

Julia jugea préférable d'éviter de le reprendre à propos de sa nationalité et recula de nouveau.

— L'université de Toronto est grande, je ne la connais probablement pas.

Giuseppe esquissa un sourire, révélant des dents blanches très ordonnées qui étincelaient étrangement sous la lumière du musée.

— Avez-vous vu *La Libération d'Andromède* ? demanda-t-il en désignant l'une des toiles adjacentes.

— Oui, répondit-elle en hochant la tête.

— Il y a des éléments flamands dans son œuvre, vous voyez ? Aussi, regardez les personnages dans la foule.

Il indiqua un attroupement, sur la droite du tableau.

Julia fit un pas de côté pour mieux voir. Giuseppe se tenait auprès d'elle, bien trop près à son goût, l'observant alors qu'elle étudiait la toile.

— Vous aimez ?

— Oui, mais je préfère Botticelli.

Elle s'obstinait à contempler le tableau, espérant qu'il se lasserait et s'éloignerait. De préférence sur l'autre rive de l'Arno.

— Seriez-vous une étudiante du Pr Emerson ?

Elle déglutit bruyamment.

— Non. Je… j'étudie avec quelqu'un d'autre.

— C'est un bon professeur, selon les critères nord-américains. Et c'est pourquoi il a été invité ici. Toutefois, sa conférence était embarrassante. Comment avez-vous découvert Dante ?

Julia était sur le point de contredire Giuseppe à propos de sa manière de décrire la conférence, quand il tenta de lui toucher les cheveux.

Elle eut un mouvement de recul et battit immédiatement en retraite. Mais il avait les bras longs, et il la suivit avec sa main. Elle s'apprêtait à le tancer, quand quelqu'un grogna, non loin.

Giuseppe et Julia tournèrent lentement la tête vers Gabriel, les mains sur les hanches, son regard saphir étincelant, sa veste de costume gonflée comme les plumes d'un paon.

Il s'approcha d'un pas menaçant.

— Je vois que vous avez fait la connaissance de ma *fidanzata*. Je vous suggère de mettre vos mains dans vos poches, à moins que vous ne soyez prêt à les perdre.

Giuseppe se renfrogna avant de se radoucir et de leur adresser un sourire poli.

— Nous parlions depuis quelques minutes, et elle n'a pas fait allusion à vous.

Julia n'attendit pas que Gabriel arrache le bras de Giuseppe et souille de son sang le sol immaculé des Uffizi. Elle se dressa au contraire entre les deux hommes et posa une main sur la poitrine de Gabriel.

— Gabriel, voici le Pr Pacciani. Il est lui aussi un spécialiste de Dante.

Les deux hommes se fusillèrent du regard, et Julia comprit que c'était Pacciani qui avait grossièrement interrompu la conférence en marmonnant et en toussant.

Il leva les mains, faisant mine de se rendre.

— Mille excuses. J'aurais dû m'en rendre compte à la façon dont vous la regardiez pendant votre… discours. Veuillez m'excuser… Simonetta.

Il la regarda droit dans les yeux et soutint son regard avec un sourire de mépris.

À cette raillerie, Gabriel s'approcha d'un pas, les poings serrés.

— Chéri, j'aimerais trouver un endroit où poser mon verre.

Elle agita sa flûte vide, espérant ainsi attirer son attention.

Il lui prit son verre et le tendit à Pacciani.

— Je suis sûr que vous saurez où le poser.

Il prit Julia par la main et l'entraîna d'un pas vif. Les invités s'écartèrent sur leur passage comme la mer Rouge devant Moïse, tandis qu'ils se dirigeaient vers la salle Botticelli.

Se rendant compte que tout le monde les regardait, la jeune femme rougit davantage.

– Où va-t-on ?

Il la conduisit dans un couloir attenant, qu'il longea, à l'écart des oreilles indiscrètes des autres invités. Dans un recoin sombre, il la poussa entre deux grandes statues de marbre haut perchées sur leurs socles. Elle se sentit toute petite entre ces deux silhouettes imposantes.

Il s'empara de sa pochette et la jeta plus loin. Le son du cuir heurtant le sol se répercuta dans le couloir.

– Que faisais-tu avec lui ?

Il avait des flammes dans les yeux, et les joues un peu rouges, chose assez rare chez lui.

– On bavardait simplement avant qu'il…

Gabriel l'embrassa avec fougue, enfonçant une main dans ses cheveux et faisant glisser l'autre le long de sa robe. La puissance du contact la projeta contre le mur de la galerie, qu'elle sentit glacial contre son dos. Il se plaqua énergiquement contre elle.

– Je ne veux plus voir un homme te toucher.

Il lui ouvrit brutalement la bouche, y enfonçant sa langue pendant qu'il lui caressait et lui pétrissait les fesses.

Julia comprit aussitôt qu'il s'était montré prudent avec elle chaque fois qu'il l'avait touchée. Ce n'était plus le cas, à présent. Elle sentait un brasier au fond d'elle et se savait prête à tout pour lui. Mais elle se demandait aussi ce qu'il ferait si elle lui disait d'arrêter…

Il lui souleva la jambe gauche, amenant sa cuisse contre sa hanche et se pressant contre elle.

Elle le sentit à travers le tissu de sa robe, et entendit le taffetas de soie bruisser comme une femme essoufflée. Sa robe en voulait manifestement encore.

– Que dois-je faire pour que tu m'appartiennes ? gémit-il contre sa bouche.

– Je t'appartiens déjà.

– Pas ce soir, visiblement. Tu n'as pas compris ma conférence ? Chaque mot, chaque tableau étaient pour toi.

Il lui tira la lèvre inférieure et la mordilla, remonta sa robe, lui caressant la cuisse jusqu'à ce qu'il trouve la ficelle de son string sur sa hanche.

Il recula pour mieux la voir.

– Pas de porte-jarretelles, ce soir ?

Elle secoua la tête.

– Et ça, qu'est-ce que c'est ?

Il tira sur la fine ficelle.

— Une culotte, soupira-t-elle.

Son regard étincela dans la pénombre.

— Quel genre de culotte ?

— Un string.

Il eut un sourire carnassier avant de presser ses lèvres contre son oreille.

— Dois-je partir du principe que tu portes ça pour moi ?

— Rien que pour toi. Comme toujours.

Sans prévenir, il la souleva et la plaqua contre le mur glacial. Tout en l'embrassant dans le cou, il rapprocha ses hanches des siennes. Elle serra les talons hauts et fins de ses escarpins mandarine sur le postérieur de l'enseignant. Il la fixa de ses grands yeux bleus.

— J'ai envie de toi. Tout de suite.

D'une main, il tira sur la ficelle pour l'arracher. Soudain, elle se retrouva nue. Il fourra le string dans la poche de sa veste pendant qu'elle changeait ses pieds de position, lui enfonçant ses talons dans les fesses, ce qui le fit grimacer.

— Tu sais à quel point il m'a été difficile de me maîtriser après la conférence ? Comme je mourais d'envie de t'enlacer ? Ces bavardages… une véritable torture, alors que tout ce que je voulais, c'était ça. Je regrette que tu ne puisses pas voir à quel point tu es sexy, adossée à ce mur avec tes jambes autour de ma taille. J'ai envie de toi comme ça, et je veux que tu prononces mon nom.

Il enfonça sa langue dans le creux à la base de son cou, et elle ferma les yeux. Son cœur était aux prises avec son esprit, qui la pressait de le repousser et de prendre le temps de réfléchir. Quand il était de cette humeur, Gabriel pouvait être dangereux.

Tout à coup, elle entendit des voix résonner dans le couloir. Elle ouvrit grand les yeux.

Les bruits de pas et les joyeux éclats de rire se rapprochaient. Gabriel releva la tête, approchant sa bouche de son oreille.

— Pas un bruit, lui chuchota-t-il.

Elle le sentit esquisser un sourire quand il l'embrassa.

Les bruits de pas cessèrent à quelques mètres de là, et Julia entendit deux voix masculines discourir en italien. Son cœur battait toujours aussi vite, alors qu'elle était à l'affût du moindre mouvement. Gabriel continua de la caresser délicatement, étouffant ses soupirs avec sa bouche. De temps à autre, il lui murmurait des paroles chargées de sensualité, ce qui ne manquait pas de la faire rougir.

L'un des hommes poussa un éclat de rire sonore. Surprise, la jeune femme leva la tête, et le professeur en profita pour l'embrasser dans le cou et mordiller sa peau délicate.

— Ne me mords pas, s'il te plaît.

Ses murmures se répercutèrent autour d'eux. Il fallut un moment, mais la portée de ses paroles mit un terme à l'excitation de Gabriel. Il leva les yeux de son cou.

Leurs corps pressés l'un contre l'autre, il sentait battre son cœur. Il ferma les yeux, comme s'il était transporté par son rythme saccadé. Quand il les rouvrit, une grande partie de son désir l'avait quitté.

Julia avait soigneusement dissimulé la morsure de Simon avec du maquillage, mais Gabriel la trouva du bout des doigts, suivant son contour avec légèreté avant d'y déposer un baiser. Il émit un profond soupir, et secoua la tête.

— Tu es la seule femme à m'avoir jamais dit non.

— Je ne dis pas non.

Jetant un coup d'œil par-dessus son épaule, il épia les deux hommes d'un certain âge plongés dans leur discussion. Ils se trouvaient assez près pour remarquer sa présence, s'ils se tournaient dans sa direction.

Il reporta son attention sur Julia et lui adressa un sourire attristé.

— Tu mérites mieux qu'un amant jaloux qui rêve de te prendre contre un mur. Et je préférerais éviter que notre hôte nous surprenne. Je te prie de m'excuser.

Il l'embrassa et passa son pouce sous sa lèvre gonflée, essuyant la légère tache de rouge à lèvres vermeille sur sa peau.

— Je n'ai pas l'intention de réduire à néant la confiance que j'ai devinée dans ton regard hier soir. Quand j'aurai toute ma tête et que nous aurons le musée pour nous tout seuls… Une autre fois, peut-être.

Il prit un air plus sombre, tout en continuant à rêver.

L'aidant à reposer les pieds sur le sol, il se pencha pour arranger sa robe. Le taffetas bruissa à son contact avant de se faire désespérément silencieux.

Par chance, le *dottore* Vitali et son interlocuteur choisirent ce moment pour regagner la fête, le bruit de leurs pas s'estompant à mesure qu'ils s'éloignaient.

— Le banquet est censé commencer dans peu de temps. Je ne peux pas partir, ce serait insultant. Mais quand nous serons à l'hôtel…

Il la regarda dans les yeux.

— On fera une halte devant le mur de notre chambre.

Elle acquiesça, soulagée qu'il ne soit plus en colère. Elle se sentait plutôt nerveuse, mais très impatiente à l'idée de faire l'amour contre un mur.

Il ajusta l'entrejambe de son costume et boutonna sa veste, disposé à se calmer. Il tenta de se lisser les cheveux, mais ne parvint qu'à donner l'impression d'avoir entraîné celle qu'il aimait dans un recoin obscur du musée pour lui faire l'amour.

Julia mit de l'ordre dans les cheveux de Gabriel et rajusta sa cravate, avant de se lancer à la recherche de la moindre trace de rouge à lèvres sur son visage ou son col. Quand elle en eut terminé, il ramassa la pochette et le châle de la jeune femme et les lui tendit avec un baiser. Un sourire au coin des lèvres, il enfouit la culotte dans sa poche pour qu'on ne puisse plus la voir.

Elle fit un pas en avant, trouvant l'absence de culotte étonnamment libératrice.

— Je pourrais te boire comme du champagne, chuchota-t-il.

Elle se hissa sur la pointe des pieds pour l'embrasser sur la joue.

— J'espère que tu m'enseigneras tes techniques de séduction.

— Seulement si tu m'apprends à aimer comme tu aimes.

Il l'accompagna le long du couloir désert, puis en bas de l'escalier, au rez-de-chaussée, où le banquet commençait tout juste.

*
* *

Au petit matin, le Pr Pacciani regagna son appartement près du palais Pitti en titubant, ce qui n'était pas rare.

Il eut du mal à trouver les bonnes clés, jurant en les faisant tomber, puis entra et referma la porte derrière lui. Il se rendit dans la petite chambre dans laquelle ses jumeaux de quatre ans étaient endormis, les embrassa et se dirigea d'un pas traînant vers son bureau.

Il fuma une cigarette en prenant son temps, attendant que son ordinateur veuille bien se mettre en route, puis se connecta à sa messagerie. Il ne tint aucun compte de sa boîte de réception et rédigea un court message à une ancienne étudiante… et ancienne maîtresse. Ils ne s'étaient plus contactés depuis qu'elle avait obtenu son diplôme.

Il fit allusion au Pr Emerson et à sa jeune *fidanzata* canadienne. Il se dit que, même s'il avait été impressionné par la monographie d'Emerson éditée par l'Oxford University Press, il avait trouvé le discours de l'enseignant frappée d'un pseudo-intellectualisme plutôt déplacé dans une conférence universitaire professionnelle. Il fallait choisir : soit on était intellectuel et universitaire, soit on était un orateur public et un amuseur, mais pas les deux. Pacciani lui demanda mesquinement si c'était cela « l'excellence dans les universités nord-américaines ».

Il termina son e-mail en lui proposant de manière explicite et circonstanciée un rendez-vous amoureux, probablement à la fin du printemps. Puis il finit sa cigarette dans le noir, et rejoignit sa femme dans le lit conjugal.

# 3

Christa Peterson avait reçu une éducation privilégiée. Rien ne justifiait donc sa haine naturelle. Ses deux parents s'aimaient et aimaient plus que tout leur fille unique. Son père était un cancérologue estimé à Toronto, et sa mère bibliothécaire au Havergal College – une école de filles privée et réservée à une certaine élite, dont Christa avait suivi l'enseignement du jardin d'enfants à la terminale.

Elle était allée au catéchisme, c'était une anglicane confirmée, et avait étudié le livre de la prière commune de Thomas Cranmer. Mais rien de tout cela n'avait trouvé grâce à son cœur. À quinze ans, elle avait découvert l'immense pouvoir de la sexualité féminine. Elle en avait alors non seulement fait sa monnaie d'échange, mais aussi son arme de prédilection.

Sa meilleure amie, Lisa Malcolm, avait un frère plus âgé qu'elle, Brent. Brent était magnifique. Il ressemblait à nombre d'autres diplômés de l'Upper Canada College, une école privée de garçons qui s'adressait aux vieilles familles canadiennes argentées. Il avait les yeux bleus, était blond, grand et musclé. Rameur pour l'équipe masculine de l'université de Toronto, il aurait aisément pu être la vedette d'une publicité pour J. Crew.

Christa l'avait admiré de loin, mais en raison des quatre années qui les séparaient il ne lui avait jamais prêté attention. Mais un soir, alors qu'il passait la nuit chez Lisa, elle était tombée sur lui en se rendant à la salle de bains. Sa longue chevelure noire, ses grands yeux noisette et sa silhouette juvénile et désirable lui avaient beaucoup plu. Il l'avait embrassée délicatement dans le couloir et lui avait caressé les seins avec une certaine hésitation. Puis il l'avait prise par la main, et invitée dans sa chambre.

Après avoir passé une demi-heure à se peloter et à se caresser à travers leurs vêtements, il avait vivement désiré pouvoir aller plus loin. Christa avait hésité, parce qu'elle était vierge. Brent luli avait alors fait des promesses folles et extravagantes : des cadeaux, des rendez-vous romantiques, et enfin une montre Baume & Mercier en acier inoxydable que ses parents lui avaient offerte pour ses dix-huit ans.

Elle avait admiré sa montre. Elle la connaissait bien, car Brent la chérissait. À vrai dire, elle la désirait presque plus que lui.

Il avait fixé la montre au poignet de la jeune fille, et elle l'avait contemplée, s'émerveillant de la froideur de l'acier contre sa peau et de la façon dont elle glissait le long de son avant-bras. C'était un témoignage. Le signe qu'il la désirait si intensément qu'il était disposé à lui offrir l'un de ses biens les plus précieux.

Cela lui avait donné l'impression d'être désirée. Et puissante.

— Tu es si belle, avait-il murmuré. Je ne te ferai pas mal. Mais bon sang, ce que j'ai envie de toi ! Je te promets que ça te plaira.

En souriant, Christa le laissa l'installer sur le lit étroit comme une offrande sacrificielle sur un autel inca, et lui fit don de sa virginité en échange d'une montre à trois mille dollars.

Brent tint parole, et fit preuve de délicatesse.

Il y était allé lentement, l'avait embrassée doucement. Il avait aussi honoré ses seins puis l'avait préparée avec ses doigts, s'assurant qu'elle était prête à le recevoir. Il l'avait pénétrée avec précaution. Il n'y avait pas eu de sang. Il lui caressait les hanches avec ses grandes mains, lui chuchotant des instructions à voix basse pour l'aider à se détendre, jusqu'à ce que sa gêne se dissipe.

Comme promis, cela lui plut. Grâce à lui, elle se sentait belle et particulière. Et, quand ce fut terminé, il la serra toute la nuit contre lui. Car il n'était pas foncièrement méchant, même s'il avait tendance à se laisser gouverner par ses désirs charnels.

Ils avaient refait l'amour à plusieurs reprises au cours des trois jours suivants, malgré d'autres histoires compliquées. Avant que Brent la pénètre, il lui déposait toujours un présent dans la main.

M. Woolworth, le professeur de maths de première de Christa, lui avait bientôt succédé. Ses rapports avec Brent lui avaient beaucoup appris sur les hommes, à lire leurs besoins et leurs désirs, à les faire saliver et à les provoquer, à les mener en bateau et à les mettre en appétit.

Elle tourmenta M. Woolworth sans la moindre pitié, jusqu'à ce qu'il craque et la supplie d'aller le rejoindre à l'hôtel après les cours. Christa aimait cela, que les hommes la supplient. Dans la chambre toute simple, son professeur la surprit en lui offrant un collier en argent de chez Tiffany. Il le lui fixa autour du cou puis l'embrassa délicatement. En échange, elle lui permit d'explorer son corps pendant des heures, jusqu'à ce qu'il s'endorme, épuisé et repu.

Il n'était pas aussi séduisant que Brent, mais avait beaucoup plus d'expérience. Pour chacun de ses cadeaux suivants, elle l'autorisa à la toucher comme il le 'voulait. À la fin de leur liaison, quand Christa déménagea au Québec pour aller à l'université Bishop's, elle avait accumulé une quantité incroyable de bijoux et un savoir considérable sur les choses du sexe. De plus, elle était devenue l'une des rares femmes à considérer qu'il fallait promouvoir le rôle de séductrice croqueuse d'hommes.

Quand Christa eut obtenu sa maîtrise en littérature de la Renaissance à l'Università degli Studi di Firenze, son modèle relationnel était établi. Elle préférait les hommes d'âge mûr, les hommes de pouvoir. Les liaisons interdites l'excitaient. Plus elles étaient lointaines ou improbables, plus cela lui convenait.

Ayant tenté pendant deux ans de séduire un prêtre affecté au Duomo de Florence, elle y était enfin parvenue juste avant d'obtenir son diplôme. Il l'avait invitée dans le petit lit de son minuscule appartement, mais, avant de la toucher, referma les longs doigts de la jeune femme sur une petite icône peinte par Giotto. D'une valeur inestimable. Tout comme elle, se dit-elle.

Elle permettait aux hommes de l'avoir, mais à un certain prix. Et elle était toujours parvenue à coucher avec ceux sur lesquels elle avait jeté son dévolu. Un jour ou l'autre.

Jusqu'à sa première année de doctorat à l'université de Toronto, où elle rencontra le Pr Gabriel O. Emerson. C'était, et de loin, l'homme le plus séduisant et le plus voluptueux qu'elle ait jamais connu. Et il semblait très porté sur le sexe. Sa sensualité brute et incandescente suintait par tous ses pores. Elle pouvait presque la sentir.

Elle l'avait regardé chasser à son bar préféré. Elle avait remarqué son approche furtive et charmeuse, et la façon dont les femmes réagissaient. Elle l'avait étudié de la même manière qu'elle étudiait l'italien, puis mit ses connaissances à profit. Mais il repoussa ses avances. Il ne l'avait jamais vraiment considérée. Parfois même, il la regardait froidement dans les yeux, comme si elle n'était pas une femme.

Elle commença à s'habiller de manière plus provocante. Il n'avait jamais jeté un coup d'œil plus bas que son cou.

Elle tenta d'être gentille et de faire son autocritique. Il s'était montré impatient.

Elle lui prépara des cookies et laissa des petits plaisirs culinaires anonymes dans sa boîte aux lettres, à l'université. Les desserts y restaient généralement des semaines, jusqu'à ce que Mme Jenkins, la secrétaire du département, les jette à la poubelle, redoutant une infestation de nuisibles.

Plus le Pr Emerson la rejetait, plus elle insistait. Plus il l'obsédait, plus elle se moquait de recevoir des présents en échange. Elle se serait donnée à lui gratuitement s'il s'était contenté de la regarder avec un minimum de désir.

Mais il n'en faisait rien.

Ainsi, à l'automne 2009, lorsqu'elle eut l'occasion d'organiser un rendez-vous avec lui au Starbucks pour discuter de sa thèse, elle fut impatiente de voir si leur café allait pouvoir se transformer en dîner et, pourquoi pas, en soirée au Lobby. Elle se tiendrait bien, mais tenterait de le séduire. Avec un peu de chance, il cesserait de lui résister.

Avant le rendez-vous, elle dépensa six cents dollars dans un chemisier noir Bordelle, un porte-jarretelles et des bas de soie noirs. Elle ne se donna pas la peine de prendre la culotte assortie. Chaque fois que les jarretelles s'étiraient à la surface de sa peau, elle avait l'impression de s'embraser. Elle se demanda ce qu'elle ressentirait quand le Pr Emerson libérerait ses bas de leur carcan, de préférence avec les dents.

Malheureusement, pour elle, Paul et Julia se trouvaient au même Starbucks au même moment. Christa savait sans aucun doute que tout comportement inconvenant de sa part serait remarqué par ses camarades étudiants. Le professeur allait lui aussi en être conscient, donc se montrer bien plus professionnel qu'en leur absence.

Ainsi, quand Christa fit face à Paul et Julia, elle fut plus que furieuse. Elle aurait voulu les insulter et fit des efforts pour qu'ils s'en aillent avant l'arrivée du professeur. Néanmoins, sa tentative d'intimidation tourna incroyablement mal. Le professeur, arrivé plus tôt que prévu, l'avait entendue.

– Mademoiselle Peterson.

Désignant une table vacante loin de Paul et de Julia, il lui fit signe de le suivre.

– Professeur Emerson, je vous ai pris un *venti latte* avec du lait écrémé.

Elle le lui tendit, mais il le refusa.

– Il faut vraiment être barbare pour boire son café avec du lait après le petit déjeuner. N'êtes-vous donc jamais allée en Italie ? Et à propos, mademoiselle Peterson, le lait écrémé, c'est pour les branleurs. Ou les grosses.

Il tourna les talons et se dirigea vers le comptoir pour commander son propre café pendant que la jeune femme tentait vaillamment de dissimuler sa rage.

*Maudite sois-tu, Julianne ! Tout est ta faute. À toi et au moine.*

Christa s'assit sur la chaise que le Pr Emerson lui indiqua, presque vaincue. Presque, car de son poste d'observation elle avait un merveilleux point de vue sur les fesses de l'enseignant dans son pantalon de flanelle grise. Arrondies comme deux pommes. Deux délicieuses pommes bien mûres.

Elle aurait bien voulu les croquer.

En fin de compte, le professeur revint avec son satané café. Il prit place aussi loin d'elle que possible à la même table, avec un regard sévère.

– Je dois vous parler de votre conduite. Mais, avant, que les choses soient claires. Si j'ai accepté de vous voir ici aujourd'hui, c'est parce que j'avais envie d'un café. À l'avenir, nous nous verrons à la fac, comme d'habitude. Vos efforts évidents pour établir une relation entre nous deux resteront vains. Vous comprenez ?

– Oui, monsieur.

– Un mot de ma part à la direction, et vous devrez vous trouver un nouveau directeur de thèse.

Il s'éclaircit la voix.

– À l'avenir, vous m'appellerez « professeur Emerson », même quand vous parlerez de moi à la troisième personne. Ai-je été suffisamment clair ?

– Oui, professeur Emerson.

*Ohhh, professeur ! Tu n'as pas idée à quel point j'ai envie de hurler ton nom. Professeur, professeur, professeur…*

– De plus, je vous demanderai de vous abstenir de faire des remarques personnelles à propos de mes autres étudiants, et particulièrement de Mlle Mitchell. C'est clair ?

– Très clair.

Elle commençait à bouillir, mais n'en montra rien. Elle en imputait toute la responsabilité à Julia, et mourait d'envie de la faire renvoyer. Seulement, elle ne savait pas comment s'y prendre. Pour le moment.

– Enfin, tout ce que je pourrai dire à propos d'un autre étudiant ou d'une personne liée à l'université devra être considéré comme une information confidentielle que vous ne répéterez pas si vous souhaitez garder le même directeur de thèse. Vous croyez-vous suffisamment intelligente pour respecter ces simples instructions ?

– Oui, monsieur le professeur.

Sa condescendance la hérissa, mais à vrai dire elle le trouvait diablement sexy quand il était de mauvaise humeur. Elle mourait d'envie de le séduire. De le persuader de lui faire des choses inqualifiables, de...

— Et si vous persistez à vous en prendre à mes étudiants de maîtrise, je ne manquerai pas d'alerter le Pr Martin, le directeur du département. J'ose espérer que vous êtes au courant des règles qui concernent la conduite des étudiants de troisième cycle, et qu'il m'est inutile de vous rappeler que toute forme de bizutage est strictement prohibée.

— Mais ce n'était pas un bizutage, je...

— Cessez vos pleurnicheries. Et je doute que Mlle Mitchell vous ait donné l'autorisation de l'appeler par son prénom. Appelez-la correctement ou taisez-vous.

Elle baissa la tête. Elle ne trouvait plus du tout sexy ce genre de menaces. Ayant travaillé très dur pour intégrer ce doctorat à l'université de Toronto, elle n'avait pas l'intention de tout laisser lui filer entre les mains. Pas pour une petite garce pathétique qui mijotait quelque chose avec l'assistant de recherche du professeur.

Gabriel remarqua sa réaction, mais ne dit rien, continuant à savourer son espresso. N'éprouvant aucun remords, il commençait à se demander ce qu'il pourrait bien trouver pour la faire pleurer.

— Je suis certain que vous êtes au courant du règlement de l'université à propos du harcèlement. Ces règles fonctionnent dans les deux sens. Les professeurs peuvent tout à fait porter plainte s'ils ont l'impression d'être harcelés par une étudiante. Si vous dépassez les bornes avec moi, je vous traînerai si vite au bureau du doyen que vous en aurez le vertige. C'est compris ?

Elle leva la tête et le regarda avec de grands yeux apeurés.

— Mais nous... Je croyais...

— Il n'y a pas de « mais » ! l'interrompit-il. À moins que vous ne soyez victime d'illusions, vous comprendrez qu'il n'y a pas de « nous ». Je ne le répéterai pas. Vous savez où est votre place.

Il jeta ensuite un dernier coup d'œil à Julia et à Paul.

— Maintenant que nous en avons terminé avec les civilités, j'aimerais vous dire ce que je pense de votre dernier projet de thèse. C'est n'importe quoi. Tout d'abord, votre thèse est peu originale. Ensuite, vous n'avez rien fait pour fournir une analyse documentaire digne de ce nom. Si vous ne remédiez pas à ces problèmes, il vous faudra trouver un nouveau directeur. Si vous acceptez de me soumettre un projet remanié, je vous donne deux semaines. À présent, si voulez bien m'excuser, j'ai une réunion où je n'aurai pas l'impression de perdre mon temps. Au revoir.

Gabriel quitta brusquement le Starbucks, laissant une Christa en état de choc, le regard dans le vide.

Elle avait entendu une partie de son discours, bien sûr, mais son esprit s'était focalisé sur autre chose. Premièrement, elle allait devoir rendre la monnaie de sa pièce à Julia. Elle ignorait encore comment et quand, mais elle ne manquerait pas de suriner cette garce, métaphoriquement parlant, et de la tailler en pièces, là aussi au sens figuré.

Deuxièmement, elle allait récrire son projet de thèse et, avec un peu de chance, obtenir l'approbation du Pr Emerson.

Troisièmement, elle allait redoubler d'efforts pour le séduire. Maintenant qu'elle l'avait vu en colère, elle désirait plus que tout le voir en colère avec elle. Quand ils seraient nus. Elle allait le faire changer d'avis. Percer sa carapace. Il finirait par s'agenouiller devant elle, par l'implorer. Et puis...

Manifestement, ses talons de dix centimètres et sa lingerie Bordelle ne suffisaient pas. Elle irait au Holt Renfrew pour y acheter une nouvelle robe. Quelque chose d'européen. De sexy. Du Versace.

Puis elle irait au Lobby pour mettre son troisième point en application...

## 4

Dans la suite d'un hôtel de Florence, on avait jeté des vêtements n'importe comment sur le sol du salon. On pouvait les suivre à la trace, depuis la porte d'entrée jusqu'à un mur qui n'était plus vierge.

De petits cris et des bruits saccadés résonnaient dans la pièce où gisaient, éparpillés, une paire de chaussures d'homme faites à la main, un soutien-gorge noir, un costume sur mesure jeté sans raison sur une table basse, une robe en taffetas bleu Santorin en tapon…

Un détective aurait remarqué qu'il manquait la culotte et les chaussures de la dame.

Il régnait dans l'air un parfum capiteux de fleurs d'oranger et d'Aramis, mêlé à une odeur de musc et de transpiration. La pièce était plongée dans l'obscurité. Pas même le clair de lune qui pénétrait par la fenêtre de la terrasse ne parvenait à atteindre le mur contre lequel deux corps nus se cramponnaient l'un à l'autre. L'homme se tenait droit, soutenant la femme qui avait passé les jambes autour de ses hanches.

– Ouvre les yeux.

La supplique de Gabriel fut ponctuée par une cacophonie de bruits : le frottement de sa peau contre celle de Julia, des cris étouffés, des halètements, et le léger martèlement du dos de la jeune femme contre le mur.

Elle l'entendait gémir d'effort à chacun de ses coups de reins mais semblait avoir perdu l'usage de la parole, concentrée sur une seule sensation, le plaisir. Chacun des mouvements de son amant lui plaisait, même la friction de leurs bustes, et celui de ses mains pour la maintenir en l'air. Elle était au bord de la jouissance, à bout de souffle, impatiente que son mouvement suivant la fasse basculer. Cela montait, montait, montait…

– Ça… va ?

Il respirait avec peine, criant ce dernier mot quand elle tourna légèrement les chevilles, lui enfonçant un peu plus ses talons pointus dans les fesses.

Julia, basculant la tête en arrière, jouit en poussant quelques cris inarticulés, submergée par des vagues d'intense plaisir se propageant jusqu'à ce que son corps entier se mette à vibrer. Gabriel le sentit et suivit peu de temps après. Deux coups de reins, et il hurla son nom dans le creux de son cou, tremblant de tout son être.

– Tu m'as inquiété, lui chuchota-t-il par la suite.

Il était étendu sur le dos au centre du grand lit blanc, sa bien-aimée ensommeillée blottie contre lui, la tête posée sur son tatouage.

– Pourquoi ?

– Tu n'ouvrais plus les yeux. Tu ne disais plus rien. Je craignais d'avoir été trop brusque.

Elle lui caressait paresseusement le ventre du bout des doigts, suivant les quelques poils qui partaient du nombril.

– Tu ne m'as pas fait mal. C'était différent, cette fois. Plus intense. À chacun de tes mouvements, j'étais parcourue par des sensations incroyables. Je ne pouvais plus ouvrir les yeux.

Il esquissa un sourire de soulagement, puis l'embrassa sur le front.

– Cette position permet d'aller plus profond. Et n'oublie pas tous nos préliminaires au musée. J'étais incapable de me retenir de te toucher pendant le dîner.

– Parce que tu savais que je ne portais pas de culotte.

– Parce que j'avais envie de toi ! Comme toujours.

Il lui adressa un petit sourire.

– C'est chaque fois mieux que la fois précédente, lui chuchota-t-elle.

Il prit un air pensif.

– Mais tu ne prononces jamais mon nom.

– Je le dis tout le temps. C'est à se demander par quel miracle tu ne m'as pas encore demandé de te donner un surnom, comme Gabe, ou Dante, ou monsieur le professeur.

– Ce n'est pas ce que je veux dire. Ce que je veux dire, c'est que tu ne prononces jamais mon nom… quand tu jouis.

Elle dressa la tête pour mieux voir son visage. Son air s'accordait au ton de sa voix : songeur et momentanément vulnérable. Il n'avait plus si confiance en lui.

– Pour moi, ton nom est synonyme d'orgasme. Je vais d'ailleurs les appeler des « emgasmes ».

Il éclata d'un rire franc et sonore qui obligea Julia à se redresser, tant elle se retrouva secouée. Elle rit avec lui, soulagée que cet instant de mélancolie soit passé.

— Vous avez un sacré sens de l'humour, mademoiselle Mitchell.

Il lui releva le menton pour pouvoir l'embrasser à nouveau avant de se détendre sur les oreillers et de s'endormir.

Julia demeura éveillée encore un moment, contemplant le petit garçon anxieux et peu sûr de lui qui apparaissait à des moments aussi rares qu'inattendus.

Le lendemain matin, pour le petit déjeuner, Gabriel invita Julia au Café Perseo, une excellente *gelateria* sur la Piazza Signoria. Les températures fraîches du mois de décembre étant de retour, et le temps étant à la pluie, ils préférèrent s'installer à l'intérieur.

On aurait pu rester sur cette place tout la journée, tous les jours, pour regarder passer les gens. Elle était cernée par de vieux bâtiments, les Uffizi se trouvant juste derrière. Elle était ornée d'une fontaine fort impressionnante et de magnifiques statues, y compris d'une copie du *David* de Michel-Ange, et d'une statue de Persée tenant la tête de Méduse devant une ravissante loggia.

Julia évita de regarder Persée, le temps de manger sa glace. Quant à Gabriel, il évita de regarder les légions de jolies Florentines pour se consacrer à sa bien-aimée. La dévorer des yeux.

— Tu es sûr de ne pas vouloir y goûter ? La framboise et le citron vont très bien ensemble.

Elle lui tendit sa cuillère, où les deux parfums se mélangeaient.

— Oh, je goûterais bien quelque chose, mais pas ça.

Son regard étincela.

— Je préférerais quelque chose d'un peu plus… exotique, dit-il en poussant son espresso pour pouvoir lui prendre la main. Merci pour hier soir et ce matin.

— Ce serait plutôt à moi de vous remercier, monsieur le professeur.

Elle serra sa main et continua de savourer son petit déjeuner.

— Je suis surprise qu'on ne voie pas les contours de mon corps sur le mur de notre chambre, gloussa-t-elle en insistant avec sa cuillerée de glace.

Il lui permit de le nourrir, et quand il darda la langue pour la passer sur ses lèvres, elle se sentit prise de vertige. Des souvenirs de la matinée lui revinrent à l'esprit. Et l'un d'eux refusa de se dissiper.

*Ô dieux des petits amis, dieux du sexe qui aiment procurer du plaisir à leurs amantes, merci pour ce matin.*

Elle déglutit avec peine.

– Tu sais, c'était ma première fois.

– Ce ne sera pas la dernière, je te le promets.

Il s'humecta les lèvres de manière provocante, cherchant à l'émoustiller.

Elle se pencha pour l'embrasser sur la joue. Mais il ne comptait pas s'en satisfaire. Il la prit par le cou et l'attira à lui.

Avec la glace, sa bouche avait un goût sucré, en plus de sa saveur caractéristique habituelle. Il la libéra en gémissant de plaisir, regrettant de ne pouvoir la ramener à l'hôtel pour revivre leurs moments de la veille. Ou au musée…

– Je peux te poser une question ?

Elle se concentra sur son petit déjeuner pour éviter de croiser son regard.

– Bien sûr…

– Pourquoi as-tu dit que j'étais ta fiancée ?

– Le terme *fidanzata* a plusieurs significations.

– Le sens principal est « fiancée ».

– Le mot *ragazza* est loin d'exprimer la profondeur de mes sentiments.

Il bougea les orteils dans ses nouvelles chaussures étroites. Il esquissa un sourire en réfléchissant à ce qu'il allait dire ensuite, s'il disait quelque chose. Il préféra garder le silence, s'agitant nerveusement sur son siège.

Julia remarqua ce qu'elle prit pour une gêne physique.

– Je suis désolée pour mes talons.

– Pardon ?

– J'ai vu les marques sur tes fesses quand tu t'habillais, ce matin. Je n'avais pas l'intention de te blesser.

Il eut un sourire diabolique.

– C'est un risque à courir quand on est obsédé par les hauts talons. Je porte mes cicatrices d'amour avec fierté.

– Je ferai plus attention, la prochaine fois.

– Non, n'y pense même pas.

Elle écarquilla les yeux en remarquant l'éclair de passion dans son regard.

Il l'embrassa de nouveau avant de lui chuchoter à l'oreille :

– Je vais t'acheter une paire de bottes avec des talons encore plus hauts, pour voir ce que tu serais capable de faire avec.

Tandis qu'ils se promenaient sur le Ponte Vecchio sous un même parapluie, Gabriel insista pour la faire entrer dans toutes les boutiques, tentant de la persuader d'accepter un cadeau extravagant : des reproductions étrusques, des pièces de monnaie romaines, des colliers en or… Elle se contenta de refuser en souriant, lui désignant les boucles d'oreilles en diamant de Grace, lui assurant que c'était plus que suffisant. Son manque d'intérêt pour les choses matérielles ne faisait que lui donner envie d'en accumuler des tas à ses pieds.

Au milieu du pont, elle le tira par le bras et le conduisit au bord pour pouvoir contempler l'Arno.

— J'ai une idée de ce que tu peux m'offrir, Gabriel.

Il lui lança un regard intrigué, le froid mordant de Florence rougissant les joues de la jeune femme. Elle n'était que bonté, lumière, chaleur et douceur. Et aussi terriblement entêtée.

— Je t'écoute.

Elle marqua une pause pour passer la main sur la balustrade du pont.

— Je voudrais faire disparaître ma cicatrice.

Il ne fut qu'à demi étonné. Il savait qu'elle avait honte de la morsure de Simon. Il l'avait surprise en train d'y appliquer du fond de teint ce matin-là, et le regard de la jeune femme s'était brouillé quand il lui en avait parlé.

Elle poursuivit.

— Je n'aime pas la voir. Je n'aime pas que tu puisses la voir. Je voudrais qu'elle disparaisse.

— On ira voir un chirurgien esthétique à Philadelphie, quand on rentrera pour Noël.

— On va rester si peu de temps là-bas. Je ne peux pas faire ça à mon père. Ni à Rachel.

Il changea son parapluie de main et l'étreignit. Il l'embrassa, sur la bouche et dans le cou, avant de poser ses lèvres sur la marque.

— Pour toi, je le ferai volontiers. Et plus encore. Il te suffit de demander. Mais j'aimerais que tu fasses quelque chose pour moi.

— Quoi donc ?

— J'aimerais que tu en parles à quelqu'un. De ce qui s'est passé.

Elle baissa les yeux.

— Je t'en parle.

— Je voulais dire… pas à un crétin. Je peux demander à un médecin d'effacer la cicatrice que tu as sur la peau, mais personne ne pourra effacer la cicatrice intérieure. Il est important que tu le comprennes. Je ne veux pas que tu sois déçue.

— Ce ne sera pas le cas. Et cesse de te dénigrer. Ça me contrarie.

Avec un hochement de tête, il reconnut qu'elle avait raison.

— Je suis persuadé que ça t'aiderait d'avoir quelqu'un à qui parler… de tout. De Tom, de ta mère, de lui, de moi…

Il lui adressa un regard peiné.

– Je suis quelqu'un de difficile. J'en suis conscient. Je crois que si tu pouvais en parler à quelqu'un, ça t'aiderait.

Elle ferma les yeux.

– D'accord, mais seulement si tu acceptes d'en faire autant.

Il se crispa.

Elle ouvrit les yeux et parla très vite :

– Je sais que tu n'en as pas envie, et crois-moi, je te comprends. Mais si je le fais, tu dois en faire autant de ton côté. Tu étais vraiment en colère, hier soir, et même si je sais que ce n'était pas contre moi, j'en ai fait les frais.

– J'ai essayé de me racheter après, se défendit-il, serrant les dents.

Elle lui caressa la joue.

– Oui, je sais. Mais ça m'a ennuyée de te voir si contrarié à cause des avances déplacées d'un inconnu. Et aussi que tu puisses croire que le sexe apaiserait ta colère et te permettrait de me marquer comme si je t'appartenais.

Gabriel eut l'air choqué, il n'avait pas interprété son attitude de cette façon.

– Jamais je ne te ferai de mal, lui promit-il en serrant sa main entre les siennes.

– Je le sais.

Il semblait contrarié, et la lueur de panique dans son regard resta aussi vive quand elle lui passa la main dans les cheveux.

– On forme un sacré couple, hein ? Avec nos cicatrices, nos histoires et tous nos problèmes. Une histoire d'amour dramatique, j'imagine.

Elle sourit et tenta de s'amuser de leur situation.

– Le seul drame, ce serait de te perdre, lui assura-t-il en lui déposant un baiser sur les lèvres.

– Tu ne me perdras que si tu cesses de m'aimer.

– Je suis le plus heureux des hommes, alors. Je vais pouvoir te garder jusqu'à la fin de mes jours.

Il l'embrassa de nouveau avant de l'enlacer.

– J'ai été obligé de consulter quand j'ai suivi ma cure de désintox. Après, j'ai continué à aller voir un thérapeute pendant un an environ, en plus de mes réunions hebdomadaires d'épanouissement personnel. Je sais donc ce que c'est.

Julia fronça les sourcils.

– Tu es en convalescence, et tu ne vas à aucune réunion. Je ne t'en ai pas parlé jusqu'à présent, mais c'est un vrai problème. Et en plus, tu continues à boire.

– J'étais accro à la cocaïne, pas à l'alcool.

Elle marqua une pause, cherchant son regard. Elle avait l'impression d'avoir découvert une vieille carte du Moyen Âge avec les contours du monde connu et l'inscription *Hic sunt dracones*, « Ici se trouvent les dragons ».

– Tu sais très bien que les Dépendants anonymes recommandent fortement aux accros de ne pas boire, dit-elle en soupirant. Même si j'essaie de t'aider, certaines choses sont hors de ma portée. Bien que ça me plaise de coucher avec toi, je ne veux pas que ça devienne ta nouvelle drogue de prédilection. Je ne peux pas tout arranger.

– C'est vraiment ce que tu crois ? Que je me sers du sexe pour arranger les choses ?

Sa question semblant des plus sérieuses, Julia se retint de lui répondre d'un ton sarcastique.

– Ce que je crois, c'est qu'avant tu te servais du sexe pour arranger les choses. C'est toi-même qui me l'as dit, tu te rappelles ? Tu te servais du sexe pour combattre la solitude. Ou pour te punir.

Un voile d'ombre lui passa devant le visage.

– Ce n'est pas la même chose avec toi.

– Mais quand on est contrarié, les vieilles habitudes ressurgissent. C'est également le cas pour moi, sauf que mes mécanismes de défense sont différents.

Elle l'embrassa avec douceur, suffisamment longtemps pour atténuer son sentiment de panique, et pour qu'il lui rende son baiser.

Ils demeurèrent ensuite dans les bras l'un de l'autre, jusqu'à ce que Julia se décide à rompre le silence.

– Ta conférence d'hier m'a rappelé quelque chose.

Elle tira son téléphone de son sac à main et fit rapidement défiler quelques photos.

– Tiens.

Il s'empara de l'appareil, sur lequel était affiché un tableau magnifique. Il représentait Françoise Romaine avec un nourrisson dans les bras, assistée de la Vierge Marie, sous le regard d'un ange.

– C'est superbe.

Il lui rendit son téléphone.

– Gabriel, dit-elle doucement. Regarde la toile.

Quand il s'exécuta, il eut une impression des plus étranges.

Elle parla à voix basse.

– J'ai toujours adoré cette œuvre. Je croyais que c'était parce qu'il y avait des points communs entre Gentileschi et Le Caravage. Mais il n'y a pas que ça. Sainte Françoise a perdu plusieurs de ses enfants à cause de la peste. Cette toile est censée représenter l'une de ses visions à propos de ce qu'il est advenu de ces enfants.

Elle chercha le regard de Gabriel pour voir s'il avait compris où elle voulait en venir. Mais ce n'était pas le cas.

— Quand je regarde ce tableau, je pense à ton bébé, Maia. Grace la tient dans ses bras, entourée d'anges.

Elle désigna les personnages de l'œuvre.

— Tu vois ? Le bébé est en sécurité et aimé. C'est à ça que ressemble le paradis. Inutile de t'inquiéter.

Elle leva les yeux vers son visage magnifique, mais peiné. Il avait les larmes aux yeux.

— Je suis désolée. Je suis vraiment désolée. J'essayais de te réconforter.

Elle passa son bras autour de son cou et le serra contre elle.

Il s'essuya les yeux, enfouissant son visage dans sa chevelure, à la fois reconnaissant et soulagé.

Le lendemain après-midi, la pluie cessa. Le couple prit un taxi jusqu'à la piazzale Michelangelo, d'où l'on avait une vue magnifique sur la ville. Ils auraient pu prendre le bus comme tout le monde, mais Gabriel n'aimait pas faire comme tout le monde. À l'image de la majeure partie des spécialistes de Dante.

— Que disait Rachel dans son e-mail ? demanda-t-il tandis qu'ils admiraient le toit de tuiles du Duomo.

Julia eut l'air embarrassé.

— Aaron et elle nous disent bonjour. Ils voulaient savoir si on était heureux.

Gabriel plissa les yeux.

— C'est tout ?

— Euh, non.

— Et ?

Elle haussa les épaules.

— Ils disent que Scott a une copine. Ils parlent surtout de ça.

— Je suis ravi pour lui, dit-il avec un gloussement. Il y avait autre chose ?

— Pourquoi me demandes-tu ça ?

Il inclina la tête de côté.

— Parce que je sais toujours quand tu me caches quelque chose.

Il entreprit de lui caresser la taille à un endroit où elle était particulièrement sensible.

— Tu ne vas pas faire ça en public.

— Oh que si !

Il esquissa un sourire et commença à la chatouiller.

Elle gloussa et tenta de lui échapper, mais il la retenait contre lui.

– Allez, Julianne… Dis-moi ce que Rachel t'a écrit.

– Cesse de me chatouiller, hoqueta-t-elle, et je te le dirai.

Il obtempéra.

– Elle voulait savoir si, euh… si on avait couché ensemble, répondit-elle après avoir pris une profonde inspiration.

– Ah bon ? dit-il en esquissant un petit sourire. Et que lui as-tu répondu ?

– La vérité.

Il chercha son regard.

– Autre chose ?

– Elle espère que tu es sage et que je suis heureuse. Et j'ai répondu par l'affirmative. Aux deux.

Elle attendit un moment, se demandant s'il fallait ou non lui parler de l'e-mail d'un certain garçon de ferme du Vermont.

– Mais il y a autre chose. Vas-y.

Il avait gardé son sourire complaisant.

– Eh bien, Paul aussi m'a écrit.

Gabriel se renfrogna.

– Quoi ? Quand ?

– Le jour de ta conférence.

– Pourquoi ne m'en as-tu pas parlé avant ? fulmina-t-il.

– À cause de ça, répondit-elle en désignant son air visiblement courroucé. Je savais que ça allait te contrarier, et je n'ai pas voulu t'en parler avant ton discours devant une assemblée aussi importante.

– Qu'est-ce qu'il veut ?

– Il dit que tu as accepté le projet de thèse de Christa.

– Que dit-il d'autre ?

– Il me souhaite un joyeux Noël, et me prévient qu'il va m'envoyer quelque chose à Selinsgrove.

Gabriel commença à s'emporter.

– Pourquoi ferait-il une chose pareille ?

– Parce que c'est mon ami. C'est probablement du sirop d'érable, que j'offrirai volontiers à mon père. Paul sait que je suis avec quelqu'un et que je suis très, très heureuse. Je te ferai suivre son e-mail, si tu veux.

– Ce ne sera pas nécessaire.

Il pinça les lèvres de manière visible, et Julia croisa les bras.

– Tu voulais que je passe du temps avec Paul, quand le Pr Douleur était dans les parages.

– Ça n'a rien à voir. Et je n'ai pas particulièrement envie de parler d'elle.

– Facile à dire. Ce n'est pas toi qui tombes tout le temps sur des personnes avec qui j'ai couché.

Quand il la fusilla du regard, elle porta la main à sa bouche.

– Oh ! je suis désolée. C'est horrible, je n'aurais jamais dû dire ça.

– Je te rappelle que j'ai croisé au moins une personne avec laquelle tu as eu une relation sentimentale.

Il se retourna et s'approcha de la rambarde. Elle lui accorda un moment avant de le rejoindre et de lui prendre la main.

– Je suis désolée.

Il ne se donna pas la peine de lui répondre.

– Je te remercie de m'avoir sauvé des griffes de Simon.

Il se renfrogna.

– Tu savais très bien que j'ai un passé. Tu as l'intention de me le rappeler constamment ?

Elle baissa les yeux vers ses chaussures.

– Non.

– Cette réflexion était indigne de toi.

– Je suis désolée.

Il continua à contempler la ville qui s'étalait devant eux. Les toits de tuile rouge étincelaient au soleil, tandis que le dôme de Brunelleschi dominait la vue.

Julia préféra changer de sujet.

– Christa se comportait bizarrement à ton dernier cours. Elle semblait t'en vouloir. Tu crois qu'elle a deviné quelque chose à propos de nous ?

– Elle est amère parce que j'ai refusé ses avances outrancières. Mais elle m'a remis son projet de thèse à temps et a fait un travail convenable.

– Alors, elle ne t'a pas fait de… chantage ?

– Ne prends pas toutes les femmes pour des rivales, lui répondit-il sèchement en repoussant sa main.

Elle écarquilla les yeux de surprise.

– Cette réflexion est indigne de toi.

Après un moment, sa colère sembla s'estomper. Ses épaules s'affaissèrent.

– Je te demande pardon.

– Cessons de perdre notre temps à nous chamailler.

– Je suis d'accord. Mais ça ne me plaît pas beaucoup, que Paul t'envoie des e-mails. Même si j'imagine que tu pourrais trouver pire, comme ami.

Il lui parut particulièrement guindé.

Elle lui sourit et l'embrassa sur la joue.

— Je connais aussi le Pr Emerson, et je l'aime.

Il sortit son téléphone pour la prendre en photo devant la vue magnifique. Elle rit, et il prenait photo après photo, quand l'appareil sonna. Le carillon sonore de Big Ben retentit.

Elle lui lança un regard de défi.

Il grimaça et l'embrassa fougueusement avant de prendre son visage dans le creux de sa main, de lui écarter les lèvres avec détermination et d'y glisser sa langue.

Elle lui rendit son baiser, le prenant par la taille et le serrant contre elle. Le tout au son de Big Ben.

— Tu ne réponds pas ? lui demanda-t-elle.

— Non, je te l'ai dit tout à l'heure, je n'ai pas envie de lui parler.

Il pressa de nouveau ses lèvres contre les siennes, mais plus brièvement cette fois.

— Elle me fait de la peine, déclara-t-elle.

— Pourquoi ?

— Parce qu'elle a eu un enfant avec toi. Parce qu'elle a encore envie d'être avec toi, alors qu'elle t'a perdu. Si je devais te perdre au profit d'une autre, je serais dévastée.

Gabriel soupira d'un air impatient.

— Tu ne vas pas me perdre. Ça suffit avec ça.

Julia lui adressa un léger sourire.

— Euh… il faut que je te dise quelque chose.

Il recula.

— Ça vient du fait que je me fais du souci pour toi. Je veux que tu le saches, dit-elle d'un air sérieux. Paulina me fait de la peine, mais il est évident qu'elle se sert de ce qui s'est passé comme d'une épée de Damoclès pour que tu restes dans sa vie. Je me demande si elle ne s'attire pas des ennuis uniquement pour que tu ailles la secourir. Je crois qu'il est temps pour elle de s'attacher à quelqu'un d'autre. Quelqu'un dont elle pourra tomber amoureuse.

— Je suis entièrement d'accord, dit-il sèchement.

— Et si elle ne pouvait être heureuse avant de t'avoir laissé partir ? Tu l'as laissée, et tu m'as trouvée. Ce serait un acte de compassion de ta part si tu la laissais partir, pour qu'elle puisse trouver le bonheur à son tour.

Il hocha la tête avec une certaine gravité et l'embrassa sur le front, mais il refusa de s'étendre sur le sujet.

Le reste de leur séjour à Florence fut des plus heureux, une sorte de lune de miel. La journée, ils visitèrent des églises et quelques musées, entre deux passages à l'hôtel où ils firent l'amour, parfois lentement, parfois comme des fous. Chaque soir, Gabriel choisissait un restaurant différent puis ils rentraient à pied, faisant une halte sur l'un des ponts, pour se peloter comme des adolescents dans la fraîcheur nocturne.

Pour leur dernière soirée à Florence, Gabriel l'emmena au Caffé Concerto, l'un de ses restaurants préférés, situé sur les rives de l'Arno. Ils y passèrent plusieurs heures devant un dîner aux nombreux plats, discutant, en prenant leur temps, de leurs vacances et de leur relation naissante. Ils reconnurent tous les deux avoir vécu la semaine qui venait de s'écouler comme une sorte d'éveil : un éveil aux mystères de l'*éros* pour Julia, et un éveil aux mystères des quatre amours entrelacés pour Gabriel. Au cours de la conversation, il lui dévoila enfin sa surprise. Pour leur seconde semaine de vacances, il avait loué une villa en Ombrie. Il promit de lui faire visiter Venise et Rome lors de leurs prochaines vacances, probablement l'été suivant, après être allés à Oxford.

Après le dîner, il la conduisit une dernière fois au Duomo.

— Il faut que je t'embrasse, chuchota-t-il en l'attirant à lui.

Elle s'apprêtait à lui répondre, à lui demander de l'emmener à l'hôtel pour la marquer au plus profond de son être, mais une voix l'en empêcha.

— Jolie demoiselle ! Quelques pièces pour un vieil homme…

Cette voix s'adressait à elle en italien depuis les marches du Duomo.

Sans réfléchir, elle se pencha pour voir qui parlait. L'homme lui demandait de l'argent pour pouvoir s'acheter quelque chose à manger.

Gabriel la saisit par le bras avant qu'elle n'ait pu s'approcher des marches.

— Viens, mon amour.

— Mais il a faim. Et il fait si froid.

— La police va le faire partir. Ils n'aiment pas trop les mendiants, dans le centre-ville.

— Chacun est libre d'aller s'asseoir sur les marches d'une église. C'est un lieu d'asile…

— Le concept médiéval d'asile n'a plus cours aujourd'hui. Les gouvernements occidentaux l'ont aboli, à commencer par l'Angleterre au XVIIe siècle.

Il poussa un grondement quand elle ouvrit son porte-monnaie pour en extraire un billet de vingt euros.

— Autant ?

Il fronça les sourcils.

– C'est tout ce que j'ai. Et regarde, Gabriel.

Elle indiqua les béquilles de l'homme d'un mouvement du menton.

– Un habile subterfuge, rétorqua-t-il.

Elle regarda fixement son amant d'un air déçu.

– Je sais ce que c'est que d'avoir faim.

Elle fit un pas en direction du mendiant, mais il la retint.

– Il va dépenser ton argent en vin et en drogue. Ça ne va pas l'aider.

– Même les drogués méritent un peu de gentillesse.

Il eut un mouvement de recul.

– Saint François d'Assise ne posait aucune condition à ses actes de charité. Il donnait à tous ceux qui en avaient besoin.

Il leva les yeux au ciel. Si elle commençait à invoquer saint François d'Assise, il lui serait impossible d'avoir le dernier mot. Personne ne pouvait l'emporter face à ce genre d'arguments.

– Si je lui donne quelque chose, il saura que quelqu'un se soucie assez de lui pour l'aider. Qu'importe ce qu'il fera de cet argent. Ne me prive pas d'une occasion de donner.

Elle tenta de contourner Gabriel, mais il lui bloqua le passage. Il lui prit le billet des mains et ajouta un peu d'argent qu'il tira de sa poche, puis tendit le tout au mendiant.

Les deux hommes eurent un bref échange en italien, et le nécessiteux envoya quelques baisers à Julia avant de tenter, en vain, de serrer la main de Gabriel. Celui-ci battit en retraite, prit la jeune femme par le bras et s'éloigna.

– Qu'a-t-il dit ?

– Il m'a demandé de remercier l'ange pour sa miséricorde.

Elle fit une halte pour pouvoir l'embrasser jusqu'à ce qu'il cesse de froncer les sourcils et lui sourie.

– Merci.

– Ce n'est pas moi, l'ange auquel il faisait référence, gronda-t-il en lui rendant son baiser.

# 5

Le lendemain matin, une limousine attendait le couple à la gare de Pérouse. Le chauffeur les conduisit sur des routes sinueuses jusqu'à une propriété située non loin de Todi, un village médiéval.

– C'est la villa ?

Julia était émerveillée quand ils longèrent l'allée privée jusqu'à ce qui ressemblait à un manoir au sommet d'une colline. Il s'agissait d'une bâtisse de pierre sur trois niveaux, se dressant au milieu de plusieurs hectares de terrain parsemés de cyprès et d'oliviers.

Sur le chemin, Gabriel lui montra un grand verger composé de nombreuses espèces d'arbres fruitiers qui, à la belle saison, donnaient des figues, des pêches et des grenades. Nichée à côté de la villa, se trouvait une piscine à débordement entourée d'un parterre de lavande. Julia en sentait presque l'arôme à l'intérieur de la voiture, et fit le serment à cet instant d'aller en cueillir quelques brins pour parfumer les draps de leur lit.

– Ça te plaît ?

Il chercha son regard avec une certaine impatience, espérant que l'endroit lui conviendrait.

– J'adore. Quand tu m'as dit que tu avais loué une villa, je ne la voyais pas si cossue.

– Attends de voir l'intérieur. Il y a une cheminée, et un Jacuzzi sur la terrasse du premier.

– Je n'ai pas pris de maillot de bain.

– Qui a dit qu'on aurait besoin d'un maillot de bain ?

Il haussa les sourcils d'un air coquin, et Julia éclata de rire.

Une Mercedes noire les attendait dans l'allée, pour qu'ils puissent aller visiter les villages alentour et Assise, une destination qui intéressait particulièrement la jeune femme.

Avant leur arrivée, la gouvernante de la villa avait approvisionné la cuisine, de quoi manger et du vin. Julia leva les yeux au ciel en découvrant dans le garde-manger plusieurs bouteilles de jus de canneberge importé.

*Le Pr Gabriel « mère poule » Emerson a encore frappé !*

– Qu'en dis-tu ? demanda-t-il en la prenant par la taille, au milieu de la vaste cuisine entièrement équipée.

– C'est parfait.

– J'avais peur que tu n'aimes pas te retrouver au beau milieu de l'Ombrie. Mais je me suis dit que ça nous ferait du bien de passer un peu de temps ensemble au calme.

Elle haussa un sourcil.

– On ne peut pas dire que le temps que nous passons ensemble soit souvent calme, monsieur le professeur.

– C'est parce que tu me rends fou de désir.

Il l'embrassa avec passion.

– Restons là, ce soir. On pourrait faire la cuisine ensemble, si ça te dit, et peut-être nous détendre près du feu.

– Ça me semble une excellente idée.

Elle l'embrassa de nouveau.

– Je vais monter les bagages pendant que tu visites les lieux. Le Jacuzzi est sur la terrasse de la chambre principale. Je t'y rejoins dans un quart d'heure.

Elle acquiesça en souriant.

– Oh ! et, mademoiselle Mitchell…

– Oui ?

– Aucun vêtement pour le reste de la soirée.

Elle poussa un petit cri et fila dans l'escalier.

Non seulement la maison était décorée avec goût dans plusieurs tons de blanc et de crème, mais elle s'enorgueillissait au premier étage d'une chambre principale très romantique dans laquelle trônait un lit à baldaquin. Julia testa le lit un instant, avant d'emporter son nécessaire de toilette dans la salle de bains.

Elle déballa son maquillage et disposa son shampooing et son gel douche dans la grande douche ouverte. Elle remonta ses cheveux en chignon et se dévêtit, s'enveloppant dans une serviette ivoire. Ce serait la première fois qu'elle se baignerait nue, mais elle avait hâte.

Tandis qu'elle pliait ses vêtements et les posait à côté du lavabo, elle entendit de la musique dans la chambre. Elle reconnut la chanson *Don't Know Why,* de Norah Jones. Il avait pensé à tout.

Sa voix, derrière la porte de la salle de bains, le lui confirma.

— J'ai pris quelques *antipasti* et une bouteille de vin, au cas où tu aurais faim. À tout de suite sur la terrasse.

— J'arrive dans une minute, répondit-elle.

Elle se regarda dans le miroir. Son regard brillait d'excitation, et elle avait de belles couleurs. Elle était amoureuse. Et heureuse. Et elle allait, pensait-elle, étrenner le Jacuzzi avec son bien-aimé sous le ciel d'Ombrie qui commençait à s'obscurcir.

Sur le chemin de la terrasse, elle aperçut les vêtements de Gabriel sur le dossier d'une chaise. Une brise fraîche s'engouffra par la porte ouverte, lui ébouriffant les cheveux et lui rosissant plus encore le teint.

Gabriel l'attendait, nu.

Elle sortit sur la terrasse et attendit d'avoir toute son attention. Puis elle laissa tomber la serviette.

*

\* \*

Chez ses parents, près de Burlington, dans le Vermont, Paul Virgile Norris emballait ses cadeaux de Noël sur la table de la cuisine : des présents pour sa famille, pour sa sœur, et aussi pour celle dont il se languissait.

Sans doute était-il surprenant de voir un rugbyman de cent kilos avec des rouleaux de papier-cadeau et du Scotch, prenant minutieusement des mesures avant de découper le papier avec des ciseaux. Une bouteille de sirop d'érable, une holstein en peluche et deux figurines étaient disposées devant lui. Ces dernières étaient une curiosité, il les avait trouvées dans un magasin de comics de Toronto. L'une d'elles était censée représenter Dante, vêtu comme un croisé avec la croix de saint Georges sur sa cotte de mailles, et l'autre était une Béatrice blonde aux yeux bleus en tenue de princesse plus ou moins anachronique.

Malheureusement, le fabricant de jouets n'avait pas jugé bon de créer un Virgile. Apparemment, ce personnage ne méritait pas d'avoir sa propre figurine. Paul n'étant pas de cet avis, il avait décidé d'écrire à la société pour se plaindre de leur regrettable méprise.

Il emballa précautionneusement chacun des articles et les disposa dans un carton avec du papier bulle. Il signa une carte de Noël avec quelques mots, tentant désespérément de paraître désinvolte afin de dissimuler ses sentiments croissants, referma le carton avec du Scotch et rédigea soigneusement l'adresse de Mlle Julianne Mitchell.

*
* *

Après avoir passé un moment très agréable dans le Jacuzzi, Gabriel prépara un dîner typique de l'Ombrie. *Bruschetta con pomodoro e basilico*, tagliatelles à l'huile d'olive et aux truffes noires de la propriété, et plateau de fromages artisanaux avec du pain. Ils mangèrent tout leur saoul, riant, et buvant un excellent vin blanc d'Orvieto à la lueur des chandelles. Après le dîner, Gabriel rassembla quelques couvertures et des oreillers pour former un cocon, devant la cheminée du salon.

Il connecta son iPhone à la chaîne hi-fi pour qu'ils puissent continuer de profiter de sa *playlist* « Tendre Julianne ». Puis, s'installant à terre, il la prit dans ses bras et ils terminèrent leur vin au son d'un chant médiéval. Ils étaient nus, enroulés dans des couvertures et sans complexes.

— Ce morceau est magnifique. De quoi s'agit-il ?

Elle ferma les yeux et se concentra sur les voix féminines qui chantaient *a cappella*.

— *Gaudete,* par les Mediæval Bæbes. C'est un chant de Noël.

— Quel drôle de nom !

— Elles sont très douées. Je les ai vues sur scène, la dernière fois qu'elles sont passées à Toronto.

— Oh, vraiment ?

Il lui adressa un petit sourire en coin.

— Seriez-vous jalouse, mademoiselle Mitchell ?

— Le devrais-je ?

— Non. Il n'y a plus de place dans mes bras. Plus du tout.

Ils se turent pour s'embrasser sur fond de voix célestes. Bientôt, leurs corps s'entremêlèrent devant l'âtre.

À la lueur orangée des flammes, Julia poussa Gabriel sur le dos et l'enfourcha. Il la laissa prendre la direction des opérations en souriant, accueillant favorablement sa nouvelle confiance en elle.

— Ce n'est pas si effrayant que ça, d'être au-dessus, hein ?

— Non. Mais je suis plus à l'aise avec toi, à présent. Je crois que le fait d'avoir fait l'amour contre le mur, à l'hôtel, m'a aidée à me désinhiber.

Il se demanda de quelles autres inhibitions il pourrait la libérer par d'autres façons de lui faire l'amour, sous la douche par exemple. Ou alors, le saint Graal des couples casaniers : sur la table de la cuisine.

Elle l'interrompit dans ses pensées.

— J'ai envie de te faire plaisir.

– C'est déjà le cas. Vraiment.

Elle tendit la main derrière elle et lui caressa doucement le haut de l'aine.

– Avec ma bouche. Je culpabilise de ne pas avoir pu te rendre la pareille. Tu t'es montré si généreux avec moi.

Son corps réagit à son contact hésitant et au son de sa voix.

– Que les choses soient claires, Julianne. Si je fais des choses avec toi, c'est parce que j'en ai envie, dit-il, esquissant néanmoins un léger sourire. Mais si tu me le proposes…

– Je sais que les hommes adorent ça.

Il haussa les épaules.

– Je préférerai toujours faire l'amour. En comparaison, tout le reste n'est qu'amuse-bouche.

Il lui fit un clin d'œil diabolique, refermant une main sur sa hanche pour accentuer ses propos.

– Dans cette position, ça te va ? Tu veux t'allonger, ou…

– C'est parfait, chuchota-t-il, le regard soudain étincelant.

– J'imagine que c'est plus confortable pour toi que pour moi à genoux.

Elle guetta sa réaction du coin de l'œil.

– Tu as raison. D'un autre côté, je suis toujours ravi de m'agenouiller devant ma princesse pour la satisfaire. Comme je t'en ai déjà donné la preuve.

Elle rit doucement, puis son sourire s'estompa.

–Il faut que je te dise quelque chose.

Il leva les yeux vers elle d'un air intrigué.

– Ça me donne des haut-le-cœur.

Il fronça les sourcils.

– Je m'inquiéterais si ce n'était pas le cas.

Elle évita son regard inquisiteur et fit descendre sa main.

– Les miens sont plutôt forts.

Il referma la main sur la sienne.

– Ce n'est pas un problème, ma chère. Je te le promets.

Il serra sa main. Quand elle se baissa, il lui caressa les cheveux et joua avec.

Elle se figea.

Pendant un moment d'insouciance, il continua à jouer avec sa longue chevelure soyeuse. Puis il se rendit compte qu'elle ne bougeait plus du tout.

– Que se passe-t-il ?

– Ne me tiens pas la tête, s'il te plaît.

– Je n'en avais pas l'intention.

Il semblait perturbé.

Elle demeura parfaitement immobile, comme si elle attendait quelque chose. Il n'aurait su dire quoi. Il lui lâcha les cheveux pour lui relever le menton.

– Mon cœur ?

– Euh, c'est seulement parce que… je-ne-veux-pas-te-vomir-dessus. Elle avait murmuré ces derniers mots.

– Pardon ?

Elle baissa la tête.

– Il m'est déjà arrivé… de vomir…

Il la considéra d'un air incrédule.

– Quoi, après ?

– Euh… non.

Il demeura silencieux un instant puis plissa les yeux.

– Tu étais malade à cause des haut-le-cœur ou parce que cet enfoiré te tenait la tête ?

Elle eut un mouvement de recul et hocha presque imperceptiblement la tête.

Gabriel jura, fou de rage. Il se redressa rapidement, se passant les deux mains sur le visage.

Par le passé, il lui était arrivé de ne pas se montrer très tendre avec ses conquêtes, même s'il s'enorgueillissait d'avoir toujours fait preuve d'un semblant de bonnes manières. Un peu moins quand il était sous cocaïne. Malgré les bacchanales auxquelles il s'était livré, des fêtes parfois dignes de la décadence romaine, il n'avait jamais tenu une fille par la tête au point de la faire vomir. Personne ne faisait ça. Pas même les dealers et les accros avec lesquels il avait traîné, alors même qu'ils n'avaient aucune limite, aucun scrupule. Seul un enfoiré de tordu misogyne pouvait prendre plaisir à humilier une femme de cette façon.

Comment pouvait-on infliger une telle chose à Julianne ? Avec son regard doux et son âme merveilleuse… Une femme timide, honteuse d'avoir des haut-le-cœur. Le fils du sénateur avait de la chance d'être chez ses parents à Georgetown, avec une condamnation avec sursis et une ordonnance restrictive ; sinon, Gabriel serait allé sonner chez lui pour achever ce qu'il avait commencé lors de leur altercation. Il aurait mis un terme à leur conversation par quelques coups de poing supplémentaires.

Il chassa ses envies de meurtre en secouant la tête, aida Julia à se relever et l'enveloppa dans une couverture.

– Allons à l'étage.

— Pourquoi ?

— Parce que je ne peux pas rester là après ce que tu m'as dit.

Julia se sentit rougir de honte, et des larmes lui montèrent aux yeux.

— Eh ! dit-il en l'embrassant sur le front. Ce n'est pas ta faute. Tu comprends ? Tu n'as rien fait de mal.

Elle esquissa un semblant de sourire, mais à l'évidence elle ne le croyait pas.

Il la conduisit à l'étage, puis dans la salle de bains attenante à la chambre avant de refermer la porte derrière lui.

— Que fais-tu ?

— Avec un peu de chance, ça va te plaire, lui assura-t-il en lui caressant la joue de son pouce.

Il tourna le robinet et régla la température de l'eau. Il ajusta la puissance du jet jusqu'à ce qu'à ce qu'une fine pluie tombe de la douche tropicale. Il la débarrassa lentement de sa couverture et lui tint la porte ouverte, attendant qu'elle en franchisse le seuil avant de la suivre.

Elle semblait perplexe.

— Je veux te montrer à quel point je t'aime, chuchota-t-il. Sans t'emmener au lit.

— Emmène-moi au lit, l'implora-t-elle. Comme ça, notre soirée ne sera pas gâchée.

— Notre soirée est loin d'être gâchée, rétorqua-t-il avec un rien de férocité. Mais plus personne ne te fera souffrir.

Il lui caressa les cheveux des deux mains, les soulevant et les écartant pour tous les mouiller.

— Tu as l'impression que je suis souillée.

— Loin de là.

Il lui prit la main et la pressa contre son tatouage sur la poitrine.

— Tu es ce qui ressemble le plus à un ange, reprit-il, soutenant son regard sans ciller. Mais je crois que nous devons nous débarrasser tous les deux de notre passé.

Il rassembla sa chevelure d'un côté et l'embrassa dans le cou. Reculant, il versa un peu de son shampooing à la vanille dans la paume de sa main. Il le lui fit pénétrer dans le cuir chevelu, lui massant lentement le crâne, avant de descendre jusqu'à la pointe de ses boucles. Il se montrait soigneux dans ses gestes. S'il fallait lui démontrer par un acte que son amour pour elle était bien plus profond qu'un engouement sexuel, c'était le moment ou jamais.

Quand Julia commença à se détendre, elle repensa à l'un des rares bons souvenirs qu'elle avait de sa mère. Elle était petite, et sa mère lui lavait les cheveux dans la baignoire. Elle se rappelait combien elles avaient ri toutes les deux. Elle se remémora son sourire.

Elle préférait que ce soit Gabriel qui lui lave les cheveux. Il s'agissait d'un acte très tendre et intime. Elle était nue devant lui, et il la débarrassait de sa honte.

Lui aussi était nu, mais il prit soin d'éviter de la bousculer ou de l'effleurer avec son érection légèrement embarrassante. Il n'était pas question de sexe. Il s'agissait de lui faire comprendre que quelqu'un l'aimait.

— Je suis désolée d'être si émotive, s'excusa-t-elle d'une voix apaisée.

— Le sexe est censé déclencher des émotions. Inutile de me cacher tes sentiments.

Il la prit par la taille et l'enlaça.

— Je ressens moi aussi beaucoup de choses pour nous deux. Ces derniers jours ont été les plus heureux de ma vie.

Il posa le menton sur son épaule.

— Tu étais timide, quand tu avais dix-sept ans, mais je ne me souviens pas de t'avoir vue si meurtrie.

— J'aurais dû le quitter la première fois qu'il s'est montré cruel, se reprocha-t-elle d'une voix tremblante. Mais ça n'a pas été le cas. Je ne me suis pas défendue et la situation s'est aggravée.

— Ce n'était pas ta faute.

Elle haussa les épaules.

— Je suis restée avec lui. Je me suis raccrochée aux bons moments, quand il était charmant ou attentionné, espérant que les mauvais disparaîtraient. Je sais que ce que j'ai dit te rend malade, mais crois-moi, Gabriel, si quelqu'un me répugne, c'est bien moi.

— Julia ! gémit-il en l'obligeant à se tourner vers lui. Tu ne me répugnes pas. Je me moque de savoir ce que tu as fait. Personne ne mérite d'être traité de cette façon. Tu m'entends ?

Une lueur bleue étincelait dans son regard.

Elle se couvrit le visage de ses mains.

— Je voulais te faire plaisir. Mais je n'y suis même pas parvenue.

Il la saisit par les poignets pour écarter les mains de son visage.

— Écoute-moi. Nous nous aimons. Tout ce qu'il y a entre nous, y compris le sexe, est un présent. Pas un droit, ni une exaction, un présent. Je suis là, maintenant. Laisse-le partir.

— Je continue à entendre sa voix dans ma tête.

Elle essuya une larme solitaire. Gabriel secoua la tête, se déplaçant pour qu'ils se retrouvent tous les deux sous la pluie tropicale chaude qui se déversait sur leurs corps.

— Tu te souviens de ce que j'ai dit pendant ma conférence, à propos du *Printemps* de Botticelli ?

Elle acquiesça.

— Certains croient que *Le Printemps* traite de l'éveil sexuel, qu'une partie de la toile est une allégorie du mariage arrangé. Tout d'abord, Flore est vierge et elle a peur. Quand elle est enceinte, elle paraît plus sereine.

— Je croyais que Zéphyr l'avait violée.

Il serra les dents.

— C'est le cas. Puis il est tombé amoureux d'elle et l'a épousée, faisant d'elle la déesse des Fleurs.

— Ce n'est pas une très belle allégorie du mariage.

— Non.

Il déglutit bruyamment.

— Julia, même si tu as vécu des choses traumatisantes, tu peux tout de même avoir une vie sexuelle épanouie. Je veux que tu saches que tu es en sécurité dans mes bras. Je refuse que tu fasses quoi que ce soit qui ne te plairait pas, y compris des fellations.

Il passa un bras autour de sa taille, regardant l'eau s'écouler sur leurs corps nus avant de goutter sur le carrelage à leurs pieds.

— Ça fait seulement une semaine qu'on couche ensemble. On a toute la vie devant nous pour s'aimer de toutes les manières possibles.

En silence, il lui savonna amoureusement la nuque et les épaules à l'aide d'une éponge. Puis il traça les contours de ses omoplates et de sa colonne vertébrale, marquant des pauses régulières pour déposer un baiser là où l'eau avait rincé le savon.

Il lui lava le bas du dos et les deux petites fossettes qui marquaient la transition avec son postérieur. Sans hésiter, il lui savonna les fesses et lui massa les mollets, lui lava même les pieds, lui faisant poser la main sur son épaule pour qu'elle garde l'équilibre pendant qu'il lui savonnait les orteils.

On n'avait jamais tant pris soin d'elle.

Il s'occupa ensuite de sa gorge et de la courbe de ses épaules. Il lui lava et caressa les seins avec les mains, reposant l'éponge pour les embrasser. Puis il passa doucement la main dans son entrejambe, sans intention sexuelle mais avec respect, rinçant l'eau savonneuse qui s'était accumulée sur ses boucles noires, avant d'y déposer également un baiser.

Quand il en eut terminé, il l'étreignit et l'embrassa sobrement et simplement, comme un adolescent timide.

– Tu m'apprends à aimer, et je suppose que c'est aussi mon cas, d'une certaine manière. Nous ne sommes pas parfaits, mais ça ne nous empêche pas d'être heureux, hein ?

Il recula pour la regarder dans les yeux.

– Non, murmura-t-elle, les yeux pleins de larmes.

Il la serra contre son cœur et blottit son visage dans le creux de son cou, laissant l'eau s'écouler sur leurs corps.

*
* *

Épuisée émotionnellement, Julianne dormit jusqu'à midi le lendemain. Gabriel avait été si gentil, si aimant… Il avait renoncé à la fellation, que Julia avait toujours considérée comme un besoin masculin basique, et lui avait offert ce qui ne pouvait être qualifié que de purification de toute honte. L'amour et l'abnégation de Gabriel avaient eu l'effet escompté.

Quand elle ouvrit les yeux, elle se sentit plus légère, plus forte et plus heureuse. En gardant le secret sur la manière dont « il » l'avait humiliée, elle s'était infligé un fardeau insupportable. Sans le poids de la culpabilité, elle se sentait revivre.

Elle trouva qu'il était sans doute blasphématoire de comparer son expérience à celle de Christian dans *Le Voyage du pèlerin*, mais elle vit une importante ressemblance entre leurs délivrances respectives. La vérité rend libre, mais l'amour chasse la peur.

En vingt-trois ans, Julia ne s'était pas rendu compte à quel point la grâce pouvait se révéler pénétrante, et comment Gabriel, qui se considérait comme un grand pécheur, pouvait lui transmettre cette grâce. Cela faisait partie de la divine comédie : le sens de l'humour de Dieu soutenant les rouages de l'univers. Les pécheurs participaient à la rédemption des autres pécheurs ; la foi, l'espoir et la charité triomphaient du scepticisme, du désespoir et de la haine, tandis que Celui qui appelait toutes les créatures à Lui observait la scène en souriant.

# 6

Quand Gabriel se réveilla, au milieu de leur dernière nuit en Ombrie, il était seul dans le grand lit. Étonné, dans un état de demi-sommeil, il tendit le bras vers le côté de Julianne. Les draps étaient froids.

Il descendit du lit, grimaçant quand ses pieds nus touchèrent le sol glacé. Il enfila un caleçon et descendit au rez-de-chaussée en se grattant le crâne, les cheveux en bataille. La lampe de la cuisine était allumée, mais Julianne ne s'y trouvait pas. Un verre à demi plein de jus de canneberge trônait sur le comptoir, à côté d'un reste de fromage et d'un croûton de pain. Il avait l'impression qu'une petite souris était venue faire un festin pendant la nuit, puis s'était enfuie.

En entrant dans le salon, il perçut une chevelure noire sur l'accoudoir d'un fauteuil moelleux devant la cheminée. Endormie, Julianne lui sembla plus jeune et plus paisible. Elle était pâle, mais ses joues et ses lèvres avaient une teinte rosée. Il aurait adoré composer un poème sur sa bouche et se promit de s'y atteler. En fait, elle lui rappelait *June flamboyante*, la toile de Frederick Leighton. Elle n'était vêtue que d'une élégante chemise de nuit de soie ivoire. L'une de ses fines bretelles était tombée, dévoilant les courbes magnifiques de son épaule droite.

Trouvant son teint pâle et sa peau douce irrésistibles, Gabriel ne put s'empêcher de l'embrasser sur l'épaule et s'accroupit près de sa tête pour lui caresser les cheveux et lui tapoter doucement le bras.

Elle remua et ouvrit les yeux, clignant des paupières avant de lui sourire.

Ce doux sourire lui enflamma le cœur. Il se sentit respirer plus vite. Il n'avait jamais rien ressenti de pareil pour quelqu'un, et s'étonnait toujours qu'elle puisse provoquer chez lui ce genre de sentiments.

– Bonjour, chuchota-t-il en lui écartant une mèche de cheveux du visage. Ça va ?

– Bien sûr.

– Je me suis inquiété quand je t'ai cherchée, tu n'étais plus là.

– Je suis descendue grignoter quelque chose.

Gabriel fronça les sourcils et posa légèrement la main sur son front.

– Tu as encore faim ?

– Pas de nourriture.

– C'est la première fois que je la vois.

Il suivit le décolleté de sa chemise de nuit du bout du doigt, lui effleurant le haut des seins.

– Je l'avais achetée pour notre première nuit ensemble.

– Elle est magnifique. Pourquoi ne l'as-tu jamais portée ?

– J'ai porté toutes ces choses que tu m'as achetées à Florence. Comment la vendeuse a-t-elle appelé ça ? Des guêpières et des bodies ? Vos goûts en lingerie féminine sont étonnamment vieux jeu, professeur Emerson. La prochaine fois, tu vas m'offrir un corset ?

Il gloussa et l'embrassa.

– J'essaierai d'en trouver un. Tu as raison, j'ai tendance à préférer les articles qui laissent plus de place à l'imagination. Ça rend l'effeuillage bien plus plaisant. Mais tu es tout aussi ravissante avec autre chose, ou nue.

Elle lui caressa le visage et l'attira vers elle pour l'embrasser plus fougueusement. Elle lui déposa ensuite des baisers sur la joue, jusqu'à son oreille.

– On retourne au lit ? chuchota-t-elle.

Elle lui prit la main et le fit passer devant la table de la cuisine, lui adressant un sourire coquin avant de gravir l'escalier. Elle le fit asseoir sur le bord du lit à baldaquin pendant qu'elle se tenait devant lui, immobile.

Repoussant les bretelles de sa chemise de nuit, elle les fit glisser de ses épaules. Le vêtement tomba à ses pieds, la laissant nue.

Dans la pénombre de la pièce, il fut fasciné par ses courbes affriolantes.

– Tu es la preuve de l'existence de Dieu, murmura-t-il.

– Pardon ?

– Ton visage, tes seins, ton joli dos. S'il avait eu le bonheur de te connaître, saint Thomas d'Aquin t'aurait considérée comme sa « sixième voie ». Tu as sans aucun doute été « créée », et non simplement « faite ».

Elle baissa les yeux et rougit.

En la voyant prendre des couleurs, il esquissa un sourire.

– Je t'intimide ?

Comme pour lui répondre, elle s'approcha et lui prit la main pour la poser sur son sein.

Il le serra doucement.

– Viens auprès de moi que je te prenne dans mes bras.

– Je veux que tu m'aimes.

Il se débarrassa de son caleçon et se poussa pour qu'elle vienne le rejoindre. La main toujours sur son sein, il l'embrassa, enroulant délicatement sa langue autour de la sienne.

– Je te respire, chuchota-t-il. Tu es tout. Tu es l'air.

Il lui caressa les seins du bout des doigts et l'embrassa doucement dans le cou, pendant qu'elle le poussait d'un geste assuré.

Elle l'obligea à s'étendre sur le dos et le chevaucha. Il l'embrassa entre les seins et prit l'un de ses tétons entre ses lèvres tout en continuant à la caresser, baissant la main pour l'examiner. Il libéra son sein et secoua la tête.

– Tu n'es pas prête.

– Mais j'ai envie de toi.

– Moi aussi. Mais je voudrais d'abord t'exciter.

Gabriel répondait toujours au désir de Julia par une obstination à vouloir s'assurer que leurs rapports soient agréables pour tous les deux. Il préférait retarder les choses jusqu'à ce qu'elle soit folle de désir, plutôt que de se précipiter avant qu'elle soit prête. Quand ils s'unirent enfin, elle plongea son regard dans ses grands yeux bleus, à quelques centimètres. Elle se dressa lentement au-dessus de lui, fermant les yeux pour se concentrer sur cette sensation agréable, avant de les rouvrir. C'était un lien intense. Ses yeux bleu foncé chargés d'émotion plongeaient sans ciller dans les grands yeux noisette. Chacun de leurs mouvements, chacun de leurs désirs se reflétaient dans leurs regards.

– Je t'aime.

Il frotta son nez contre le sien, tandis qu'elle accélérait progressivement son rythme.

– Moi aussi, je t'aime…

Sa phrase se termina en un gémissement de plaisir.

Elle baissa la tête vers la bouche de son amant, précipitant ses mouvements. Ils mêlèrent de nouveau leurs langues, seulement interrompus par leurs cris. Il lui caressa les côtes et le ventre. Glissant la main sous ses fesses, il put la soulever légèrement, donnant plus d'ampleur à son effet de levier.

Elle était devenue accro. Accro à lui. Elle adorait la façon dont il la regardait dans ces moments d'intimité intense, et la manière dont plus rien n'existait autour d'eux. Elle adorait le sentir en elle, et avait toujours l'impression d'être belle, avec lui. Elle aurait volontiers affirmé que les orgasmes n'étaient que des bonus, tant elle se sentait bien dans ces moments-là.

L'amour, comme la musique, la respiration ou les battements de cœur, était fondé sur un rythme binaire. Gabriel commençait à comprendre le corps de Julia et à savoir quel rythme lui correspondait le mieux, comme un gant sur la main d'une demoiselle. C'était un savoir à la fois personnel et primordial, le genre de savoir auquel les traducteurs du roi Jacques avaient fait allusion en écrivant qu'Adam « connaissait » sa femme. Le savoir sacré et mystérieux qu'un amant avait sur sa bien-aimée, un savoir perverti et néfaste dans les accouplements moins glorieux. Un savoir que méritait tout mariage digne de ce nom.

Julia fit bon usage de ses nouvelles connaissances, pour le plus grand plaisir de Gabriel. Et cette sensation quand il était en elle... C'était chaud, palpitant, tropical et parfait.

Il était près, oh, tout près de... Il chercha son visage du regard et remarqua qu'elle avait les yeux ouverts. Il répondait à chacun de ses mouvements. Et cela leur procurait du plaisir à tous deux.

Tandis qu'ils se regardaient dans les yeux, elle laissa échapper un râle véhément, puis jeta la tête en arrière et cria son nom. Il trouva cela magnifique : Julianne l'avait enfin appelé par son nom. Ce fut bientôt son tour de pousser des cris de plaisir, de se crisper de tout son être avant de se relâcher, les veines de son front et de son cou se gonflant avant de disparaître.

Un accouplement joyeux et tendre.

Elle ne voulait pas le laisser partir. Refusant de le sentir quitter son corps, elle se recroquevilla sur lui et le dévisagea.

— Ce sera toujours comme ça ?

Il l'embrassa sur le nez.

— Je n'en sais rien. Mais si Richard et Grace sont une référence, ça ne fera que s'améliorer avec le temps. Je verrai dans tes yeux le reflet de toutes les joies et les expériences que nous avons partagées, et tu verras la même chose dans les miens. Avec le temps, ce sera encore mieux, encore plus profond.

Elle acquiesça en souriant, puis prit un air attristé.

— Qu'y a-t-il ?

— Je m'inquiète pour l'an prochain.

— Pourquoi ?

— Et si je n'étais pas acceptée à Toronto pour mon doctorat ?

Il fronça les sourcils.

— J'ignorais que tu avais posé ta candidature.

— Je ne veux pas te quitter.

— Je ne veux pas non plus que tu me quittes… mais, Julianne, la formation de Toronto n'est pas faite pour toi. Tu n'aurais personne avec qui travailler. Je ne pourrais pas diriger tes travaux, et je doute que Katherine accepte de s'engager sur plusieurs années.

Le visage de Julia se décomposa.

Il lui caressa la joue du bout d'un doigt.

— Je croyais que tu voulais aller à Harvard.

— C'est si loin…

— À une heure et demie d'avion seulement.

Il la considéra d'un air songeur.

— On se verrait tous les week-ends et pendant les vacances. J'ai demandé une année sabbatique. Il est possible que j'y aille avec toi, la première année.

— Je vais sans doute y rester six ans. Peut-être davantage.

Elle sentait les larmes lui monter aux yeux. En voyant son regard se troubler, Gabriel eut un pincement au cœur.

— On trouvera une solution, lui promit-il d'une voix rauque. Pour le moment, profitons du temps que nous passons ensemble. Laisse-moi m'inquiéter de l'avenir. Je ferai en sorte que nous ne soyons pas séparés.

Elle s'apprêtait à protester, mais il l'embrassa.

— L'avantage de sortir avec quelqu'un de plus âgé et de bien établi, c'est qu'il peut te laisser te concentrer sur ta propre carrière. Je trouverai le moyen de faire correspondre mon travail au tien.

— Ce n'est pas juste.

— Ce serait horriblement injuste de ma part de t'obliger à abandonner ton rêve de devenir professeur, ou de te demander de t'inscrire à une formation qui ne soit pas à la hauteur. Je ne te permettrai pas de sacrifier ton rêve pour moi, dit-il en esquissant un sourire. À présent, embrasse-moi et dis-moi que tu as confiance en moi.

— Je te fais confiance.

Il l'enlaça et poussa un soupir quand elle posa la tête sur sa poitrine.

# 7

Quelques jours avant Noël, Christa Peterson lisait ses e-mails chez ses parents, au nord de Toronto. Elle n'avait pas ouvert sa messagerie depuis une semaine. La relation qu'elle entretenait en plus de sa traque du Pr Emerson venait de prendre fin, elle n'irait donc pas skier avec son ancien amant à Whistler pendant les vacances de Noël, en Colombie-Britannique.

Le banquier en question avait rompu avec elle par SMS. C'était de mauvais goût, assurément, l'e-mail qu'elle était certaine de trouver dans sa boîte de réception, prêt à lui exploser au visage, allait lui plaire encore moins.

S'étant donné du courage avec un verre ou deux de champagne Bollinger millésimé qu'elle avait acheté pour cet imbécile censé l'emmener skier, elle vérifia son courrier. Il y avait bien une bombe parmi ses e-mails, mais pas celle qu'elle attendait. Ce serait un euphémisme de prétendre qu'elle fut surprise par le message du Pr Pacciani. En fait, elle avait l'impression que l'on venait de tirer le tapis sous ses pieds.

La seule Canadienne pour qui le Pr Emerson ait jamais montré de l'affection, même mesurée, était le Pr Ann Singer. Certes, Christa avait déjà vu l'enseignant avec de nombreuses femmes au Lobby, mais jamais deux fois avec la même. Il se montrait amical avec d'autres femmes professeurs ou faisant partie du personnel, mais c'était strictement professionnel, et il ne les saluait que d'une ferme poignée de main. Le Pr Singer, en revanche, avait eu droit à deux bises quand il l'avait rencontrée après sa dernière conférence.

Christa ne souhaitait pas relancer sa relation avec le Pr Pacciani. Il lui avait cruellement manqué de respect, et elle détestait reprendre des relations intimes qui l'avaient laissée sur sa faim. Elle avait des critères, après tout, et tout homme qui n'atteignait pas au moins les dimensions de son accessoire personnel à piles ne méritait pas de coucher avec elle. Et elle aurait bien voulu que ça se sache.

Souhaitant en savoir plus sur la fiancée du Pr Emerson, elle feignit de s'intéresser au rendez-vous que lui proposait le Pr Pacciani au printemps, et lui demanda de façon subtile le nom de la personne en question. Puis elle descendit l'escalier et termina sa bouteille de champagne.

*<br>* *

La veille de Noël, Julia était installée au comptoir du Kinfolks, un restaurant de Selinsgrove, déjeunant avec son père. Gabriel faisait des achats de dernière minute avec Richard, pendant que Rachel et Aaron se rendaient à l'épicerie pour acheter une dinde. Scott était à Philadelphie avec sa copine.

Tom avait fidèlement remis à Julia le présent de Paul. Elle l'avait déposé à ses pieds et avait l'impression qu'il la regardait, réclamant son attention comme un chiot.

Elle l'ouvrit, décidant qu'il valait mieux en montrer le contenu à son père qu'à son amant. Avec un sourire, elle lui offrit la bouteille de sirop d'érable, gloussa en voyant la petite holstein en peluche et l'embrassa, mais blêmit en déballant les figurines de Dante et de Béatrice. C'était comme si Paul avait été au courant. Il était pourtant impossible qu'il sache que Gabriel et elle étaient Dante et Béatrice, du moins l'un pour l'autre.

Pendant que Tom dévorait son plat du jour, de la dinde farcie et de la purée de pommes de terre, Julianne lut la carte de Paul. Elle représentait des enfants en pleine bataille de boules de neige et portait la mention « Joyeux Noël ! ». Mais ce fut en lisant ce que Paul avait rédigé de sa propre main qu'elle sentit sa gorge se nouer.

« Joyeux Noël, Lapin.
C'était un premier trimestre éprouvant, et je suis désolé de ne pas être parvenu à te venir en aide quand tu en avais besoin. Je suis fier que tu n'aies pas abandonné. Je t'embrasse bien fort depuis le Vermont,
Ton ami Paul.

P. S. : Je ne sais pas si tu connais *Wintersong*, de Sarah McLachlan, mais cette chanson me fait penser à toi. »

Julia ne connaissait pas le morceau auquel il faisait allusion, et comme il avait omis de lui en indiquer les paroles, elle ne put les chanter en regardant de plus près le dessin de la carte. Au centre de l'image se tenait une fillette aux longs cheveux noirs qui riait, vêtue d'un manteau rouge éclatant.

La citation, l'image, la carte, le cadeau... Paul avait tenté de garder le secret sur ses sentiments, se dit-elle, mais il s'était trahi. Tout était dit par l'illustration et la chanson qu'elle écouterait plus tard.

Elle remit tout en place dans le carton en soupirant, et le déposa de nouveau à ses pieds.

— Alors, Gabriel est gentil avec toi ?

Tom aborda le sujet de sa relation entre deux bouchées de dinde.

— Il m'aime, papa. Il est très gentil avec moi.

Son père secoua la tête en pensant à quel point Simon donnait l'impression d'être gentil, et à quel point Gabriel l'était vraiment. Et à la manière dont il avait été incapable de faire la différence.

— Il faut que tu me le dises, si ce n'est pas le cas, insista-t-il en goûtant la purée.

Julia faillit lever les yeux au ciel. Certes, il était un peu tard pour Tom de se mettre à jouer les pères protecteurs, mais c'était mieux que jamais.

— Quand Gabriel et moi sommes arrivés en ville, ce matin, nous sommes passés devant la maison. J'ai vu le panneau sur la pelouse.

Il s'essuya la bouche avec sa serviette.

— Ça fait environ deux semaines que je l'ai mise en vente.

— Pourquoi ?

— Pourquoi pas ? Je ne peux pas vivre dans un lieu où ma fille ne se sent pas en sécurité.

— Mais tu as grandi dans cette maison. Et Deb ?

Il haussa les épaules et dissimula son visage derrière sa tasse de café.

— C'est terminé.

Elle hoqueta.

— Je l'ignorais. Je suis désolée.

Il continua à boire son café d'un air stoïque.

— Nous avions des divergences de vues, et ses gamins ne m'aiment pas.

Julia jouait avec ses couverts, les alignant pour que leurs extrémités se trouvent à la même hauteur.

— Alors, Deb s'est rangée du côté de Natalie et de Simon ?

Il haussa de nouveau les épaules.

– Ça couvait depuis un moment. En fait, je suis soulagé. Ça fait du bien d'être libre.

Il lui fit un clin d'œil avec un air de conspirateur.

– Je cherche une maison plus petite. Avec l'argent qui reste, j'aimerais te payer tes études.

Julia fut tout d'abord surprise. Puis furieuse. Son conflit avec « lui » leur avait coûté cher, à son père et à elle. Trop cher pour qu'il s'en tire avec un simple casier judiciaire et quelques travaux d'intérêt général. Elle avait une cicatrice, et son père avait perdu sa future femme et la maison familiale des Mitchell.

– Tu devrais te servir de cet argent pour prendre ta retraite, papa.

– Je suis certain que ce sera suffisant pour tout. Et si tu ne veux pas de mon argent pour la fac, prends-le pour en faire ce que tu veux. À partir de maintenant, tu es tout ce qui me reste, ma petite fille.

Il lui ébouriffa les cheveux, son geste d'affection préféré.

Il s'excusa et se dirigea vers les toilettes, la laissant seule devant sa moitié de cheeseburger, à méditer sur les changements intervenus chez son père. Elle était plongée dans ses pensées, tripotant le verre de Canada Dry devant elle, quand quelqu'un s'approcha du tabouret vacant à côté d'elle.

– Salut, Jules.

Surprise, Julia se tourna vers son ancienne camarade de chambre, Natalie Lundy.

À une époque, Julia l'avait surnommée « Jolene », car ses traits voluptueux correspondaient parfaitement à ceux décrits dans la chanson. Mais c'était avant que Natalie la trahisse. À présent, sa beauté lui semblait dure et froide.

En la dévisageant, elle remarqua, dans la façon dont elle était vêtue, des choses qui faisaient peine à voir : son manteau griffé vintage aux poignets légèrement élimés, ses bottes de prix mais usées, sans doute achetées d'occasion… Au premier abord, Natalie semblait riche et bien habillée. Mais en y regardant de plus près, elle aperçut ce que les autres ne pouvaient voir : une campagnarde honteuse de ses racines ouvrières qui aurait bien aimé les oublier.

– Joyeux Noël, Natalie. Qu'est-ce que je te sers ? demanda Diane, la serveuse, en se penchant par-dessus le comptoir.

Julia vit Natalie se métamorphoser, son air glacial et maussade laissant la place à un sourire radieux et enjoué, retrouvant soudain l'accent de la région.

– Joyeux Noël, Diane ! Je vais simplement prendre un café. Je ne peux pas rester.

La serveuse la servit en souriant, puis alla s'occuper d'un groupe de pompiers volontaires – des collègues de Tom – à l'autre bout du comptoir. Dès qu'elle eut le dos tourné, Natalie changea de nouveau d'attitude. Elle foudroya Julia du regard, les yeux débordants de haine.

– Il faut que je te parle.

– Je n'ai pas envie de t'écouter.

Elle s'apprêtait à se lever, mais Natalie la saisit discrètement par le poignet.

– Reste assise et ferme-la, ou je fais un scandale, lui ordonna-t-elle à voix basse, presque en chuchotant.

Elle arbora un sourire artificiel. En la voyant, personne n'aurait deviné qu'elle menaçait Julia, qui déglutit bruyamment avant de se rasseoir.

Natalie lui libéra le bras après l'avoir serré très fort.

– Il faut qu'on parle de Simon.

Julia se tourna vers les toilettes, espérant que son père ne tarderait pas à réapparaître.

Son ancienne amie poursuivit :

– Je vais partir du principe que le récent malentendu avec Simon n'était pas intentionnel. Tu étais contrariée, il a dit des choses qu'il n'aurait pas dû dire et tu as appelé la police. À cause de ce malentendu, il a désormais un casier judiciaire. Je suis certaine qu'il est inutile de t'expliquer pour quelle raison ce casier doit disparaître avant qu'il présente sa candidature au Sénat. Il faut que tu remédies à cela. Aujourd'hui même.

Elle fit un autre sourire et repoussa sa chevelure derrière son épaule, se conduisant comme si Julia et elle étaient engagées dans une conversation amicale.

– Je ne peux rien y faire, marmonna Julia. Il a déjà reconnu sa culpabilité pour obtenir une peine moins lourde.

Natalie but une gorgée de café.

– Cesse de me prendre pour une idiote, Jules. Je suis au courant. Évidemment, il faut que tu ailles voir le procureur pour lui dire que tu as menti. Lui expliquer qu'il s'agissait d'une querelle d'amoureux qui a dégénéré, que tu t'es vengée, et qu'à présent tu t'en veux d'avoir tout inventé.

Elle éclata de rire un peu trop fort.

– Même si j'ai du mal à comprendre comment quelqu'un a pu croire que Simon s'était intéressé à toi. Regarde-toi, pour l'amour du ciel. Tu ne ressembles à rien !

Julia garda pour elle sa riposte sévère, trouvant plus prudent de garder le silence.

Natalie se pencha vers elle, tirant sur le col ras du cou de Julia avec ses doigts glacés. Elle examina attentivement son cou.

— Tu n'as aucune marque. Montre ton cou au procureur et dis-lui que tu as menti.

— Non.

Elle se mit hors de portée de Natalie, se retenant de lui montrer la cicatrice, qu'elle avait badigeonnée de fond de teint le matin même. Elle remonta son col, portant la main à l'emplacement de la morsure de Simon. C'était une douleur fantôme, elle le savait, mais elle sentait encore où il avait planté ses dents.

Natalie baissa d'un ton.

— Ce n'est pas une requête, mais une exigence.

Elle tira son BlackBerry de son grand sac à main et le déposa sur le comptoir, entre elles.

— J'espérais ne pas être obligée d'en arriver là, mais tu ne me laisses pas le choix. J'ai des photos de toi que Simon a prises. Elles sont très… hautes en couleur.

Julia lança un regard furtif au téléphone. Elle tenta d'avaler sa salive, mais elle avait la gorge sèche. D'une main tremblante, elle porta son verre à ses lèvres, tentant désespérément de ne pas le renverser.

Natalie esquissa un sourire, se réjouissant manifestement de la torture qu'elle était capable d'infliger à son ancienne rivale. Elle s'empara brusquement du téléphone et se mit à faire défiler les photos.

— Je ne comprendrai jamais comment il a pu prendre ces clichés sans que tu t'en rendes compte. Sauf si tu étais au courant et que tu t'en moquais.

Elle inclina la tête sur le côté et observa Julia en plissant les yeux.

— Tu t'en moquerais toujours si tout Selinsgrove voyait ces photos sur Internet ?

Julia balaya la salle du regard, espérant que personne n'avait entendu la menace de Natalie. Au moins, personne ne regardait dans leur direction. Son premier mouvement fut de s'enfuir pour se cacher. Mais lorsqu'elle était plus jeune, cette stratégie ne l'avait pas sauvée de sa mère… qui l'avait toujours retrouvée. Cela ne l'avait pas sauvée de Simon non plus. Ce dernier avait été mis hors d'état de nuire grâce à l'intervention de Gabriel.

Julia en avait assez de se cacher. Elle sentit les muscles de son dos se contracter.

– Si Simon a un casier, c'est uniquement ta faute. C'est pour récupérer ces photos qu'il est venu me voir. Mais tu les avais depuis le début.

Natalie lui sourit, mais ne nia aucunement son accusation.

– Tu veux à présent que je répare tes bêtises, mais je ne le ferai pas.

Natalie éclata de rire.

– Oh que si, tu vas le faire !

Elle se tourna de nouveau vers l'écran de son appareil, faisant mine de ne pas en croire ses yeux.

– Bon sang, ce que tu as de petits seins !

– Tu sais que le sénateur Talbot souhaite présenter sa candidature aux présidentielles ? laissa échapper Julia.

Natalie repoussa de nouveau ses cheveux derrière son épaule.

– Bien sûr que je le sais. Je vais travailler sur sa campagne.

Julia la dévisagea longuement.

– Je comprends mieux, à présent. C'est au sénateur que le casier de Simon posera problème. Voilà pourquoi tu souhaites le faire effacer. Tu es fichue.

– Comment ça ?

– Si tu publies ces clichés, Simon te larguera si vite que tu ne l'auras pas vu arriver. Et tu n'auras plus jamais l'occasion de quitter cette ville.

Natalie agita la main d'un air dédaigneux.

– Il ne me quittera pas. Et le sénateur n'apprendra jamais l'existence de ces photos.

Julia sentit son cœur se mettre à battre.

– Si je suis sur ces photos, Simon l'est aussi. Qu'en pensera le sénateur ?

– Tu n'as jamais entendu parler d'un petit programme nommé Photoshop ? Je peux supprimer Simon et mettre quelqu'un d'autre à la place. Mais ce ne sera pas la peine, parce que tu vas être une gentille fille et faire ce qu'il faut. N'est-ce pas, Jules ?

Natalie lui adressa un petit sourire condescendant en rangeant son BlackBerry dans son sac à main et se leva, mais Julia la retint.

– Il ne te présentera jamais à ses parents. C'est lui qui me l'a dit. Tu vaux mieux que d'être le secret honteux de Simon.

Natalie prit un air hésitant, avant de durcir le ton.

– Tu ne sais pas de quoi tu parles, lui rétorqua-t-elle sèchement. Il va me donner exactement ce que je veux, et toi aussi. Si tu ne règles pas ce problème aujourd'hui, je poste les photos sur Internet. Passe un joyeux Noël !

Elle s'apprêta à s'éloigner, mais Julia la rappela.

— Attends !

Natalie s'immobilisa, se tournant vers son ancienne amie avec un mépris évident.

Julia prit une profonde inspiration et lui fit signe d'approcher.

— Demande à Simon de s'assurer que le sénateur lui renouvelle son abonnement au *Washington Post*.

— Pourquoi ?

— Parce que si tu mets ces photos en ligne, j'appellerai Andrew Sampson, du *Post*. Tu te souviens de lui, n'est-ce pas ? Il a écrit un article l'an dernier sur l'arrestation de Simon pour conduite en état d'ivresse et sur la façon dont le sénateur est intervenu.

Natalie secoua la tête.

— Il ne te croira pas.

Julia serra les poings et s'obstina.

— Si tu postes ces photos, je n'aurai plus rien à perdre. Je raconterai dans la presse que Simon m'a agressée, puis qu'il a envoyé la fille qu'il se garde sous le coude pour me faire chanter.

Natalie écarquilla ses yeux verts avant de les plisser.

— Tu n'en ferais rien, lâcha-t-elle.

— Essaie toujours…

Natalie la regarda d'un air aussi furieux qu'étonné puis serra les dents.

— Ça fait des années que tu te laisses marcher sur les pieds par tout le monde sans aucune réaction. Je ne te crois pas capable d'appeler un journaliste et de vider ton sac.

Julia releva le menton, luttant pour garder un ton posé.

— J'en ai peut-être assez de me faire marcher sur les pieds, rétorqua-t-elle en haussant exagérément les épaules. Si tu publies ces photos, tu ne pourras jamais travailler pour la campagne du sénateur. Tu te retrouveras simplement au milieu d'un scandale gênant qu'ils tenteront d'étouffer.

Natalie perdit son teint ivoire et devint écarlate.

Julia profita de son silence pour poursuivre.

— Fiche-moi la paix, et je vous oublierai tous les deux. Mais jamais je ne mentirai à propos de ce qu'il m'a fait. Pendant trop longtemps j'ai menti pour le couvrir, et c'est terminé.

— Tu es juste furieuse que Simon m'ait préférée à toi, lâcha Natalie d'une voix plus forte. Tu étais cette petite gamine insignifiante et pathétique qui ne savait même pas tailler une pipe correctement !

À cause du silence gêné qui s'ensuivit, Julia se rendit compte que les autres clients du restaurant s'étaient tus. Elle parcourut la salle du regard, profondément humiliée sous les yeux des habitants de la ville. Tout le monde avait entendu la révélation grossière de son interlocutrice. Y compris l'épouse du pasteur baptiste, qui prenait le thé dans un recoin tranquille de l'établissement avec sa fille.

— On fait moins sa maligne, à présent, hein ? siffla Natalie.

Avant que Julia ait pu répondre, Diane apparut soudain derrière le comptoir.

— Rentre chez toi maintenant, Natalie. Tu ne peux parler de cette façon dans mon restaurant.

Rageusement, l'intéressée recula de quelques pas, non sans avoir marmonné quelques jurons bien sentis.

— Je ne vais pas en rester là.

Julia leva le menton.

— Oh, que si ! Tu es trop maligne pour compromettre ton avenir pour des bêtises. Retourne auprès de lui et fiche-moi la paix.

Natalie la foudroya du regard avant de tourner les talons et de partir comme une furie.

Tom apparut soudain derrière Julia.

— Que se passe-t-il, Jules ? Qu'est-ce qu'il y a ?

Avant qu'elle ait pu répondre, Diane lui fit un compte-rendu extrêmement édulcoré de ce qui venait de se produire.

Il jura et posa la main sur l'épaule de sa fille.

— Ça va ?

Elle hocha la tête à contrecœur avant de se précipiter vers les toilettes. Elle ignorait comment elle avait pu affronter le regard des clients après les paroles de Natalie. Luttant contre la nausée, elle se cramponna au lavabo pour garder l'équilibre.

Diane l'avait suivie. Elle humecta un peu de papier toilette d'eau froide et le lui tendit.

— Je suis désolée, Jules. J'aurais dû lui mettre une claque dans la figure. Je n'arrive pas à croire qu'elle ait pu dire ces cochonneries dans mon restaurant.

Julia s'essuya lentement le visage en gardant le silence.

— Personne n'a entendu ce qu'elle a dit, Julia. Il y a beaucoup de bruit dans la salle, et tout le monde parle du père Noël du centre commercial, qui s'est saoulé hier pendant sa pause déjeuner et qui a tenté de peloter l'un des elfes.

Julia eut un mouvement de recul.

Diane lui adressa un sourire bienveillant.

— Tu veux que je te fasse une tasse de thé, ou quelque chose d'autre ?

Julia secoua la tête et prit une profonde inspiration pour tenter de se calmer.

*S'il y a un dieu qui m'écoute, je vous en prie, frappez d'amnésie tous les clients du Kinfolks. Juste le quart d'heure qui vient de s'écouler.*

Peu après, elle regagna sa place au comptoir à côté de son père. Elle garda la tête baissée, refusant de croiser le regard de qui que ce soit. Il lui était trop facile d'imaginer tout le restaurant en train de chuchoter, de la juger.

— Je suis désolée, papa, s'excusa-t-elle d'une petite voix.

Il fronça les sourcils et demanda une autre tasse de café à Diane, ainsi qu'un donut à la confiture.

— De quoi es-tu désolée ? demanda-t-il d'un ton bourru.

Diane les servit, donnant une tape amicale sur le bras de Julia avant d'aller s'occuper de quelques tables pour leur laisser un peu d'intimité.

— Tout est ma faute : Deb, Natalie, la maison…

Elle ne voulait pas pleurer, mais les larmes lui montaient aux yeux sans qu'elle puisse rien y faire.

— Je t'ai embarrassé devant toute la ville.

Il se pencha vers elle.

— Eh ! je ne veux pas que tu racontes ce genre d'âneries. Tu ne m'as jamais embarrassé. Je suis fier de toi. C'était mon devoir de te protéger, et je ne l'ai pas fait.

Un chat dans la gorge, il toussa.

Elle essuya une larme.

— Mais à présent, ta vie est gâchée.

Il pouffa.

— Je n'y étais pas si attaché que ça ! Je préfère perdre Deb et la maison plutôt que de te perdre, toi. Il n'y a pas photo. (Il poussa le donut devant elle et attendit qu'elle en prenne une bouchée.) Quand j'ai rencontré ta mère, j'étais heureux. On a passé de bonnes années ensemble. Mais le plus beau jour de ma vie, c'est celui de ta naissance. J'avais toujours rêvé d'avoir une famille. Je ne laisserai plus jamais qui que ce soit me séparer de ma famille. Tu as ma parole.

Elle adressa un sourire à son père, qui se pencha pour lui ébouriffer les cheveux.

— J'aimerais faire un saut chez Deb pour lui raconter ce qui vient de se passer. Il faut qu'elle explique à sa fille qu'elle doit mieux se conduire en public. Pourquoi ne demanderais-tu pas à ton copain de venir te chercher ? On se verra tout à l'heure, chez Richard.

Julia acquiesça et sécha ses larmes. Elle refusait que Gabriel la voie pleurer.

– Je t'aime, papa.

Il se racla bruyamment la gorge sans la regarder.

– Moi aussi. Maintenant, termine ton donut avant que Diane nous fasse payer un loyer.

## 8

Gabriel ne fut que trop ravi de pouvoir couper court à ses achats de Noël. Quand Richard et lui arrivèrent au restaurant, ils s'approchèrent du comptoir pour aller rejoindre les Mitchell.

Julia se leva et enlaça fermement Gabriel – qui fronça les sourcils.

– Que s'est-il passé ? Tu as pleuré.

– Le blues de Noël…

Elle remarqua, un peu gênée, que quelques clients continuaient à la dévisager.

– Quel blues de Noël ?

– Je te raconterai plus tard.

Elle s'efforça de l'attirer vers la porte.

Richard prit le temps de saluer Tom et, pendant que les deux vieux amis discutaient, Gabriel repoussa délicatement une mèche de cheveux de la jeune femme derrière son oreille afin de lui susurrer des mots doux.

Un reflet attira aussitôt l'attention de Richard : les boucles d'oreilles de Grace. Manifestement, il avait sous-estimé la nouvelle relation de son fils. Il savait que Grace aurait été heureuse de voir leur fils offrir ses boucles à Julia. Elle l'aimait comme sa propre fille et l'avait toujours considérée comme faisant partie de la famille. Peut-être un jour Gabriel demanderait-il à Julia d'en faire partie officiellement…

Gabriel et Tom se saluèrent poliment, et Gabriel ramassa le cadeau de Noël de Paul pour Julia. Étonnamment, il se retint de tout sarcasme et emporta le carton sans le moindre commentaire.

En approchant de la porte, ils croisèrent l'officier Roberts qui entrait. Elle était en uniforme.

– Salut, Jamie.

Gabriel lui sourit, mais il sentit ses muscles se contracter.

– Salut, Gabriel. De retour au pays pour Noël ?

– Exactement.

Elle salua Julia et Richard, puis se tourna de nouveau vers Gabriel, remarquant de quelle façon Julia le tenait par le bras.

– Tu as bonne mine. Tu as l'air heureux.

– Merci. C'est le cas.

Il lui adressa un sourire sincère.

Jamie acquiesça.

– Je suis contente pour vous. Joyeux Noël.

Julia et Gabriel la remercièrent et quittèrent tranquillement le restaurant, réfléchissant chacun de leur côté au fait que le pardon rendait certains fardeaux bien plus légers.

En franchissant le seuil de la maison des Clark, Gabriel proposa à Richard de savourer un scotch et un cigare sur le perron de derrière. Julia, encore un peu secouée de sa confrontation avec Natalie, était néanmoins si soulagée d'être de retour à la maison qu'elle préféra oublier ce qui s'était produit cet après-midi-là. Pendant que Gabriel et Richard accrochaient leurs manteaux, elle se rendit dans le salon.

– Mon cœur ? Tu veux que je prenne ta veste ? demanda Gabriel.

N'obtenant aucune réponse, il la suivit.

Sa question suivante mourut sur ses lèvres, et il se figea. Sa bien-aimée Julianne était immobile comme une statue, le regard rivé sur une femme installée dans le salon avec Aaron et Rachel. D'instinct, Gabriel prit Julia par la taille et l'attira contre lui.

Il regarda la femme se lever de son siège avec grâce et s'approcher d'eux comme si elle flottait dans les airs. Elle se déplaçait comme une ballerine ou une princesse, un air subtil de vieille fortune lui collant à la peau comme du parfum à chacun de ses mouvements.

Elle était grande, presque de la même taille que Gabriel, avec de longs cheveux blonds raides et de grands yeux bleu acier. Sa peau était parfaite et, à l'exception de sa poitrine généreuse, elle avait une taille mannequin. Elle portait des bottes à talons aiguilles en daim noir lui montant jusqu'aux genoux, une jupe droite en laine noire, et un pull de cachemire bleu clair révélant de manière provocante ses épaules d'albâtre.

Elle était magnifique. Et impérieuse. Elle jeta un regard à la façon dont Julia tenait Gabriel par le bras, et se cambra comme un bleu russe.

– Gabriel chéri… Tu m'as manqué !

Elle avait une voix riche et claire, avec un soupçon d'accent britannique. Elle l'étreignit fermement.

Julia se défila, peu disposée à une embrassade de groupe.

– Qu'est-ce que tu fais là ?

Une myriade d'émotions traversèrent le regard de Gabriel quand elle l'embrassa sur les deux joues avec ses lèvres charnues rose vif.

Ses baisers débordaient de sensualité. Pour couronner le tout, elle essuya la marque de rouge à lèvres sur sa peau en gloussant doucement, comme s'il s'agissait d'une vieille plaisanterie entre eux.

Il se tourna vers Julia, qui lui rendit son regard avec une pointe de déception en plus.

Avant qu'il ait pu dire quoi que ce soit, Richard s'éclaircit la voix et approcha. Elle effleura ses mains tendues et l'enlaça à son tour.

– Richard ! C'est un plaisir, comme toujours. J'étais tellement triste d'apprendre la nouvelle, pour Grace.

Il accepta poliment son étreinte puis alla vers Julia pour l'aider à ôter sa veste. Après qu'il l'eut suspendue, il pria tranquillement Aaron et Rachel de l'accompagner dans la cuisine, privant Paulina de son public.

– J'ignorais que tu avais deux sœurs.

Elle reconnut l'existence de Julia avec un sourire glacial. Elle était beaucoup plus grande que l'étudiante, qui portait des chaussures à talons plats, un jean et un gilet noir. À côté de Paulina, elle se sentait toute petite et mal fagotée.

– Je n'ai qu'une sœur, et tu le sais parfaitement, lui rétorqua sèchement Gabriel. Que fais-tu là ?

Julia reprit ses esprits et tendit courageusement la main, avant que Gabriel ne fasse une scène.

– Je m'appelle Julia. On s'est déjà parlé au téléphone.

Paulina affichait une mine impassible, mais Julia comprit ce qu'elle tentait de dissimuler : le feu glacial du ressentiment.

– Vraiment ? dit-elle d'un air retors. Ne vous attendez tout de même pas à ce que je me souvienne de toutes les filles qui ont répondu au téléphone de Gabriel ces dernières années ! À moins que vous ne soyez l'une des filles avec lesquelles j'ai parlé quand j'ai interrompu ce ménage à trois ? Tu te rappelles, Gabriel ?

Julia retira sa main comme si on venait de la gifler.

– Réponds à ma question, l'interrompit Gabriel d'un ton sec et aussi glacial qu'un lac gelé. Que fais-tu là ?

Julia tenta de s'éclipser. La scène que Paulina venait de décrire la répugna, et elle n'était pas certaine de pouvoir supporter sa réponse, quelle qu'elle soit. Gabriel la rattrapa par le bras, l'implorant du regard de ne pas s'enfuir.

– Je suis venue te voir, naturellement. Tu ne réponds plus à mes appels, et Carson m'a dit que tu étais chez tes parents.

Elle semblait agacée.

– Tu vas rentrer dans le Minnesota ?

– Tu sais très bien que mes parents ne me parlent plus. De toute façon, Gabriel, il faut que je te parle, dit-elle en adressant à Julia un regard mauvais. Seule à seul.

Gabriel était conscient du fait que la cuisine était à portée de voix du salon. Il s'approcha de Paulina et s'adressa à elle en chuchotant.

– Permets-moi simplement de te faire remarquer que c'est toi, l'invitée. Je ne tolérerai pas ton manque de respect. Envers qui que ce soit, et surtout Julianne. Tu m'as bien compris ?

– Tu ne m'as jamais traitée comme une simple invitée, quand tu étais dans ma bouche, marmonna-t-elle, le regard étincelant.

Commençant à avoir la nausée, Julia prit une profonde inspiration. Si elle avait croisé Paulina quelques semaines auparavant, la rencontre aurait certes été gênante et inconfortable. Mais le fait de la voir maintenant, après avoir passé des heures dans le lit de Gabriel, la fit incroyablement souffrir.

Paulina savait ce que c'était que d'être intime avec lui. Elle connaissait ses habitudes, son parfum, les traits de son visage quand il jouissait. Elle était plus grande, plus raffinée et beaucoup plus belle. Et il semblait évident que, contrairement à Julia, elle n'avait aucun problème avec les fellations. En outre, et bien plus préjudiciable, il avait eu un enfant avec elle, ce qui lui était désormais impossible avec toute autre.

Julia se libéra de l'étreinte de Gabriel et tourna le dos aux deux anciens amants. Consciente qu'il valait mieux qu'ils forment tous les deux un front uni, elle savait aussi qu'il était préférable qu'elle tienne bon plutôt que de battre en retraite. Mais elle s'était déjà pris une raclée au Kinfolks et n'avait plus l'énergie de se battre. Épuisée émotionnellement, elle gravit l'escalier en traînant les pieds, sans se retourner.

Gabriel la suivit du regard et sentit son cœur se briser. Il aurait voulu se lancer à sa poursuite, mais il était hors de question qu'il laisse Paulina seule avec son père et sa sœur. Il s'excusa un moment et disparut dans la cuisine pour prévenir Rachel que Julia se sentait mal et lui demander si elle voulait bien aller la voir.

Rachel monta à l'étage et vit la jeune femme qui sortait de la salle de bains du premier étage.

– Ça va ?

– Non, il faut que j'aille m'étendre.

Quand Rachel lui ouvrit obligeamment la porte de l'ancienne chambre de Gabriel, Julia préféra traverser le couloir et se rendre dans la chambre d'amis. Rachel la regarda ôter ses chaussures et les déposer sur le tapis à côté du lit.

– Tu veux une aspirine, ou quelque chose d'autre ?

– Non, il me faut juste un peu de repos.

– Qui est cette femme ? Et que fait-elle ici ?

Julia lui répondit, les dents serrées.

– Pose la question à ton frère.

La main de Rachel se crispa sur la poignée de la porte.

– Je n'y manquerai pas. Mais le fait que je ne la connaisse pas est révélateur : s'il ne l'a jamais fait venir à la maison, c'est qu'elle ne doit pas avoir beaucoup d'importance pour lui.

Elle se retourna, s'apprêtant à repartir.

– Tu ferais bien d'y réfléchir.

Julia s'allongea sur le lit, espérant que le sommeil lui viendrait rapidement.

\*

\* \*

Trois heures plus tard, Gabriel entra dans la cuisine où Aaron et Rachel se disputaient pour savoir comment préparer le célèbre poulet à la Kiev de Grace.

– Je te dis qu'il faut d'abord congeler le beurre. Ta mère a toujours fait comme ça.

Aaron semblait exaspéré.

– Comment tu le sais ? Elle n'a jamais parlé de congeler le beurre.

Rachel désigna la fiche de recette.

– Grace congelait toujours le beurre, confirma Gabriel en fronçant les sourcils. Elle est sans doute partie du principe que ce serait évident pour tout le monde. Où est Julia ?

Rachel se tourna vers lui, armée d'un grand fouet à main.

– Où étais-tu passé ?

Il serra les dents.

– Je suis sorti. Où est-elle ?

– En haut. À moins qu'elle n'ait décidé de retourner chez son père.

– Pourquoi ferait-elle ça ?

Rachel tourna de nouveau le dos à son frère et se remit à battre quelques œufs.

91

– Oh ! je ne sais pas… Peut-être parce que tu es sorti avec une de tes ex et que tu l'as laissée en plan pendant trois heures. Tu mériterais qu'elle te plaque.

– Ma chérie… la tança Aaron, en lui posant une main sur l'épaule.

– Non.

Elle repoussa sa main d'un air furieux.

– Gabriel, tu as de la chance que Scott ne soit pas là. Parce qu'il t'aurait dit deux mots dehors, à l'heure qu'il est.

Aaron fronça les sourcils.

– Et moi ? Je pourrais dire deux mots à Gabriel dehors, si je voulais.

Rachel leva les yeux au ciel.

– Non, tu en serais incapable. Et, pour le moment, j'ai besoin de toi pour congeler ce maudit beurre.

Gabriel marmonna de façon inintelligible et s'éloigna. Il se rendit à l'étage sans se presser, tentant désespérément de réfléchir à des excuses qui soient dignes de Julia. Malgré ses talents d'orateur, il savait que ce serait impossible.

Il resta devant la porte le temps de rassembler ses esprits, prenant une profonde inspiration avant d'entrer. Mais le lit était inoccupé.

Perplexe, il fouilla la chambre. Pas de Julia.

Il regagna le couloir et se demanda si elle n'était pas allée trouver refuge dans la chambre de Scott. Non… La salle de bains était déserte elle aussi. Son regard se posa sur la porte close de la chambre d'amis, à l'autre bout du couloir. Il l'ouvrit.

Julia était étendue au centre du lit, profondément endormie. Il envisagea de la laisser se reposer, mais il repoussa cette idée. Ils devaient avoir une discussion loin des oreilles indiscrètes et, au moins pour un temps, le reste de sa famille était occupé.

Sans un mot, il ôta ses chaussures et se glissa dans le lit, se calant derrière elle. Elle avait la peau douce, mais froide. Il s'enroula autour d'elle.

– Gabriel ?

Elle le regarda, clignant des yeux d'un air endormi.

– Quelle heure est-il ?

– Six heures et demie du soir.

Elle se frotta les yeux.

– Pourquoi personne ne m'a réveillée ?

– Ils m'attendaient.

– Ils attendaient que tu fasses quoi ?

– J'étais sorti. À mon retour, Richard a voulu discuter avec moi.

— Où es-tu allé ? (Il détourna le regard d'un air coupable.) Tu étais avec elle ?

— Son permis de conduire est suspendu parce qu'elle s'est fait prendre pour conduite en état d'ivresse. Je l'ai déposée à un hôtel.

— Pourquoi as-tu été si long ?

Hésitant, il marqua une pause.

— On a discuté.

— Vous avez discuté ? À l'hôtel ?

— Elle est contrariée par la tournure que prend sa vie. Sa présence ici était une tentative désespérée pour changer de direction.

Julia commença à se recroqueviller, repliant les genoux contre sa poitrine.

— Non, non, non ! scanda-t-il en lui tirant sur les bras et les genoux, tentant désespérément de lui faire abandonner sa position défensive. Elle est partie et ne reviendra pas. Je lui ai répété que j'étais amoureux de toi. Elle a mon argent et mes avocats, et c'est tout.

— Ça n'a jamais été suffisant, pour elle. C'est toi qu'elle veut, et elle se moque de savoir que tu es avec moi.

Il l'enlaça.

— Je me moque de savoir ce qu'elle veut. Je t'aime, et c'est avec toi que j'envisage mon avenir.

— Elle est belle. Et sexy.

— Elle est méchante et mesquine. Je n'ai rien vu de beau en elle aujourd'hui.

— Vous avez eu un enfant ensemble.

Il grimaça.

— Pas par choix.

— Je refuse de te partager.

Il se renfrogna.

— Jamais tu ne seras obligée de me partager.

— Il faut que je te partage avec ton passé… avec Paulina, avec le Pr Singer, avec Jamie Roberts… et avec un nombre incalculable de femmes que je vais certainement croiser dans les rues de Toronto.

Il serra les dents.

— Je ferai de mon mieux pour te protéger de rencontres si gênantes, à l'avenir.

— Ça ne m'empêche pas de souffrir.

— Je suis désolé, chuchota-t-il. Si je pouvais modifier le passé, je le ferais. Mais c'est impossible, Julianne. Même si je le souhaite de tout mon cœur.

— Elle t'a donné ce que je ne peux pas t'offrir.

Il se pencha au-dessus d'elle, prenant appui sur ses mains, à côté de la hanche de la jeune femme.

— Si tu avais soif et que quelqu'un te proposait de l'eau de l'océan, tu la boirais ?

— Bien sûr que non.

— Pourquoi ?

Elle haussa les épaules.

— Parce qu'elle est salée et sale.

— Et si quelqu'un te donnait le choix entre cette eau-là et un verre de Perrier, que choisirais-tu ?

— Le Perrier, bien sûr. Mais je ne vois pas le rapport avec elle.

Il plissa les yeux.

— Vraiment ?

Il changea de position, se plaçant face à elle, s'agenouillant entre ses jambes pour qu'ils puissent joindre leurs hanches.

— Tu ne vois pas le rapport entre toi et elle ? C'est ça, mon eau.

Il se pressa de nouveau contre elle.

— Tu es mon eau. Faire l'amour avec toi suffit à étancher ma soif. Pourquoi irais-je la jeter pour l'eau de l'océan ? dit-il, se frottant à elle comme pour le lui rappeler. Elle n'a rien à m'offrir.

Il baissa la tête, leurs nez tout juste séparés de quelques centimètres.

— Et tu es magnifique. Chaque partie de ton corps est un chef-d'œuvre, du sommet de ton crâne à la pointe de tes orteils. Tu es la Vénus et la Béatrice de Botticelli. Tu n'as donc aucune idée à quel point je t'aime ? Tu t'es emparée de mon cœur la première fois que je t'ai vue, quand tu n'avais que dix-sept ans.

À son contact, elle commença peu à peu à se détendre, soulagée par ses paroles.

— Comment ça s'est terminé ?

— Je lui ai dit que je n'aimais pas la voir débarquer chez moi à l'improviste et que je ne voulais pas qu'elle recommence. Elle ne l'a pas trop mal pris.

Il fut interrompu quand on frappa bruyamment à la porte.

— Entrez !

Il roula sur le côté au moment même où Rachel fit son entrée.

— Le dîner est servi, et Tom et Scott sont arrivés. Vous descendez, tous les deux ? Ou il faut que j'appelle Scott ?

Elle regarda tour à tour son frère et sa meilleure amie.

Julia secoua la tête.

— Il est venu avec sa copine ?

– Non, elle passe Noël chez ses parents. Je lui ai demandé de l'inviter, mais il m'en a fait toute une histoire. Vous croyez qu'il a honte de nous ?

Elle parut ennuyée.

– Il est plus probable qu'il ait honte d'elle, déclara Gabriel. Il doit probablement s'agir d'une strip-teaseuse.

– C'est l'hôpital qui se fout de la charité.

Rachel le fusilla du regard et quitta la pièce.

Julia restait perplexe.

– De quoi parlait-elle ?

Les traits de l'enseignant se durcirent.

– Ma chère sœur ne s'est pas vraiment laissé impressionner par Paulina… ni par moi, d'ailleurs.

# 9

Ce fut un réveillon de Noël inédit pour tous. L'absence de Grace fut durement ressentie par son mari et ses enfants, Aaron regrettait de ne pas être encore marié, et Rachel croisait les doigts pour que son poulet à la Kiev soit au moins mangeable, beurre congelé ou non.

Après le dîner, Gabriel, Tom et Richard se retirèrent sur le perron de derrière pour fumer des cigares et boire du scotch pendant que le reste de la famille savourait un café dans la cuisine.

— Comment c'était, l'Italie ? demanda Aaron à Julia, quand ils allèrent tous les deux se resservir à la cafetière.

— C'était magnifique. Il a fait beau et on a passé un moment merveilleux. Comment avancent les préparatifs du mariage ?

— Ça progresse. Quand Rachel a tenté de louer une centaine de colombes pour les lâcher à la fin de la cérémonie, j'ai mis le holà. Les membres de ma famille ont la gâchette facile, et je suis sûr qu'ils auraient été tentés de leur tirer dessus.

Il lui fit un clin d'œil.

— Comment vont tes parents ?

— Bien. Rachel a demandé l'aide de ma mère pour l'organisation du mariage, alors elle est tout excitée. Comment ça se passe, entre Gabriel et toi ?

Julia dissimula son visage derrière la porte du frigo en cherchant la crème.

— Bien.

— Sauf quand son ex se pointe ?

Elle lui jeta un coup d'œil, et il lui adressa un regard compatissant.

— Je n'ai pas envie d'en parler.

Aaron triturait sa cuillère à café.

— Il est différent quand tu es là. Il semble heureux.

Il posa sa cuillère sur le comptoir et se frotta le menton.

– Il me rend heureuse aussi.

– Un Gabriel heureux, c'est aussi rare qu'un hobbit. On est tous ravis de le voir comme ça. Quant à son ex, eh bien, je doute que ç'ait été sérieux. Pas de la même manière qu'entre vous.

– Merci, Aaron.

Les deux amis s'étreignirent brièvement.

Un peu plus tard dans la soirée, Julia et Gabriel s'étaient retirés dans leur chambre, dans un Bed & Breakfast. Elle se lavait le visage dans la salle de bains quand elle entendit les premières notes de *Lying in The Hands of God,* dans la chambre.

Il s'approcha d'elle, simplement vêtu d'un caleçon de soie bleu marine et de son sourire.

– Ce n'est pas Barry White, mais c'est la nôtre.

Il la contempla un long moment, l'air de plus en plus excité. Il nicha son visage dans le creux de son cou, repoussant sa chevelure et l'effleurant de ses lèvres.

– J'ai envie de toi, chuchota-t-il. Tout de suite.

Il glissa les mains sous le tee-shirt de la jeune femme, révélant son ventre au-dessus de la ceinture de ses leggings.

– Pourquoi ne mettrais-tu pas ces jolies choses que tu as achetées à Toronto ? Ou ta guêpière bleue ? Tu sais que c'est ma préférée.

Il parlait à voix basse, déplaçant ses lèvres tentantes sur son épaule.

– Je ne peux pas.

Il esquissa un sourire.

– Pas ici, mon amour. Je ne suis pas certain que tu sois prête à nous regarder dans un miroir. Même si ça ne me dérangerait pas.

Quand il commença à lui ôter son tee-shirt, elle s'écarta de lui.

– Pas ce soir.

Il laissa retomber ses bras et la dévisagea.

Elle évita son regard et poursuivit sa toilette.

Gabriel fronça les sourcils et s'éloigna, éteignant la chaîne hi-fi en soupirant. À l'exception de leur intermède aux Uffizi, elle ne l'avait jamais éconduit. Bien sûr, cela faisait tout juste deux semaines qu'ils étaient ensemble. Mais tout de même…

Le Pr Emerson n'était pas habitué à ce qu'une femme le rejette. Il était certain qu'elle avait ses raisons ou, du moins, une raison dont le nom commençait par un P et s'achevait par un A. Il se laissa tomber sur le lit, un bras sur le visage. Évidemment, Julianne était encore bouleversée par la réapparition de Paulina.

Elle avait autre chose en tête que le sexe. Sans parler du fait qu'il s'était produit quelque chose de fâcheux au Kinfolks cet après-midi-là.

Qu'elle l'ait repoussé lui donnait encore plus envie d'elle. Le parfum de ses cheveux, le contact de sa peau soyeuse sous ses doigts, la façon dont elle fermait les yeux juste avant de jouir, le fait de la sentir bouger sous lui, avec lui…

Il devait lui faire l'amour pour être sûr que tout allait bien… entre eux.

Oui, le sexe était son péché mignon et il en avait besoin. Il voulait lui montrer, non avec des paroles mais avec des actes, qu'il l'aimait, la vénérait, et ferait n'importe quoi pour elle. Il lui fallait savoir si elle avait toujours envie de lui, et l'entendre chuchoter son nom.

Mais elle ne semblait pas avoir besoin de lui. Elle n'avait manifestement pas envie de lui. Pas ce soir-là.

Il continua à broyer du noir jusqu'à ce qu'elle vienne le rejoindre dans le lit. Elle s'étendit sur le côté, le dévisageant, mais il ne lui adressa pas un regard. Il se contenta d'éteindre la lampe de chevet.

Dans le noir, ils demeurèrent tous les deux silencieux, comme si une barrière invisible les séparait.

— Gabriel ?

— Oui ?

— Il faut que je t'explique quelque chose.

Il soupira lentement.

— J'ai compris, Julianne. Bonne nuit.

Sa tentative de prendre un ton détendu échoua lamentablement. Il lui tourna le dos.

Julia grimaça. À présent, la barrière invisible ressemblait plus à une muraille infranchissable.

*Les hommes sont vraiment susceptibles…*

Elle voulait lui expliquer certaines choses et jouer cartes sur table, mais il s'offusquait si facilement qu'elle attendrait le lendemain matin. Ou plus tard. Elle se retourna et ferma les yeux, déterminée à oublier cette affreuse journée. Elle tenta de s'empêcher de renifler, espérant pouvoir retenir ses larmes. Elle n'avait vraiment pas envie qu'il la surprenne en larmes.

*Les garçons sont des idiots.*

Elle renifla pendant quelques minutes, puis Gabriel se plaqua contre elle, pressant son torse nu contre son dos.

— Je te demande pardon, chuchota-t-il.

Elle hocha la tête tout en continuant à renifler.

— Je t'en prie, ne pleure pas.

– Je ne pleure pas.

– Je ne voulais pas être si bête, dit-il se hissant sur un coude. Regarde-moi.

Il lui adressa un sourire contrit.

– J'ai été gâté toutes les fois où on a fait l'amour, ces deux dernières semaines. Mais je sais qu'il y aura des jours où tu seras fatiguée, où tu n'en auras pas envie. Je te promets de ne pas bouder. Pas trop.

Elle esquissa un sourire ironique et tendit le cou pour embrasser ses lèvres boudeuses.

Il lui sécha les yeux.

– Tu veux bien me raconter pourquoi tu pleurais au restaurant, cet après-midi ?

Elle secoua la tête.

– S'il te plaît…

– Je suis trop fatiguée.

Il se blottit contre elle jusqu'à ce qu'elle commence à se détendre dans ses bras.

– Qu'est-ce que je peux faire ?

– Je n'ai besoin de rien.

– Un bain chaud ? Un massage ? Laisse-moi te caresser, tu te sentiras mieux.

Il avait le visage d'un garçonnet, impatient de pouvoir faire plaisir.

– Gabriel, j'arrive tout juste à garder les yeux ouverts.

– Je voulais te faire plaisir…

– Serre moi dans tes bras.

– Je l'aurais fait de toute façon.

Il l'embrassa de nouveau avant de se blottir tout contre son dos.

– Joyeux Noël, Gabriel.

– Joyeux Noël.

*
* *

Quelques heures plus tôt, une femme solitaire montait dans un taxi devant le Comfort Inn. Elle était en pleurs.

Le chauffeur demeura poliment indifférent à ses larmes et monta le volume de la radio, espérant lui fournir suffisamment d'intimité pendant leur long trajet jusqu'à Harrisburg. La chanson était entraînante, si entraînante, en fait, qu'ils se mirent tous les deux à fredonner.

En chantonnant, elle songea au paquet qu'elle avait remis à Will, le veilleur de nuit de l'hôtel. Elle lui avait donné cinq billets de vingt dollars tout neufs en échange de sa promesse de livrer ce fameux paquet à une adresse précise à Selinsgrove à neuf heures pile le lendemain matin. Le matin de Noël.

Quand il lui avait dit connnaître cette adresse – c'était évident, dans une si petite ville – car, au lycée, il avait été dans la même classe que Scott, le frère de Gabriel, la femme l'avait habilement submergé de questions à propos de la nouvelle petite amie de Gabriel.

Will lui avait répondu avec un certain enthousiasme, car ses parents connaissaient Tom Mitchell et sa fille depuis des années. En fait, lui avait-il rapporté, Tom s'était récemment vanté que Julia excellait dans ses études à l'université de Toronto.

Dès que la femme eut appris ce fait surprenant, elle décida de rendre les clés de sa chambre et de quitter Selinsgrove. En contemplant les arbres à la cime couverte de neige qui défilaient par les fenêtres du taxi, elle se demanda comment elle allait faire pour découvrir si Julianne avait été l'étudiante de Gabriel au début de leur liaison.

# 10

Très tôt le matin de Noël, Gabriel était assis en caleçon, ses lunettes sur le nez, se demandant s'il devait ou non réveiller Julianne. Il aurait pu retourner dans le salon de leur suite, où il avait joué au père Noël à peine une heure auparavant, mais il préférait rester auprès d'elle, même dans le noir.

La conversation qu'il avait eue la veille avec Richard lui empoisonnait l'esprit. Son père adoptif l'avait interrogé sur Paulina, et il ne lui avait pas répondu grand-chose, préférant mettre l'accent sur le fait qu'elle appartenait au passé, alors que Julia représentait son avenir. Richard, qui était un homme charitable, avait encouragé son fils à imposer à Paulina de se faire suivre si elle voulait continuer à bénéficier de son fonds de soutien, lui faisant remarquer qu'elle avait manifestement besoin d'aide.

Quand Gabriel avait accepté, Richard avait changé de sujet en douceur pour lui demander s'il était amoureux de Julia. Sans la moindre équivoque, Gabriel lui avait répondu par l'affirmative, ce à quoi son père avait riposté avec le mot en R, « responsabilité ».

— J'en assume la responsabilité.

— C'est encore une étudiante. Et si elle tombe enceinte ?

Les traits de Gabriel s'étaient durcis.

— Ça n'arrivera pas.

Richard avait esquissé un sourire.

— C'est ce que j'ai cru un jour. Et puis, on a eu Scott.

— J'ai déjà prouvé que j'assumais plus que mes responsabilités, avait riposté Gabriel d'un ton glacial.

Son père adoptif s'était appuyé contre le dossier de son fauteuil, joignant l'extrémité des doigts de ses deux mains d'un air songeur.

— Julia est comme Grace, prête à se sacrifier pour ceux qu'elle aime.

– Je ne lui permettrai pas de sacrifier ses rêves pour moi, tu peux en être certain.

Richard jeta un coup d'œil à la photo de sa femme qu'il avait toujours gardée sur son bureau, une femme souriante et enjouée au regard débordant de tendresse.

– Comment Julia a-t-elle réagi à la venue de Paulina ?

– Je n'en ai pas encore parlé avec elle.

– Si tu abandonnes Julia, tu auras de sérieux ennuis avec ton frère et ta sœur. Et avec moi.

L'enseignant avait froncé les sourcils, prenant un air ombrageux.

– Jamais je ne l'abandonnerai. Je ne pourrais pas vivre sans elle.

– Alors, pourquoi ne lui dis-tu pas ?

– Parce que ça fait seulement deux semaines qu'on est ensemble !

Richard avait haussé les sourcils d'un air étonné, mais préféré s'abstenir d'interroger son fils sur l'ambiguïté de l'expression « être ensemble ».

– Tu connais mon point de vue là-dessus. Tu devrais l'épouser. Pour l'instant, tu sembles être avec elle pour de fausses raisons. Tu te conduis comme s'il s'agissait juste d'une partenaire sexuelle, alors que tes intentions sont sérieuses.

Gabriel s'était hérissé.

– Julianne n'est pas ma maîtresse.

– Tu ne veux pas t'engager auprès d'elle.

– Je le suis déjà. Il n'y a personne d'autre.

– Mais voilà que Paulina réapparaît, te cherche, et fait une scène devant Julia et les membres de ta famille.

– Je n'y peux rien, avait-il répondu sèchement.

– Vraiment ? demanda son père en serrant les lèvres. J'ai du mal à croire qu'une femme aussi intelligente que Paulina se serait contentée de venir sans aucun espoir de parvenir à ses fins.

Gabriel se renfrogna sans se donner la peine de riposter.

– Pourquoi ne lui fais-tu pas des promesses ? Je suis sûr qu'elle se fait du souci pour l'avenir. Le mariage est un sacrement en partie conçu pour protéger les femmes de toute exploitation sexuelle. Si tu l'empêches de bénéficier de cette protection, tu la condamnes à rester ta maîtresse, quelle que soit la manière dont tu la qualifies. Et elle a vu ce qui s'est passé, ce qui se passe avec Paulina.

– Ça ne se produira pas avec Julianne.

— Comment peut-elle en avoir la certitude ? demanda Richard, qui martelait son bureau du bout des doigts. Le mariage, ce n'est pas qu'un bout de papier. C'est un mystère. En fait, un *midrash* suggère que le mariage est fait au paradis, entre deux âmes sœurs. Ne souhaiterais-tu pas rester avec Julia à tout jamais ?

— Ce qui compte, ce n'est pas ce que je veux. Je ne vais pas l'obliger à prendre une décision susceptible de bouleverser son existence au beau milieu de l'année scolaire, avait-il marmonné en se frottant les yeux. C'est encore trop tôt.

— Prie pour qu'il ne soit pas trop tard quand tu auras fini d'attendre, lui avait rétorqué son père en lançant un regard attristé à la photo de Grace.

Ces paroles résonnaient encore aux oreilles de Gabriel quand il s'assit auprès de son âme sœur, pour la regarder dormir en cette matinée de Noël.

Comme si elle avait pu lire dans ses pensées, elle bougea, comme traversée par une bouffée d'angoisse. Un peu plus tard, elle se tourna vers lui, ses doigts entrant en contact avec la soie de son caleçon.

Dans l'obscurité de la chambre, Gabriel ressemblait à une gargouille, une silhouette grise immobile qui la contemplait derrière ses lunettes dans un silence de marbre. Il fallut un moment à la jeune femme pour le reconnaître.

— Que fais-tu ?

— Rien. Rendors-toi.

Elle prit un air perplexe.

— Mais tu es assis dans le noir, à demi nu.

Il lui adressa un sourire hésitant.

— J'attends que tu te réveilles.

— Pourquoi ?

— Pour que tu puisses ouvrir tes présents. Mais il est encore tôt. Rendors-toi.

Elle s'approcha de lui, cherchant sa main et finissant par la trouver. Elle l'embrassa et l'attira vers elle.

Il sourit et la posa à plat contre sa poitrine pour pouvoir sentir les battements de son cœur, puis prit un air sérieux.

— Je te demande pardon pour hier soir, commença-t-il en s'éclaircissant brusquement la voix. Je ne veux pas que tu croies que seul le sexe compte à mes yeux. Ce n'est pas le cas.

Le sourire de la jeune femme s'estompa.

— Je sais…

Il lui caressa les sourcils du bout des doigts.

– Je te désire, évidemment. Il m'est difficile de me retenir de te toucher, de ne pas vouloir être avec toi de cette manière, dit-il en lui passant une main hésitante sur le visage. Mais je t'aime, et je veux être avec toi parce que tu en as envie. Pas parce que tu t'y sentirais obligée.

Elle appuya sa joue contre sa main.

– Je ne m'y sens pas obligée. Tant de fois tu aurais pu insister, comme la nuit où nous étions dans ta vieille chambre et que j'avais… retiré mon haut. Mais tu t'es montré patient. Et lors de notre première fois, tu as été merveilleux. J'ai de la chance de t'avoir.

Elle lui adressa un sourire endormi.

– Pourquoi ne viendrais-tu pas par ici ? Il me semble qu'on ferait bien de se reposer, tous les deux.

Il se glissa sous les couvertures et se blottit contre sa bien-aimée. Quand son souffle lui indiqua qu'elle s'était rendormie, il lui murmura quelques promesses en italien.

Quand elle s'éveilla, Gabriel lui apporta le petit déjeuner au lit. Puis il insista avec une certaine impatience pour qu'elle accepte de l'accompagner au salon. Il était si enthousiaste qu'il en sautillait presque. D'une manière très professorale et digne, malgré sa semi-nudité.

Il avait comme par hasard « emprunté » un petit sapin de Noël Charlie Brown dans la salle de petit déjeuner du Bed & Breakfast et l'avait disposé au centre de la pièce. Juste en dessous se trouvaient quelques cadeaux dans des emballages colorés. Il avait aussi placé deux grandes chaussettes rouges brodées aux noms de « Julianne » et de « Gabriel », chacune d'un côté du petit canapé.

– Joyeux Noël !

Fier de lui, il l'embrassa sur le front.

– Je n'ai jamais eu droit à ces grandes chaussettes !

Il la guida jusqu'au canapé et déposa celle au nom de la jeune femme sur ses genoux. Elle débordait de bonbons et de culottes ornées de dessins de Noël. Et dans le gros orteil se trouvait une clé USB sur laquelle était enregistrée une vidéo d'un certain tango contre un mur du Musée royal de l'Ontario.

– Comment se fait-il que tu n'aies jamais eu droit à ce genre de rituel ?

– Sharon ne se rappelait pas toujours que c'était Noël, et mon père n'y a jamais pensé, expliqua-t-elle en haussant les épaules.

Il secoua la tête. Lui non plus n'y avait jamais eu droit avant d'aller vivre chez les Clark.

Julia désigna quelques présents enveloppés dans du papier rouge et vert, sur la table basse.

– Pourquoi n'ouvrirais-tu pas tes cadeaux d'abord ?

Gabriel eut un sourire radieux et s'assit par terre en tailleur, près du sapin. Il s'empara d'une petite boîte et en déchira l'emballage avec désinvolture.

Julia éclata de rire en le voyant faire, ce professeur très convenable assis sur le sol avec ses lunettes et son caleçon, déballant ses cadeaux comme un enfant de quatre ans. En ouvrant la boîte, il fut très étonné par son contenu. Nichée dans de la soie couleur crème, se trouvait une paire de boutons de manchette en argent. Et pas des boutons ordinaires : ceux-ci étaient ornés du blason de la ville de Florence. Il les contempla avec un certain émerveillement.

– Ça te plaît ?

– J'adore, Julianne. Je suis simplement surpris. Comment as-tu...

– Pendant que tu étais à l'une de tes réunions, je suis allée les acheter au Ponte Vecchio. Je me suis dit qu'ils iraient parfaitement avec tes belles chemises. Je crains de les avoir achetés avec une partie de l'argent de ma bourse, ajouta-t-elle en baissant les yeux... Donc, en réalité, c'est un peu toi qui les as payés.

Il s'agenouilla, s'approcha d'elle en se dandinant et l'embrassa pour la remercier.

– Cet argent t'appartient. Tu l'as gagné. Et ces boutons de manchette sont parfaits. Je te remercie.

Elle sourit en le voyant à genoux devant elle.

– Il y a un autre cadeau pour toi.

Il se tourna vers le paquet plat en souriant. Le papier cadeau déchiré révéla un cadre autour d'une reproduction des *Amoureux au clair de lune,* de Marc Chagall.

Sur la carte jointe, Julia avait rédigé quelques mots doux, lui déclarant son amour pour lui et sa joie de l'avoir retrouvé. Elle lui offrait aussi un autre cadeau, plus important...

« J'aimerais poser pour tes photographies.
Je t'aime de tout mon cœur,
Ta Julia.
Je t'embrasse. »

Gabriel en resta sans voix. Il croisa son regard d'un air interrogateur.

– Je crois qu'il est temps que tu aies quelques photos de nous sur les murs de ta chambre. Et je voudrais le faire pour toi. Si ça ne te pose pas de problème.

Il la rejoignit sur le petit canapé et l'embrassa amoureusement.

— Merci. Le tableau est très joli, mais c'est bien toi la plus ravissante, dit-il en souriant. Ta prédilection pour Chagall sera notre source d'inspiration. Mais j'ai l'impression qu'il va nous falloir travailler nos poses, d'abord.

Il fronça les sourcils de façon suggestive avant de se pencher pour prendre sa lèvre inférieure entre les siennes.

— Tu es le plus beau des présents, murmura-t-il.

La sentant sourire, il recula pour s'emparer de l'un de ses cadeaux sous le sapin.

Elle le remercia d'un regard brillant d'enthousiasme. Quand elle eut ouvert la petite boîte, elle découvrit un CD qu'il avait enregistré pour elle, intitulé « Tendre Julianne ».

— C'est la *playlist* qu'on a écoutée à Florence, lui expliqua-t-il.

— Merci. J'allais te demander une copie de ces chansons. Elles me rappelleront de bons souvenirs.

Sous le boîtier, elle trouva une collection de chèques-cadeaux pour divers soins en spa à l'hôtel Windsor Arms de Toronto, dont certains portant des noms à consonance plus ou moins exotique, comme « Douche de Vichy » et « Enveloppements corporels aux algues et au sel ».

Elle le remercia, lisant les intitulés à voix haute, jusqu'à ce qu'elle arrive au dernier chèque-cadeau.

« J'ai pris mes dispositions pour que tu puisses aller voir un chirurgien plastique dès notre retour à Toronto. D'après les informations que je lui ai données, il est persuadé de pouvoir t'ôter complètement ta cicatrice. Tu n'auras plus besoin de t'en soucier.
Gabriel. »

Il lui prit le morceau de papier des doigts avec un sourire d'excuse.

— Je n'aurais peut-être pas dû mettre celui-là dans la boîte. Désolé.

Julia lui saisit le poignet.

— Merci. J'ai cru qu'il me faudrait attendre. Mais c'est le plus beau cadeau que tu pouvais m'offrir.

Il poussa un profond soupir et se pencha pour l'embrasser sur le front.

— Tu le mérites, déclara-t-il, le regard éclatant.

Elle lui sourit et regarda derrière lui, une grosse boîte se trouvant encore sous le sapin.

— Il y a encore un cadeau. C'est pour moi ?

Il acquiesça.

— Eh bien, je peux l'ouvrir ?

– Je préférerais que tu attendes.

Elle fronça les sourcils.

– Pourquoi ? Tu veux que je l'apporte chez Richard ? Pour l'ouvrir devant tout le monde ?

– Mon Dieu, non ! s'exclama-t-il en se passant les doigts dans les cheveux et en souriant timidement. Désolé. C'est juste un peu, euh… intime. Tu peux attendre ce soir, s'il te plaît ?

Elle étudia le paquet avec curiosité.

– À en juger d'après la taille de la boîte, ce n'est pas un chaton.

– Non. Mais si tu veux un animal de compagnie, je t'en achèterai un.

Il jeta un coup d'œil soupçonneux au carton ouvert près de la porte d'entrée.

– Que t'a offert Paul ?

Elle haussa les épaules, faisant mine de ne pas s'être attendue à cette question.

– Une bouteille de sirop d'érable, que j'ai donnée à mon père, et deux ou trois jouets.

– Des jouets ? Quel genre de jouets ?

Elle sembla s'indigner.

– Des jouets pour enfants, bien sûr !

– Ne t'a-t-il pas déjà offert un lapin, il y a deux mois ? J'ai l'impression qu'il est obsédé par les lapins.

*Le baiseur d'anges.*

– Écoutez qui parle ! Je te rappelle que tu es obsédé par les chaussures de femmes.

– Je n'ai jamais nié mon « appréciation esthétique » des chaussures de femmes. Ce sont des œuvres d'art, après tout, se défendit-il sagement. Surtout quand quelqu'un d'aussi ravissant que toi les porte.

Elle ne put s'empêcher de sourire.

– Il m'a offert une vache en peluche et des personnages de Dante et Béatrice.

Il prit un air des plus perplexes.

– Des personnages ? (Il sourit en comprenant.) Ah, tu veux dire des figurines ?

– Des personnages, des figurines… peu importe.

– D'un point de vue anatomique, elles sont fidèles à la réalité ?

– Qui fait l'enfant, à présent ?

Il lui caressa la joue.

– Je me demandais simplement ce que tu pourrais en faire… en privé, naturellement.

– Dante se retournerait dans sa tombe.

– On pourrait reconstituer la scène en les enterrant dans le jardin. Mais j'aimerais garder Béatrice.

– Tu es incorrigible. (Elle ne put s'empêcher de rire.) Je te remercie pour ces cadeaux. Et merci de m'avoir emmenée en Italie, c'était le plus beau de tous.

– De rien.

Il lui prit le visage entre les mains, chercha son regard et l'embrassa. Ce qui débuta par un baiser timide sur les lèvres dégénéra rapidement, et ils se caressèrent mutuellement avec une certaine ferveur. Julia se hissa sur la pointe des pieds, se pressant contre son torse nu. Gabriel poussa un gémissement de frustration et recula doucement. Il ôta ses lunettes pour pouvoir se frotter les yeux.

– J'aurais bien continué, mais Richard veut qu'on aille à l'église.

– Bien.

Il rechaussa ses lunettes.

– Une bonne catholique n'aurait-elle pas préféré aller à la messe ?

– C'est le même dieu. Il m'est déjà arrivé d'y aller avec tes parents, répondit-elle en cherchant son regard. Tu ne veux pas y aller ?

– Les églises, ce n'est pas pour moi.

– Pourquoi ?

– Voilà des années que je n'y suis plus allé. Ils vont… me juger.

Elle leva les yeux vers lui d'un air sérieux.

– Nous sommes tous des pécheurs. Et si seuls les non-pécheurs allaient à l'église, elles seraient désertes. Je doute fort qu'on veuille te juger à l'église de Richard. Les épiscopaliens sont très accueillants.

Elle l'embrassa rapidement sur la joue avant de disparaître dans la chambre pour choisir ses vêtements. Il lui emboîta le pas et se laissa tomber sur le lit, la regardant fouiller dans la penderie.

– Pourquoi crois-tu toujours en Dieu ? Tu ne lui en veux pas, avec tout ce qui t'est arrivé ?

Julia s'interrompit pour se tourner vers lui. Il semblait très mécontent.

– Chacun ses problèmes. Pourquoi en irait-il différemment avec moi ?

– Parce que tu es quelqu'un de bien.

Elle baissa les yeux.

– L'univers n'est pas fondé sur la magie. Les circonstances sont les mêmes pour le bien et le mal. Tout le monde souffre à un moment donné de son existence. Reste à savoir ce que nous faisons de notre souffrance, non ?

Il la regardait d'un air impassible.

Elle poursuivit.

— Sans doute le monde serait-il bien pire si Dieu n'existait pas.

Il jura doucement, mais préféra éviter d'insister.

Elle s'installa à côté de lui sur le lit.

— Tu n'as jamais lu *Les Frères Karamazov* ?

— C'est l'un de mes romans préférés.

— Alors, tu connais la conversation entre Ilioucha, le prêtre, et son frère Ivan.

Il pouffa, mais sans méchanceté.

— J'imagine que c'est moi le libre-penseur rebelle, et que tu es le garçon pieux ?

Elle ne tint pas compte de sa remarque.

— Ivan donne à Ilioucha une liste de raisons selon lesquelles, soit Dieu n'existe pas, soit Dieu est un monstre. C'est une discussion particulièrement intense, et j'y ai énormément réfléchi. Mais, poursuivit-elle, souviens-toi de quelle manière Ivan achève son argumentation. Il affirme qu'il rejette la Création par Dieu, mais que, cependant, il y a un aspect de ce monde qu'il trouve étonnamment beau : les tendres pousses au printemps. Il les aime, même s'il hait tout ce qu'il y a autour. Les pousses ne sont ni la foi ni le salut. Ce sont des restes d'espoir. Elles l'empêchent de désespérer, faisant ainsi la démonstration qu'en dépit du mal dont il a été témoin, il reste au moins quelque chose de beau.

Elle changea de position pour mieux voir la réaction de Gabriel et, très tendrement, prit son visage entre ses mains.

— Quelles sont tes tendres pousses, Gabriel ?

Sa question le prit complètement au dépourvu. À tel point qu'il fut incapable de continuer à regarder la jolie brune qui se trouvait devant lui. C'était dans ce genre de situation qu'il se rappelait pourquoi il avait tout d'abord cru qu'il s'agissait d'un ange. Elle débordait de compassion, ce qui était rare chez les humains. Du moins, d'après ce qu'il en savait.

— Je n'en sais rien. Je n'y ai jamais réfléchi.

— Les miennes, c'étaient Grace… et toi.

Elle lui sourit timidement.

— Et bien avant ça, c'étaient les bénévoles de l'Armée du Salut, à Saint-Louis, qui étaient gentilles avec moi quand ma mère ne l'était pas. Elles m'ont donné une raison de croire.

— Mais que fais-tu de la souffrance des innocents ? Des enfants ? (Il baissa d'un ton…) Et des nourrissons ?

— J'ignore pour quelle raison des bébés meurent. J'aimerais que ça n'arrive pas.

Elle avait pris un air grave.

— Mais que nous arrive-t-il, à nous, Gabriel ? Pourquoi permettons-nous à des gens de maltraiter leurs enfants ? Pourquoi ne cherchons-nous pas à protéger les malades et les faibles ? Pourquoi laissons-nous des soldats traquer nos voisins, leur faire coudre une étoile sur leurs vêtements et les entasser dans des wagons de marchandises ? Ce n'est pas Dieu qui est malveillant... mais nous. On se demande tous d'où vient le mal, et pourquoi il gangrène le monde. Pourquoi personne ne veut-il savoir d'où vient le bien ? Les êtres humains ont une aptitude formidable pour la cruauté. Pourquoi la bonté existe-t-elle ? Pourquoi des gens comme Grace et Richard sont-ils si bienveillants ? Parce qu'il y a un dieu, et qu'il n'a pas permis que la terre soit entièrement corrompue. Il y a des tendres pousses, si tu les cherches bien. Et, quand tu les repères, tu sens Sa présence.

Il ferma les yeux, buvant ses paroles, sachant au fond de lui qu'il n'y avait rien de plus vrai.

Malgré tous ses efforts, il n'avait jamais pu cesser de croire. Même au cours de ses journées les plus noires, la lumière ne s'était pas entièrement éteinte. Grace l'avait guidé et, providentiellement, à sa mort, il avait retrouvé sa Béatrice qui lui avait montré la suite du chemin.

Il l'embrassa chastement, et quand elle se leva pour aller se doucher il s'émerveilla de son génie discret. Il l'estimait bien plus intelligente que lui, car son intellect était empreint d'une originalité véritablement créatrice qu'il aurait rêvé d'avoir. En dépit de tout ce qui lui était arrivé, elle n'avait perdu ni la foi, ni l'espoir, ni sa générosité.

*Ce n'est pas mon égale, elle m'est supérieure.*

*C'est ma tendre pousse.*

\*
\* \*

Une heure plus tard, Julia et Gabriel étaient sur la route de l'église épiscopale All Saints. Gabriel avait revêtu un costume noir et une chemise blanche, arborant fièrement les boutons de manchette de Julia, alors qu'elle portait une robe prune lui arrivant au bas du genou et de grandes bottes noires qu'il lui avait offertes à Florence.

*Un océan de gêne.* Voilà comment Gabriel aurait décrit l'ambiance quand il prit place avec Julia à l'extrémité du banc familial.

Il fut reconnaissant pour la liturgie, l'ordre et la manière dont on employait les Écritures saintes et la musique tout au long de l'office. Cela lui permit de méditer sur sa vie et sur les étapes qui l'avaient conduit jusqu'à cette femme merveilleuse qui lui tint la main d'un bout à l'autre de la cérémonie religieuse.

Noël était la célébration de la naissance… d'une naissance en particulier. Tout autour de lui, il aperçut des nouveau-nés et des enfants : la crèche devant l'église, les banderoles et les vitraux, et le teint éclatant de la femme enceinte assise de l'autre côté de l'allée centrale.

En un clin d'œil, il comprit qu'il regrettait de s'être fait stériliser, non seulement pour lui et le fait qu'il ne pourrait plus jamais engendrer mais aussi pour Julianne. Il s'imagina au lit avec une Julia enceinte, posant la main sur son ventre pour sentir l'enfant lui donner des coups de pied. Il se figura tenant leur nouveau-né dans ses bras, bouleversé par ses cheveux noirs.

Ses rêveries l'effrayèrent. Elles étaient le signe d'un bouleversement dans son caractère et dans ses priorités, loin de la culpabilité et de l'égoïsme qui avaient gouverné son existence jusqu'à la réapparition de Béatrice. Un changement annonciateur du caractère permanent de son attachement à une femme avec laquelle il souhaitait fonder une famille, avoir un enfant. Son amour pour Julianne avait évolué à plus d'un titre. Il ne prit conscience de l'importance de ces changements qu'en apercevant cette inconnue enceinte et en la considérant avec envie et nostalgie.

Voilà ce à quoi il pensait en tenant la main de Julianne jusqu'au moment de recevoir l'Eucharistie. Il fut le seul sur le banc familial à ne pas se lever pour aller communier.

Il y avait quelque chose de réconfortant dans les églises, se fit-il la réflexion. Même si, dans l'ensemble, il trouvait cette expérience – surtout l'homélie – particulièrement culpabilisante. Il avait gâché une bonne partie de sa vie, des années qu'il ne récupérerait jamais. Il n'avait pas eu l'occasion de dire à Grace ce qu'il aurait voulu lui dire avant qu'elle s'éteigne. Il n'avait traité ni Paulina ni Julianne avec la dignité qu'elles méritaient. Il n'avait respecté aucune des femmes avec lesquelles il avait eu une liaison.

En pensant à Paulina, il détourna son regard de la femme à la chevelure noire dans sa jolie robe prune et baissa la tête, priant presque inconsciemment pour obtenir le pardon et aussi des conseils. Il était sur la corde raide, il en était conscient, tiraillé entre le fait d'assumer la responsabilité de ses erreurs passées et celui de tout faire pour que

Paulina cesse d'être dépendante de lui. Il pria pour qu'elle trouve quelqu'un qui l'aime et l'aide à faire table rase du passé.

Il était si concentré sur sa prière qu'il ne remarqua même pas que les membres de sa famille passaient devant lui en se serrant pour regagner leurs places, ni au creux de son coude la main de Julia qui se pressait contre lui de manière rassurante. Et il ne remarqua pas non plus le moment pendant l'office, juste avant la bénédiction, où son père fondit en sanglots en silence, ses épaules prises de tremblements, et où Rachel l'enlaça, appuyant sa chevelure blonde contre son bras.

*Le royaume des cieux est semblable à une famille*, pensa Julia en voyant Rachel et Scott étreindre leur père.

# 11

Après le déjeuner, Rachel rassembla sa famille pour l'aider à préparer l'énorme dinde prévue pour le dîner. Julia s'entretint brièvement au téléphone avec son père, lui arrachant la promesse qu'il arriverait aux alentours de quinze heures pour participer aux échanges de cadeaux, puis Rachel et elle restèrent dans la cuisine afin d'éplucher des pommes pour deux tartes.

Rachel avait triché et acheté de la pâte toute faite, mais elle l'avait ôtée de son emballage Pillsbury et placée au réfrigérateur entre deux films plastique pour que personne ne devine la supercherie.

— Salut, les filles !

Scott entra dans la cuisine avec un large sourire, puis fouilla dans le frigo.

— Qu'est-ce qui te rend si joyeux ? s'enquit sa sœur en continuant de peler une pomme.

— La période de Noël.

Il gloussa quand Rachel lui tira la langue.

— J'ai entendu dire que tu avais rencontré quelqu'un, tenta Julia.

Scott commença à se faire une assiette de restes, sans tenir compte de sa question.

Rachel était sur le point de sermonner son frère pour ses mauvaises manières quand le téléphone sonna. Elle y répondit, s'éloignant dans la salle à manger en entendant la voix de sa future belle-mère.

Scott se retourna aussitôt et adressa un regard d'excuse à Julia.

— Elle s'appelle Tammy. Je ne suis pas encore prêt à l'obliger à se soumettre à un interrogatoire serré.

— Je comprends.

Elle lui adressa un petit sourire et se concentra de nouveau sur la pomme qu'elle pelait.

– Elle a un enfant, lâcha-t-il.

Il s'adossa contre le comptoir en croisant les bras.

Julia reposa son petit couteau.

– Oh !

– Il a trois mois. Ils vivent chez ses parents. Elle ne pouvait pas venir sans lui parce qu'elle l'allaite.

Scott parlait à voix basse, à la limite du chuchotement, ne cessant de jeter des coups d'œil vers la porte de la salle à manger.

– Quand tu voudras la présenter à ta famille, tu devrais l'amener, lui aussi. Ils seront tous les deux très bien accueillis.

– Je n'en suis pas si sûr.

Il semblait très mal à l'aise.

– Ils seront ravis d'avoir un bébé dans la maison. Rachel et moi allons nous le disputer !

– Que penserais-tu de ton fils s'il revenait avec une copine qui est mère célibataire ? Et dont le bébé est celui d'un autre type ?

– Tes parents ont adopté Gabriel. Je ne crois pas que ton père y verrait la moindre objection.

Elle soupira lentement, lançant à Scott un regard inquisiteur.

– À moins que ta copine soit mariée…

– Quoi ? Non ! Son ex l'a quittée quand elle est tombée enceinte. Ça fait un moment qu'on est amis, ajouta-t-il en se passant la main dans ses cheveux, qui se dressèrent sur sa tête. J'ai peur que mon père trouve étrange que je sorte avec une femme qui a un nouveau-né.

Julia désigna la crèche exposée sous le sapin de Noël, dans la pièce voisine.

– Joseph et Marie ont eu une histoire à peu près semblable.

Scott la regarda comme si elle avait un énorme bouton sur le nez. Puis il ricana et reporta son attention sur son assiette.

– Excellente remarque, Jules. Il va falloir que je m'en souvienne.

*
* *

Plus tard dans l'après-midi, la famille se rassembla autour du sapin de Noël pour ouvrir les cadeaux. Les Clark étaient des gens généreux, et il y avait énormément de paquets, certains sérieux, d'autres amusants. Julia et son père en reçurent autant que les autres.

Tandis que chacun admirait ses présents en buvant du lait de poule, Rachel balança sans ménagement un dernier paquet sur les genoux de Gabriel.

– C'est arrivé ce matin pour toi.

– Ça vient de qui ? demanda-t-il d'un air perplexe.

– Aucune idée.

Il se tourna vers Julia d'un air plein d'espoir, mais elle secoua la tête.

Impatient de résoudre ce mystère, il déchira l'emballage, glissa les doigts entre la protection de la boîte et le fond pour les séparer, et souleva le couvercle avec précaution.

Avant que quiconque ait pu en voir le contenu, il lâcha la boîte et se leva d'un bond. Sans un mot, il se dirigea d'un pas vif vers la porte de derrière, qu'il claqua en la refermant.

– Qu'est-ce que c'est ? demanda Scott en rompant le silence.

Aaron, qui n'avait assisté à la scène que du couloir, pénétra dans la pièce.

– Je parie que c'est son ex. Je suis prêt à miser gros.

Julia se dirigea vers la cuisine en titubant, puis sortit sur le perron de derrière, suivant la silhouette de son amant.

– Gabriel ? Gabriel ! Attends !

De gros flocons tombaient du ciel, aussi légèrement que des plumes, recouvrant l'herbe et les arbres d'une épaisse blancheur. Elle frissonna.

– Gabriel !

Il s'enfonça dans les bois sans un regard en arrière.

Elle pressa le pas. Si elle le perdait de vue, il lui faudrait regagner la maison. Elle ne courrait pas le risque de se perdre de nouveau dans les bois sans manteau. Et sans carte.

Elle commençait à céder à la panique, se rappelant son cauchemar récurrent dans lequel elle se retrouvait prise au piège dans les bois. Seule.

– Gabriel ! Attends-moi.

Se frayant un chemin entre les arbres, elle s'enfonça de quelques mètres dans la forêt avant de le voir qui reprenait son souffle devant un grand pin.

– Rentre. Je ne te laisserai pas tout seul.

Le ton glacial de sa voix était assorti au climat neigeux.

Elle fit quelques pas dans sa direction. L'entendant approcher, il se retourna. Il était en costume, avec des chaussures italiennes onéreuses à présent tout abîmées.

Se coinçant un talon dans une racine, elle bascula en avant et dut se retenir à un tronc d'arbre pour éviter de tomber.

En un clin d'œil, il fut à son côté.

– Rentre avant de te faire mal.

– Non.

Ses longs cheveux ondulés sur les épaules, elle croisa les bras pour se protéger du froid. Une fine couche blanche commençait à recouvrir sa tête ainsi que sa robe prune.

Elle ressemblait à un ange des neiges. Un personnage dans un conte de fées ou dans une boule à neige, des flocons voltigeant autour d'elle comme autant d'amis. Cela lui rappela le jour où il l'avait surprise dans son box, à la bibliothèque, avec toutes ces feuilles de papier qui volaient autour d'elle.

– Tu es magnifique.

Elle accaparait toute son attention. Il avait si chaud que de la buée se formait devant sa bouche.

Elle leva une de ses petites mains rosies par le froid.

– Rentre avec moi.

– Elle ne va jamais me lâcher.

– Qui ?

– Paulina.

– Il faut qu'elle commence une nouvelle vie. Elle a besoin de ton aide.

– De mon aide ? dit-il avec un regard en biais. Tu veux que je lui vienne en aide ? Après qu'elle se fut mise à genoux et eut tenté de baisser mon pantalon ?

– Quoi ?

Il serra les dents, maudissant sa propre bêtise.

– Rien.

– Ne me mens pas !

– C'était une tentative désespérée de la part d'une femme désespérée.

– Tu as refusé…

– Évidemment ! Pour qui me prends-tu ?

Un brasier s'alluma dans son regard bleu.

– Ça t'a étonné ?

Un muscle tressauta dans la mâchoire de l'enseignant.

– Non.

Julia serra si fort les poings qu'elle s'enfonça les ongles dans les paumes de ses mains.

– Pourquoi ?

Il jeta un coup d'œil aux arbres derrière elle, manifestement peu désireux de répondre à sa question.

– Pourquoi ça ne t'a pas étonné ? répéta-t-elle plus fort.

– Parce qu'elle est comme ça.

– Elle « est » ou elle « était » comme ça ?

– Quelle différence ? lui demanda-t-il sèchement.

Elle plissa les yeux.

– S'il faut vraiment que je te l'explique, c'est que notre couple est plus en danger que je ne le craignais.

Il refusait de lui répondre. Sa répugnance se lisait dans ses yeux, sur ses traits et même dans sa façon de se tenir.

Elle lui lança un regard perçant.

Il regarda dans le lointain, par-dessus l'épaule de la jeune femme, comme s'il cherchait un moyen de fuir. Puis il reporta son attention sur elle.

– Elle est venue chez moi à plusieurs occasions, et on a...

Il s'interrompit. Julia se sentit mal. Elle ferma très fort les yeux.

– Quand je t'ai demandé si tu couchais avec Paulina, tu m'as répondu que non.

– On n'a jamais recouché ensemble.

Elle rouvrit brusquement les yeux.

– Ne joue pas sur les mots avec moi ! Surtout avec tes plans cul !

Il serra les dents.

– C'est indigne de toi, Julianne.

Elle poussa un éclat de rire dénué de tout humour.

– Oui, oui ! C'est indigne de moi de dire la vérité. Mais toi, tu peux mentir en serrant les dents !

– Je ne t'ai jamais menti à propos de Paulina.

– Si. Inutile de se demander pourquoi tu étais si furieux quand je l'ai qualifiée de *sex-friend* pendant ton cours sur Dante. J'avais raison.

Elle lui adressa un regard bouleversé.

– Elle est allée dans ton lit ? Dans le lit où on a dormi ensemble ?

Il baissa les yeux.

Elle commença à reculer.

– Je t'en veux tellement que je ne sais pas quoi dire.

– Je suis désolé.

– Ce ne sera pas suffisant, lui assura-t-elle en s'éloignant de lui. C'était quand, la dernière fois où tu as couché avec elle ?

Il tenta de la rattraper et de lui saisir le bras.

– Je t'interdis de me toucher !

Elle recula, trébuchant contre une racine. Il la rattrapa avant qu'elle tombe.

– Accorde-moi une minute, d'accord ? Donne-moi une chance de m'expliquer.

Quand elle eut recouvré l'équilibre, il la libéra.

– Quand je t'ai revue en septembre, tout était terminé avec Paulina. Je n'étais plus avec elle depuis le mois de décembre précédent, quand je lui ai fait comprendre qu'on devait arrêter pour de bon.

– Tu m'as fait croire que tout était fini entre vous depuis Harvard. Peux-tu imaginer à quel point ça me fait souffrir ? À quel point j'ai l'impression de passer pour une idiote ? Elle fait irruption chez tes parents comme si c'était chez elle. Et comme si c'était moi ta *sex-friend*. Inutile de se demander pourquoi ! Tu couches avec elle depuis des années !

Gabriel remua son pied dans la neige.

– J'essayais de te protéger.

– Fais attention, Gabriel. Fais très, très attention.

Il se figea. Il ne l'avait jamais entendue employer ce ton. Tout à coup, il eut l'impression de la perdre. Cette simple idée le paralysa. Il se mit à parler très vite.

– On ne se voyait qu'une ou deux fois par an. Comme je te l'ai dit, je ne suis plus avec elle depuis décembre de l'année dernière.

Il se passa les doigts dans les cheveux.

– Tu pensais que j'allais te dresser la liste de toutes les relations sexuelles que j'ai pu avoir ? Je t'ai déjà dit que j'avais un passé.

Il croisa son regard, le soutint et s'approcha un tout petit peu.

– Tu te souviens de la nuit où je t'ai parlé de Maia ?

– Oui.

– Tu m'as dit que tu me pardonnais. Je voulais te croire. J'ai pensé que si je t'avouais avoir cédé de nombreuses fois à Paulina, je te perdrais. Je n'avais pas l'intention de te faire souffrir.

Il s'éclaircit la voix.

– Serais-tu en train de me mentir, maintenant ?

– Non.

Elle prit un air sceptique.

– Tu l'aimes ?

– Bien sûr que non !

Il fit un autre pas prudent vers elle, mais elle leva une main.

– Alors, tu as couché avec elle pendant des années, après lui avoir fait un enfant, et après sa dépression nerveuse, mais tu ne l'aimais pas ?

Il serra les lèvres.

– Non.

Il vit des larmes apparaître dans ses grands yeux noisette, son joli visage marqué par la tristesse. Il s'approcha d'elle, ôta sa veste de costume et la lui posa tendrement sur les épaules.

– Tu vas attraper une pneumonie. Tu ferais bien de rentrer.

Elle s'emmitoufla dans sa veste et en remonta le col sur son cou.

– C'était la mère de Maia, chuchota-t-elle. Et regarde comme tu la traites.

Il se raidit. *La mère de Maia.*

Ils restèrent un moment silencieux, remarquant par la même occasion que la neige avait cessé de tomber.

– Quand pensais-tu me le dire ?

Il hésita, son cœur battant à tout rompre. Il ne savait pas vraiment quoi lui répondre quand les mots lui échappèrent :

– Jamais.

Elle se retourna et marcha dans la direction opposée à celle de la maison.

– Attends, Julia !

Il la rattrapa par le bras.

– Je t'ai dit de ne pas me toucher !

Elle libéra son bras en le fusillant du regard.

– Tu m'as bien dit que tu préférais ne pas être au courant des détails de mon existence avant de me connaître. Tu m'as dit que tu me pardonnais.

– Oui.

– Tu savais que j'avais une vie dissolue, lui reprocha-t-il doucement.

– Oui, mais je croyais qu'il y avait des limites à tout.

Il eut un mouvement de recul, blessé par sa remarque.

– Je le mérite, reconnut-il d'un ton aussi glacial que la neige recouvrant le sol. Je ne t'ai pas tout dit, alors que j'aurais dû le faire.

– Le cadeau de Noël venait d'elle ?

– Oui.

– Qu'est-ce que c'était ?

Ses épaules s'affaissèrent.

– Une échographie.

Julia prit une brusque inspiration.

– Pourquoi a-t-elle fait une chose pareille ?

– Paulina part du principe que j'ai gardé le secret. Elle a raison, bien sûr, en ce qui concerne mes frères et sœurs. Mais elle croit que je ne t'ai rien dit. C'est sa façon de s'assurer que je le fasse.

– Tu t'es servie d'elle, dit-elle en commençant à claquer des dents. Inutile de se demander pourquoi elle ne veut pas te lâcher. Tu l'as appâtée avec des restes, comme un chien. Tu me traiterais de la même façon ?

– Jamais. Je sais que je me suis conduit de façon abominable avec elle. Mais ça ne lui donne pas le droit de te faire souffrir. Tu n'as rien à voir avec tout ça.

– Tu m'as induite en erreur.

– Oui. Oui, c'est vrai. Tu peux me le pardonner ?

Julia resta muette un long moment, se frottant les mains pour se protéger du froid.

– As-tu jamais demandé à Paulina de te pardonner ?

Il secoua la tête.

– Tu as joué avec ses sentiments. Je sais parfaitement ce que ça fait. Je la comprends tout à fait.

– C'est toi que j'ai rencontrée la première, chuchota-t-il.

– Ça ne te donne pas le droit de te montrer si cruel.

Elle toussa, l'air glacial lui brûlant la gorge.

Il posa la main sur son épaule.

– Je t'en prie, rentre. Tu es frigorifiée.

Elle s'apprêtait à partir, mais Gabriel la saisit par la main.

– J'éprouvais quelque chose pour elle, mais ce n'était pas de l'amour. Il y avait de la culpabilité, du désir et un peu d'affection, mais pas d'amour.

– Que vas-tu faire, à présent ?

Il la prit par la taille et la serra contre lui.

– Je résisterai à l'envie de réagir au cadeau qu'elle m'a fait et tenterai de faire de mon mieux pour me racheter. C'est toi que je veux. Je suis vraiment désolé de t'avoir blessée.

– À moins que tu changes d'avis.

Il la serra encore plus fort contre lui, l'air féroce.

– Tu es la seule que j'aie jamais aimée.

En l'absence de réponse de la jeune femme, il la raccompagna à la maison.

– Je ne te tromperai jamais, je t'en fais le serment. Quant à ce que Paulina a tenté de faire hier, dit-il en la serrant de nouveau contre lui, il fut un temps où j'aurais pu m'égarer. Mais c'était avant que je te trouve. Je préférerais passer le restant de mes jours à m'abreuver de ton amour, plutôt que de vider tous les océans du monde.

– Tant que tu ne seras pas sincère, tes promesses n'auront aucune valeur. Quand je t'ai demandé si vous couchiez ensemble, tu as joué sur les mots avec moi.

Il grimaça.

– Tu as raison. Je te présente mes excuses. Ça ne se reproduira plus.

– Tu te lasseras de moi un jour. Et, quand ce sera le cas, tu reprendras tes mauvaises habitudes.

Il s'immobilisa et se tourna vers elle.

– On ne peut pas considérer Paulina comme une mauvaise habitude. On a un passé commun, mais on n'a jamais été faits l'un pour l'autre. Et nous avions un effet négatif réciproque.

Julia se contenta de lui lancer un regard sceptique.

– J'errais dans les ténèbres, à la recherche de quelque chose de mieux, de véritable. Je t'ai trouvée, et que je sois maudit si je dois te perdre.

Elle détourna les yeux, contemplant les arbres et le chemin qu'elle pensait mener à la pommeraie.

– Les hommes se lassent.

– Seulement les idiots.

Il avait le regard noir et les yeux plissés d'inquiétude. Il cilla avant de froncer les sourcils.

– Crois-tu que Richard aurait pu tromper Grace ?

– Bien sûr que non.

– Pourquoi ?

– Parce que c'est quelqu'un de bien. Parce qu'il l'aimait.

– Je ne prétends nullement être quelqu'un de bien, Julia, mais je t'aime. Je ne te tromperai jamais.

Elle garda le silence un long moment.

– Je ne suis pas blessée au point de ne pas pouvoir te dire non.

– Je n'ai jamais dit le contraire.

Il prit un air sinistre.

– Je te dis non, maintenant. Si tu me mens encore une fois, ce sera la dernière, l'avertit-elle.

– Je te fais le serment de ne plus te mentir.

Elle soupira lentement, desserrant les poings.

– Je ne coucherai plus dans le lit que tu as partagé avec elle.

– Je ferai tout refaire avant notre retour à Toronto. Je vendrai ce fichu appartement, si tu le souhaites.

Elle retroussa les lèvres.

– Ce n'est pas ce que je te demande.

– Alors, pardonne-moi, chuchota-t-il. Donne-moi une chance de te montrer que je mérite ta confiance.

Elle hésita.

Il s'approcha d'elle et l'enlaça. Elle accepta son étreinte à contrecœur, et ils demeurèrent sous l'averse de neige, dans le bois qui s'obscurcissait.

## 12

Tard dans la soirée, Gabriel et Julia s'installèrent tous les deux par terre en pyjama, à côté de leur sapin de Noël Charlie Brown. Julia l'encouragea à ouvrir le présent de Paulina, afin que tous les secrets soient révélés. Il ne voulait rien en faire, mais par égard pour Julia il s'exécuta.

Il s'empara de l'échographie et grimaça. Julia lui demanda si elle pouvait la voir, et il la lui tendit en soupirant.

— Cette photo ne peut pas te blesser. Même si Rachel et Scott découvraient la vérité, ils compatiraient.

Elle suivit d'un doigt la courbe de la petite tête du bébé.

— Tu pourrais la laisser dans un lieu privé, mais il ne faut pas la laisser dans une boîte. Elle avait un nom. Elle mérite qu'on se souvienne d'elle.

Gabriel se prit la tête à deux mains.

— Tu ne trouves pas ça morbide ?

— Je ne trouve pas qu'il y ait quoi que ce soit de morbide à propos des bébés. Maia était ta fille. Paulina avait l'intention de te faire souffrir avec cette échographie, mais en réalité c'est un don. Tu dois la garder. Tu es son père.

Il était trop bouleversé pour pouvoir lui répondre. Pour se changer les idées, il alla déposer le reste du paquet de Paulina près de la porte. Il le lui renverrait dès que possible.

Julia le suivit.

— J'ai hâte de pouvoir porter ton cadeau de Noël.

Elle désigna le corset noir et les chaussures encore dans leurs boîtes, sous le sapin.

— Vraiment ?

— Il faudra d'abord que je me motive, mais je trouve ça très féminin et très joli. Et j'adore les chaussures. Je te remercie.

Gabriel se détendit. Il voulait lui demander d'essayer son cadeau. Il voulait la voir avec ces chaussures, sans doute assise sur le lavabo de la salle de bains, avec lui entre ses cuisses, mais il garda ses fantasmes pour lui.

— Euh… il faut que je t'explique quelque chose, dit-elle en lui prenant la main, glissant ses doigts entre les siens. Je ne pourrai pas le porter ce soir.

— Je me doute qu'après ces deux derniers jours tu n'en as pas forcément envie. Surtout avec moi.

Il lui caressa le dos de la main avec son pouce.

— Il se passera un certain temps avant que je puisse le porter.

— Je comprends.

Il commença à vouloir libérer ses doigts.

— J'ai essayé de te l'expliquer hier soir, mais, euh… je n'ai pas vraiment eu le temps de terminer.

Il se figea.

— Euh… J'ai mes règles.

Gabriel ouvrit légèrement la bouche. Puis la referma. Il la prit dans ses bras et l'enlaça chaleureusement.

— Ce n'est pas vraiment la réaction que j'attendais, déclara Julia d'une voix étouffée contre sa poitrine. Tu ne m'as peut-être pas bien comprise ?

— Alors, hier soir, ce n'était pas parce que tu n'avais pas envie de moi ?

Elle recula d'un air étonné.

— Je suis encore contrariée par ce qui s'est passé avec Paulina, mais bien sûr que j'ai envie de toi. Tu me donnes toujours l'impression d'être particulière quand on fait l'amour. Pour l'instant, mieux vaut que j'évite d'en parler. Ou, en fait, de t'en faire parler. Euh… Enfin, tu m'as comprise.

Elle perdit quelque peu ses moyens. Poussant un soupir de soulagement, Gabriel l'embrassa sur le front.

— J'ai d'autres projets pour toi.

Il la conduisit jusqu'à la vaste salle de bains en la tenant par la main, faisant d'abord une halte pour mettre la chaîne hi-fi en marche. Les premiers accords de *Until,* de Sting, résonnèrent dans la pièce avant qu'ils disparaissent derrière la porte.

En sueur, Paulina se redressa, parfaitement réveillée, dans un lit inconnu à Toronto. Même s'il se répétait presque chaque nuit, son rêve ne variait pas d'un iota et restait toujours aussi terrifiant. La vodka et les cachets ne pouvaient rien, ni contre sa douleur à la poitrine ni contre ses larmes.

Elle s'empara de la bouteille près du lit, faisant tomber le réveil de l'hôtel de la table de chevet. Quelques gorgées et quelques pilules bleues, et elle retrouverait le sommeil, s'abandonnant aux ténèbres.

Elle était inconsolable. D'autres femmes pouvaient avoir un second enfant pour apaiser la douleur de la perte du premier. Mais elle ne pourrait plus jamais tomber enceinte. Et le père de celui qu'elle avait perdu ne voulait plus d'elle.

C'était le seul homme qu'elle eût jamais aimé. Elle l'avait aimé de loin puis de près, mais il n'avait jamais eu de sentiments pour elle. Pas vraiment. Il était cependant trop noble pour la chasser comme le rebut qu'elle était.

En sanglotant sur son oreiller, avec la tête qui tournait, elle pleurait une double perte…

*Maia.*

*Gabriel…*

# 13

Le Pr Giuseppe Pacciani n'était guère vertueux, mais il était malin. Il ne croyait pas Christa Peterson quand elle déclarait être prête à le rencontrer pour un rendez-vous galant. Afin de s'assurer que cette rencontre aurait bien lieu, il décida de ne pas divulguer dans un premier temps le nom de la *fidanzata* canadienne du Pr Emerson, pour ne le révéler qu'à Madrid en février.

Christa n'était pas disposée à attendre si longtemps, ni à coucher de nouveau avec lui pour obtenir cette information. Elle ne répondit donc pas à son dernier e-mail. Elle décida de se ressaisir et de trouver un autre moyen d'apprendre le nom de la fiancée du Pr Emerson.

Elle reconnaissait être jalouse, admettant que c'était principalement pour cette raison qu'elle se demandait qui avait réussi à accaparer son attention. Alors qu'elle-même, de manière tout à fait inexplicable, n'y était pas parvenue. Elle avait commencé à nourrir quelques soupçons envers une certaine petite brune aux yeux de biche, même si l'enseignant et elle en était presque venus aux mains à cause d'une maîtresse du nom de Paulina.

Mais sans doute la véritable raison en était-elle sa nouvelle fascination quelque peu lubrique pour les rumeurs qu'elle avait surprises à propos du Pr Singer et de sa vie pas si secrète. Quand le Pr Emerson avait saluée celle-ci, après sa conférence à l'université de Toronto, de nombreuses langues s'étaient déliées. Et Christa en avait profité.

Peut-être Giuseppe se fourvoyait-il. Peut-être le professeur n'avait-il pas de *fidanzata*, après tout. Peut-être avait-il tout simplement une maîtresse.

Afin de résoudre ce mystère plutôt croustillant, elle avait contacté un ex de Florence qui travaillait pour *La Nazione*, espérant qu'il pourrait lui fournir des informations sur la vie privée d'Emerson. En attendant sa réponse, elle se concentra sur une source plus proche. Au Vestibule, les péchés ne restaient pas longtemps secrets.

L'absence remarquée de l'enseignant avait commencé juste après la tentative de séduction de Christa. Ainsi en conclut-elle que ces fiançailles devaient dater de ce moment. Avant, cela lui était égal de savoir avec qui il sortait, et quand. À moins qu'il ait eu avec sa fiancée une relation assez libre jusqu'à cette soirée fatidique. Il était possible que le professeur soit loin d'être exclusif et qu'il ait eu une *fidanzata* depuis longtemps, même si une telle liaison n'aurait sans doute pas manqué d'alimenter les rumeurs. Après tout, Toronto était une petite ville.

Christa savait évidemment comment elle allait procéder. Le professeur et sa fiancée s'étaient rendus au Lobby, à un moment ou à un autre, pendant le semestre d'hiver, car il s'agissait, semblait-il, de son troquet de prédilection. Il ne lui restait plus qu'à trouver un employé de l'établissement et à lui soutirer des informations.

Un samedi, tard dans la soirée, Christa observa le personnel du Lobby, tentant de déterminer lequel d'entre eux serait le maillon le plus faible. Elle prit place au comptoir, sans tenir compte de la grande Américaine blonde venue là dans le même but qu'elle, et qui venait d'atterrir de Harrisburg. Christa prit un air de dégoût en retroussant ses lèvres rouge vif quand la femme s'empara de son iPhone puis parla très fort en italien avec un maître d'hôtel du nom d'Antonio.

La soirée commençant à se faire longue, Christa comprit bientôt qu'il ne lui restait que peu d'options. Ethan avait une petite amie sérieuse, ce serait donc peine perdue avec lui. La plupart des barmen étaient gays, et tous les serveurs étaient des serveuses. Restait Lucas.

C'était un geek – ce qui ne posait aucun problème à la jeune femme – qui prêtait main-forte à Ethan pour assurer la sécurité de l'établissement d'un point de vue technique. Il avait accès aux enregistrements vidéo des caméras de surveillance, et il accepta avec un certain enthousiasme que Christa reste après la fermeture pour qu'ils puissent passer au crible des CD et des CD d'enregistrement, en commençant par ceux du mois de septembre 2009.

Et c'est fut ainsi que Christa se retrouva, le dimanche matin, assise sur le lavabo des toilettes des femmes, avec Lucas entre ses cuisses.

*

* *

126

Gabriel et Julia arrivèrent à Toronto en fin de soirée, le 1er janvier. Ils se rendirent aussitôt chez la jeune femme pour qu'elle puisse déposer quelques affaires et récupérer des vêtements propres. C'était du moins ce que croyait Gabriel. Leur taxi les attendant devant l'immeuble, l'enseignant se tenait au milieu de son studio froid et miteux, attendant qu'elle prépare son sac pour la nuit. Mais elle avait une autre idée derrière la tête.

— C'est chez moi, Gabriel. Ça fait trois semaines que je suis partie. Il faut que je fasse des lessives et que je travaille sur mon mémoire demain. Les cours reprennent lundi.

Le visage du professeur s'assombrit aussitôt.

— Oui, je suis au courant de la date de reprise des cours, lui accorda-t-il d'un ton saccadé. Mais on gèle, ici. Tu n'as rien à manger, et je ne veux pas dormir sans toi. Viens chez moi, tu reviendras ici demain.

— Je ne veux pas aller chez toi.

— Je t'ai dit que j'allais faire refaire la chambre, et ça a été fait. Le lit, le mobilier, tout est neuf. Ils ont même repeint les murs, ajouta-t-il en grimaçant.

— Je ne suis pas encore prête.

Elle lui tourna le dos et entreprit de défaire sa valise. Après lui avoir jeté un coup d'œil, il franchit la porte de l'appartement, qu'il referma plutôt bruyamment derrière lui.

Elle soupira.

Il faisait des efforts, elle le voyait. Mais ses révélations avaient bien entamé sa confiance en elle, pourtant déjà fragile. Une assurance qu'elle avait commencé à récupérer au cours de leur séjour en Italie. Elle se connaissait assez bien pour savoir que sa peur de le perdre ne reposait que sur le divorce de ses parents et la trahison de Simon. Même en ayant conscience de tout cela, il lui était très difficile de ne pas en tenir compte et de se convaincre que l'amour de Gabriel ne se fanerait jamais.

Le temps qu'elle approche de la porte pour la verrouiller, il réapparut, sa valise à la main.

— Qu'est-ce que tu fais ?

— Je vais te tenir chaud, répondit-il sèchement.

Il déposa sa valise et disparut dans la salle de bains, refermant la porte derrière lui. Il en ressortit quelques minutes plus tard, la chemise déboutonnée et sortie du pantalon, marmonnant quelque chose à propos du fait d'être parvenu à allumer son satané chauffe-eau électrique.

— Pourquoi es-tu revenu ?

– Je n'ai pas l'habitude de dormir sans toi. En fait, je suis prêt à vendre ce maudit appartement et tout mon mobilier, et à acheter autre chose.

Il secoua la tête et commença à se déshabiller sans complexe, sans un mot de plus.

Pendant que Julia était dans la salle de bains, il examina ce qu'il y avait sur sa table pliante : le livre contenant les reproductions de Botticelli qu'il lui avait offert pour son anniversaire, une chandelle, une boîte d'allumettes, et l'album photo dans lequel se trouvaient les clichés d'elle qu'il avait pris.

En feuilletant ce dernier, il se sentit excité. Elle lui avait promis de poser de nouveau pour lui. Elle voulait qu'il la prenne en photo. Un mois auparavant, il n'aurait jamais cru cela possible. Elle était si timide, si nerveuse, à l'époque.

Il se rappela son regard quand il l'avait amenée dans son lit après cette terrible dispute, lors de son cours. En pensant à ses grands yeux apeurés et à la façon dont elle tremblait entre ses mains, son excitation diminua. Il ne la méritait pas. Il en était conscient. Mais la piètre idée qu'elle se faisait d'elle-même l'empêchait de voir la réalité en face.

Il fit défiler les photos avant de se concentrer sur l'une d'elles en particulier : elle représentait Julianne de profil, et il avait la main sur son épaule, lui tenant les cheveux de l'autre pendant qu'il l'embrassait dans le cou.

Elle ignorait qu'un exemplaire de ce cliché se trouvait dans son placard. Il ne le lui avait jamais avoué, redoutant sa réaction. Quand il retournerait dans sa chambre nouvellement refaite à neuf, la première chose qu'il ferait serait d'accrocher cette photo au mur.

Cette simple idée suffit à alimenter son désir. Il s'empara donc de la chandelle, craqua une allumette pour l'allumer et la posa sur la table pliante avant d'éteindre la lumière. Quand Julia réapparut dans la pièce plongée dans la pénombre, une lueur romantique se diffusait sur les photos et sur le petit lit.

Il s'installa sur le bord de ce dernier, complètement nu, tandis qu'elle tenait un vieux pyjama en pilou orné de petits canards en plastique.

– Qu'est-ce que tu fais ?

Il jeta un coup d'œil à sa tenue de nuit avec un dégoût à peine masqué.

– Je me prépare pour aller me coucher.

Il la regarda fixement.

– Viens là.

Elle s'approcha de lui lentement.

Il lui prit le pyjama des mains et le jeta un peu plus loin.

– Tu n'as pas besoin de ça. Tu n'as besoin de rien.

Elle commença à se dévêtir devant lui, déposant ses vêtements sur l'une des chaises pliantes.

Il l'empêcha de se glisser entre les draps et posa les mains sur sa tête, presque comme s'il la bénissait. Puis il la caressa, passant ses doigts dans ses longs cheveux, sur son visage, puis sur ses sourcils et ses joues. Il la regarda obstinément dans les yeux, avec une telle intensité qu'elle eut l'impression que sa conscience se consumait.

Une partie de l'ancien Pr Emerson était visible à présent, surtout dans son expression, pour le moins brute et sexuelle. Elle ferma les yeux et il fit glisser ses mains de son cou à son visage, marquant un temps d'arrêt.

– Ouvre les yeux.

Elle obtempéra et hoqueta en voyant le désir dans ceux de Gabriel. On aurait dit un lion impatient de dévorer sa proie. Il ne voulait pas l'effrayer. Mais elle était sans défense, tant elle le désirait aussi.

– Ça t'a manqué que je te caresse comme ça ? demanda-t-il d'une voix torride.

Julia laissa échapper son approbation sous la forme d'un gémissement étouffé. Gabriel bomba le torse de fierté.

Le trajet était long, de son visage à ses genoux, et il sembla plutôt l'apprécier, s'attardant à divers endroits, d'un contact léger mais passionné. Malgré le froid qui régnait dans la pièce, elle eut soudain chaud entre ses doigts délicats. Dès qu'elle pensa au froid, elle se mit à trembler.

Gabriel cessa aussitôt son exploration et se poussa sur le côté pour lui permettre de se glisser sous les draps près du mur. Il pressa son torse contre son dos, tirant l'édredon violet sur leurs corps dévêtus.

– Ça m'a manqué de faire l'amour avec toi. J'avais l'impression d'avoir un membre en moins.

– Toi aussi, tu m'as manqué.

Il esquissa un sourire de soulagement.

– Je suis ravi de te l'entendre dire. C'était une vraie torture de devoir passer une semaine sans pouvoir te toucher.

– C'était une véritable torture de devoir passer une semaine sans que tu puisses me toucher.

Le désir vibrant contenu dans sa voix alluma un brasier dans le ventre de Gabriel. Il la serra plus fort contre lui.

– Les câlins sont essentiels à l'acte d'amour.

– Jamais je ne vous aurais cru du genre à faire des câlins, professeur Emerson.

Il referma ses lèvres sur son cou, aspirant doucement.

– Je suis devenu beaucoup de choses depuis que tu as fait de moi ton amant.

Il enfouit son visage dans sa chevelure et huma son parfum vanillé à plein nez.

– Parfois, je me demande si tu te rends compte à quel point tu m'as changé. C'est pour le moins miraculeux.

– Je ne cherche pas à faire des miracles. Mais je t'aime.

– Et moi aussi, je t'aime.

Il resta silencieux un long moment, ce qui étonna la jeune femme. Elle avait cru qu'il lui ferait l'amour sans tarder.

– Tu ne m'as jamais raconté ce qui s'était produit au Kinfolks, la veille de Noël.

Il tentait de paraître détendu, car il ne voulait pas lui donner l'impression de le lui reprocher.

Dans l'espoir de pouvoir mettre un terme rapidement à cette conversation pour qu'ils puissent se consacrer à d'autres activités, elle lui raconta son altercation avec Natalie. Elle omit de faire allusion au moment où elle s'était moquée devant tout le monde de ses relations sexuelles avec « lui ». Gabriel la poussa délicatement sur le dos pour mieux voir son visage.

– Pourquoi ne m'en as-tu pas parlé ?

– Il était trop tard pour que tu puisses y faire quoi que ce soit.

– Je t'aime, merde ! Pourquoi ne m'as-tu rien dit ?

– Paulina nous attendait, quand on est rentrés.

Il se renfrogna.

– C'est vrai. Alors, tu as menacé ton ancienne camarade de chambre de faire publier un article dans la presse ?

– Oui.

– Tu crois qu'elle t'a cru ?

– Elle veut quitter Selinsgrove. Elle veut devenir la petite amie officielle de Simon et rester pendue à son bras lors de manifestations politiques à Washington. Elle ne fera rien qui puisse mettre en péril son avenir.

– N'a-t-elle pas déjà tout ce qu'il lui faut ?

– Natalie est le petit secret honteux de Simon. C'est pourquoi il m'a fallu si longtemps pour comprendre qu'il la baisait.

Gabriel grimaça. Julia n'était pas du genre à se montrer grossière, mais, quand c'était le cas, cela surprenait.

– Regarde-moi.

Il prit appui sur ses avant-bras, de chaque côté de ses épaules.

Elle remarqua son air inquiet.

– Je suis navré qu'il t'ait fait du mal. Je le suis aussi de ne pas lui avoir abîmé le portrait davantage, quand j'en ai eu l'occasion. Mais je ne peux pas être désolé qu'il se soit tourné vers ta camarade de chambre. Sinon, tu ne serais pas là avec moi.

Il l'embrassa, suivant la courbe de son cou avec sa main, jusqu'à ce qu'elle pousse un soupir d'aise contre sa bouche.

– Tu es ma tendre pousse. Ma jolie et triste petite pousse, et j'ai envie de te voir heureuse et entière. Je te présente mes excuses pour toutes les larmes que j'ai fait couler sur ton visage. J'espère qu'un jour tu pourras me le pardonner.

Elle blottit son visage dans le creux de son cou et l'attira à elle. Elle le caressa comme s'ils ne faisaient qu'un. Le silence qui régnait dans son minuscule studio ne fut plus rompu que par son souffle lourd, ses halètements étouffés et ses gémissements d'excitation.

C'était un langage subtil, le langage secret des amoureux : la réciprocité des soupirs et des plaintes, leur impatience grandissant à mesure que leurs gémissements faisaient place à des cris, et que leurs cris laissaient place à des soupirs. Gabriel la recouvrait entièrement, un poids viril et délicieux, et leurs peaux nues en contact.

C'était le bonheur que tout le monde recherchait, à la fois sacré et païen. Une union entre deux êtres différents qui n'en forment plus qu'un. Une représentation de l'amour et d'un profond bien-être. Un aperçu extatique de la vision béate.

Avant de se retirer, Gabriel l'embrassa de nouveau sur la joue.

– Alors ?

– Alors, quoi ?

– Tu vas me pardonner de t'avoir menti à propos de Paulina ? D'avoir profité d'elle ?

– Je ne peux pas te pardonner à sa place. Il n'y a qu'elle qui puisse le faire, dit-elle en se mordant la lèvre. Aujourd'hui plus que jamais, tu dois faire en sorte qu'elle aille voir quelqu'un, pour qu'elle puisse repartir de zéro. Tu lui dois bien ça.

Il voulut lui répondre, mais, d'une manière ou d'une autre, la force de sa bonté le réduisit au silence.

# *14*

Plus elle avançait dans le semestre, plus Julia se sentait soumise à une formidable pression pour achever son mémoire, et Katherine Picton la poussait à lui remettre toujours plus vite de nouveaux chapitres. Plus l'enseignante recevrait rapidement ces chapitres, plus il lui serait facile de vanter les capacités de la jeune femme auprès de Greg Matthews, le directeur du département de langues et de littérature du Moyen Âge à Harvard, si jamais il daignait donner suite à sa lettre de recommandation.

Julia avait du mal à se concentrer en présence de Gabriel. Elle le lui expliqua d'une voix douce. C'était lié à certains yeux bleus, à un feu d'artifice sexuel et à une alchimie qui faisaient vibrer l'air entre eux deux, le tout l'empêchant de travailler. Il en fut extrêmement flatté.

Le bienheureux couple trouva donc un compromis. Ils s'appelleraient, s'enverraient des SMS et discuteraient à l'occasion sur Gmail, mais, à l'exception d'un déjeuner ou d'un dîner par semaine, Julia resterait chez elle. Les vendredis après-midi, elle se rendrait à son appartement pour passer le week-end avec lui.

Un mercredi soir, au milieu du mois de janvier, elle l'appela une fois son travail achevé.

— J'ai eu une dure journée, se plaignit-elle d'un ton las.

— Que s'est-il passé ?

— Le Pr Picton me demande de récrire les trois quarts d'un chapitre parce qu'elle a l'impression que je lui propose une version romantique de Dante.

— Aïe.

— Elle déteste les romantiques, alors imagine à quel point elle était agacée. Elle ne cessait plus d'en parler. Elle m'a donné l'impression d'être une idiote.

– Tu es loin d'être idiote. Le Pr Picton me donne aussi l'impression d'être un imbécile, parfois.

Il ricana dans le combiné.

– J'ai du mal à le croire.

– Tu aurais dû me voir la première fois qu'elle m'a convoqué chez elle. J'étais encore plus nerveux que le jour où j'ai défendu mon mémoire. J'avais failli oublier d'enfiler un pantalon.

Julia éclata de rire.

– J'imagine que tu aurais été très bien reçu, sans pantalon !

– Heureusement, je n'ai pas eu à le découvrir.

– Le Pr Picton m'a dit que ma « conscience professionnelle poussée rattrapait mes erreurs de raisonnement ».

– Quel joli compliment de sa part ! Elle est persuadée que personne n'est capable de réfléchir. Elle a une façon de décrire le monde d'aujourd'hui… À l'écouter, les gens ne sont que des singes habillés.

Elle se tourna sur le ventre en grommelant.

– Ça l'écorcherait de me dire que mon mémoire lui plaît ? Ou que je fais du bon travail ?

– Katherine ne te le dira jamais. Elle est persuadée que les compliments, c'est de la condescendance. Ces vieux prétentieux d'oxfordiens sont comme ça.

– Vous n'êtes pas comme ça, professeur Emerson.

Son simple changement de ton le fit frissonner.

– Oh que si, mademoiselle Mitchell. Vous l'avez simplement oublié.

– Tu es gentil avec moi, maintenant.

– J'espère bien, chuchota-t-il d'une voix presque cassée. Mais rappelle-toi que tu es mon amante, pas mon étudiante. Sauf dans certains domaines.

Elle éclata de rire, et il rit avec elle.

– J'ai terminé le livre que tu m'as prêté, *A Severe Mercy*.

– Tu as fait vite. Comment est-ce possible ?

– Je me sens seule, la nuit. Je me suis mise à lire pour m'aider à m'endormir.

– Tu n'as aucune raison de te sentir seule. Prends un taxi et viens chez moi. Je te tiendrai compagnie.

Elle leva les yeux au ciel.

– Oui, monsieur le professeur.

– D'accord, mademoiselle Mitchell. Alors, comment as-tu trouvé ce livre ?

– Je ne comprends pas pourquoi Grace l'aimait tant.

– Pourquoi ?

– Eh bien, c'est une histoire d'amour romantique. Mais quand ils deviennent chrétiens, ils en concluent que l'amour qu'ils éprouvent l'un pour l'autre est païen. Qu'ils ont chacun fait de l'autre une idole. Ça m'a rendue triste.

– Je suis désolé que ça t'ait attristée. Je ne l'ai pas lu, mais Grace nous en a beaucoup parlé.

– Comment l'amour pourrait-il être païen, Gabriel ? Je ne comprends pas.

– C'est à moi que tu demandes ça ? Je croyais que c'était moi le païen, dans l'histoire.

– Tu n'es pas païen. Tu me l'as dit toi-même.

Il soupira d'un air songeur.

– Tu as raison. Tu sais très bien que Dante considère Dieu comme le seule être de l'univers susceptible de pouvoir satisfaire les attentes de l'âme. C'est la critique absolue de Dante, du péché de Paolo et Francesca. Ils renoncent à quelque chose de plus grand, l'amour de Dieu, pour l'amour d'un être humain. Bien sûr, que c'est un péché !

– Paolo et Francesca sont infidèles. Ils n'auraient jamais dû tomber amoureux l'un de l'autre, pour commencer.

– C'est vrai. Mais s'il s'était agi d'amants célibataires, la critique de Dante aurait été la même. S'ils s'aiment l'un et l'autre à l'exclusion de tout le reste, on peut dire que leur amour est païen. Ils se sont idolâtrés l'un l'autre, comme ils ont idolâtré leur amour. Et ils sont également idiots parce que aucun être humain ne peut en rendre un autre complètement heureux. Nous sommes bien trop imparfaits pour ça.

Julia était stupéfaite. Même si elle connaissait déjà certains aspects de l'explication de Gabriel, elle fut réellement étonnée d'entendre de tels propos dans sa bouche.

Il semblait qu'elle soit païenne à propos de son amour pour Gabriel, et ne s'en soit jamais rendu compte. De plus, s'il pensait vraiment ce qu'il disait, il devait avoir une vision bien moins exaltée de leur relation. Elle était sous le choc.

– Julianne ? Tu es toujours là ?

Elle s'éclaircit la voix.

– Oui.

– Ce n'est qu'une théorie. Ça n'a rien à voir avec nous.

Malgré sa mise au point, le malaise persista. Il savait qu'il avait fait de Julianne une idole, sa Béatrice, et qu'aucune dénégation ni aucune rhétorique, si avisée fût-elle, ne pourraient faire croire le contraire. Compte tenu du temps qu'il avait passé en désintoxication, où on l'avait encouragé à se focaliser sur quelque chose de plus grand plutôt que sur lui-même, ses maîtresses ou sa famille, il s'en garderait bien.

— Alors, pourquoi Grace aimait-elle ce livre ? Je ne comprends pas.

— Je l'ignore, reconnut-il. Peut-être que lorsque Richard lui a fait tourner la tête, elle l'a vu comme un sauveur. Il l'a épousée, et ils s'en sont allés dans le soleil couchant de Selinsgrove.

— Richard est quelqu'un de bien, murmura-t-elle.

— C'est vrai. Mais ce n'est pas une divinité. Si Grace l'avait épousé en croyant que tous ses soucis allaient disparaître grâce à sa perfection, leur relation n'aurait pas duré. Elle aurait fini par perdre ses illusions et l'aurait quitté pour que quelqu'un d'autre la rende heureuse.

— Sans doute que si Richard et Grace ont eu un mariage si heureux, c'est parce qu'ils avaient des attentes réalistes. Ils n'attendaient pas de l'autre qu'il satisfasse tous leurs besoins. Ça expliquerait aussi pourquoi il leur était si important d'avoir une dimension spirituelle.

— Tu as peut-être raison. Ce livre est très différent du roman de Graham Greene que tu lisais.

— Pas tant que ça.

— Ton roman traite d'une liaison et d'un homme qui déteste Dieu. Je l'ai cherché sur Wikipédia.

Gabriel réprima un grognement.

— Ne va pas sur Wikipédia, Julianne. Tu sais très bien que ce site n'est pas fiable.

— Bien, professeur Emerson, ronronna-t-elle.

Il poussa un grondement.

— Pourquoi crois-tu que le protagoniste de Greene déteste Dieu ? Parce que celle qu'il aimait l'a quitté pour Dieu. On a tous les deux lu un roman sur des païens, Julianne. Et seules les fins diffèrent.

— Je ne suis pas certaine qu'elles soient si différentes.

Gabriel sourit malgré lui.

— Je crois qu'il est un peu tard pour une telle conversation. Je suis sûr que tu dois être fatiguée, et j'ai de la paperasse à remplir.

— Je t'aime. Follement.

Quelque chose dans le ton de sa voix fit battre son cœur plus vite.

— Moi aussi, je t'aime. Je t'aime beaucoup trop, j'en suis sûr. Mais je ne sais pas comment t'aimer autrement.

Il avait chuchoté ces dernières paroles, mais elles s'évanouirent dans l'air.

— Moi non plus, je ne sais pas comment t'aimer autrement, lui répondit-elle sur le même ton.

— Alors, que Dieu ait pitié de nous.

Si on avait demandé à Gabriel s'il souhaitait suivre une thérapie, il aurait répondu « non ». Il n'appréciait guère l'idée de devoir parler de ses sentiments ou de son enfance, ou d'être forcé à revivre ce qui s'était passé avec Paulina. Il refusait d'évoquer sa toxicomanie, le Pr Singer et la myriade d'autres femmes avec lesquelles il avait couché.

Mais il voulait un avenir avec Julia, et il voulait qu'elle se sente bien, qu'elle s'épanouisse pleinement. Il s'inquiétait à l'idée de perturber son épanouissement, uniquement parce qu'il était – eh bien… Gabriel.

Il s'était ainsi promis de faire tout ce qui était en son pouvoir pour la soutenir, y compris d'améliorer son comportement et de se concentrer un peu plus sur ses besoins. Ce faisant, il reconnut qu'une évaluation objective de son propre égoïsme ne lui ferait pas de mal, pas plus que quelques conseils pratiques sur la façon de le surmonter. Il était par conséquent déterminé à affronter la gêne et l'embarras de reconnaître qu'il avait besoin d'aide et de voir un thérapeute chaque semaine.

Fin janvier, il devint tout à fait évident que Gabriel et Julia avaient eu beaucoup de chance dans le choix de leurs thérapeutes. Les docteurs Nicole et Winston Nakamura formaient un couple qui cherchait à travailler avec leurs clients sur leurs problèmes psychologiques et personnels dans le but d'intégrer ces considérations à leurs quêtes existentielles et spirituelles.

Nicole s'inquiétait de la nature de la relation de Julia avec son petit ami. Elle craignait que leur liaison, à cause du différentiel de pouvoir entre eux, sans parler de la forte personnalité de Gabriel et du manque d'assurance de Julia, puisse constituer pour son équilibre mental un danger plus qu'une aide.

Mais Julia revendiquait le fait d'être amoureuse de Gabriel et d'être très heureuse avec lui. Et il était évident qu'elle en tirait beaucoup de plaisir et un grand sentiment de sécurité. Toutefois, l'étrange récit de leur première rencontre, puis de la suivante, de certains épisodes du passé de Gabriel et de sa tendance à la dépendance, déclencha des signaux d'alarme dans l'esprit de Nicole. Que Julia ne reconnaisse pas ces signaux en disait plus long sur son état psychologique qu'elle ne pouvait l'imaginer.

Winston n'y alla pas par quatre chemins : il informa Gabriel qu'il mettait son rétablissement en péril en continuant à boire de l'alcool et en manquant les réunions des Dépendants anonymes. Et ce qui était censé n'être qu'une prise de contact se transforma vite en affrontement violent. Gabriel sortit du bureau en claquant la porte.

Néanmoins, il se rendit à la séance suivante, promettant d'assister désormais aux réunions des Dépendants anonymes. Il s'y astreignit à une ou deux reprises puis n'y remit plus les pieds.

## 15

*La neige en ville et à la campagne sont deux choses très différentes,* constata Julia en se rendant avec Gabriel chez lui, pour qu'il puisse récupérer sa voiture. Ils allaient à une soirée dans un restaurant français huppé, L'Auberge du Pommier.

Gabriel tira Julia par le bras et l'attira dans l'entrée d'un magasin, l'embrassant avec passion contre la vitrine. Quand il en eut terminé, haletante, elle gloussa et l'entraîna sur le trottoir pour qu'ils puissent admirer la neige qui tombait.

À la campagne, on entendait la neige chuchoter autour de soi, les gros flocons n'étant pas gênés par les gratte-ciel et les immeubles de bureaux. En ville, le vent les poussait entre les bâtiments, mais leur chute rencontrait de nombreux obstacles. C'était du moins l'avis de Julia. Arrivée devant l'immeuble de Gabriel, elle fit une halte devant le grand magasin de porcelaine qui en occupait tout le rez-de-chaussée. Mais ce n'était pas l'immense vitrine qui l'intéressait, uniquement le bel homme qui se tenait devant.

Il portait un long manteau de laine noire orné d'un col de velours noir et d'une écharpe Burberry nouée comme une cravate autour de son cou. La main avec laquelle il la tenait portait un gant de cuir noir. Mais ce qu'il avait sur la tête la fascinait vraiment.

Le Pr Emerson était coiffé... d'un béret.

Elle trouvait ce choix étrangement séduisant. Il avait refusé de se soumettre à la coutume locale de porter un bonnet de laine ou une tuque[1]. Son béret de laine noire assorti à son manteau faisait très bien l'affaire. Et il le portait de manière fort élégante.

---

1. Nom canadien du bonnet à pompon.

– Qu'est-ce qu'il y a ?

En remarquant qu'elle contemplait son reflet, il fronça les sourcils, un léger sourire se dessinant sur ses lèvres.

– Tu es très beau, bredouilla-t-elle, incapable de quitter des yeux sa silhouette attrayante.

– C'est toi qui es ravissante, aussi bien en apparence qu'à l'intérieur.

Il l'embrassa longuement puis lui déposa un baiser rapide sur l'oreille.

– Prenons un taxi pour aller dîner. Comme ça, je pourrai te consacrer toute mon attention. Je vais aller chercher de l'argent au distributeur du magasin et je reviens dans une minute. Sauf si tu préfères m'accompagner.

Elle secoua la tête.

– Je veux profiter de la neige tant qu'il y en a.

Il pouffa bruyamment.

– C'est l'hiver et on est au Canada. Crois-moi, il va y en avoir, de la neige !

Il écarta le châle de la jeune femme pour l'embrasser dans le cou, puis s'engouffra dans le Manulife Building en riant tout seul.

Elle se tourna vers la vaisselle exposée dans la vitrine et admira une série d'assiettes en particulier, se demandant si elles étaient assorties à l'appartement de Gabriel.

– Julia ?

En se retournant, elle vit Paul. Il lui sourit et l'étreignit.

– Comment vas-tu ?

– Très bien, répondit-elle un peu nerveusement, redoutant que Gabriel les surprenne.

– Tu as bonne mine. Tu as passé un joyeux Noël ?

– Un excellent Noël. Je t'ai acheté un souvenir en Pennsylvanie. J'allais le mettre dans ton casier à la fac. Comment s'est passé ton Noël ?

– Très bien. J'ai été pas mal occupé, mais très bien. Et ton mémoire ?

– Ça se passe bien. Le Pr Picton me donne beaucoup de travail.

– Ça ne m'étonne pas, gloussa-t-il. On pourrait peut-être prendre un café la semaine prochaine, tu me raconterais tout ça.

– Pourquoi pas ?

Elle lui rendit son sourire, résistant à l'envie de faire demi-tour et d'aller chercher Gabriel quand, tout à coup, le sourire de Paul s'évanouit.

Il fronça les sourcils et s'approcha d'elle, son air bienveillant ayant fait place à une mine renfrognée.

– Que t'est-il arrivé ?

Elle baissa les yeux sur son manteau d'hiver, mais ne remarqua rien de particulier. Puis elle s'essuya le visage, se demandant si Gabriel n'avait pas étalé un peu de son gloss sur ses joues.

Mais Paul regardait ailleurs. C'était son cou qui l'intriguait.

Il s'approcha encore, envahissant véritablement son espace personnel, et tira sur le bord de son châle violet avec ses grosses pattes d'ours.

– Bonté divine, Julia, qu'est-ce que c'est que ça ?

Lorsqu'il effleura timidement la morsure sur son cou de ses doigts rugueux, elle eut un mouvement de recul, se maudissant d'avoir oublié d'appliquer du fond de teint ce matin-là en se maquillant.

– Ce n'est rien, tout va bien.

Elle recula et enroula son châle autour de son cou, se mettant à en triturer les extrémités pour éviter d'être obligée de le regarder.

– Je sais à quoi ça ressemble. Et ça, ce n'est pas rien. C'est ton copain qui t'a fait ça ?

– Bien sûr que non ! Il ne me ferait jamais de mal.

Il inclina la tête d'un côté.

– Tu m'as dit qu'il t'avait déjà fait souffrir. Je croyais que c'était pour ça que tu avais rompu la dernière fois.

Julia se retrouva empêtrée dans ses mensonges. Elle s'apprêtait à protester, mais referma aussitôt la bouche, cherchant quoi répondre.

– Il t'a mordue par amour ? Ou par colère ?

Paul tentait de garder son calme. Furieux contre celui qui avait traité Julia avec une telle violence, il était prêt à le pourchasser pour lui mettre une raclée. Plusieurs, même.

– Owen ne me ferait jamais rien de tel. Il n'a jamais levé la main sur moi.

– Bon sang, Julia, que s'est-il passé, alors ?

La colère du jeune homme la fit ciller, et elle baissa les yeux.

– Et ne me raconte pas d'histoires.

– Quelqu'un s'est introduit chez mon père, à Thanksgiving, et m'a agressée. Voilà comment j'ai eu cette cicatrice. Je sais qu'elle est hideuse. Je vais la faire retirer.

Paul se tut un moment, réfléchissant à ce qu'elle venait de dire.

– Une morsure, ça me paraît horriblement personnel pour un cambrioleur, tu ne trouves pas ?

Elle commença à se mordiller l'intérieur de la joue.

– Et pourquoi aurais-tu honte de t'être fait agresser ? Ce n'est pas ta faute, fulmina-t-il. Tu ne veux pas m'en parler, j'ai compris. Si tu veux lui échapper, je peux t'aider.

Il lui prit la main et en caressa la paume avec son pouce.

– C'est très gentil, mais la police l'a arrêté. Il ne me retrouvera jamais ici.

Les traits de Paul se détendirent.

– Je suis ton ami, Lapin. Je tiens à toi. Laisse-moi t'aider avant que le pire se produise.

Elle retira sa main.

– Je ne suis pas un lapin et je n'ai pas besoin de ton aide.

– Ce n'est pas ce que je voulais dire, c'est juste un surnom.

Il prit un air contrit.

– Comment se fait-il qu'Owen ne soit pas venu à ton secours ? J'aurais réduit ce cambrioleur en bouillie !

Elle s'apprêta à lui rétorquer qu'Owen lui avait sauvé la vie, mais elle se ravisa.

– S'il te laisse te faire maltraiter de la sorte, ça ne doit pas être un mec si génial que ça.

– J'étais seule chez moi. Personne ne pouvait deviner que quelqu'un s'y introduirait et m'agresserait. Malgré tout ce que tu peux croire, je ne suis pas une demoiselle en détresse, Paul, lui affirma-t-elle, ses yeux lançant des éclairs.

Il la regarda sévèrement.

– Je n'ai jamais dit que tu étais une demoiselle en détresse. Mais cette chose à ton cou, un cambrioleur n'aurait jamais fait ça. C'est une putain de marque ! Et reconnais que tu t'es fait malmener par pas mal de monde, ne serait-ce que depuis le peu de temps qu'on se connaît. : Christa, le Pr Douleur, Emerson…

– Ça n'a rien à voir.

– Tu mérites mieux que d'être un punching-ball. Jamais je ne te traiterais de la sorte.

Sa voix douce fit frissonner Julia.

Elle le regarda droit dans ses doux yeux noisette et resta muette, croisant les doigts pour que Gabriel ne les voie pas.

Paul enfonça les mains dans les poches de son manteau et commença à se balancer d'avant en arrière.

– Je vais rue Yonge, dîner avec quelques amis. Ça te dit de m'accompagner ?

– Je suis dehors depuis ce matin, je vais rentrer.

Il hocha la tête.

– Je suis en retard, sinon je t'aurais raccompagnée. Tu veux de l'argent pour un taxi ?

– Non, j'ai ce qu'il faut, merci. Tu es un excellent ami.

Elle ajusta nerveusement ses gants.

– À bientôt.

Il lui adressa un sourire peiné, puis s'éloigna.

Elle se tourna vers les portes vitrées ne vit pas trace de Gabriel.

– Julia ? l'interpella Paul.

– Oui ?

– Sois prudente, hein ?

Elle acquiesça en lui faisant au revoir de la main, le regardant tourner les talons et s'éloigner.

*<br>* *

À deux heures du matin, Julia sursauta. Elle était dans le lit de Gabriel, dans sa chambre plongée dans l'obscurité. Et seule.

Après le départ de Paul, Gabriel l'avait rejointe. S'il l'avait vue discuter avec Paul, il n'en avait rien montré, même s'il était resté assez silencieux pendant leur dîner festif. Alors qu'elle s'apprêtait à aller se coucher, il l'avait embrassée sur le front en lui promettant de la rejoindre très vite. Quelques heures plus tard, il n'était toujours pas couché.

Elle longea le couloir sur la pointe des pieds. Il faisait noir dans toutes les pièces de l'appartement. Seule la lumière qui filtrait sous la porte du bureau de Gabriel était visible. Elle s'immobilisa, tendant l'oreille. Quand elle entendit le cliquetis d'un clavier d'ordinateur, elle tourna la poignée et pénétra dans la pièce.

Le moins que l'on puisse dire, c'est que Gabriel fut surpris. Il se tourna vers elle, les yeux plissés et l'air gêné derrière ses lunettes.

– Qu'est-ce que tu fais ?

Il se leva aussitôt, posant un gros dictionnaire sur les documents éparpillés sur son bureau.

– Je… rien.

Elle hésita, baissant les yeux sur ses jambes nues et recroquevillant ses orteils sur le tapis persan.

Il la rejoignit en un clin d'œil.

– Il y a un problème ?

– Tu n'es pas venu te coucher, j'étais inquiète.

Il ôta ses lunettes et se frotta les yeux.

– Je ne vais pas tarder. Il me reste quelques tâches urgentes…

Elle se hissa sur la pointe des pieds pour l'embrasser sur la joue avant de quitter le bureau.

— Attends… Je vais te border.

Il la prit par la main et la raccompagna jusqu'à leur chambre en passant par le couloir obscur.

Le grand lit moyenâgeux, le mobilier noir et les rideaux de soie bleu électrique avaient disparu. Gabriel avait fait appel à un décorateur d'intérieur pour reconstituer la chambre qu'il avait partagée avec Julia en Ombrie. À présent, les murs étaient couleur crème, et un grand lit à baldaquin auquel étaient suspendus des voilages vaporeux trônait au centre de la pièce. Julia avait approuvé la transformation et l'inspiration qui l'avait guidée. Cette chambre n'était plus celle de Gabriel, mais la leur.

— Fais de beaux rêves.

Il lui déposa un baiser sur le front avant de refermer la porte derrière lui.

Julia resta éveillée un long moment, se demandant ce qu'il lui dissimulait, tiraillée entre l'envie de le découvrir, et le simple fait de lui faire confiance. Sans avoir pris de décision, elle sombra dans un sommeil agité.

# 16

Paul peinait à trouver le sommeil. S'il avait été du genre mélodramatique, il aurait qualifié cette nuit-là de « nuit noire de l'âme ». Mais il était du Vermont, et par conséquent pas mélodramatique pour un sou. Néanmoins, après avoir passé une longue soirée à manger et à boire de la bière avec des amis de son équipe de rugby, il ne parvenait pas à oublier cette image de morsure.

Il avait un point de vue bien défini sur la façon dont les hommes devaient traiter les femmes, un point de vue que ses parents lui avaient en grande partie forgé. Sa mère et son père n'avaient jamais été très démonstratifs ni du genre sentimental, mais ils s'étaient toujours traités l'un l'autre avec un immense respect. Sa mère lui avait appris à traiter les filles comme des dames, et son père en avait fait autant, clamant que s'il entendait dire que son fils s'était mal conduit avec l'une d'elles il devrait en répondre devant lui.

Il se remémora sa première beuverie, au cours de sa première année à Saint-Michael. En se rendant aux toilettes, il avait croisé une fille dont le corsage était déchiré. Après l'avoir calmée, il lui avait demandé de lui désigner celui qui s'en était pris à elle. Ayant coincé son agresseur, il l'avait retenu jusqu'à l'arrivée de la police, non sans l'avoir quelque peu malmené au préalable.

Quand sa jeune sœur Heather s'était fait rudoyer par des garçons au collège, qui lui avaient lancé des remarques salaces et avaient fait claquer sa bretelle de soutien-gorge dans le dos, Paul avait attendu les petits salopards à la fin des cours pour les menacer. Ensuite, Heather avait pu poursuivre une scolarité tranquille.

Dans la vision romantique de Paul, la violence contre les femmes était inconcevable, et s'il avait eu le nom et l'adresse de l'enfoiré qui

144

avait marqué Julia, il aurait volontiers cassé sa tirelire pour monter dans un avion et aller lui dire deux mots.

C'était sa faute si elle refusait de lui parler, avait-il conclu en regardant sans le voir le mur de son appartement sans prétention. Il s'était présenté à elle comme un chevalier blanc, et elle avait battu en retraite. S'il avait pu contenir sa colère et lui être d'un plus grand soutien, sans doute lui aurait-elle révélé ce qui s'était vraiment passé. Mais à cause de son insistance, il était désormais fort peu probable qu'elle lui raconte un jour la vérité.

*Dois-je la respecter en restant en dehors de tout ça ? Ou dois-je tenter de lui venir en aide, quoi qu'elle en dise ?*

Il ignorait quelle stratégie adopter, mais il savait au moins ceci : il allait la surveiller de près, car il était hors de question que qui que ce soit lui fasse du mal en sa présence.

*
* *

Peu avant onze heures, le lendemain matin, Julia s'extirpa de sous le bras de Gabriel et descendit du lit. Elle enfila l'une de ses chemises blanches et s'arrêta devant la grande photo en noir et blanc qui montrait Gabriel l'embrassant dans le cou.

Elle adorait ce cliché, mais avait été surprise de le voir ainsi mis en valeur sur son mur et en si grande dimension. Cela lui rappela sa première visite, quand elle avait étudié les photos en noir et blanc qui, à l'époque, ornaient ses murs. Et quand il avait vomi sur elle, sur le pull vert anglais qu'il lui avait prêté.

Gabriel s'habillait avec un certain panache. Il aurait même su porter un sac poubelle avec élégance. Julia s'attarda quelques secondes à cette idée.

Le laissant dormir paisiblement, elle se dirigea vers la cuisine. En se préparant un petit déjeuner, elle repensa à son attitude de la veille.

*Que pouvait-il bien faire dans son bureau, un vendredi soir ?*

Avant même de réfléchir aux conséquences de ses actes, elle se retrouva dans le bureau de l'enseignant. Elle se dirigea vers son ordinateur éteint. Tous les documents qu'elle avait vus cette nuit-là avaient disparu, et son bureau en chêne brillant était bien rangé. Il était hors de question qu'elle ouvre ses fichiers ou les tiroirs pour découvrir ses secrets.

Elle trouva toutefois sur son bureau un objet qu'elle ne s'attendait pas à voir là : un petit cadre en argent massif contenant une photo en noir et blanc.

*Maia.*

Elle s'empara du cliché, le tint dans sa main, surprise que Gabriel ait progressé au point de faire encadrer l'échographie. Perdue dans ses pensées, elle la contempla pendant ce qui lui sembla un long moment.

— Tu as trouvé ce que tu cherchais ?

Elle se retourna brusquement et aperçut Gabriel appuyé contre le chambranle de la porte, bras croisés, uniquement vêtu d'un tee-shirt et d'un caleçon rayé.

Il s'attarda un peu trop longtemps sur son décolleté et sur ses jambes harmonieuses. Ayant jeté un coup d'œil au cadre, il changea d'expression.

Julia le reposa aussitôt sur le bureau.

— Je suis désolée.

Il s'approcha à grands pas.

— Je n'ai pas encore décidé où le mettre.

Il se tourna vers la photo.

— Mais je ne veux pas la laisser dans un tiroir.

— Bien sûr. C'est un joli cadre, lâcha-t-elle.

— Je l'ai trouvé chez Tiffany.

Elle inclina la tête.

— Il n'y a que toi pour acheter un cadre chez Tiffany. Moi, je serais allée chez Walmart.

— Si je suis allé chez Tiffany, c'était dans un tout autre but, déclara-t-il en cherchant son regard.

Elle crut que son cœur allait cesser de battre.

— Tu as trouvé ce que tu cherchais ?

Elle eut l'impression que son regard incandescent lui brûlait la rétine.

— Absolument. Mais ça fait bien longtemps que je l'ai trouvé.

Elle cligna des yeux comme si elle était dans une sorte de brouillard en attendant qu'il se penche pour l'embrasser. Ce fut un baiser extraordinaire. Il posa délicatement les mains de chaque côté de son visage avant d'approcher ses lèvres, de les presser fermement contre les siennes et d'y mettre un peu plus de fougue. En un clin d'œil, elle eut tout oublié de la raison de sa présence dans cette pièce.

Il lui caressa tendrement la langue avec la sienne, plongeant ses mains dans ses cheveux avant de lui maintenir la nuque. Quand leur baiser cessa, il l'embrassa sur les joues.

— J'aurais bien aimé être avec toi depuis toujours. J'aurais bien aimé que tout soit différent.

— On est ensemble, à présent.

– Oh que oui, ma belle. Tu es ravissante, dans ma chemise. (Puis il dit soudain d'un ton bourru…) J'avais prévu de te faire prendre le petit déjeuner dehors. Au coin de la rue, il y a une petite crêperie qui devrait te plaire.

Elle lui prit volontiers la main pour qu'il la reconduise à la chambre, afin qu'ils puissent se doucher ensemble et bien commencer la journée.

Plus tard dans l'après-midi, ils travaillaient tous les deux dans son bureau, Gabriel lisant un article, Julia lisant ses e-mails, installée dans le grand fauteuil de velours rouge.

« Chère Julia,
Je te dois des excuses. Je suis vraiment navré de t'avoir contrariée quand on s'est croisés hier. Ce n'était pas du tout dans mes intentions. Je me suis inquiété pour toi.
Si jamais tu as besoin de parler à quelqu'un, tu n'as qu'à me passer un coup de fil.
En espérant qu'on soit toujours amis,
Paul.

P.S. : Christa m'a demandé pourquoi c'était le Pr Picton qui dirigeait ton mémoire. »

Julia jeta un coup d'œil à Gabriel et le vit perdu dans ses pensées, ses lunettes sur le nez. Elle rédigea une réponse rapide.

« Salut Paul,
Bien sûr que nous sommes encore amis. Cet incident à Selins-grove m'a un peu traumatisée, et j'essaie d'oublier ce qui s'est passé.
Il faut que je te dise que mon copain m'a sauvé la vie. À plus d'un titre.
Un jour, j'aimerais te le présenter. C'est quelqu'un de merveilleux.
Je ne comprends pas pourquoi Christa se soucie de savoir qui dirige mon mémoire, je ne suis qu'en maîtrise.
Merci de m'avoir prévenue.
Je mettrai ton cadeau de Noël dans ton casier lundi.
Ce n'est pas grand-chose, mais j'espère que ça te plaira.
Et merci encore,
Julia. »

*
* *

Katherine Picton menait une existence discrète. Elle possédait une jolie maison dans le quartier de l'Annexe, à Toronto, à quelques pas de la faculté. Elle prenait ses vacances d'été en Italie et, chaque année, séjournait en Angleterre à Noël. Et elle passait le plus clair de son temps à publier des articles et des monographies sur Dante. En d'autres termes, elle menait une vie de vieille fille respectable, sauf qu'elle ne jardinait pas et n'avait ni amants ni ribambelle de chats. Malheureusement.

Malgré son âge, elle était très demandée pour des conférences, et plus d'une université avait déjà tenté de lui faire reprendre du service en lui promettant un salaire mirobolant pour des responsabilités limitées. Mais elle aurait préféré creuser le canal de Panama avec ses ongles, même victime de la fièvre jaune, plutôt que de renoncer au temps qu'elle consacrait à ses recherches afin de pouvoir conserver un bureau sur le campus et assister aux réunions universitaires.

Aussi, quand Greg Matthews, de l'université Harvard, lui téléphona en janvier pour lui annoncer la vacance d'une chaire consacrée aux recherches sur Dante, ce fut ce qu'elle lui répondit.

Abasourdi, le directeur de département garda le silence un long moment puis bafouilla…

— Mais, professeur Picton, on pourrait s'arranger pour que vous ne soyez pas obligée d'enseigner. Vous n'auriez qu'à donner une ou deux conférences par semestre, assurer une permanence sur le campus et superviser quelques étudiants en doctorat. C'est tout.

— Je ne veux pas transporter tous mes livres, rétorqua-t-elle.

— On fera appel à une société de déménagement.

— Ils vont les mélanger, et ça va me prendre des semaines pour les reclasser.

— On trouvera des déménageurs spécialisés, habitués à déménager des bibliothèques. Ils retireront vos livres de leurs étagères, les empaquetteront dans l'ordre et les replaceront ici, à Cambridge, exactement dans le même ordre qu'à Toronto. Vous ne vous occuperez de rien.

— Les sociétés de déménagement sont incapables de classer des livres, railla-t-elle. Et s'ils se trompent d'étagère pour un livre ? J'en ai des milliers, et il se pourrait très bien que je ne retrouve plus jamais ce qu'ils ont mal classé. Et s'ils en perdent un ? Certains de ces ouvrages sont irremplaçables !

– Professeur Picton, si vous acceptez la chaire, j'irai personnellement à Toronto m'occuper du déménagement de vos livres.

Elle marqua une pause avant de comprendre qu'il était tout à fait sérieux.

Puis elle éclata de rire.

– Harvard me semble très accommodant…

– Vous n'en avez pas idée, marmonna-t-il, espérant qu'elle change d'avis.

– Je ne suis pas intéressée. Des tas de jeunes personnes mériteraient votre attention. Pourquoi vous intéresser à une retraitée de soixante-huit ans ? Et puisqu'on parle de votre département, je voudrais m'entretenir avec vous de mon étudiante en maîtrise, Julianne Mitchell, et vous expliquer pourquoi vous devez l'admettre en doctorat chez vous.

Katherine passa dix minutes à lui démontrer pourquoi il avait eu tort de refuser de financer la maîtrise de Julianne l'année précédente. Puis elle insista sur la nécessité pour l'étudiante d'obtenir une bourse conséquente à partir du mois de septembre. Enfin, dès qu'elle eut fini de le houspiller et de lui apprendre le métier de directeur d'études supérieures, elle raccrocha.

Greg contempla son téléphone d'un air incrédule.

*<br>* *

La dernière semaine de janvier, Julia eut l'impression d'être en apesanteur, de nager dans le bonheur, la peau de son cou désormais parfaite grâce à la technologie médicale. Elle était remise de l'opération, et personne ne saurait jamais qu'elle avait eu cette marque. Sa thérapie se déroulait parfaitement bien, et il en allait de même pour sa relation avec Gabriel, même si, à l'occasion, il semblait quelque peu distrait et qu'elle devait le rappeler à l'ordre pour qu'il redescende sur terre.

Elle venait de prendre un café avec Paul, moment pendant lequel ils avaient discuté de l'inexplicable bonne humeur de Christa depuis quelques jours, et dirigeait à présent ses pas vers la bibliothèque, quand elle reçut un appel qui allait bouleverser son existence. Greg Matthews lui proposait une place en doctorat de langues et de littérature du Moyen Âge à Harvard, avec une bourse fort généreuse, et ce dès le semestre suivant.

À condition qu'elle obtienne sa maîtrise à l'université de Toronto. Mais, comme le Pr Matthews le lui fit remarquer, compte tenu de ses recommandations et du soutien élogieux du Pr Picton, cela ne devrait lui poser aucun problème. Il avait hâte qu'elle accepte sa proposition mais savait que les étudiants en maîtrise ont souvent besoin d'un petit temps de réflexion ; il lui demanda donc de le rappeler dans les huit jours.

Julia fut étonnée par le calme et le professionnalisme avec lequel elle lui avait répondu, même si elle n'avait pas mené la discussion. Après ce coup de fil, elle envoya un SMS à Gabriel en tremblant nerveusement.

« Harvard vient d'appeler : ils veulent bien de moi.
Ça va dépendre de ma maîtrise.
Je t'aime, J. »

La réponse arriva quelques minutes plus tard.

« Félicitations, très chère. Suis en réunion.
Chez moi dans une heure ? G. »

Julia regarda son iPhone en souriant et se hâta d'aller chercher à la bibliothèque les livres dont elle avait besoin avant de prendre la direction du Manulife Building. Elle était enthousiaste, mais inquiète. D'un côté, cette admission à Harvard, elle en avait rêvé, et c'était le résultat d'un dur labeur, mais de l'autre, cela signifiait qu'elle allait devoir se séparer de Gabriel.

Poussée par le Dr Nicole à ne pas se montrer trop dure avec elle-même, elle décida de prendre une douche bien chaude pour s'accorder un moment de réflexion. Elle laissa un mot sur la table du couloir où Gabriel posait toujours ses clés et entreprit de se faire plaisir dans la vaste salle de bains. Un quart d'heure plus tard, elle était à demi assoupie sous la douche tropicale.

— Quelle vision engageante… chuchota Gabriel en ouvrant la porte de la douche. Une Julianne nue, trempée et toute chaude…

— Il y a aussi de la place pour un Gabriel nu, trempé et tout chaud, répliqua-t-elle en lui prenant la main.

Il lui sourit.

— Pas tout de suite. Il faut qu'on fête ça. Où aimerais-tu aller dîner ?

Il fut un temps où elle aurait simplement accepté sa proposition pour lui faire plaisir. Mais, cette fois, elle lui donna son avis.

— Ne pourrait-on pas rester ici ? Je n'ai pas envie d'aller où il y a du monde.

— Bien sûr que si. Donne-moi le temps de me changer et je reviens.

À son retour, Julia se tenait au milieu de la salle de bains, enveloppée dans une serviette.

Il lui tendit une coupe de champagne et ils trinquèrent.

— J'ai quelque chose pour toi, lui annonça-t-il en disparaissant dans la chambre.

Il revint bientôt avec un vêtement pourpre entre les mains. Il l'approcha d'elle pour qu'elle puisse en lire l'inscription.

— C'était le mien, mais j'aimerais que ce soit toi qui l'aies.

Il lui prit son verre et le déposa à côté du sien, près du lavabo, puis tira sur sa serviette jusqu'à ce qu'elle tombe.

Quand elle eut enfilé le sweat à capuche de Harvard, elle ressembla soudain à une fille d'une association étudiante venant juste de coucher avec son copain.

— Superbe, chuchota-t-il en l'enlaçant et en l'embrassant avec un enthousiasme certain. C'est une sacrée réussite, et je sais à quel point tu as travaillé pour l'obtenir. Je suis fier de toi.

Les compliments de Gabriel lui firent monter les larmes aux yeux, car, à l'exception de Grace, personne ne lui avait jamais exprimé sa fierté.

— Je te remercie. Tu es sûr de vouloir te séparer de ton sweatshirt ?

— Bien sûr, ma chérie très intelligente.

— Je n'ai pas encore décidé si j'acceptais ou non leur proposition.

— Pardon ?

Il recula, prenant un air renfrogné.

— On m'a appelé aujourd'hui. J'ai une semaine pour me décider.

— Il n'y a rien à décider ! Tu serais folle de ne pas accepter !

Elle commença à se tordre les doigts. Elle avait cru que Gabriel serait attristé à l'idée de leur séparation. Jamais elle n'avait imaginé qu'il se montrerait si enthousiaste.

Il arpenta la pièce.

— Ils ne te proposent pas assez d'argent ? Parce que, tu sais, je peux couvrir les frais. Je t'achèterai un appartement près de Harvard Square, pour l'amour du ciel.

— Je ne veux pas être entretenue.

— De quoi parles-tu ?

Il se tourna vers elle pour lui lancer un regard sévère.

Elle redressa les épaules et leva le menton.

— Je veux payer mes propres factures.

Il poussa un gémissement de frustration et lui prit le visage entre ses mains.

— On ne sera jamais égaux, Julianne. Tu me surpasses largement.

Il la regarda fixement, une lueur de sincérité dans ses yeux bleus, et l'embrassa avant de la serrer contre lui.

— J'ai plus de vices et plus d'argent. Je refuse de partager mes vices, mais mon argent est à toi. Prends-le.

— Je n'en veux pas.

— Alors, laisse-moi me porter caution pour un prêt. Ne refuse pas cette occasion. Je t'en prie. Tu as travaillé si dur !

— Ce n'est pas l'argent, le problème. Greg Matthews m'a proposé une bourse très généreuse qui suffira largement à mes dépenses. Je suis simplement inquiète pour nous deux.

Elle tira sur le bas de son sweatshirt pour dissimuler sa nudité.

— Tu veux y aller ?

— Oui, mais je n'ai aucune envie de te perdre.

— Pourquoi me perdrais-tu ?

Elle posa son visage contre son torse.

— Les relations à distance sont difficiles. Tu es bel homme, et plein de femmes vont essayer de prendre ma place.

Il se renfrogna.

— Les autres femmes ne m'intéressent pas. Il n'y a que toi qui comptes. J'ai fait une demande en vue d'obtenir une année sabbatique. Si elle n'est pas acceptée, je prendrai un congé exceptionnel. Ça ne me fera pas de mal de passer une année à Harvard pour terminer mon bouquin. On pourrait y aller ensemble, ça me donnerait le temps de réfléchir à la meilleure solution.

— Je ne peux pas te laisser faire ça. Ta carrière est ici.

— Les universitaires prennent tout le temps des années sabbatiques. Demande à Katherine.

— Et si un jour tu m'en veux ? demanda-t-elle.

— Il est beaucoup plus probable que ce soit toi qui m'en veuilles. Tu seras ligotée à un vieux, alors que tu pourrais sortir avec des types de ton âge. Et un vieil égoïste qui sait tout et te mène à la baguette, qui plus est !

Elle leva les yeux au ciel.

— L'homme que j'aime n'est pas celui que tu décris. Ça ne l'est plus. D'ailleurs, on n'a que dix ans d'écart.

Il esquissa un sourire narquois.

— Merci. On n'est pas obligés d'habiter ensemble, si tu n'en as pas envie. Je serais ton voisin. Bien sûr, si tu ne veux pas que je vienne…

Il retint son souffle en attendant sa réponse, et Julia jeta ses bras autour de son cou.

— Évidemment, que j'ai envie que tu m'accompagnes !

— Parfait, chuchota-t-il en l'entraînant vers la chambre.

*
* *

Quand Julia rentra chez elle le lendemain, Gabriel passa l'après-midi à travailler dans son bureau. Il était sur le point de lui téléphoner pour lui demander si elle voulait qu'ils dînent ensemble, quand son portable sonna. Comprenant qu'il s'agissait de Paulina, il ne décrocha pas.

Quelques minutes plus tard, la sonnerie de son téléphone fixe retentit, la mélodie lui indiquant que l'appel provenait de la sécurité, au rez-de-chaussée. Il décrocha.

— Oui ?

— Professeur Emerson, il y a une femme ici qui prétend qu'il faut qu'elle vous voie.

— Comment s'appelle-t-elle ?

— Paulina Grushcheva.

Il poussa un juron.

— Dites-lui de s'en aller.

Le vigile baissa d'un ton.

— Bien sûr, professeur, mais il faut que vous sachiez... Elle semble assez contrariée. Et elle prononce votre nom plutôt fort.

— Très bien, céda-t-il. Dites-lui que j'arrive.

Il prit ses clés et quitta l'appartement, se dirigeant vers l'ascenseur en jurant

# 17

Avec le soulagement que cette admission à Harvard lui procurait, Julia put redoubler d'efforts sur son mémoire. Quand elle n'était pas avec Gabriel, elle travaillait sans relâche, passant des heures à écrire à la bibliothèque ou chez elle.

Pour la récompenser, il avait décidé de l'emmener au Belize pour le week-end de la Saint-Valentin. Pour fêter leur amour, l'admission de Julia à Harvard, et d'autres choses que Gabriel n'était pas encore prêt à partager.

Le jour de leur départ, Julia se tenait sur le perron de son petit immeuble, regardant si elle avait du courrier. Il y avait une lettre de Harvard qu'elle décacheta aussitôt : une proposition officielle d'admission au doctorat, stipulant les conditions à remplir pour bénéficier de cette admission et de la bourse y afférente.

Il y avait aussi une enveloppe ornée du logo de l'université de Toronto. Elle provenait du Bureau du doyen des études supérieures. Elle déchira l'enveloppe et en lut le contenu. Puis elle traîna ses bagages jusqu'à la rue Bloor, hélant un taxi pour qu'il la conduise chez Gabriel.

Elle s'engouffra dans le hall d'entrée, passa devant les vigiles et prit l'ascenseur jusqu'à son étage. Longeant le couloir en trébuchant, elle entra avec sa propre clé.

– Ma chérie ?

Gabriel se dirigeait vers la porte d'entrée avec un sourire.

– Tu es en avance. Je suis flatté que tu ne puisses pas rester longtemps loin de moi.

Elle le repoussa quand il tendit les bras pour l'embrasser et lui mit la lettre entre les mains.

– Qu'est-ce que c'est ?

Il jeta un coup d'œil à la missive.

« Le 5 février 2010,
Bureau du doyen des études supérieures,
Université de Toronto
Toronto, Canada

Mademoiselle,

Une plainte a été déposée à notre bureau, prétendant que vous auriez violé le code de bonne conduite des affaires universitaires de l'université de Toronto. Conséquemment à cette plainte, votre présence sera requise au bureau du doyen le 19 février 2010, pour un entretien préliminaire. Le directeur du département de littérature italienne, le Pr Jeremy Martin, sera également présent.

Vous pourrez vous faire accompagner à cet entretien. Il devra s'agir d'un représentant de l'association des étudiants, d'un membre de votre famille, d'un ami ou d'un avocat.

Cet entretien est uniquement à titre informatif et ne constitue pas une audition, pas plus que le bureau du doyen n'a pris la moindre décision quant à la recevabilité de cette plainte.

Merci de confirmer à ce bureau que vous avez bien reçu cette convocation et que vous assisterez à l'entretien. Au cas où vous refuseriez, une enquête serait automatiquement ouverte.

Je vous prie d'agréer, Mademoiselle, mes salutations distinguées.

Pr David Aras
Doyen des études supérieures. »

Gabriel remarqua le regard paniqué de Julia et tenta de trouver les mots pour la réconforter, lui assurer qu'elle n'avait rien à craindre. Mais il n'y parvint pas.

# 18

L'espace d'un court instant, Julia aperçut une lueur d'effroi dans le regard de Gabriel. Cela la terrifia.

Il l'aida à ôter son manteau et l'invita à s'asseoir dans le fauteuil rouge à côté de la cheminée. Après avoir actionné un interrupteur qui déclencha une flambée dans l'âtre, il se dirigea vers l'autre pièce. Elle s'enfonça dans le fauteuil et se prit le visage à deux mains.

— Bois ça, lui recommanda-t-il en lui mettant un verre dans la main.

— Qu'est-ce que c'est ?

— Du Laphroaig. Du scotch.

— Tu sais bien que je n'aime pas ça…

— Une gorgée, juste pour te calmer.

Elle porta le verre de cristal à ses lèvres et but, sentant la brûlure de l'alcool dans sa bouche et sa gorge. Prise d'une quinte de toux, elle lui rendit le verre. Il le vida et prit place sur le canapé, face à elle.

— Qu'est-ce que c'est que ce « code de bonne conduite des affaires universitaires » ? voulut-elle savoir.

— C'est le règlement qui concerne toutes les infractions scolaires : la triche, le plagiat, la fraude…

— Pourquoi voudrait-on me reprocher d'avoir triché ?

Gabriel se frotta le visage.

— Je n'en ai pas la moindre idée.

— Tu en es certain ?

— Bien sûr ! Tu crois que je te le cacherais ?

— Tu m'as caché quelque chose. La nuit où tu as travaillé tard dans ton bureau. Tu n'as pas voulu me dire ce que tu…

— Je remplissais un formulaire de candidature pour un emploi, l'interrompit-il. Greg Matthews m'a appelé, le soir où on est allés dîner à L'Auberge. Il m'a invité à poser ma candidature pour une chaire, en me demandant de lui envoyer mon dossier professionnel dans les plus brefs délais. Ça m'a pris plus de temps que prévu pour le préparer.

— Pourquoi ne m'en as-tu pas parlé ?

Il détourna le regard.

— Je ne voulais pas te faire de fausse joie. Les chances pour que j'obtienne ce poste sont très minces. Je ne suis pas un professeur à part entière, et il ne fait aucun doute à mes yeux qu'ils préféreront quelqu'un de plus âgé. Mais il me fallait tenter ma chance… pour toi.

— J'aurais bien aimé que tu m'en parles. Je me suis imaginé tout un tas de choses.

Il la regarda dans les yeux.

— Je croyais que tu me faisais confiance…

— Bien sûr que j'ai confiance en toi. Ce sont les femmes qui gravitent autour de toi en qui je n'ai aucune confiance.

— Je n'aurais pas dû en faire un secret, dit-il, commençant à s'agiter. Je voulais simplement éviter que tu sois déçue, si je n'obtiens pas ce poste.

— Tu ne me décevras jamais, Gabriel. Sauf si tu gardes des secrets.

Il grimaça et se dirigea vers la salle à manger. À son retour, il sirotait un doigt de scotch.

— J'ai rendez-vous avec Jeremy cette semaine. Je pourrai lui poser la question.

Elle secoua la tête.

— Il vaudrait mieux que tu restes en dehors de tout ça.

— Tu as une idée du motif de cette plainte ?

— Je n'ai rien fait d'autre que d'aller en cours et de faire mon travail depuis que je suis là. À l'exception de quelques différends avec Christa et de cette prise de bec avec le Pr Douleur… euh, le Pr Singer. Tu crois qu'elle…

Il sembla réfléchir un long moment à cette éventualité.

— Je ne crois pas. Elle a été traînée devant la commission judiciaire l'an dernier, quand Paul a porté plainte contre elle. Je doute qu'elle veuille avoir de nouveau affaire à eux. Elle ne te donne aucun cours, alors comment pourrait-elle être au courant de ton travail universitaire ?

— Tu as raison.

Elle s'interrompit, un voile d'horreur sur son joli visage.

157

– Tu crois que Katherine Picton m'a dénoncée pour quelque chose ?

– Non. Elle ne ferait pas ce genre de chose sans t'en avoir parlé. Et elle m'aurait appelé, par politesse.

– Quelles sont les sanctions encourues pour ces infractions ?

– Ça dépend de la gravité du délit. Ils peuvent te punir d'un blâme ou te mettre un zéro à un devoir ou à un cours. Dans des circonstances exceptionnelles, ils peuvent te renvoyer.

Julia prit une profonde inspiration, toute tremblante. Si elle se faisait renvoyer, elle ne pourrait pas avoir sa maîtrise, et cela signifiait que Harvard…

Gabriel la regarda fixement.

– Tu crois que Paul pourrait faire ça ?

– Non. Il veut m'aider, pas me faire souffrir.

– Le baiseur d'anges… marmonna Gabriel.

– Et Christa ?

Il changea de position sur le canapé de cuir.

– C'est possible.

Elle plissa les yeux.

– Qu'est-ce que tu me caches ?

– Tu sais déjà qu'elle est fauteur de troubles.

– Que se passe-t-il avec Christa, Gabriel ? Dis-le-moi.

Il se leva et fit les cent pas devant l'âtre.

– Je n'ai pas envie d'en parler.

Elle reprit la lettre du doyen et se dirigea vers le hall d'entrée.

– Qu'est-ce que tu fais ?

Il s'élança à sa poursuite.

– Je t'ai prévenu de ne pas me mentir. J'imagine que j'aurais dû me montrer plus précise et te demander aussi de ne pas te dérober.

Elle récupéra son manteau dans le placard de l'entrée et l'enfila en toute hâte.

– Ne pars pas.

Elle leva les yeux vers lui, et le foudroya du regard.

– Alors, raconte-moi ce qui se passe avec Christa.

Il pressa ses mains contre ses yeux.

– D'accord.

Il l'aida à retirer son manteau et la raccompagna au salon. Elle refusa de s'asseoir, préférant rester devant la cheminée, les bras croisés.

– Elle te fait chanter ? C'est pour ça que tu as accepté son projet de thèse ?

– Pas vraiment.
– Crache le morceau, Gabriel !
Il se détourna, contemplant les toits de Toronto par la fenêtre.
– Christa Peterson m'a accusé de harcèlement sexuel.

# 19

Julia regardait Gabriel, les yeux écarquillés.

— Quoi ?

— Elle a déposé plainte auprès du responsable des harcèlements sexuels, qui a transmis le dossier à Jeremy. Voilà pourquoi j'ai rendez-vous avec lui cette semaine.

Tremblante, Julia se laissa tomber dans le fauteuil de velours rouge.

— Quand l'as-tu appris ?

Un muscle tressauta dans sa mâchoire anguleuse.

— Il m'a appelé il y a quelques jours.

— Il y a quelques jours ? (Elle serra les dents.) Combien de temps allais-tu attendre avant de m'en parler ?

— Je ne voulais pas gâcher notre voyage au Belize. Je voulais t'en parler à notre retour. Je te le jure.

Elle le fusilla du regard.

— Je croyais qu'on se disait tout…

— Ce n'était pas un secret. Je voulais simplement que tu puisses profiter de ces quelques jours pour te reposer avant de t'annoncer la mauvaise nouvelle.

Il se tourna de nouveau vers elle en poussant un soupir.

— Pourquoi Christa t'accuse-t-elle de harcèlement ? C'est elle qui te harcèle !

— J'ignore les détails de sa plainte. J'aurais dû moi-même porter plainte, mais je ne voulais pas attirer inutilement l'attention.

— Que vas-tu faire ?

Avec détermination, Gabriel plongea son regard dans les flammes de la cheminée.

— Je vais appeler mon avocat, et on fera en sorte de régler ces deux affaires. Rapidement.

Julia se leva et le prit par la taille, enfouissant son visage dans son pull.

*<br>* *

— Qu'est-ce qu'il y a, Emerson ? Je suis au lit avec une jeune assistante de justice d'un cabinet concurrent.

John Green avait décroché son portable au milieu de petits cris et de gloussements aigus.

— Reboutonne ton pantalon, John. J'en ai pour un moment.

L'avocat poussa un juron avant de couvrir son téléphone avec une main.

— Reste là, mon chou, demanda-t-il à la fille avant de filer en slip dans la salle de bains. Je suis déjà sur ta plainte pour harcèlement, Emerson. Inutile de me harceler à ton tour ! J'étais sur le point d'avoir la plus belle partie de jambes en l'air de ma vie !

— Il faut que je te parle d'autre chose.

Il lui résuma brièvement le contenu de la lettre que le doyen avait adressée à Julia.

— Je ne vais pas pouvoir aider ta copine.

Gabriel bredouilla quelques protestations, mais John n'en tint aucun compte.

— Écoute, on t'accuse de harcèlement sexuel, et ta bimbo, euh... ta petite amie, d'une infraction universitaire. Je te parie ma Porsche que les deux plaintes sont liées. Tu lui as demandé d'éviter de faire allusion à toi pendant son entretien avec le doyen ?

Gabriel serra les dents.

— Non.

— Eh bien, il vaudrait mieux que tu le fasses. Ce serait dommage d'être entraîné dans une autre histoire à cause d'elle. Tu as assez de soucis comme ça.

Le professeur ralentit sa respiration.

— Je n'ai pas pour habitude de lâcher mes amis. Et encore moins Julianne. C'est clair ? Sinon, je vais me chercher un autre avocat.

— D'accord, mais il faudra qu'elle ait son propre avocat. Si ces deux affaires sont liées, il risque d'y avoir un conflit d'intérêts pour moi. Et l'université pourrait avoir des soupçons, si je vous représentais tous les deux.

— D'accord ! lâcha Gabriel. Qui me recommandes-tu ?

Green réfléchit un instant.

– Soraya Harandi. Elle travaille pour l'un des cabinets de la rue Bay, et il lui est déjà arrivé de représenter des enseignants contre l'université par le passé. On a eu une histoire, il y a deux ou trois ans, et elle me déteste maintenant. Mais elle est très douée.

Il poussa un grognement dans le téléphone, se penchant manifestement pour atteindre son BlackBerry.

– Je t'enverrai ses coordonnées par SMS. Demande à ta copine d'appeler le bureau de Soraya et d'expliquer son cas à sa secrétaire. Je suis certain qu'elle va sauter sur l'occasion.

– Quelles sont les probabilités pour que l'une ou l'autre des plaintes ait des conséquences… néfastes ?

– Je n'en ai aucune idée. Il est possible que l'université décide de mener une enquête et finisse par rejeter les deux plaintes. Mais ne la laisse pas aller à son rendez-vous sans avocat, parce que ça pourrait se retourner contre vous deux.

– Merci, John, déclara Gabriel avec un soupçon de sarcasme.

– D'ici là, j'aimerais que tu me dresses une liste de tout, et je dis bien tout, ce qui pourrait être lié à la plainte pour harcèlement. Toutes les sortes de preuves qu'elle pourrait présenter, comme des e-mails, des SMS, des messages et des photos. Envoie-moi tout ça, et j'y jetterai un coup d'œil. Et envoie-moi tout sur ta copine, aussi.

» Je ne voudrais pas te dire que je te l'avais bien dit, Gabriel, mais c'est le cas. L'université observe une tolérance zéro en ce qui concerne la règle de non-fraternisation, ils peuvent donc vous renvoyer tous les deux. Espérons que les deux plaintes ne soient pas liées et que quelqu'un ait simplement signalé qu'elle a oublié de rendre un livre à la bibliothèque.

– C'est toujours un plaisir de discuter avec toi, déclara Gabriel d'un ton glacial.

– Si tu ne réfléchissais pas avec ta queue, tu ne serais pas obligé de me parler. J'espère simplement que ta copine en vaut la peine, parce que si ça tourne mal elle risque de te coûter très cher.

Avant que John ait pu lui dire au revoir, Gabriel jeta le combiné contre le mur, le regardant se briser en plusieurs gros morceaux avant de retomber sur le parquet. Puis il prit plusieurs profondes inspirations pour parvenir à retrouver suffisamment son calme afin de convaincre Julia de profiter des vacances.

*

* *

Le même après-midi, le doyen David Aras s'installa à son bureau, dans la rue Saint-Georges, et contempla son téléphone avec un certain étonnement. D'ordinaire, sa secrétaire parvenait nettement mieux à filtrer ses appels. Mais le Pr Picton était du genre tenace, et elle avait pour habitude de toujours parvenir à ses fins.

Il s'empara du combiné et appuya sur un bouton.

– Bonjour, professeur Picton. Quel plaisir de vous avoir en ligne.

– Il n'est pas question de plaisir, David. J'exige de savoir pour quelle raison j'ai reçu une lettre de votre bureau dans laquelle on me demande d'assister à l'un de vos procès staliniens.

David serra les lèvres pour éviter de lui répondre grossièrement. Elle était réputée, âgée, et c'était une femme. Il n'avait pas l'intention de l'insulter. Sauf en lituanien, peut-être.

– J'ai quelques questions à vous poser. Ça prendra dix minutes, tout au plus, et ce sera terminé, répondit-il doucement.

– Balivernes. Je mets déjà dix minutes pour descendre les marches de mon perron en hiver. Ça va me prendre un temps fou pour aller jusqu'à votre bureau. J'exige de connaître le motif de cette convocation, sinon je n'irai pas. On ne peut pas tous passer ses après-midi à demander à sa secrétaire de filtrer ses appels et de préparer du café pendant qu'on imagine de quelle manière on va pouvoir pourrir la vie des autres.

Le doyen s'éclaircit la voix.

– Quelqu'un a porté plainte contre l'étudiante que vous dirigez.

– Mlle Mitchell ? Quel genre de plainte ?

Sans fioriture, il lui expliqua la nature de la plainte qu'il avait reçue.

– C'est scandaleux ! L'avez-vous déjà rencontrée ?

– Non.

– C'est une plainte ridicule à l'encontre d'une étudiante innocente et travailleuse. Et je me permets de vous rappeler, David, que ce n'est pas la première fois qu'une jeune fille talentueuse est salie par une telle procédure.

– J'en suis tout à fait conscient. Mais c'est lié à d'autres sujets que je ne suis pas libre d'aborder avec vous. Je souhaite simplement m'entretenir avec vous de vos relations avec Mlle Mitchell. C'est tout.

– Je n'ai aucune intention d'accorder le moindre crédit à cette chasse aux sorcières contre mon étudiante.

David fronça les sourcils.

– Sans votre témoignage, il est possible qu'une grave injustice se produise. Vous êtes certainement la personne qu'il nous faut pour laver la réputation de Mlle Mitchell.

– Balivernes ! Il est de votre responsabilité de faire en sorte que justice soit rendue. Je suis surprise que vous ayez pris cette plainte au sérieux. Très surprise, même. Et cessez de faire la moue, David. Je vous entends froncer les sourcils, et ça ne me plaît pas beaucoup.

Le doyen réprima un juron lituanien.

– Refusez-vous de répondre à mes questions, professeur Picton ?

– Seriez-vous dur d'oreille ? Ou votre quête de pouvoir serait-elle à l'origine d'une certaine paresse intellectuelle ? J'ai dit que je refusais de coopérer. Je ne travaille plus pour l'université. Je suis à la retraite. De plus, j'évoquerai cette affaire au dîner de ce soir, chez le président. Je suis certain que ses invités et lui seront très intéressés par les manières de procéder de l'administration de leur propre université.

» À propos, ce dîner est donné en l'honneur de Mary Asprey, la célèbre romancière. En tant qu'ancienne étudiante, je sais qu'elle porte un vif intérêt aux affaires de sa faculté, surtout dès qu'il s'agit de machinations patriarcales. Je me demande ce qu'elle pensera de celle-ci.

Sur ce, elle raccrocha.

*
* *

Quand Gabriel et Julia arrivèrent enfin au Turtle Inn du Belize, la soirée était déjà bien avancée, et le ciel constellé d'étoiles. Julia visita leur logement, un bungalow individuel donnant sur une plage retirée, pendant que Gabriel commandait de quoi manger au service de chambre.

Les murs de leur bungalow étaient blancs, à l'exception d'une paroi de grands panneaux en teck qui s'ouvraient en accordéon sur la terrasse couverte. Le plafond était fait d'un mélange de bambou et de chaume, et un grand lit trônait au centre de la pièce, protégé par une moustiquaire. Julia s'était follement éprise de la douche et de la baignoire en plein air, placées sur un côté de la véranda.

Pendant que Gabriel se débattait avec les cuisines au téléphone, elle se dévêtit rapidement et se doucha. L'espace n'était pas entièrement clos, ce qui lui donnait une vue sur l'océan. Mais comme il faisait nuit et que la plage était privée, Julia ne risquait pas de se faire surprendre par qui que ce soit, à l'exception de son amant.

– Le dîner sera servi dans une heure environ. Je suis désolé que ce soit si long.

Il s'humecta les lèvres en apercevant Julia dans sa sortie de bain.

Il avait quant à lui opté pour une chemise de lin blanc presque entièrement déboutonnée, les manches retroussées sur ses avant-bras. Il portait un pantalon kaki dont il avait roulé le bas, révélant ses pieds nus.

— Ça te dirait qu'on aille se promener sur la plage ?

— Je crois que je préférerais faire autre chose.

Elle l'entraîna vers le lit en souriant et le poussa doucement pour l'obliger à s'asseoir sur le bord du matelas.

Il saisit la ceinture de son peignoir.

— Je me contenterai de me détendre. Le voyage a été long.

Elle vit à son regard qu'il était sincère, ce qui l'étonna quelque peu.

— Tu me manques, lui chuchota-t-elle d'une voix rauque.

Il l'attira vers lui, de sorte qu'elle se retrouve entre ses jambes, et fit glisser ses mains sur ses fesses.

— On pourrait faire une sieste avant de dîner. Il n'y a pas de hâte.

Elle leva les yeux au ciel.

— Gabriel, je veux que tu me fasses l'amour. Si tu n'en as pas envie, dis-moi « non ».

Il lui adressa un large sourire.

— Jamais je ne vous dirai « non », mademoiselle Mitchell.

— Parfait. Donnez-moi cinq minutes, professeur Emerson.

Il se laissa tomber en arrière, les pieds toujours posés sur le sol. Il trouvait la nouvelle assurance de Julia très séduisante. En une seule phrase, elle l'avait tellement excité qu'il en souffrait déjà.

Il eut l'impression qu'il s'était écoulé une éternité, mais après quelques minutes seulement elle surgit de la salle de bains vêtue de son cadeau de Noël. Le satin noir mettait en valeur le teint rosé et crème de sa peau, tandis que le corset lui-même faisait paraître sa poitrine plus généreuse et sa taille plus fine. Il ne put s'empêcher d'admirer sa silhouette alléchante.

Il regardait avidement le peu que l'on apercevait de sa culotte en dentelle noire, assortie de bas de soie noirs retenus par un porte-jarretelles. Enfin, elle avait chaussé une paire de merveilleux escarpins, noirs eux aussi.

Gabriel faillit avoir une attaque à la vue de ses chaussures.

— *Bonsoir, professeur. Vous allez bien ?* l'aguicha-t-elle en français.

Il lui fallut un moment pour comprendre pourquoi elle avait fait ce choix linguistique, tant il était captivé par sa silhouette et ses chaussures.

Elle avait coiffé son béret.

Quand il croisa enfin son regard, elle le vit déglutir avec peine. Elle lui adressa une moue provocante et ôta son béret pour le lui lancer.

Quand il l'eut jeté un peu plus loin, elle s'approcha lentement, très lentement du lit.

— Mon cadeau de Noël me plaît énormément, monsieur le professeur.

Il déglutit bruyamment, incapable de trouver ses mots.

— Tu as vu derrière ?

Elle fit pivoter ses hanches, le regardant par-dessus son épaule.

Du bout des doigts, il suivit les lacets qui serraient son corset, faisant glisser sa main jusqu'à sa culotte, qui dissimulait à peine son petit postérieur rebondi.

— Ça suffit, mademoiselle Mitchell. Venez par ici.

Il l'attira à lui et l'embrassa énergiquement.

— Je vais prendre mon temps pour déballer mon cadeau… à l'exception des chaussures. J'espère pour toi qu'elles sont confortables.

Après avoir frappé à la porte pendant près de dix minutes, l'employé du service de chambre dut rapporter leur dîner en cuisine en attendant de nouvelles instructions.

Qui ne vinrent jamais.

*
* *

Bien après minuit, une magnifique musique s'échappait encore de la chaîne hi-fi, la nouvelle *playlist* de Gabriel mettant à l'honneur des titres de Sarah McLachlan, Sting et Matthew Barber. Julia était étendue à plat ventre, somnolente et repue, au milieu d'un enchevêtrement de draps. Elle avait le dos nu jusqu'aux deux petits creux qui se trouvaient juste au-dessus de son postérieur.

Gabriel, ayant savamment disposé une partie du drap sur les fesses de la jeune femme, était allé récupérer son appareil photo. Il se tenait près du lit, prenant photo sur photo, jusqu'à ce qu'elle commence à bâiller et à s'étirer comme un chat ensommeillé.

— Tu es splendide, déclara-t-il en posant l'appareil avant de s'asseoir auprès d'elle.

Quand il commença à faire courir ses longs doigts sur son dos, elle leva ses grands yeux pour le regarder d'un air enjoué avant de lui adresser un sourire chagriné.

— Quand on aime quelqu'un, on ne voit jamais ses défauts.

— J'imagine que tu as raison. Mais tu es magnifique.

Elle se retourna pour mieux le voir, serrant son oreiller entre ses bras.

— L'amour rend tout merveilleux.

Il serra les lèvres comme il le faisait si souvent et figea sa main juste au-dessus de ses fesses.

Elle lut la question qu'il lui posait dans son regard.

— Oui, Gabriel, je te trouve magnifique. Plus je te connais, plus je comprends qui tu es vraiment, et plus je te trouve beau.

Il lui déposa sur les lèvres un petit baiser de reconnaissance digne d'un adolescent, et enfonça les doigts dans sa longue chevelure.

— Merci. Tu n'as pas faim ?

— Si.

Il jeta un coup d'œil vers la porte.

— J'ai l'impression qu'on a manqué le dîner à cause de notre... festin.

— Et quel festin, monsieur le professeur ! On va devoir se contenter du panier de fruits.

Elle se redressa, enroulant le drap autour de sa poitrine, pendant qu'il se dirigeait vers le grand panier posé sur la table basse. Il dénicha un couteau suisse dans la kitchenette, régla la musique et apporta une mangue dans le lit.

— Il fallait une chanson qui corresponde au fruit, dit-il, le regard pétillant. Maintenant, recouche-toi.

Elle sentit son cœur commencer à s'emballer.

— Tu n'as pas besoin de ça.

Il tira brusquement sur le drap. Ils étaient à présent tous les deux nus.

— Qui chante ?

— Bruce Cockburn.

Il découpa lentement la mangue, les yeux rivés sur le corps de Julia. Elle lui lança un regard perplexe.

— Un dîner nu ?

— Disons qu'il s'agit plus d'un en-cas de minuit nu.

Il découpa habilement une fine tranche de fruit, du jus coulant sur le ventre de la jeune femme. Elle haussa un sourcil.

— Hmm... Il va falloir que je m'occupe de ça...

L'air espiègle, il jeta un coup d'œil à l'endroit où le jus avait coulé.

Quand il se pencha pour la nourrir, elle ouvrit la bouche.

— Tu es obsédé par la nourriture, constata-t-elle en se léchant les lèvres et en en réclamant davantage.

Il s'inclina devant elle en signe d'obédience, tentant de récupérer le jus de fruit sur son ventre en la léchant.

— Pardon ? demanda-t-il.

Julia lui répondit avec un gémissement.

— Ce n'est pas tant une obsession qu'un acte qui me procure du plaisir. J'aime prendre soin de toi, et il y a quelque chose de sensuel dans le fait de partager de la nourriture avec la personne aimée.

Il évita ses lèvres et l'embrassa sur l'épaule, savourant le goût de sa peau du bout de la langue. Puis il découpa un autre morceau de mangue. Quelques gouttelettes s'écoulèrent sur son sein gauche, comme autant de perles gorgées de soleil.

— Mince ! Pardonne-moi ma maladresse…

Il lui caressa les côtes, agaçant une de ses zones érogènes préférées avant d'approcher ses lèvres de sa poitrine.

— Tu vas m'achever, parvint-elle à articuler quand il trouva son téton.

— Je crois me souvenir t'avoir déjà entendu dire ça un jour. Et tu m'as promis que ce serait une mort douce.

Elle ouvrit la bouche pour lui indiquer qu'elle accepterait volontiers un autre morceau de fruit.

— J'aurais dû dire une « mort collante ».

Il déposa un morceau de mangue sur sa langue avant de lui caresser la lèvre inférieure avec son pouce.

— J'ai tout prévu, ne t'inquiète pas.

Sans prévenir, elle se hissa sur ses cuisses et lui prit le visage à deux mains pour l'attirer à elle. Ils s'embrassèrent un moment avec passion avant qu'elle lui prenne la mangue et le couteau des mains et lui fasse envie en glissant un morceau de fruit entre ses lèvres.

Il lui lança un regard torride avant d'approcher sa bouche et de s'emparer du morceau de mangue avec les dents.

— Hmm… ronronna-t-elle. Au fait, il me semble que je n'ai jamais vu la vidéo de surveillance de notre rendez-vous au musée.

Elle pressa délicatement un morceau de mangue sur la poitrine de l'enseignant, l'embrassa et le lécha dans le sillage laissé par les gouttes de jus.

— Ah… ah…

Il eut du mal à trouver ses mots.

— Je l'ai vue. Elle est plutôt sexy.

— Vraiment ?

Elle se rassit et dévora avec langueur un morceau de fruit devant lui, se léchant ensuite lentement les doigts.

— Je te la ferai voir plus tard.

Il l'enlaça et lui caressa le dos. Puis, n'y tenant plus, il laissa tout tomber pour pouvoir la soulever dans ses bras.

– Où va-t-on ? s'enquit-elle d'un ton légèrement inquiet.

– À la plage.

– Mais on est nus.

– C'est une plage privée.

Il l'embrassa sur le bout du nez et la porta jusqu'au bord de l'eau.

– On va nous voir, protesta-t-elle quand il s'enfonça dans la mer.

– Il n'y a qu'un infime croissant de lune. Si quelqu'un approchait, il n'apercevrait que ta silhouette. Et quelle vue !

Il l'embrassa longuement, rendant grâce à son visage et à son cou avec ses lèvres tandis que des petites vagues venaient clapoter contre eux. Puis il la reposa sur ses pieds pour pouvoir se presser contre elle.

– Tu vois comme on s'emboîte bien ? demanda-t-il d'un ton pressant. On est faits l'un pour l'autre.

Ils prirent de l'eau dans leurs mains jointes et se nettoyèrent mutuellement. Julia ne put se retenir d'embrasser son tatouage, se délectant du goût de l'eau de mer mêlé à celui de sa peau.

Il l'embrassa dans le cou et elle le sentit sourire.

– Tu as vu le film *Tant qu'il y aura des hommes* ?

– Non.

– Il faudra que je te le montre, alors. S'il te plaît, lui demanda-t-il en lui faisant signe de venir sur lui.

Il la prit par la main, la conduisit sur le sable et se baissa.

– Ici ?

Elle sentit son cœur battre à tout rompre.

– Oui, ici. Je veux te faire l'amour, mais sans que le sable t'abîme la peau.

Il l'attira à lui et chercha avidement ses lèvres, tandis que les vagues leur léchaient doucement les jambes. Quand ils exprimèrent leur plaisir dans un cri, la lune pâle esquissa un sourire.

*
* *

Le lendemain matin, une averse tropicale s'abattit sur la région. Pendant que la pluie tapait contre le toit du bungalow, le couple fit lentement l'amour sous la moustiquaire en suivant le rythme imprimé par les gouttes d'eau.

Lorsqu'ils furent tous deux comblés, Gabriel suggéra à Julia d'aller se débarrasser de la sueur et de l'humidité dans la baignoire sous la véranda. Dans la mousse aromatisée à la vanille, la jeune femme s'étendit contre lui et il la prit par la taille. Et dans ses bras, elle parvint presque à oublier les problèmes qui les attendaient à Toronto.

Elle se sentait en sécurité avec Gabriel. Non parce que c'était un homme puissant, même si sa fortune lui donnait un certain pouvoir, mais parce qu'il avait affronté ceux qui la tyrannisaient : d'abord Christa, puis Simon. Et parce qu'il avait reproché à son père ses années de négligence.

Elle savait parfaitement à quel point ils étaient vulnérables à présent. Elle n'avait plus peur de la nudité ou de l'intimité, ni de son désir et de ses envies, mais elle savait aussi que Gabriel l'aimait et voulait la protéger. Dans ses bras, pour la première fois de sa vie, elle se sentait en sécurité.

— J'adorais les samedis matins quand j'étais enfant, dit soudain Gabriel, l'interrompant dans ses rêveries d'une voix mélancolique.

Avec un doigt, elle suivit le tracé de sa ligne de vie, dans la paume de sa main.

— Pourquoi ?

— Ma mère était assommée, je pouvais regarder les dessins animés. Enfin, tant qu'on avait le câble.

Il esquissa un petit sourire et Julia s'efforça de ne pas fondre en larmes en imaginant Gabriel comme un petit garçon triste dont l'unique plaisir était de pouvoir regarder quelques dessins animés.

— Je préparais moi-même mon petit déjeuner. Des céréales froides ou du beurre de cacahuète sur une tranche de pain grillé, dit-il en secouant la tête. Quand on manquait de lait, et c'était assez fréquent, je le remplaçais par du jus d'orange.

— C'était bon ?

— Atroce. Ce n'était même pas du véritable jus d'orange, mais du Tang. Je suis sûr que les psychiatres auraient beaucoup à dire sur le lien qui existe entre mon enfance et mon attachement aux belles choses.

Il lui caressa distraitement les cheveux.

Impulsivement, Julia se retourna et le prit par le cou, provoquant un important remous qui fit déborder la baignoire.

— Eh, qu'est-ce que tu fais ?

Elle enfouit son visage dans le creux de son épaule.

— Rien. Mais je t'aime tant que ça me fait de la peine.

Il l'étreignit délicatement.

— Ça s'est passé il y a près de trente ans. Je considérais davantage Grace comme ma mère, à l'époque. Je regrette de ne pas avoir été présent à sa mort. Je n'ai pas eu l'occasion de lui dire au revoir.

— Elle est au courant, Gabriel. Elle sait à quel point tu l'aimais.

– Mais ton enfance a certainement été plus difficile que la mienne.

Elle renifla contre son épaule, mais garda le silence.

– Si la méchanceté enlaidit, ta mère devait être hideuse. La mienne était négligente et indifférente, mais jamais cruelle.

Il s'interrompit, se demandant s'il devait aborder le sujet qu'ils avaient tous deux évité depuis le début de leurs vacances.

– Quand j'ai commencé à connaître Christa Peterson, je l'ai trouvée laide. Je te remercie encore de m'avoir empêché de coucher avec elle. Même si j'aurais bien aimé croire que j'avais meilleur goût que ça, même ivre.

Julia se retira et se rassit lentement en triturant une mèche de cheveux.

Il lui releva le menton pour l'obliger à le regarder dans les yeux.

– Dis-moi quelque chose.

– Je n'aime pas t'imaginer avec Christa.

– C'est donc une chance que tu m'aies sauvé la mise ce soir-là.

– Elle essaie de mettre fin à ta carrière.

– La vérité jaillira. Tu as dit toi-même que Paul avait eu vent de ses ambitions à mon égard. J'espère qu'elle sera exclue des cours et qu'on sera enfin débarrassés d'elle.

– Je ne veux pas qu'elle soit recalée, répondit-elle tranquillement. Sinon, je deviendrais aussi laide qu'elle en me réjouissant de son malheur.

Gabriel prit un air féroce.

– Elle a fait preuve de méchanceté avec toi à plus d'une reprise. Tu aurais dû la traiter de tous les noms quand tu en avais l'occasion.

– Je n'ai plus l'âge d'insulter les gens, qu'ils le méritent ou non. On n'est plus à la maternelle.

Il tapota doucement le bout de son nez.

– Et d'où te vient toute cette sagesse ? De *1, rue Sésame*[1] ?

– Ce sont les avantages de l'éducation catholique, marmonna-t-elle. À moins que je la doive à Lillian Hellman…

Il fronça les sourcils.

– Que veux-tu dire ?

– Lillian Hellman a écrit une pièce de théâtre intitulée *La Vipère*, dans laquelle une jeune fille raconte à sa mère que des gens mangent de la terre comme les criquets, et que d'autres les regardent faire. Elle promet à sa mère qu'elle ne les regardera plus. Au lieu de contempler

---

1. Série télévisée éducative américaine.

171

la laideur de Christa, il faut la combattre avec des armes plus puissantes, comme la bonté.

— On te sous-estime, Julianne. Néanmoins, ça me fait de la peine quand on te manque de respect.

Elle haussa les épaules.

— Il y aura toujours des Christa. Et, parfois, nous nous transformons nous-mêmes en Christa.

Il posa le menton sur son épaule.

— J'ai changé d'avis à ton sujet.

— Ah bon ?

— Tu n'es pas dantesque, tu es franciscaine.

Elle éclata de rire.

— Je doute que les franciscains approuvent que je te fasse l'amour dehors dans une baignoire sans qu'on soit mariés.

— C'est une proposition ? s'enquit-il en s'approchant de son oreille.

Elle secoua la tête et lui caressa les sourcils, l'un après l'autre.

— J'aime bien t'imaginer en petit garçon doux et curieux.

Il pouffa.

— Je ne sais pas si j'étais doux, mais j'étais vraiment curieux. Surtout en ce qui concerne les filles.

Il se pencha pour l'embrasser, et quand il se recula elle lui sourit.

— Tu vois ? Un garçon qui sait embrasser comme ça ne peut pas être entièrement mauvais. Saint François d'Assise aurait approuvé.

— Je regrette de devoir te le dire, mais ton bien-aimé François n'avait pas toujours raison. Il y a un passage dans *L'Enfer* où il se dispute avec un démon au sujet de l'âme de Guido da Montefeltro. Tu vois de quoi il s'agit ?

La voyant secouer la tête, il lui récita le texte en italien.

*« Francesco venne poi com'io fu' morto,*
(François, après ma mort, vint pour chercher mon âme ;)
*per me ; ma un d'i neri cherubini*
(mais un noir chérubin à son tour me réclame ;)
*li disse: "Non portar : non mi far torto."*
(Disant : "Point ne l'emporte, et ne me fais pas de tort.")
*Venir se ne dee giù tra miei meschini*
(C'est parmi mes damnés qu'il mérite une place)
*perché diede il consiglio frodolente,*
(pour le perfide avis reçu par Boniface » ;)
*dal quale in qua stato li sono a' crini;*
(depuis ce moment-là je le tiens aux cheveux.)

*ch'assolver non si può chi non si pente,*
(Nul ne peut être absous à moins de repentance.)
*né pentere e volere insieme puossi*
(Or, le péché va mal avec la pénitence.)
*per la contradizion che nol consente'.*
(On ne peut dans son cœur les unir tous les deux.) »

— Tu vois, Julia, il arrivait même à saint François d'Assise de se tromper sur les gens, à l'occasion. Il croyait que l'âme de Guido devait aller au paradis.

— Oui, mais c'est tout lui de ne voir que le bon côté des gens, de croire que le remords de Guido est sincère, et de se battre pour son âme, protesta-t-elle.

— Même si, en fin de compte, il se trompe.

— Saint François abandonne trop vite.

— Tu le crois vraiment ? Si je voulais ton âme, aucun des chérubins ne pourrait m'empêcher de l'obtenir.

Il la regarda fixement.

Julia sentit un frisson lui parcourir l'échine.

— J'aurais fait tout ce qui était en mon pouvoir pour te sauver, poursuivit-il d'un ton grave. Dussé-je passer l'éternité en enfer.

*
* *

Gabriel et Julia passèrent leur dernière journée de vacances à la plage. Ils se firent bronzer, se détendirent à l'ombre avec une bière ou un cocktail. Julia s'assoupit sur son transat, son chapeau à larges bords dans le sable.

Gabriel adorait la regarder dormir, voir la façon dont sa poitrine se soulevait au rythme de son souffle délicat, dont ses lèvres se retroussaient quand elle soupirait. Elle semblait si paisible ! Il était convaincu que Grace aurait été ravie de les savoir en couple. Elle l'aurait déjà sans aucun doute incité à lui mettre la bague au doigt et à choisir la ménagère.

Combien de fois, au cours de leur week-end de Saint-Valentin, avait-il eu envie de mettre un genou en terre et de la demander en mariage ! S'il s'inquiétait toutefois de succomber à un tel cliché, il se préoccupait aussi de l'avenir de la jeune femme. Il était fort probable qu'ils se retrouvent impliqués dans un scandale susceptible de mettre en péril à la fois sa propre carrière et l'admission de Julia à Harvard.

Même si la plainte contre elle était finalement rejetée, l'enquête l'empêcherait de se concentrer sereinement sur sa maîtrise. Il était certain, par ailleurs, qu'elle préférerait vivre pleinement son année universitaire à Harvard sans la pression engendrée par l'organisation d'un mariage. Et la question de ce qu'il allait faire se posait toujours : allait-il pouvoir prendre une année sabbatique ? Enfin… s'il sortait indemne de la plainte pour harcèlement de Christa Peterson.

À plus d'une reprise, il fut sur le point de lui demander : « Veux-tu m'épouser ? », mais il parvint à se retenir. Ce n'était ni le moment ni l'endroit pour une demande en mariage. Il devait la faire dans leur pommeraie, sacrée pour l'un comme pour l'autre. Sans compter que c'eût été l'occasion de prévenir Tom de ses intentions avant d'aborder le sujet avec Julianne. Aucun doute, il voulait l'épouser. Et qu'importe ce qui allait se passer au cours des prochains mois, il la ferait sienne.

Plus tard dans la soirée, Gabriel débordait de sentiments, résultat de beaucoup de contemplation et du plaisir qu'il avait toujours éprouvé en compagnie de Julia. Ils revenaient tout juste du restaurant de l'hôtel. Julia avait prévu de faire un tour dans la salle de bains pour se démaquiller, mais il la saisit par le poignet et la guida jusqu'au lit sans un mot.

Il commença à la déshabiller doucement, le regard brillant de vénération et de désir. Il prit son temps, rendant grâce à ses épaules, à ses bras et à sa peau nue, l'embrassant comme autant de promesses avides tandis qu'elle se cambrait à son contact.

Il l'attira sur lui, levant les yeux vers elle d'un air à la fois émerveillé et débordant de désir. Elle ondula des hanches pour le narguer un peu, fermant les yeux pour se concentrer sur ce qu'elle ressentait.

Après quelques minutes, il la fit basculer sur le dos et s'agenouilla entre ses jambes. Elle lâcha un petit cri quand il la pénétra.

Il se figea.

– Ça va ?

– Hmm… acquiesça-t-elle. Tu m'as simplement surprise.

Elle appuya sur son dos pour l'inviter à poursuivre.

Gabriel préférait être en dessous, elle en avait conscience. Il adorait lever les yeux vers elle avec adoration, la caresser et l'émoustiller. Il vénérait sa sensualité, car il savait que, même après ces quelques mois, elle manquait encore un peu d'assurance. Julia fut étonnée qu'il choisisse de s'étendre sur elle, l'embrassant dans le cou, alors qu'ils avaient déjà adopté cette position à plusieurs reprises.

Après quelques baisers, il porta la main au visage de la jeune femme, le regard noir et désespéré.

– Gabriel ? demanda-t-elle en le dévisageant.

Il ferma les yeux et secoua la tête avant de les rouvrir.

Elle l'observa bouche bée, décelant une myriade de sentiments sur son visage : de la précarité, de la passion, de l'espoir et du désir. Elle pencha de temps à autre la tête, laissant échapper des gémissements de plaisir.

— J'ai besoin de toi, chuchota-t-il contre sa gorge en accélérant inlassablement ses mouvements. Je ne veux pas te perdre.

La réponse de Julia se perdit dans une succession de halètements alors qu'elle approchait de plus en plus de la délivrance.

— Ah… Ah, merde ! jura Gabriel en atteignant l'orgasme, sachant que Julia en était encore loin.

Il tenta de poursuivre ses mouvements, espérant qu'elle ne tarderait pas, mais ce ne fut pas le cas.

— Je suis désolé…

Il enfouit son visage contre sa peau.

— Ce n'est rien. Ça m'a plu. Et je suis contente que tu sois allé jusqu'au bout.

Elle lui enfonça les doigts dans les cheveux, tirant malicieusement dessus avant de l'embrasser sur la joue.

Il laissa échapper quelques murmures d'autodénigrement. S'étendant auprès d'elle, il la caressa entre les jambes, mais elle serra les genoux.

— Tu n'es pas obligé.

Le regard sombre, il prit un air déterminé.

— Si. Laisse-moi faire.

Elle lui prit la main.

— Tu ne vas pas me perdre parce que, une fois ou l'autre, tu n'arrives pas à me faire jouir.

Les traits de Gabriel se durcirent.

— C'est gênant.

— C'est la vie. Je ne m'attends pas que tu sois parfait, ni au lit ni ailleurs.

Elle l'embrassa sur le nez.

— Tu es adorable. Mais ça ne signifie pas que je ne doive pas essayer.

Il l'embrassa avec lenteur, poussant un soupir quand elle se retira pour se blottir dans ses bras.

— Eh bien, si tu insistes, tu peux sans doute faire quelque chose pour moi…

Il se redressa si rapidement qu'elle fut tiraillée entre la surprise et l'envie d'éclater de rire. Mais dès qu'il la caressa, son rire cessa.

Plus tard dans la soirée, Gabriel était étendu sur le dos au centre du lit, sous la moustiquaire. Julia avait posé la tête juste en dessous de ses pectoraux, un bras autour de sa taille.

— Tu es heureuse ? résonna la voix de l'enseignant dans l'obscurité tandis qu'il glissait ses doigts dans sa chevelure avant de suivre la courbure de son cou.

— Oui, et toi ?

— Plus que je ne l'aurais jamais cru.

Elle sourit et l'embrassa sur la poitrine.

— Les choses semblent… différentes, depuis notre retour d'Italie, lâcha-t-il en continuant à lui caresser le cou et les épaules.

— On a de quoi s'estimer heureux. On est ensemble. J'ai Harvard. Le Dr Nicole m'aide beaucoup. J'ai l'impression de pouvoir enfin me reconstruire.

— Parfait, chuchota-t-il. Et notre façon de faire l'amour, de manière générale, ça te convient ?

Julia redressa la tête pour plonger son regard dans ses yeux bleus inquiets.

— Bien sûr. Ça ne se voit pas ?

Elle rit doucement.

— Je vois que ça te plaît physiquement, mais ton corps n'est pas ton esprit, ni ton cœur.

Il semblait gêné, et Julia s'en voulut d'avoir ri.

— Ce soir, c'était une anomalie. Mais même si ce n'était pas le cas, je suis certaine que ce ne serait pas grave. Et toi ? Ça te plaît, notre façon de faire l'amour ? s'enquit-elle timidement.

— Oui, beaucoup. Je sens que c'est en train de changer. J'ai l'impression que le lien est de plus en plus fort. Je me demandais simplement si tu le ressentais aussi.

Il haussa les épaules.

— J'ai parfois l'impression que c'est un rêve. Crois-moi, je suis heureuse.

Elle se pencha pour l'embrasser, puis reposa la tête sur sa poitrine.

— Pourquoi me poses-tu ces questions ?

— Comment imagines-tu l'avenir ?

— Je veux devenir professeur. Je veux être à ton côté, répondit-elle d'un ton calme mais déterminé.

Ses doigts trituraient le drap.

– Tu ne préférerais pas trouver un type bien qui pourrait te faire des enfants ?

– Tu ne peux pas me demander si je suis heureuse et me repousser l'instant d'après.

N'obtenant aucune réponse, elle lui saisit délicatement le menton, l'obligeant à la regarder.

– Non, je ne veux pas trouver de type bien pour avoir des enfants avec lui. C'est avec toi que je veux en avoir.

Il la dévisagea d'un air incrédule, écarquillant ses yeux bleus.

– Sincèrement, je ne sais pas si on parviendra un jour à former un couple assez solide pour accueillir un enfant, mais si c'est le cas, je suis certaine qu'on finirait par trouver un petit garçon ou une petite fille. Grace et Richard t'ont adopté, on peut en faire autant. Sauf si tu n'en as pas envie, poursuivit-elle d'un air attristé. Ou pas avec moi.

– Bien sûr, que je veux rester avec toi. J'aimerais te faire une promesse, mais je voudrais qu'on attende un peu avant d'avoir cette conversation. Ça t'ennuie ?

L'intensité de sa voix égalait celle de son regard.

Il tendit un doigt vers le diamant à son oreille.

Julia n'eut besoin d'aucun interprète pour comprendre ce que ce geste signifiait.

– Non.

– Je ne voudrais pas que tu croies que mon hésitation pourrait être due à une quelconque absence de sentiments.

Il avait exprimé les craintes de la jeune femme.

– Je t'appartiens. Tout entière. Et je suis contente qu'on ne soit pas séparés l'an prochain. L'idée de risquer de te perdre était atroce.

Il hocha la tête comme s'il comprenait.

– Approche-toi, Julia, que je puisse te rendre grâce.

## 20

– Mademoiselle Mitchell.

La grande femme brune en tailleur entra dans la pièce, serra la main de Julia et prit place derrière son grand bureau.

D'origine iranienne, Mlle Soraya Harandi avait le teint clair et uni, une longue chevelure bouclée noire aux reflets bleutés, une grande bouche aux lèvres charnues et un regard noir étincelant. Elle n'était pas particulièrement belle, mais elle avait beaucoup de charme, et Julia ne put s'empêcher de la dévisager.

Soraya gloussa.

Julia baissa aussitôt les yeux sur sa serviette et la tritura.

– Ça, vous ne devrez pas le faire face au doyen. Quoi qu'il dise ou qu'il fasse, vous ne devez pas détourner le regard. Ça vous donne un air faible et coupable.

Elle adoucit sa critique d'un sourire.

– La loi, c'est autant de la psychologie que de la jurisprudence. À présent, dites-moi pourquoi le doyen a reçu cette lettre.

Julia prit une profonde inspiration et raconta son histoire, la commençant par l'époque où elle avait dix-sept ans, et l'achevant par la lettre du doyen. Elle omit simplement quelques détails.

Soraya l'écouta attentivement, prenant des notes sur son ordinateur portable et hochant la tête à l'occasion. Quand l'étudiante en eut terminé, l'avocate garda le silence un long moment.

– Quelle histoire… Le doyen n'ayant pas révélé l'objet de la plainte, évitons de partir du principe qu'il s'agit forcément de votre petit ami. Même s'il faudra nous préparer à cette éventualité. Votre relation avec le Pr Emerson est-elle entièrement consentie ?

– Bien sûr.

– Vous est-il déjà arrivé par le passé d'avoir eu des relations sexuelles avec l'un de vos professeurs ou un assistant de travaux dirigés ?

– Non.

– Est-il possible qu'il ait tenté de vous séduire uniquement pour son plaisir ?

– Bien sûr que non. Gabriel est amoureux de moi.

Soraya sembla soulagée.

– Parfait. Enfin, parfait pour vous. Pour la plainte, ça va dépendre.

– Que voulez-vous dire ?

– Si votre relation est consentie, l'université peut engager des mesures disciplinaires contre vous deux. Si vous étiez une victime, elle ne pourrait poursuivre que lui.

– Je ne suis pas une victime. Nous sommes en couple, et nous avons attendu la fin du semestre avant d'entretenir une liaison.

– Non.

– Pardon ? demanda Julia d'un air incrédule.

– D'après votre histoire, vous entretenez une relation amoureuse avec lui depuis fin octobre. Vous avez attendu la fin du semestre pour coucher avec lui. Mais, compte tenu de la manière dont est rédigée la règle de non-fraternisation, vous l'avez violée. Qui est au courant de votre relation ?

– Sa famille. Mon père. C'est tout.

– Et l'étudiante qui accuse votre petit ami de harcèlement sexuel ?

Julia serra les dents.

– J'ignore ce qu'elle sait, mais elle me hait.

Soraya tapota son stylo contre son menton.

– Si on vous accusait de violer la règle de non-fraternisation, quel genre de preuve, autre que votre témoignage, pourriez-vous produire pour étayer le fait que vous n'avez pas eu de relations sexuelles avec lui tout le temps où vous étiez son étudiante ?

– Pourquoi êtes-vous persuadée que la plainte est liée à Gabriel ? Le code de bonne conduite universitaire s'applique à des choses comme le plagiat.

– Je connais le doyen Aras. Il ne perd pas son temps précieux pour des histoires de plagiat.

Julia s'enfonça dans son fauteuil.

– Oh, mon Dieu !

– Espérons qu'on vous accuse d'une infraction universitaire mineure, et que le doyen Aras porte simplement un intérêt personnel à votre affaire. Mais au cas où, quel genre de preuve pourriez-vous produire pour garantir que vous n'offrez pas vos faveurs contre des bonnes notes ?

Julia devint écarlate.

— Euh, j'ai quelque chose.

— Quoi donc ?

— J'étais vierge avant d'aller en Italie.

Soraya la regarda comme s'il s'agissait d'une créature mythique, comme, disons, un hétérosexuel qui saurait faire la différence entre Manolo Blahnik et Christian Louboutin.

— Vous en avez la preuve médicale ? Comme un certificat ?

Julia ne savait plus où se mettre.

— Non.

— Alors, inutile d'en parler. Quelqu'un de l'université vous aurait-il vus ensemble au cours du semestre ?

— Pas que je sache. Même si on est allés danser avec sa sœur en septembre.

Soraya grimaça.

— Il vaudrait mieux éviter d'évoquer le fait que vous êtes une amie de sa famille. Ça pourrait créer une possibilité de conflit d'intérêts. Et le fait de vous afficher en sa compagnie dans un lieu public n'est pas très intelligent, mademoiselle Mitchell. Mais, franchement, il est plus à blâmer que vous, parce qu'il aurait dû le savoir.

» Puisque nous ignorons la nature de la plainte, notre stratégie consistera à recueillir autant d'informations que possible durant cet entretien, tout en en donnant le moins possible. Ça nous permettra de gagner du temps pour une éventuelle procédure disciplinaire. Avec un peu de chance, ce ne sera pas le cas.

» Lors de cette entrevue avec le doyen, je parlerai pour vous. Et comme ils n'ont pas révélé l'objet de la plainte, il est possible que celle-ci soit quelque peu spécieuse et qu'ils en soient pleinement conscients. Nous éviterons donc d'ajouter de l'huile sur leur bûcher.

Remarquant l'air abattu de Julia, Soraya fronça les sourcils.

— Il faut que vous ayez confiance… que vous soyez persuadée que leur plainte est sans fondement et que vous n'avez rien à vous reprocher. J'ai déjà eu maille à partir avec cette université, et je m'en suis plutôt bien sortie. Ce sera également le cas avec votre affaire.

Julia ne fut que peu réconfortée par l'assurance de l'avocate, mais c'était mieux que rien.

— En attendant, j'aimerais que vous me dressiez une liste de toutes les personnes qui auraient pu porter plainte contre vous en m'indiquant pour quelle raison, et que vous me fassiez un compte-rendu détaillé de toutes vos rencontres avec Mlle Peterson. Je demanderai à l'un de mes assistants d'effectuer quelques vérifications sur leurs antécédents. J'appellerai aussi un de mes contacts à l'université pour voir ce qu'il peut m'apprendre de plus.

» Tant que cette affaire ne sera pas réglée, le Pr Emerson et vous devez faire profil bas. Ne vous montrez plus en public. Ne lui parlez pas de nos discussions. Si la plainte porte sur la non-fraternisation, il aura son propre avocat, qui cherchera à agir dans son intérêt. Je ne veux pas que notre défense soit compromise par vos confidences sur l'oreiller.

Pendant un instant, le regard de Julia s'embrasa.

— Gabriel n'est pas qu'un simple petit ami. Si je suis en danger, il l'est aussi. Notre relation est consentie, et je n'ai aucun intérêt à me faire défendre à ses dépens. Notre responsabilité est partagée.

Soraya la regarda d'un air intrigué.

— Êtes-vous certaine qu'il s'agit également de sa position ? Vous avez dit à ma secrétaire que son avocat était John Green. Pourquoi John ne vous représente-t-il pas, si Gabriel et vous êtes déterminés à faire front ?

Julia s'apprêtait à répliquer mais ne trouva rien à répondre.

L'avocate lui adressa un sourire compatissant.

— Écoutez, vous n'êtes pas la première étudiante à vous trouver dans cette situation. Je sais à quel point ça peut être pénible et déroutant. Mais vous devez comprendre que si la plainte déposée contre vous et votre petit ami dégénère, il est tout à fait possible qu'il rompe avec vous afin de protéger son emploi. Il faut vous préparer au cas où il déciderait de vous jeter aux lions.

— Il ne ferait jamais ça. Il m'aime. On parle d'emménager ensemble. Et… d'autres projets.

L'avocate lui adressa un regard condescendant.

— Le feu de l'amour peut très facilement s'éteindre, surtout quand on est au chômage. Mais une chose à la fois. Gabriel m'a fait parvenir un acompte, que je vais lui retourner. Je crois qu'il est préférable pour moi de vous représenter *pro bono*.

Julia hocha la tête d'un air gêné. Elle avait oublié les frais de justice.

— Je vous paierai, mais ça risque de me demander du temps…

— Le but de défendre une affaire à titre bénévole n'est pas de vous prendre tout votre argent. Vous feriez mieux d'acheter des manuels et de payer votre déménagement dans le Massachusetts.

Le sourire de Soraya s'effaça.

– Je n'apprécie guère cette inquisition sexuelle de la part de l'université. Tout ce que je pourrai faire pour humilier le doyen Aras ou le tourner en ridicule me satisfera grandement. Croyez-moi, le fait de défendre vos intérêts sera l'un de mes rares plaisirs de l'année. Ce serait même à moi de vous payer pour m'avoir accordé ce privilège.

*
* *

Plus tard dans la soirée, Julia, roulée en boule, tentait de trouver le sommeil dans le lit de Gabriel. Il était dans son bureau, recherchant avec acharnement toutes les règles de l'université qui s'appliquaient aux étudiants, tentant de comprendre ce qui avait pu attirer l'attention du doyen.

L'idée que Gabriel soit obligé de faire cela pour elle, que sa carrière puisse être menacée à cause d'elle, sans parler de l'éventualité de perdre Harvard, fit monter les larmes aux yeux de Julia. C'était insupportable,, le pire était de ne pas savoir d'où venait le danger.

Elle sécha ses larmes, s'efforçant d'être forte. Gabriel entra dans la chambre pour voir comment elle allait et, en apercevant son visage, se glissa auprès d'elle dans le lit.

– Ne pleure pas, mon cœur. Je t'en prie, ne pleure pas.

Il marqua un temps d'arrêt.

– Je n'aurais pas continué à travailler si j'avais su que tu étais si contrariée. On a fait appel à la meilleure avocate et on va se battre jusqu'au bout. Il est possible qu'il ne s'agisse que d'un malentendu, et que dès vendredi soir tout soit derrière nous.

– Et si c'était à propos de nous ?

Il serra les dents.

– Alors, on se battra ensemble.

– Et la plainte pour harcèlement ?

– Ne t'inquiète pas pour ça. Concentre-toi sur ton mémoire et tes études, et laisse-moi m'inquiéter pour moi. Je ne permettrai à personne de te faire le moindre mal, je te le promets.

Il la retourna sur le dos et embrassa doucement son visage.

– J'ai peur, chuchota-t-elle.

Il lui caressa les cheveux et lui déposa un baiser sur le bout du nez.

– Je sais. Mais quoi qu'il advienne, je ne les laisserai pas t'empêcher d'aller à Harvard. Tout va bien se passer. Que puis-je faire, Julia ? Je ne sais pas comment… te réconforter.

Il lui adressa un regard peiné.

— Embrasse-moi.

Il s'exécuta, tel un adolescent hésitant, incertain de la réaction de sa nouvelle conquête. Il lui était pourtant inutile de s'inquiéter.

Julia passa ses doigts dans ses cheveux et prit sa lèvre entre les siennes puis l'embrassa avec passion, sa langue dans sa bouche.

Il lui rendit son baiser, mais avec une certaine retenue, puis se retira et appuya son front contre le sien.

— Je ne peux pas, dit-il.

— S'il te plaît.

Elle l'attira à elle, caressant ses larges épaules et les muscles de son dos, le serrant contre elle.

— Je ne peux pas te faire l'amour si tu es triste. J'aurais l'impression de te faire du mal.

— Mais j'ai envie de toi.

— Tu ne préférerais pas que je te fasse couler un bain chaud, ou quelque chose comme ça ?

— Faire l'amour avec toi me rend heureuse parce que ça me rappelle à quel point tu m'aimes. Je t'en prie. J'ai besoin de sentir que tu as envie de moi.

Il fronça les sourcils.

— Bien sûr que j'ai envie de toi, Julia. Je ne souhaite simplement pas profiter de la situation.

Ce n'était pas le genre de femme à beaucoup réclamer, et dans ce cas presque toujours à bon escient. Et presque toujours pour le bien de Gabriel. Celui-ci le savait, et cela le peinait de refuser quelque chose à ces grands yeux tristes. Mais ses larmes avaient freiné ses ardeurs. Il aurait préféré la serrer dans ses bras et tenter de l'apaiser, plutôt que de se lancer alors qu'il s'en sentait incapable.

Le visage de la jeune femme lui disait qu'elle avait besoin de lui, qu'elle avait besoin de ça, de la conjonction du corps et de l'esprit. Pendant qu'il lui caressait les cheveux, se demandant quoi faire, il comprit quelque chose : qu'importe ce que son psy avait tenté de lui faire admettre, il n'était pas accro au sexe. Il n'était pas un hédoniste licencieux au désir insatiable prêt, comme Scott l'avait dit un jour, à coucher « avec tout ce qui portait une jupe ».

Julianne l'avait changé. Il l'aimait. Et même si elle l'en implorait, il ne pouvait penser au désir tant qu'il la voyait souffrir.

Le regard rivé sur lui, elle lui caressait le dos du bout des doigts. Il se résolut à lui offrir en partie ce qu'elle désirait, à lui changer les idées en lui procurant des sensations agréables, espérant que cela suffirait. Il l'embrassa lentement, avec douceur. Elle lui passa la main dans les cheveux, le gardant contre elle et le massant délicatement. Malgré sa tristesse et son désir, elle restait toujours aussi bienveillante.

Du bout des lèvres, il lui effleura le cou et l'oreille, lui avouant en chuchotant à quel point elle l'avait changé. À quel point il était heureux depuis qu'ils étaient ensemble.

Elle soupira, tandis qu'il l'embrassait dans le cou, enfonçant malicieusement sa langue dans le petit creux à la base de sa gorge. Il lui mordilla les clavicules, repoussant délicatement les fines bretelles de son haut pour pouvoir embrasser ses épaules blanches.

Elle s'apprêtait à l'ôter pour libérer ses seins, mais il l'en empêcha.

– Patience… chuchota-t-il.

Il glissa ses doigts entre les siens, l'embrassa sur le dos de la main, lui tendant le bras pour suçoter sa peau au creux du coude, et marqua une pause lorsqu'elle gémit de plaisir. Il l'embrassa partout, caressant fermement sa peau douce, se fiant à la chaleur qu'elle commençait à dégager et aux petits sons qu'elle laissait échapper.

Satisfait de constater qu'elle avait cessé de sangloter et voulait manifestement aller plus loin, il se débarrassa de ses vêtements et s'agenouilla entre ses jambes.

Elle ne tarda pas à trembler et à crier son nom. En soi, c'était son moment préféré, même avant sa propre jouissance : quand elle criait son nom alors qu'elle était submergée par le plaisir. Elle s'était montrée si timide, les premières fois qu'ils avaient fait l'amour ! Quand elle disait son nom de manière extatique entre deux gémissements, il sentait monter en lui une agréable bouffée de chaleur.

*C'est ça, l'amour*, se dit-il. *Être nu devant la personne qu'on aime et prononcer son nom sans aucune honte.*

Quand il atteignit lui-même l'orgasme, il en fit autant, lui garantissant qu'il l'aimait. Tout était lié de manière inextricable dans son esprit : le sexe, l'amour et Julianne. La Sainte Trinité.

Il la serra contre lui pendant qu'ils reprenaient leur souffle, souriant pour lui-même. Très fier d'elle, très heureux qu'elle puisse exprimer ses désirs, même quand elle était triste. Il l'embrassa doucement et fut soulagé de la voir lui retourner son sourire.

– Merci, chuchota-t-elle.

– C'est moi qui te remercie, Julianne, de m'apprendre à aimer.

\*

\* \*

Quand Paul entra dans le bureau du département, ce mercredi-là, il fut bouleversé par ce qu'il vit.

Julia se tenait devant les boîtes aux lettres, le teint pâle et sans éclat, des cernes noirs sous les yeux. Quand il s'approcha d'elle, elle leva les yeux et lui adressa un léger sourire. Ce simple sourire l'attrista.

Avant qu'il ait pu lui demander ce qui se passait, Christa Peterson fit son apparition, son grand sac Michael Kors pendu à son poignet. Le regard étincelant, elle avait l'air parfaitement reposée. Elle était habillée de rouge. Ni en rouge cerise, ni en rouge sang, mais en écarlate. La couleur du triomphe et du pouvoir.

Elle gloussa doucement en apercevant Paul et Julia.

Paul observa tour à tour les deux jeunes femmes. Il remarqua que Julia dissimulait son visage en faisant mine de vérifier son courrier.

— Que se passe-t-il ? demanda-t-il à voix basse.

— Rien. Je crois que j'ai attrapé un rhume.

Il secoua la tête. Il aurait voulu insister, en douceur, cette fois, mais le Pr Martin entra dans le bureau au même moment.

Julia lui jeta un coup d'œil et récupéra aussitôt sa sacoche et son manteau, espérant pouvoir se ruer vers la porte.

Paul la retint.

— Ça te dirait de prendre un café ? J'allais au Starbucks.

Elle secoua la tête.

— Je suis fatiguée. Je ferais mieux de rentrer.

Il jeta un coup d'œil à son cou nu, dépourvu de toute marque, et leva de nouveau les yeux vers elle.

— Je peux faire quelque chose pour toi ? s'enquit-il.

— Non. Merci, Paul. Ça va, je t'assure.

Il hocha la tête et la regarda s'éloigner, mais avant qu'elle ait pu gagner le couloir il lui emboîta le pas.

— Tout bien réfléchi, je ferais bien de rentrer, moi aussi. Je peux faire un bout de chemin avec toi, si ça te dit.

Elle se mordit la lèvre mais acquiesça, et les deux amis sortirent dans le froid glacial. Elle ajusta son écharpe du Magdalen College autour de son cou, frissonnant à cause du vent.

— C'est une écharpe d'Oxford, remarqua Paul.

— Oui.

— Tu l'as achetée là-bas ?

— Euh… Non, c'est un cadeau.

*Owen*, se dit-il. *J'imagine qu'il ne doit pas être si crétin que ça s'il est allé à Oxford. Même si Emerson aussi y est allé…*

— J'aime beaucoup la casquette des Phillies que tu m'as offerte. Je suis fan des Red Sox, mais je la porterai avec fierté. Sauf dans le Vermont. Mon père la jetterait au feu s'il me voyait la porter à la ferme.

Julia ne put se retenir d'esquisser un sourire, et Paul l'imita.

— Depuis combien de temps es-tu malade ?

— Euh… quelques jours.

Elle haussa les épaules d'un air gêné.

— Tu es allée chez le médecin ?

— Ce n'est qu'un rhume. Il ne pourrait rien faire pour moi.

Paul lui lança des regards furtifs quand ils passèrent devant le Musée royal de l'Ontario, des flocons de neige tourbillonnant autour d'eux, et de la monstruosité de verre qu'était le mur nord de l'édifice.

— Christa t'a ennuyée ? Tu semblais contrariée à son arrivée dans le bureau.

Julia trébucha dans la neige qui lui arrivait aux chevilles, et Paul lui tendit aussi l'une de ses mains immenses pour l'aider à se rétablir.

— Attention ! Il y a certainement du verglas en dessous.

Elle le remercia et, quand il la libéra, adopta un pas plus lent.

— Si tu glisses encore, retiens-toi à moi. Je ne me suis jamais retrouvé à quatre pattes.

Elle lui lança un regard oblique, tout à fait innocemment, et le vit rougir. C'était la première fois qu'elle voyait rougir un rugbyman. On disait que c'était impossible.

— Euh… je veux dire que je suis trop lourd. Tu ne pourrais pas me faire tomber.

Elle secoua la tête.

— Tu n'es pas si lourd…

Considérant qu'il s'agissait d'un compliment, il esquissa un sourire.

— Christa a été grossière avec toi ?

Elle baissa les yeux sur le trottoir couvert de neige, devant eux.

— J'ai travaillé tard tous les soirs. Sur mon mémoire. Le Pr Picton est une femme très exigeante. La semaine dernière, elle a refusé plusieurs pages de ma traduction du *Purgatorio*. J'ai dû la refaire, et ça m'a pris énormément de temps.

— Je pourrais t'aider. Enfin, tu pourrais m'envoyer tes traductions par e-mail avant de les lui remettre, pour que je puisse y jeter un coup d'œil.

— Je te remercie, mais tu es bien occupé par ton travail. Tu n'as pas de temps à perdre avec mes problèmes.

Il s'immobilisa et lui posa une main sur le bras.

– Bien sûr que j'ai du temps pour toi. Tu travailles sur l'amour et le désir, et je travaille sur le plaisir. Certaines de nos traductions coïncideront certainement. Ce serait un bon entraînement, pour moi.

– Je ne travaille plus sur l'amour et le désir. Le Pr Picton m'a fait changer de sujet au profit d'une comparaison entre l'amour courtois et l'amitié entre Virgile et Dante.

Il haussa les épaules.

– Certaines traductions doivent tout de même se recouper.

– Quand on travaillera sur les mêmes passages, on comparera nos traductions. Je ne veux pas t'ennuyer avec des choses qui ne sont pas liées à ton projet.

Elle lui lança un regard hésitant.

– Envoie-moi ce que tu as avec tes dates de rendu, et j'y jetterai un coup d'œil. Sans problème.

– Je te remercie.

Elle sembla soulagée.

Il retira sa main, et ils reprirent leur progression.

– Tu savais que le directeur du département de littérature italienne avait annoncé ton admission à Harvard par e-mail ? Il dit que tu as remporté une bourse conséquente.

Julia écarquilla les yeux.

– Euh, non. Je l'ignorais. Je ne l'ai pas reçu.

– Eh bien, il l'a envoyé à tout le monde. Emerson m'a demandé de le lui imprimer et de l'afficher sur le panneau à côté de son bureau, et il a insisté pour que je surligne au marqueur jaune les informations importantes, dont ton nom. Va comprendre. Il était insupportable avec toi quand tu suivais ses cours, et voilà qu'il veut s'attribuer le mérite de ton admission à Harvard. Quel enfoiré !

Elle fronça les sourcils, mais s'abstint de tout commentaire.

– Quoi ?

Elle rougit légèrement.

– Rien.

– Crache le morceau. À quoi pensais-tu, juste maintenant ?

– Euh… je me demandais simplement si tu avais vu Christa traîner dans le département. Ou dans le bureau du Pr Emerson.

– Dieu merci, non. J'ai l'impression qu'elle a jeté son dévolu sur quelqu'un d'autre. Elle se garde bien de m'adresser la parole. Je n'attends qu'une chose, avoir l'occasion de l'envoyer promener. Elle n'a pas intérêt à s'en prendre à toi. Sinon, j'aurai deux mots à lui dire.

Il lui fit un clin d'œil et lui tapota l'épaule d'un air fraternel.

*

* *

Ce jeudi-là, Julia se rendit chez sa psy pour préparer son entretien avec le doyen, prévu pour le lendemain matin.

Comprenant que Julia avait besoin d'en discuter, Nicole renonça à ses objectifs de la séance et l'écouta patiemment avant de lui donner son avis.

— Le stress peut se révéler très destructeur pour la santé. Il est donc primordial de le gérer convenablement. Certains préfèrent parler de leurs problèmes, tandis que d'autres choisissent de les garder pour eux. Comment avez-vous géré votre stress, par le passé ?

Julia se tordit les mains.

— J'ai tout gardé pour moi.

— Parvenez-vous à partager vos inquiétudes avec votre petit ami ?

— Je le pourrais, mais je n'ai pas envie de le contrarier avec ça. Il s'inquiète déjà assez pour moi, en fait.

Nicole hocha doucement la tête.

— Quand on tient à quelqu'un, il est compréhensible qu'on veuille lui éviter de souffrir. Et c'est tout à fait approprié, dans certains cas. Mais dans d'autres, on court le risque de supporter plus que son propre lot de stress et de responsabilité. Voyez-vous en quoi ça peut être un problème ?

— Eh bien, je n'aime pas quand Gabriel me cache des choses. J'ai alors l'impression d'être une enfant. Je préfère qu'il partage ses problèmes avec moi plutôt que de me sentir exclue.

— Il est possible que Gabriel ressente la même chose, qu'il redoute que vous vouliez l'exclure. Vous est-il arrivé d'aborder ce sujet avec lui ?

— J'ai essayé. Je lui ai dit que je voulais qu'on soit sur un pied d'égalité, que je refusais qu'il me cache quoi que ce soit.

— Parfait. Et qu'a-t-il répondu ?

— Soit qu'il voulait me protéger, soit qu'il craignait de me décevoir.

— Et qu'est-ce que ça vous inspire ?

Julia agita les mains, tentant de trouver ses mots.

— Je ne veux pas de son argent. Ça me donne l'impression d'être pauvre, dépendante et... et désarmée.

— Et pourquoi donc ?

— Il me donne déjà énormément, et je ne peux pas le lui rendre.

— Il est important pour vous que votre relation soit réciproque ?

— Oui.

La thérapeute lui adressa un sourire bienveillant.

— Aucune relation n'est vraiment réciproque. Parfois, quand des couples essaient de tout partager, ils découvrent que leur relation n'est plus un partenariat mais un exercice de comptabilité. Il n'est pas forcément sain de rechercher la réciprocité à tout prix dans une relation.

» En revanche, la recherche d'une relation dans laquelle on accorde à chacun des partenaires la même valeur, et dans laquelle on partage équitablement les fardeaux et les responsabilités, peut être très saine. En d'autres termes, s'il gagne plus d'argent que vous, ce n'est pas un problème. Mais il doit comprendre que vous souhaitez contribuer à la relation, peut-être pas financièrement, mais d'autres manières, et que ces autres manières sont tout aussi respectables que de l'argent. Vous comprenez ?

— Oui. Cette idée me plaît. Beaucoup.

— Quant au fait de vouloir se protéger l'un et l'autre, poursuivit-elle en souriant… On pourrait discuter longuement de la raison pour laquelle les hommes éprouvent le besoin de protéger leurs femmes et leurs enfants. Quelle qu'elle soit, c'est un fait. Les hommes ont tendance à trouver leur dignité dans les actes et la réussite. Si vous lui refusez de faire des choses pour vous, il se sentira inutile, superflu. Il veut avoir la certitude qu'il peut prendre soin de vous et vous protéger, et ce n'est pas nécessairement une mauvaise chose. Il est normal que des partenaires veuillent se protéger l'un l'autre. Mais comme pour tout, il y a un juste milieu.

» Ce qu'il vous reste à faire, à votre petit ami et à vous, c'est de trouver ce juste milieu. Permettez-lui de prendre soin de vous dans certains cas, et affirmez votre indépendance dans d'autres. Et vous devriez insister pour qu'il accepte que vous preniez soin de lui, vous aussi.

Julia acquiesça. L'idée de modération la séduisait assez. Elle voulait s'occuper de Gabriel et s'occuper d'elle, mais elle refusait d'être un fardeau et ne voulait pas qu'il la considère comme un jouet cassé. Mettre tout ça en pratique, cela risquait d'être une autre paire de manche.

— Certains hommes sont victimes de ce que j'appelle le « syndrome du chevalier » : ils veulent protéger leurs femmes comme si elles étaient complètement impuissantes. On peut trouver ça romantique et formidable pendant un temps, mais la réalité finit toujours par prendre le dessus, et on trouve vite ça étouffant et condescendant. Quand c'est toujours le même partenaire qui donne et l'autre qui reçoit, ce n'est pas sain.

» Bien sûr, certaines femmes sont frappées du syndrome équivalent, celui du petit canard blessé. Elles recherchent des mauvais garçons, des hommes brisés ou affaiblis et tentent de les remettre dans le droit chemin. Mais nous en discuterons un autre jour.

» Poussé à l'extrême, le *chevalier* est capable des actes les plus inconsidérés pour protéger sa femme, y compris de se jeter dans la bataille avec son cheval, ou de prendre les armes contre des milliers de Perses alors qu'il ferait mieux de fuir en sens inverse. Prudence est mère de sûreté, comme on dit. Avez-vous vu le film *300* ?

Elle gloussa doucement.

Julia secoua la tête.

— C'est sur la bataille des Thermopyles, où 300 Spartiates ont réussi à résister à 250 000 Perses avant d'être vaincus. Hérodote en a parlé dans ses ouvrages.

Julia dévisagea Nicole avec un certain intérêt. Combien de psychologues pouvaient citer Hérodote ?

— Le roi Léonidas était un cas extrême. On pourrait prétendre que son baroud d'honneur a été précipité par des préoccupations politiques plutôt que chevaleresques… mais ce que je veux dire, c'est que parfois le chevalier inflige finalement plus de dégâts à sa partenaire en la protégeant qu'elle n'aurait pu en subir autrement. Les femmes de Sparte avaient pour habitude de dire à leurs maris et à leurs fils de toujours avoir leur bouclier sur le dos. Dans cette situation, vous auriez probablement préféré que Gabriel ne meure pas en combattant les milliers de Perses et rentre plutôt à la maison.

Julia acquiesça.

— Dans vos conversations avec lui, vous pourriez peut-être lui dire ce que vous ressentez quand il vous protège à ses dépens, de quelle manière vous pourriez partager les risques et les responsabilités, pourquoi vous préféreriez être une partenaire plutôt qu'une enfant ou une femme sans défense. Peut-être accepterait-il d'assister à des séances avec nous, même s'il ne vient plus à titre individuel.

Julia n'était pas certaine de l'avoir bien entendue.

— Pardon ?

Nicole esquissa un sourire.

— Je dis que dans vos conversations avec Gabriel, vous pourriez lui dire ce que vous ressentez quand il vous protège…

— Non, l'interrompit-elle. À la fin. Vous avez dit que Gabriel ne venait plus ?

La psychologue se figea.

– Euh… ce n'était pas très professionnel de ma part. Je devrais éviter de vous parler d'un autre patient et de son thérapeute.

– Quand a-t-il cessé d'aller voir Winston ?

Elle s'agita sur son siège.

– Je ne peux vraiment pas vous le dire. À présent, nous devrions peut-être étudier quelques manières de gérer le stress avant votre entretien de demain…

\*
\* \*

Le doyen des études supérieures était partisan d'une certaine solennité et d'un certain raffinement. Pour ces raisons, il présidait toujours ses réunions dans une grande salle de conférence aux murs lambrissés adjacente à son bureau, dans la rue Saint-Georges. Le Pr Jeremy Martin, le directeur du département de littérature italienne, s'était installé à sa droite, dans un grand fauteuil à haut dossier de style vaguement médiéval, derrière une table imposante en bois foncé qui occupait presque toute la largeur de la pièce.

On avait disposé devant cette table deux petites chaises pliantes fort peu confortables, sur lesquelles Soraya et sa cliente prirent place au début de l'entretien.

– Prenons le temps de faire les présentations, résonna la voix de baryton du doyen. Mademoiselle Julianne Mitchell ?

L'intéressée acquiesça en silence.

– Et qui vous représente ?

Son regard bleu glacial ne trahissait aucune émotion, mais il reconnaissait manifestement la femme brune assise à la gauche de Julia.

– Soraya Harandi, professeur Aras. C'est moi qui vais représenter Mlle Mitchell.

– Mlle Mitchell a-t-elle une raison particulière d'avoir fait venir un avocat à cette réunion informelle ?

À l'évidence il était déjà agacé.

– Eh bien, professeur Aras, ma cliente s'est contentée de suivre vos instructions. Vous lui avez suggéré de faire appel à un avocat, dans votre courrier, rétorqua Soraya d'une voix à la douceur affectée.

David se retint de lui adresser un grognement, même s'il n'aimait guère qu'on le tourne en ridicule. Il désigna l'homme assis à côté de lui.

– Voici monsieur le Pr Martin.

Julia prit le temps d'évaluer l'apparence du directeur de département. Elle savait qu'il devait rencontrer Gabriel pour discuter de la plainte pour harcèlement de Christa, après cet entretien. Elle s'efforça de deviner dans quelles dispositions il se trouvait mais resta perplexe. Il avait adopté une attitude vraiment neutre, du moins à son égard.

Le doyen s'éclaircit la voix.

— Nous avons reçu une plainte très sérieuse contre vous, mademoiselle Mitchell. Cette entrevue n'a qu'un but informatif, puisque nous entamons simplement nos investigations. Nous vous poserons quelques questions, puis vous aurez l'occasion de nous en poser éventuellement. Cela ne devrait durer qu'une demi-heure.

Julia prit une lente inspiration et continua à l'observer patiemment.

— Mademoiselle Mitchell, entretenez-vous une relation amoureuse avec le Pr Gabriel Emerson ?

Julia eut l'impression que ses yeux allaient quitter leurs orbites, et sa mâchoire se décrocher. Avant même qu'elle ait pu répondre, Soraya intervint.

— Ma cliente ne répondra à aucune question avant que vous lui ayez révélé le contenu de la plainte. La lettre de convocation était vague, à juste titre, compte tenu du règlement de l'université, mais avec cette question vous avez franchi la limite de l'imprécision. Quel est l'objet de la plainte contre ma cliente, quelles sont les preuves avancées dans cette plainte, et qui est le plaignant ?

David tapota sur la carafe placée devant lui, faisant danser les rondelles de citron au rythme de son doigt.

— Ce n'est pas de cette façon que fonctionnent ces entretiens. Je suis le doyen, et c'est moi qui pose les questions.

— Professeur Aras…

Soraya avait pris un ton presque condescendant.

— Vous savez très bien que les règles et les procédures de l'université sont régies par les principes de l'équité. Ma cliente mérite de connaître les détails de la plainte, la nature et la portée des preuves produites contre elle, le cas échéant, et l'identité du plaignant, avant de répondre à n'importe quelle question. Sinon, il s'agit d'une procédure inique, et je me verrai dans l'obligation de déposer une plainte dans ce sens. Immédiatement.

— Je ne peux qu'être d'accord avec Mlle Harandi, déclara posément le Pr Martin.

Du coin de l'œil, David lança un regard mécontent à Jeremy.

— Très bien. Nous avons reçu à notre bureau une allégation selon laquelle votre cliente aurait commis une faute. Il y est présumé qu'elle entretiendrait une relation sexuelle avec l'un de ses professeurs dans le but d'obtenir un traitement de faveur.

Julia écarquilla les yeux.

Soraya éclata de rire. Bruyamment.

— C'est une farce. Ma cliente est une étudiante extrêmement douée, à qui l'on a récemment proposé d'intégrer Harvard, comme vous le savez.

Elle désigna le Pr Martin d'un signe de tête.

— Ma cliente n'a pas besoin de se prostituer.

— L'allégation n'est pas sans précédent dans cette institution, mademoiselle Harandi. Et nous prenons toutes les plaintes au sérieux, comme l'impose notre règlement.

— Alors, pourquoi la plainte n'est-elle pas traitée comme un cas de harcèlement sexuel ? J'imagine que si une étudiante met en œuvre une transaction au cours de laquelle des faveurs sont échangées contre du sexe, cela peut être considéré comme du harcèlement sexuel, non ?

— Cette piste est également explorée, lui répondit sèchement David.

Soraya gloussa.

— Très bien, très bien. De quelle nature seraient les faveurs présumées ?

— Une bonne note à l'UV dudit professeur, un avantage financier sous la forme d'une bourse, et l'accord d'un érudit renommé et à la retraite pour diriger son mémoire.

Soraya esquissa un geste dédaigneux de la main, faisant mine de bâiller d'ennui.

— Je réitère le fait que les talents universitaires de ma cliente parlent d'eux-mêmes. Et qui serait, je vous prie, le malheureux professeur ?

David observa attentivement Julia.

— Gabriel Emerson.

Soraya eut un large sourire.

— Votre plaignant a de l'imagination. Il doit être spécialisé en fiction. Est-ce le Pr Emerson qui a déposé cette plainte ?

Horrifiée, Julia retint son souffle, attendant la réponse de David.

Il tapota les documents devant lui de la pointe de son stylo.

— Non, ce n'est pas lui.

— Eh bien, quelle a donc été la teneur de son témoignage quand vous lui en avez parlé ?

— Nous avons l'intention de nous entretenir avec le Pr Emerson quand nous aurons plus d'informations. Notre protocole nous impose de convoquer les membres de la faculté impliqués dans une plainte en dernier, et non en premier.

Le Pr Martin prenait la parole pour la première fois d'une voix ferme mais posée.

Soraya le dévisagea d'un air sévère.

— Alors, dans la hiérarchie de l'université, on s'attaque d'abord aux étudiantes de maîtrise ? Et on s'adresse seulement ensuite au professeur dont le témoignage pourrait la disculper ? Je suis outrée que vous ayez traîné ma cliente ici sans avoir eu la courtoisie, ne serait-ce que d'évoquer le sujet avec l'autre personne impliquée. Toute cette affaire aurait pu être réglée en deux coups de fil. C'est une honte.

David s'apprêtait à protester, mais Soraya l'interrompit de nouveau.

— Avant de mettre un terme à cette entrevue, qui est le plaignant ?

— La plaignante est une personne que Mlle Mitchell connaît très certainement… Christa Peterson.

Soraya accepta la nouvelle sans ciller, mais Julia jeta un bref coup d'œil au Pr Martin. Le mouvement fut rapide, mais il le remarqua et regarda fixement l'étudiante en fronçant les sourcils.

Se sentant rougir, elle baissa les yeux.

David brandit deux feuilles de papier.

— D'après notre enquête préliminaire, il semblerait que le Pr Emerson ait accordé une excellente note à Mlle Mitchell à son cours de maîtrise. Celle-ci a obtenu la bourse M.P. Emerson, qu'une fondation américaine lui a mystérieusement attribuée après le début du cursus. Et le Pr Martin m'a transmis le dossier universitaire de votre cliente, dans lequel il est spécifié que le Pr Emerson a lui-même contacté Katherine Picton le semestre dernier, pour qu'elle le remplace en tant que directeur de thèse.

Il tendit le dossier à Soraya.

— Comme vous le constaterez, mademoiselle Harandi, ce dossier contient les preuves fournies par Mlle Peterson. Y compris une série de photos et de coupures de presse montrant Mlle Mitchell et le Pr Emerson lors d'une manifestation publique en Italie, où ledit professeur est cité, prétendant que votre cliente est sa fiancée.

» Et il y a une déclaration sous serment d'un employé d'une discothèque de la ville qui dit être en possession de vidéos de surveillance révélant des relations personnelles entre Mlle Mitchell et le Pr Emerson à ce même club, datant de l'époque où il était son professeur. Ces relations semblent être d'une nature intime et vont certainement bien au-delà des limites appropriées à une relation professionnelle.

Il s'interrompit pour produire un effet.

— Il est possible que les preuves fournies par la plaignante concernent plusieurs infractions. Ainsi, pour cette raison, nous aimerions entendre la version de Mlle Mitchell. Je vous pose donc de nouveau la question… Avez-vous reçu un traitement de faveur de la part de votre professeur en raison de votre relation personnelle avec lui ?

— Professeur Aras, je suis stupéfaite qu'un homme de votre stature puisse accorder le moindre crédit à une plainte qui non seulement est incroyable mais qui en outre est étayée par des preuves bien peu convaincantes. Des coupures de presse d'un journal à scandales italien ? Des vidéos dont il est impossible d'établir l'authenticité ? Il n'y a pas d'affaire recevable. Absolument aucune.

— Je vous prie de ne pas mettre mes compétences en doute, mademoiselle Harandi. Je travaillais déjà dans l'enseignement supérieur que vous étiez encore à la maternelle.

Le doyen était furieux.

Soraya haussa les sourcils et referma le dossier d'un air solennel avant de le jeter sur son bureau.

— Quel intérêt la plaignante a-t-elle de formuler de telles allégations ?

David la foudroya du regard.

L'avocate porta son attention tour à tour sur le doyen et le directeur de département.

— Sans doute la véritable cible de la plaignante est-elle le Pr Emerson. Pourquoi ai-je soudain l'impression que ma cliente n'est qu'un dommage collatéral ?

— Toutes ces questions ne sont pas de votre ressort, mademoiselle Harandi.

Le menton du doyen tremblait.

— Même si ce bureau préférerait passer outre les informations qui étayent la plainte, ça nous est impossible. L'article de presse prouve que Mlle Mitchell et le Pr Emerson avaient une liaison quelques jours seulement après la fin du semestre. Il semble apporter la démonstration de l'existence d'une relation préalable déplacée, quoi qu'il en soit.

— J'ai du mal à croire que vous ayez cité ma cliente à comparaître pour lui faire entendre des accusations si loufoques. La plaignante est manifestement instable et vit dans un monde parallèle. Si elle a un problème avec le Pr Emerson, elle doit porter plainte contre lui, et non contre ma cliente. Compte tenu de ce que j'ai pu voir aujourd'hui, j'ai l'intention d'informer ma cliente qu'elle serait tout à fait dans son droit de porter plainte pour harcèlement contre Mlle Peterson, et de veiller à ce qu'une enquête soit menée contre elle pour faux et diffamation.

Le doyen se racla bruyamment la gorge.

– Si vous acceptez d'admettre que Mlle Mitchell et le Pr Emerson sont impliqués dans une relation consentie, je ne manquerai pas de prendre en compte une telle déclaration, ce qui nous permettra de nous dispenser de cette mascarade. Quand cette relation consentie a-t-elle débuté ?

– La seule mascarade ici, c'est celle à laquelle votre bureau s'adonne en tentant de donner l'impression que vous menez une enquête sur une infraction universitaire, alors que vous vous contentez de vous livrer à un maccarthysme sexuel flagrant. Cet entretien est terminé.

Soraya ferma sa mallette de manière théâtrale et se leva.

– Encore une minute, mademoiselle Harandi. Si vous vous étiez donné la peine d'examiner un peu plus minutieusement le dossier universitaire de Mlle Mitchell, vous y auriez remarqué la présence d'un formulaire signé par le Pr Picton et daté d'octobre, sur lequel elle déclare qu'elle va superviser le mémoire de Mlle Mitchell parce que le Pr Emerson redoute un conflit d'intérêts. Pour quelle raison se serait-il adressé au Pr Picton, sinon pour donner à Mlle Mitchell ce qu'elle voulait ? De quel genre de conflit d'intérêts pourrait-il s'agir, sinon d'une relation inappropriée ?

Julia allait lui répondre, lui révéler qu'elle connaissait Gabriel depuis son adolescence, mais Soraya lui saisit l'avant-bras d'une poigne de fer.

– Vous donnez l'impression d'avoir déjà pris votre décision à propos de la plainte, professeur Aras. Sans doute votre lettre aurait-elle été un peu plus sincère si vous y aviez déclaré que le véritable objectif de cet entretien était de discréditer ma cliente pour que vous puissiez la sanctionner.

Le doyen sembla ravaler sa colère. Il désigna les documents devant lui.

– La plainte stipule que Mlle Mitchell aurait obtenu un traitement de faveur pour des raisons autres que ses mérites universitaires.

» La plainte atteste que le Pr Emerson et Mlle Mitchell se sont livrés à une querelle d'amoureux devant une classe pleine de témoins, pendant l'un de ses cours. Peu de temps après cet étalage public pour le moins embarrassant, le Pr Picton signe les documents qui lui permettent de superviser le mémoire de Mlle Mitchell. *Quid pro quo. Quod erat demonstrandum.*

– *Nemo me impune lacessit*, professeur Aras. J'ai commencé à étudier le latin à la maternelle.

Soraya adressa un sourire au Pr Martin avant de reporter son attention sur David.

— Cette plainte est malveillante et mensongère. Si le recteur de l'université décide d'inculper ma cliente au vu de cette plainte, j'explorerai toutes les pistes de recours contre la plaignante et contre ce bureau.

Julia vit le doyen serrer très fort son stylo entre ses doigts.

— Êtes-vous certaine de vouloir adopter cette défense, mademoiselle Mitchell ? Si vous coopérez, nous pourrons envisager une certaine clémence.

— Vous venez de traiter ma cliente de putain et de l'accuser de coucher avec un professeur pour obtenir des avantages. J'imagine qu'il est inutile que je vous rappelle les lois concernant les dénonciations calomnieuses. Je crois me rappeler que nous nous sommes retrouvés dans une situation assez semblable, l'an dernier. Nous ne céderons pas aux menaces.

— Nous ne proférons aucune menace, nous statuons. Nous interrogerons des témoins et les autres parties concernées, et nous reprendrons alors cette discussion. Jeremy, avez-vous d'autres remarques ou d'autres questions à poser ?

Le Pr Martin jaugea Julianne d'un œil exercé, puis secoua froidement la tête.

Le doyen referma son dossier.

— Puisque vous refusez de répondre à mes questions, mademoiselle Mitchell, vous pouvez disposer.

Soraya salua les deux hommes d'un signe de tête et accompagna Julia jusqu'à la porte de la salle.

## 21

— Cette réunion, c'était *La Conjuration des imbéciles*, déclara Soraya en s'appuyant contre le dossier de la banquette du bar de l'hôtel Windsor Arms.

Julia acquiesça, se demandant si c'était elle Ignatius Reilly, le personnage principal de ce roman, ou si c'était Gabriel, elle-même devant se contenter du rôle de Myrna Minkoff.

Souriant, le barman leur apporta leurs cocktails et quelques tapas « offertes par la maison ». Il adressa un clin d'œil à Soraya, une habituée de l'établissement, et retourna à son comptoir.

Elle but une longue gorgée de sa boisson et se mit à l'aise sur son siège.

— Ce que je vous conseille, et ce dès que possible, c'est de porter plainte pour harcèlement contre Christa Peterson, en évoquant son intention de nuire. Le règlement de l'université prévoit certaines dispositions censées protéger les étudiants victimes d'accusations calomnieuses.

— Je ne suis pas certaine de vouloir me la mettre à dos.

Soraya éclata d'un rire sinistre.

— Que pourrait-elle vous faire de plus ? Vous traquer ?

Julia eut un mouvement de recul.

— Écoutez, si vous portez plainte contre elle, elle le prendra peut-être pour un avertissement. On n'est pas obligées d'aller jusqu'au bout, mais ça pourrait les faire réfléchir, le doyen et elle. Vous m'avez dit qu'elle accusait Gabriel de harcèlement sexuel. Ça ne vous plairait pas de contre-attaquer ?

— Je voudrais surtout que tout ça se termine. Je ne comprends pas pourquoi elle porte plainte contre moi, alors que je n'ai rien à voir avec elle.

– D'après ce que nous avons appris aujourd'hui, son objectif semble plutôt évident. Elle vous accuse de réussir en couchant, et elle accuse votre petit ami de vouloir tenter la même chose avec elle. C'est malin, vraiment, parce que même si ses plaintes n'aboutissent pas, elle peut réussir à se débarrasser de vous deux en même temps.

Julia blêmit.

– Que voulez-vous dire ?

– Elle cherche à vous obliger à admettre que vous avez eu une relation avec votre professeur. Ensuite, il ne restera plus à l'université qu'à vous attaquer, lui et vous, pour fraternisation. Soit elle est brillante, soit elle est bien conseillée.

Écœurée, Julia fit courir un doigt le long de son verre.

Soraya prit une nouvelle gorgée de cocktail.

– J'aimerais que vous me dressiez la liste de toutes les personnes que le doyen serait susceptible d'interroger, en m'indiquant ce qu'elles pourraient dire de préjudiciable à votre égard. Les preuves dont il dispose pour le moment sont minces, mais en les rassemblant toutes, ce pourrait être suffisant pour convaincre un tribunal que Gabriel vous a accordé des faveurs en raison de votre relation.

Julia commença à se mordiller les lèvres.

– Mais ne vous inquiétez pas. Concentrons-nous d'abord sur cette plainte, on verra le reste plus tard. L'administration fait toujours preuve de la plus grande prudence dès que des membres de la faculté sont mis en cause, en raison de leur syndicat. L'université poursuivra son enquête jusqu'à ce que le doute ne soit plus permis, et ensuite seulement, elle se jettera sur vous.

» En attendant, laissez-moi porter plainte contre cette Christa Peterson. À partir de maintenant, Gabriel et vous devrez faire profil bas. David va enquêter sur vous deux, cette semaine, et il est fort probable qu'il interrogera tous ceux qui sont entrés en contact avec vous.

L'étudiante secoua la tête, écœurée à l'idée que des professeurs et des étudiants de son département puissent être amenés à témoigner devant le doyen.

– Très bien, Soraya. Déposez la plainte. Je suis convaincue que ça aura pour seul effet de la braquer, mais c'est vous l'avocate.

– Parfait.

Soraya lui adressa un grand sourire et but d'un trait le reste de son verre.

Plus tard dans l'après-midi, Julia sortait de l'ascenseur, dans le long couloir menant à l'appartement de Gabriel. Quand elle croisa son voisin québécois, ils se saluèrent d'un hochement de tête bref mais amical, puis elle entra en utilisant sa propre clé.

— Julianne ? C'est toi ?

— Oui. Comment s'est passé ton rendez-vous avec le directeur du département ?

Elle ôta rapidement son manteau et ses bottes, et s'apprêtait à pénétrer dans le salon quand l'enseignant vint à sa rencontre dans l'entrée.

— Raconte-moi d'abord le tien.

Il lui posa les mains sur les épaules et l'embrassa sur le front.

— Ça va ? Que s'est-il passé ?

— Ils m'ont posé quelques questions et m'ont laissée repartir.

Il laissa échapper un juron et l'enlaça.

— S'il t'arrivait quelque chose…

Elle lui rendit son étreinte, poussant un long soupir.

— C'est Christa Peterson.

— Quoi ?

Il recula pour mieux voir son visage.

— Christa m'accuse de t'avoir accordé des faveurs sexuelles contre des avantages universitaires.

— Quoi ?

Tandis que Julia lui décrivait avec précipitation la nature de la plainte et les échanges entre David et Soraya, les traits de Gabriel s'assombrirent progressivement. Quand elle cita les dernières paroles du doyen, il recula d'un pas.

Il se retourna brusquement et donna un violent coup de poing dans le mur. Puis, après avoir provoqué la chute de morceaux de plâtre et de poussière, pour faire bonne mesure il assena deux nouveaux coups à la suite.

Julia resta bouche bée en le voyant trembler devant elle, les yeux fermés, sa poitrine se soulevant. Elle aurait aimé pouvoir partir en courant, mais elle fut clouée sur place.

Malgré son envie de fuir, la vue de quelques gouttes de sang tombant sur le plancher retint toute son attention.

— Qu'est-ce que tu as fait ?

Elle l'entraîna vers la salle de bains de la chambre d'amis.

— Assieds-toi.

Quand il eut obtempéré, elle examina ses phalanges, écorchées en plusieurs endroits.

— Tu vas peut-être avoir besoin de points de suture, lui fit-elle remarquer. J'ai peur que tu te sois cassé quelque chose.

Il ouvrit et referma plusieurs fois le poing, lui démontrant sans dire un mot que sa main était indemne.

— Je crois que tu devrais tout de même passer une radio, juste au cas où.

Pour seule réponse, il se frotta les yeux de sa main valide et poussa un profond soupir en frissonnant.

Elle ouvrit l'armoire à pharmacie et en tira quelques articles de premiers secours.

— Je vais essayer de nettoyer ça, mais tu ferais bien d'aller aux urgences.

— Ça ira, dit-il entre ses dents.

À l'aide d'une pince à épiler, elle ôta les morceaux de plâtre de ses plaies, qu'elle nettoya avec de l'iode. Il sursauta à peine quand elle lui tamponna les articulations des doigts, même s'il tremblait toujours de rage.

— Je suis désolée de t'avoir contrarié, chuchota-t-elle.

— J'ai failli abattre un mur, et c'est toi qui t'excuses ?

— J'aurais dû attendre que tu sois assis pour te le dire. Ou que tu aies pris un verre.

Il secoua la tête.

— Dans ce cas, je l'aurais vraiment abattu, ce mur ! Je suis trop furieux pour boire.

Elle continua de lui prodiguer les premiers soins, jusqu'à ce que ses plaies soient propres. Quand elle en eut terminé, elle déposa un baiser sur ses doigts bandés.

— Je suis vraiment désolée.

Gabriel lui prit la main.

— Ça suffit. Je me rappelle qu'un jour c'est moi qui jouais au docteur dans cette même salle de bains.

— Je ne savais plus où me mettre. Je voulais faire bonne impression, mais tout ce que j'ai réussi à faire, c'est casser un de tes verres en cristal et éclabousser ta jolie chemise de chianti.

— C'était un accident. J'ai dû trouver le courage de te nettoyer les plaies à l'iode. J'avais peur de te faire mal. Et c'était avant que...

Il ferma les yeux et les frotta de nouveau.

— Ce qui s'est produit aujourd'hui est ma faute. J'aurais dû te protéger.

– Gabriel ! dit-elle sur un ton d'avertissement.

Elle se pencha et lui prit le visage entre ses mains, l'obligeant à la regarder.

– Non. On connaissait tous les deux les risques de cette liaison. Je me moque de ce qu'ils me feront. Je me moque de Harvard et de mon doctorat. Je refuse de te perdre, poursuivit-elle d'une voix brisée.

Un étrange brasier illumina le regard de Gabriel.

– Même l'enfer ne pourrait pas m'éloigner de toi, chuchota-t-il.

Les amants s'étreignirent éperdument, cherchant du réconfort dans les bras l'un de l'autre.

– Tu me racontes ce qui s'est passé avec le Pr Martin ?

Il lui prit la main et l'entraîna dans la chambre, puis lui fit couler un bain.

– Je te le raconterai quand tu seras détendue.

– Je ne suis pas d'humeur à prendre un bain moussant. J'aurais plutôt envie de fracasser quelque chose à coups de masse.

– Voilà pourquoi il te faut un bain moussant. Tu dois préserver les murs de cet appartement.

Julia se dévêtit et s'enfonça dans la mousse. Il la contempla. La manière dont elle avait rassemblé tant bien que mal sa longue chevelure au-dessus de sa tête, les contours délicats de ses seins qui flottaient dans la mousse tels deux nénuphars blanc et rose, sa façon de se mordre les lèvres jusqu'à ce qu'elle se rende compte qu'il la regardait fixement.

– Tu te souviens de la première fois où on a pris notre bain ensemble ? lui demanda-t-elle en le regardant prendre place sur un petit tabouret.

– Il est peu probable que je l'oublie un jour.

– Tu craignais que je souffre et tu m'as portée jusqu'à la baignoire. C'est l'une des choses les plus gentilles que tu aies jamais faites pour moi, dit-elle en esquissant un sourire timide.

Il lui donna un baiser rapide sur la joue.

– Merci. Mais j'ai du mal à évoquer les bons moments que j'ai eus avec toi. Je suis bien trop furieux pour ça. Je rêve de pouvoir arracher la langue de David Aras et de l'étouffer avec.

– Et le Pr Martin ?

Il marqua un temps d'arrêt et s'éclaircit la voix.

– Si Christa avait porté plainte uniquement contre moi, il m'aurait interrogé et aurait sans doute posé quelques questions à d'autres professeurs du département avant de conclure que cette histoire était montée de toutes pièces. Mais sa plainte contre toi, en revanche, complique les choses.

– Qu'en dit ton avocat ?

– J'ai décidé d'aller voir Jeremy tout seul.

Julia se redressa brusquement, projetant de l'eau tout autour d'elle.

– Pardon ? Je croyais que tu lui avais parlé de la plainte pour qu'il puisse t'accompagner.

Il se pencha en avant, posant ses avant-bras sur ses genoux.

– C'est Jeremy qui m'a recruté. Je le considère comme un ami. Je me suis dit qu'il était plus probable de mettre fin à ces conneries si j'allais le voir sans mon avocat.

Interloquée, Julia écarquilla les yeux.

– Que t'a-t-il dit ?

– Christa prétend que j'ai tenté d'engager une relation sexuelle avec elle à différentes reprises, notamment lors de réunions que nous avons eues sur le campus ou à l'extérieur. Elle a fait allusion à nos rencontres au Starbucks et au Lobby.

Il regarda Julia dans les yeux.

– Elle m'accuse aussi de l'avoir injustement sanctionnée en refusant son projet de thèse et en la menaçant de la renvoyer. Elle prétend qu'après qu'elle m'a éconduit je lui aurais fait vivre un véritable enfer.

– Mais elle ment sur toute la ligne. C'est elle qui t'a harcelé.

– Exactement, et c'est ce que j'ai répondu à Jeremy. Et il était furieux. Il m'a dit que j'aurais dû aller le voir aussitôt et déposer une plainte. Évidemment, mes affirmations ne sont plus très crédibles à ce stade, mais Christa a oublié une ou deux petites choses.

– Lesquelles ?

– Son dossier universitaire. Jeremy et moi avons eu au moins deux discussions à propos de ses piètres résultats au cours du dernier semestre. Il avait tout à fait conscience qu'elle était à la peine. Il y a dans son dossier des notes à propos de ces discussions, ainsi que des copies de son travail. Paul était lui aussi présent durant certains de mes rendez-vous avec Christa. J'ai invité Jeremy à aller lui parler, ainsi qu'à Mme Jenkins.

– Paul était avec moi au Starbucks, le jour où tu avais rendez-vous avec Christa. Elle nous a dit qu'elle allait tenter de te convaincre de l'emmener au Lobby. Qu'elle avait l'intention d'aller assez loin avec toi.

Il fronça les sourcils.

– Quoi ?

– Ça m'était complètement sorti de la tête, sinon je t'en aurais parlé avant. Paul et moi prenions un café, et Christa est arrivée avant toi. Elle se vantait de la manière dont elle allait parvenir à te séduire.

Plongé dans ses pensées, Gabriel se frotta le menton.

– Et Paul l'a entendue ?

– Oui, répondit-elle en se retenant de sourire. Il me semble que le baiseur d'ange est sur le point de se muer en ange gardien.

Il grimaça.

– Ne nous emballons pas. Qu'a-t-elle dit d'autre ?

– Pas grand-chose. On a vu que tu discutais avec elle, mais on était trop loin pour entendre ce que vous disiez. Son attitude était flagrante : elle tentait de te séduire alors que tu la sermonnais. Je pourrais en témoigner auprès du Pr Martin.

– Tu n'en feras rien. Tu n'es pas impliquée dans cette affaire, dit-il en se frottant de nouveau le menton. Jeremy m'a demandé de ne pas discuter de Christa avec Paul. La situation est délicate, parce que Paul travaille pour moi, mais Jeremy a accepté d'aller lui parler. Il vaudrait mieux que tu ne lui en parles pas non plus. Moins on en dira à ce sujet, mieux ça vaudra.

– Il n'aime pas Christa. L'une des premières choses qu'il m'ait jamais dites, c'était qu'elle voulait devenir Mme Emerson. Il sait qu'elle te courait après.

Il grimaça.

– J'ai rappelé à Jeremy que j'avais approuvé son projet de thèse en décembre, après lui avoir laissé plusieurs fois l'occasion de le remanier. Espérons qu'en s'entretenant avec Paul, il puisse avoir une meilleure idée de la situation.

Julia ferma les yeux, appuyant sa tête sur le bord de la baignoire. Elle savait qu'ils pouvaient compter sur Paul pour dire la vérité. Malgré son antipathie pour le Pr Emerson, il n'ajouterait aucune foi aux fausses allégations de Christa.

Gabriel se leva.

– Il faut que je te dise autre chose.

– Quoi donc ? demanda-t-elle sans ouvrir les yeux.

– Jeremy m'a demandé si nous avions une liaison. Et je lui ai répondu… « oui ».

Elle écarquilla les yeux et se tourna vers lui.

– Quoi ?

– Je lui ai dit que nous étions ensemble depuis les vacances de Noël.

Les traits de Gabriel se durcirent.

– Il t'a cru ?

– Il semblerait, mais il était furieux. Il m'a dit que j'aurais dû aller le voir aussitôt. Qu'il allait devoir signaler au doyen que j'avais enfreint le règlement de l'université.

– Oh, non ! Qu'est-ce qu'on va faire ?

Elle lui prit la main.

– Il m'a dit qu'en raison de nos autres problèmes, il n'avait pas l'intention de nous accabler. Pour le moment. Mais il s'est montré inflexible et m'a affirmé qu'il n'envisageait pas de dissimuler quoi que ce soit.

Il se pencha pour l'embrasser sur le front.

– Ne t'inquiète pas pour Jeremy. Je m'en occupe. Pendant que tu finis de prendre ton bain, je vais mettre mon avocat au courant de la situation pour décider de la suite des événements.

Il lui sourit et s'apprêta à quitter la pièce.

– Encore une chose, Gabriel. Enfin, deux choses, en fait. Soraya va déposer une plainte contre Christa en mon nom, l'accusant de me viser de manière malveillante.

– Bien. Peut-être cela la fera-t-il réfléchir à ses actes.

– Et lors de mon rendez-vous avec Nicole, hier, j'ai appris que tu ne suivais plus ta thérapie.

Devant l'air à la fois agacé et attristé de Julia, les épaules de Gabriel s'affaissèrent.

## 22

À la réflexion, le fait que Gabriel ait omis de signaler à Julia qu'il n'allait plus voir son thérapeute n'avait guère d'importance. Du moins Julia le croyait-elle. Ils en discutèrent brièvement, mais tous deux étaient bien trop préoccupés par leurs problèmes à l'université pour s'y attarder.

La semaine suivante, Gabriel reçut un mot laconique de Jeremy, lui signalant qu'il avait interrogé aussi bien Paul que Mme Jenkins. À part cela, Julia et lui n'eurent aucune autre nouvelle de la fac. David Aras passa la soirée du vendredi seul dans son bureau, chez lui, avec une bouteille de whiskey Jameson. Cela ne lui était pas inhabituel. En tant que doyen des études supérieures, il emportait souvent du travail chez lui. Ce soir-là, il eut particulièrement l'impression de se retrouver embourbé dans une situation aussi délicate que sensible.

La plainte pour harcèlement de Mlle Peterson avait été mise à mal par de nombreux témoignages. Toutefois, la plainte pour fraude universitaire à l'encontre de Mlle Mitchell avait mis en évidence une possible affaire de fraternisation entre Julia et le Pr Emerson. Seul problème, les preuves se contredisaient.

D'après les informations transmises par le Pr Martin, Paul Norris avait fait un portrait élogieux de Mlle Mitchell. Le whiskey lui brûlant la gorge, il se demanda si M. Norris considérait comme des anges toutes les femmes qu'il fréquentait ou s'il avait simplement un faible pour les jeunes filles de Selinsgrove. Même s'il n'avait aucune idée de l'endroit où cette localité pouvait se trouver.

D'après M. Norris et Mme Jenkins, Mlle Mitchell était une jeune fille timide que le Pr Emerson détestait. M. Norris avait même prétendu que l'enseignant s'était ouvertement disputé avec elle en plein cours.

À la suite de cette querelle, Emerson avait contacté le Pr Picton pour lui demander de superviser le mémoire de Mlle Mitchell, prétextant qu'il s'agissait d'une amie de sa famille pour justifier le fait qu'il ne pouvait plus continuer à s'occuper d'elle. Et cela rendait David pour le moins perplexe.

Le Pr Emerson ne s'était pas opposé à l'admission de Mlle Mitchell à ses cours, sachant qu'il était le seul professeur à diriger des thèses sur Dante. S'il y avait eu un conflit d'intérêts si flagrant, pourquoi ne s'y était-il pas opposé ? Ou du moins, pourquoi ne l'avait-il pas signalé au Pr Martin au début du semestre ?

Les dossiers du Pr Emerson et de Mlle Mitchell ne rimaient à rien. Et cela ne lui plaisait guère, quand les choses ne rimaient à rien. Car il était très sensible à la logique.

En réfléchissant aux preuves, il inséra une clé USB dans son ordinateur. Il en ouvrit l'unique dossier et parcourut les mails qu'une personne du service informatique avait obligeamment récupérés sur le compte du Pr Emerson. Il régla les paramètres pour ne visualiser que les messages envoyés ou reçus par Mlle Mitchell, Mlle Peterson, M. Norris et le Pr Picton.

Il lui fallut quelques minutes pour découvrir quelque chose d'assez surprenant. Sur son écran étaient affichés des messages envoyés avant la fin du mois d'octobre 2009. Le premier avait été rédigé par l'enseignant à l'attention de Mlle Mitchell.

« Chère mademoiselle Mitchell,
Il faudrait que je vous parle d'un sujet relativement urgent.
S'il vous plaît, contactez-moi dès que possible. Vous pouvez me joindre au numéro suivant : 416.555.0739 (portable).
Cordialement,
Pr Gabriel O. Emerson,
Maître de conférences
Département de littérature italienne - Centre des études médiévales, université de Toronto. »

Le second avait été envoyé par Mlle Mitchell au Pr Emerson, en réponse à son message.

« Professeur Emerson,
Cessez de me harceler.
Je ne veux plus de vous. Je ne veux même pas vous connaître.

Si vous ne me laissez pas tranquille, je me verrai contrainte de porter plainte pour harcèlement. Et si vous appelez mon père aussi. Sur-le-champ.

Si vous croyez que je vais mettre un terme à ma scolarité à cause de quelque chose d'aussi insignifiant, vous vous trompez. C'est d'un nouveau directeur de thèse dont j'ai besoin, pas d'un ticket de bus pour rentrer chez moi.

Cordialement,

Mlle Julia H. Mitchell,

modeste étudiante,

plus souvent à genoux que la putain moyenne.

P.S. : Je rendrai la bourse M.P. Emerson dès la semaine prochaine. Félicitations, professeur Abélard. Personne ne m'avait encore donné l'impression d'avoir si peu de valeur que vous dimanche matin. »

Le doyen se redressa sur son siège. Il lut de nouveau fois les deux messages, étudiant chacun des termes employés.

Même s'il avait un vague souvenir de qui était Pierre Abélard, il céda à la curiosité et lança une recherche sur Google. Il cliqua sur une biographie, sur un site de bonne réputation, et en prit connaissance.

*Quod erat demonstrandum*, se dit-il.

# 23

Dans le centre-ville, Jeremy Martin se détendait sur son canapé de cuir, les yeux fermés, écoutant du Beethoven pendant que sa femme se préparait avant d'aller se coucher. En tant que directeur du département de littérature italienne, il était responsable d'un certain nombre de personnes, qu'il s'agisse de membres du corps enseignant ou d'étudiants. Le fait que Gabriel lui ait révélé qu'il sortait avec une ancienne étudiante l'avait passablement troublé.

Il savait que Christa Peterson avait porté plainte par pure malveillance ; mais, comme n'importe quel autre plaignant, il fallait la prendre au sérieux. Compte tenu du fait qu'elle avait raison de présumer que Gabriel et Julianne entretenaient une liaison, il était possible que ses allégations selon lesquelles Julianne aurait reçu un traitement de faveur soient également justifiées. Gabriel, son ami et collègue, avait tenté de garder le secret sur sa relation. Maintenant que le doyen s'y intéressait, Jeremy se retrouvait dans une situation pour le moins délicate.

Tout au long de sa carrière, d'abord aux États-Unis et à présent à Toronto, il avait vu trop d'étudiantes brillantes et prometteuses devenir les jouets de leurs professeurs. Son épouse, par exemple, avait été étudiante en linguistique à l'université Columbia et avait vu sa carrière réduite à néant par son professeur et amant après qu'elle se fut lassée de fréquenter cet alcoolique. Il avait fallu des années avant que Danielle puisse s'en relever, et aujourd'hui encore elle n'avait plus aucun lien avec le milieu universitaire. Jeremy refusait que la carrière de Julianne connaisse le même sort.

D'un autre côté, il ne permettrait pas que l'étoile montante de ses enseignants puisse être calomniée et vilipendée pour une infraction qu'elle n'avait pas commise. Si le doyen décidait de poursuivre ses investigations sur le Pr Emerson et Mlle Mitchell, il ferait tout son possible pour s'assurer que justice soit rendue. À défaut, il était tout du moins déterminé à protéger son département. Pour cette raison, en ce premier jeudi du mois de mars, il fut horrifié de découvrir dans son courrier des copies des lettres adressées au Pr Emerson et à Mlle Mitchell.

Marmonnant quelques jurons, il les parcourut rapidement avant d'appeler discrètement l'une de ses relations au bureau du doyen. Une demi-heure plus tard, il appelait chez le Pr Emerson.

— Tu as vérifié ton courrier, ce matin ?

Gabriel fronça les sourcils.

— Non, pourquoi ?

— Parce que j'ai reçu une copie d'une lettre du doyen dans laquelle il indique que Julia et toi êtes sous le coup d'une enquête pour avoir entretenu une relation déplacée alors qu'elle était encore ton étudiante.

— Merde ! lâcha Gabriel.

— Exactement. Tu es assis ?

— Non.

— Eh bien, assieds-toi. Je viens d'avoir en ligne un ami qui travaille au bureau du doyen. Julianne a déposé une plainte pour harcèlement contre Christa Peterson à la suite des accusations que cette dernière a proférées contre elle. En réponse, Christa a menacé d'intenter une action en justice contre l'université, accusant celle-ci d'accorder un traitement de faveur à Julianne parce qu'elle a couché avec toi. Les allégations de Christa font désormais partie de l'enquête sur Julianne et toi.

— C'est absurde !

— Vraiment ?

— Bien sûr. C'est ridicule.

— Ravi de te l'entendre dire, Gabriel, parce que l'université a pour habitude de prendre ce genre de plainte très au sérieux. Le bureau du président a ordonné au doyen et à deux autres personnes de constituer un comité d'enquête sur ces allégations. Julianne et toi êtes tous les deux convoqués devant ce comité.

Gabriel jura.

— Qui d'autre fait partie de ce comité ?

— Ma relation n'a pas voulu me le dire. La bonne nouvelle, c'est que cet entretien n'est qu'une audition d'enquête. Le comité aura la possibilité de renvoyer l'affaire devant le bureau du président de l'université en vue d'une inculpation, et il vous faudra alors comparaître devant un conseil disciplinaire. Inutile de t'expliquer à quel point tu serais dans la merde, si ça devait en arriver là.

– Pourquoi le doyen refuse-t-il de me rencontrer ? Toute cette affaire pourrait être classée en quelques minutes.

– J'en doute. Les allégations et les plaintes s'amoncellent, et tu es au centre de tout.

Gabriel crut un instant que son cœur allait cesser de battre.

– Tu crois qu'il y aura d'autres accusations ?

– Quelque chose me dit que ça risque d'être le cas. Mais rien n'est confirmé.

– Merde ! s'exclama l'enseignant en se frottant énergiquement les yeux. À quel point c'est grave pour nous ?

– À ta place, je cesserais de penser pour deux, et je me concentrerais sur moi. C'est ce qui t'a mis dans ce pétrin, après tout.

– Contente-toi de répondre à ma question, s'il te plaît.

Jeremy marqua un temps d'arrêt, parcourant les lettres sur son bureau.

– Puisqu'il y a un doute sur l'intégrité de la note que tu as donnée à Julianne, le doyen lui a temporairement retiré son UV. Cela signifie qu'elle ne pourra pas obtenir son diplôme tant que l'affaire ne sera pas réglée, soit par un non-lieu, soit par un procès au tribunal.

– Elle ne va pas avoir sa maîtrise… chuchota Gabriel.

– C'est la politique de l'université : elle ne délivre ses diplômes qu'une fois les infractions traitées.

– Il est donc possible, selon le temps que ça prendra, qu'elle ne puisse pas aller à Harvard…

– Si l'affaire est finalement réglée en sa faveur, ils lui rendront sa note et antidateront son diplôme. Mais d'ici là, j'imagine qu'elle aura perdu sa place à Harvard. À moins qu'elle ne parvienne à les convaincre de différer son admission.

– Son admission est conditionnelle à l'obtention de sa maîtrise. Elle peut toujours poser la question, mais je ne crois pas qu'elle soit en position de demander un report. Et si Harvard a vent de cette histoire, ils retireront certainement leur proposition.

– Elle ferait donc bien de prier pour que cette affaire soit réglée à temps pour qu'elle puisse obtenir son diplôme. Et franchement, tu ferais bien de prier, toi aussi. Si tu es déclaré coupable de fraude universitaire, le président te démettra probablement de tes fonctions.

– Putain !

Gabriel abattit son poing sur son bureau.

– Quand sommes-nous convoqués devant le comité ?

– Le jeudi 25 mars.

– Ça leur laisse moins d'un mois pour tout régler avant qu'elle puisse prétendre à l'obtention de son diplôme.

– Les procédures universitaires sont très lentes, tu le sais. Mais tu n'as pas l'air de t'inquiéter pour ta propre situation, dit Jeremy en s'éclaircissant la voix.

– Pas vraiment, gronda-t-il.

– Eh bien, il le faudrait. Qui plus est, bien qu'il soit très dommage que l'avenir universitaire de Julianne soit menacé, ton cas me préoccupe beaucoup plus.

– Je ferai tout pour qu'il ne lui arrive rien.

– Quant à moi, je n'ai pas l'intention de laisser l'un de mes meilleurs professeurs se faire clouer au pilori, reprit-il après une profonde inspiration. À propos des règles qu'on vous soupçonne d'avoir violées, tu portes une plus grande responsabilité qu'elle. On t'accuse d'avoir évalué une étudiante en fonction de critères autres que le mérite universitaire.

– C'est ridicule, et tu en as la preuve écrite pour le prouver.

– Non, rétorqua Jeremy en tapotant d'un doigt le document devant lui.

– J'ai une preuve écrite, mais elle est loin d'être complète. Tu ne m'as signalé que récemment que tu avais une liaison avec elle. À présent, mon supérieur commence à se poser des questions. Tu as une idée à quel point c'est gênant pour moi ? Je donne l'impression de tomber du ciel et de ne pas savoir ce qui se passe dans mon propre département !

Gabriel prit une profonde inspiration.

– Qu'essaies-tu de me dire ?

– Ce que je tente de t'expliquer, c'est que tu as merdé, Gabriel, quel que soit l'angle sous lequel on étudie cette affaire. Et je n'ai pas l'intention de compromettre tout ce pour quoi j'ai œuvré, uniquement pour couvrir tes arrières.

Sidéré, le Pr Emerson se réfugia dans le silence.

– Pourquoi ne m'as-tu pas dit que tu sortais avec elle ? C'est moi qui t'ai recruté, pour l'amour du ciel !

– Parce que je me suis dit que ça ne regardait personne de savoir avec qui je couchais.

– Tu te fiches de moi, dit Jeremy en grommelant un juron. Tu connais le règlement qui encadre les relations entre professeurs et étudiants. En me cachant ta liaison, tu donnes l'impression d'être coupable.

L'enseignant serra les dents.

– Jeremy, je peux compter sur ton soutien ou non ?

— Je ferai ce que je peux, mais ce ne sera certainement pas grand-chose. À ta place, j'en informerais l'Association des professeurs et demanderais à mon représentant syndical de m'accompagner à l'audition.

— C'est une chasse aux sorcières déclenchée par une étudiante mécontente. Christa Peterson essaie de me faire renvoyer.

— C'est peut-être le cas. Mais, avant que tu fasses ton sermon, comprends que tu as violé le règlement de l'université. Ça incite évidemment l'administration à en déduire que tu es également coupable des autres infractions. Et, au fait, j'ai reçu un e-mail du doyen, qui souhaiterait en savoir plus sur la bourse M.P. Emerson. J'espère pour toi que tu n'as rien à voir avec ça.

Gabriel laissa échapper une série de jurons. Jeremy l'interrompit.

— Si tu n'as pas d'avocat, mon pote, je crois qu'il serait temps que tu t'en trouves un.

L'enseignant marmonna quelque chose et raccrocha avant de se servir un verre.

*
* *

Même si Gabriel informa l'Association des professeurs de sa situation, il déclina leur proposition de l'accompagner à l'audition. John était d'avis que son expertise judiciaire était bien plus menaçante que celle du syndicat, mais il reconnaissait volontiers que si l'affaire débouchait sur une inculpation, l'enseignant devrait faire appel à eux.

Le conseil de John était de faire de l'obstruction, et il pressa Gabriel de signaler à Julianne ce qu'il ne fallait surtout pas qu'elle dise. Dans le cas contraire, il envisageait de prétendre qu'il s'agissait d'une étudiante instable et impressionnable qui avait fait une fixation sur Gabriel dès son plus jeune âge et qui était finalement parvenue à le séduire.

Espérant que son client suivrait ses instructions, John ne se donna pas la peine d'évoquer cette stratégie avec lui.

Soraya était du même avis que John. Elle recommanda à Julia de ne rien dire et, si elle y était contrainte, de tenir Gabriel pour responsable de tout. L'avocate avait failli glousser de joie à l'idée de lui reprocher d'être le professeur débauché qui avait séduit une innocente bien plus jeune que lui en lui promettant un avenir radieux. Quand Julia lui rétorqua qu'elle voulait dire la vérité, Soraya lui affirma qu'il s'agissait d'une très mauvaise idée. Elle avait prévu d'évoquer la réputation sulfureuse de Gabriel et ses démêlés avec la justice.

Comme John, elle s'attendait à avoir affaire à une cliente coopérative, et ne se donna donc pas la peine d'entrer dans les détails de sa stratégie.

Durant la nuit précédant l'audition, Julia fut réveillée au beau milieu d'un rêve par le bruit de quelque chose qui tapait contre sa fenêtre. Elle crut tout d'abord que c'était son imagination, mais, quand le bruit se répéta, plus fort cette fois, elle descendit de son lit et écarta le rideau. Là, le nez collé à la vitre, se tenait Gabriel, l'air légèrement hagard, le regard affolé, vêtu de son manteau d'hiver et de son béret, de la neige jusqu'aux genoux.

Elle ouvrit aussitôt la fenêtre et s'écarta, une bourrasque de vent glacial s'engouffrant dans le studio, précédant Gabriel. Il referma bruyamment derrière lui, et tira le rideau.

– Gabriel, qu'est-ce que...

Ne la laissant pas achever sa question, il l'enlaça. Quand il l'embrassa, elle décela aussitôt une odeur de scotch. Il avait les lèvres gelées, certes, mais sa bouche et sa langue étaient aussi brûlantes qu'accueillantes. Et la chaleur de son baiser sensuel se répandit rapidement en elle.

– Tu es ivre ? Que s'est-il passé ?

Il s'écarta, mais juste le temps de se dévêtir. Ensuite, il l'étreignit de nouveau, lui caressant les bras avec ses doigts gelés, déboutonnant son haut de pyjama et glissant une main dessous pour atteindre son sein.

Il la poussa vers le lit tout en sortant sa chemise de son pantalon, la regardant ôter son pyjama pendant qu'il faisait négligemment tomber ses vêtements à terre. En un clin d'œil, ils furent tous les deux nus, et il la serra dans ses bras, soulevant les jambes de la jeune femme pour les placer autour de ses hanches. Ils n'avaient jamais été si prompts à se déshabiller et à faire l'amour.

Avec des mouvements effrénés, il l'entraîna vers la porte et la plaqua contre le montant. Il la caressa avec ses doigts gelés tout en lui suçotant les seins et en les lui mordillant.

Succombant à sa ferveur muette, elle commençait déjà à crier.

Puis elle fut distraite par la différence de température entre leurs corps : la froideur de celui de son amant contre ses courbes douces et chaleureuses. Ses doigts se réchauffant peu à peu, quand il la sentit prête, il s'introduisit en elle, poussant déjà des râles de satisfaction dans le creux de son cou, et se détendant enfin à son contact tant ils étaient serrés l'un contre l'autre.

Ayant l'impression de ne plus faire qu'un avec son bien-aimé, Julia poussa un gémissement de bonheur. Elle fit aussitôt glisser ses mains de ses épaules à ses hanches, et pressa sur ses fesses pour l'encourager à poursuivre. Il régnait une cacophonie de bruits impudiques, presque bestiaux en raison de l'absence de paroles articulées et, aussi, des secousses régulières du dos de Julia contre la porte en bois massif.

Leurs ébats étaient aussi bruyants que frénétiques, et il s'agissait sans doute de la relation physique la plus intense qu'ils aient jamais eue, avant même celle contre le mur à Florence. Bientôt, ils atteignirent conjointement l'extase, leurs cœurs battant à tout rompre, cramponnés l'un à l'autre et hurlant leur plaisir. Puis, enfin, ils s'écroulèrent sur le petit lit de Julia, leurs corps enchevêtrés.

Gabriel était au-dessus d'elle, mais elle empêchait tout mouvement. Il changea néanmoins légèrement de position pour répartir son poids sur le matelas, tout en refusant de perdre le contact de sa peau.

Elle lui caressa les cheveux et lui répéta à quel point elle l'aimait, tandis qu'il blottissait son nez dans le creux de son cou, humant son parfum. Elle lui certifia qu'il lui était inutile de boire, il valait mieux qu'il lui parle.

Il poussa un soupir.

— Je te parle, chuchota-t-il en l'embrassant avec insistance sur l'épaule. Mais tu ne m'écoutes pas.

Avant que Julia ait pu lui répondre, il l'embrassa avec passion. Il mit ainsi fin à toute discussion, l'enjoignant de son corps à se joindre de nouveau à lui.

À son réveil, le calme régnait dans le studio. En fait, il n'y avait plus le moindre signe de son visiteur du soir, à l'exception de la fenêtre ouverte, et d'une odeur de sexe qui lui collait à la peau.

Elle fouilla l'appartement à la recherche d'un mot, d'un message, de quoi que ce soit. Mais il n'y avait rien. Pas même un e-mail. Elle se sentit gagnée par un sentiment d'effroi.

*
* *

Le lendemain matin, suivant les conseils de Soraya, Julia ne s'attacha pas les cheveux, ce qui lui donnait un air doux et innocent. À onze heures précises, elle retrouva l'avocate dans le couloir devant la salle d'audience.

Gabriel et John étaient déjà là, discutant à voix basse à l'écart. Ils portaient tous les deux un costume noir et une chemise blanche. Mais la ressemblance s'arrêtait là. Gabriel avait un nœud papillon dont le vert contrastait durement avec le bleu de ses yeux.

Il croisa le regard de Julia, juste assez longtemps pour qu'elle remarque son inquiétude. Il ne lui sourit pas et ne la salua même pas de la main. Il semblait s'accommoder de cette distance.

Elle mourait d'envie d'aller le rejoindre, mais Soraya l'attira vers le banc, juste à côté de l'entrée de la salle. Soudain, la porte s'ouvrit sur un imposant rugbyman à l'air furieux.

— Paul ? appela Julia en se levant.

Étonné, il s'immobilisa.

— Julia ? Ça va ? Dis-moi que ce n'est pas…

Apercevant le visage de Soraya derrière la jeune femme, il s'interrompit au beau milieu de sa phrase. Il les regarda tour à tour, écarquilla les yeux, puis les plissa. Marmonnant quelques jurons, il grimaça et s'éloigna dans le couloir.

— Paul ? l'appela de nouveau Julia, mais il disparut dans l'escalier.

— Vous le connaissez ? demanda l'avocate.

— C'est un ami.

— Vraiment ?

Soraya semblait incrédule.

Julia se tourna vers elle.

— Pourquoi ? Vous le connaissez ?

— Il a porté plainte l'an dernier contre l'un de mes clients. C'est à cette occasion que je me suis mis à dos le doyen.

Il fallut un moment à Julia pour assimiler la révélation de Soraya. Mais quand ce fut le cas, elle s'assit lentement.

*Soraya était l'avocate du Pr Singer ? Dans quoi me suis-je jetée ?*

Avant qu'elle ait le temps de trouver la réponse à cette question, Meagan, l'assistante du doyen, annonça que les conseillers préféraient interroger simultanément Mlle Mitchell et le Pr Emerson.

Après avoir rapidement consulté du regard leurs avocats respectifs, Gabriel et Julia pénétrèrent dans la salle d'audience, suivis de John et de Soraya. Dès qu'ils eurent pris place de chaque côté de l'allée centrale, le Pr Aras prit la parole. Comme à son habitude, il se présenta puis présenta les membres du comité.

— Voici le Pr Tara Chakravartty, vice-présidente chargée de la diversité.

Il s'agissait d'une belle femme d'origine indienne, au regard noir et aux longs cheveux raides, vêtue d'un tailleur noir et d'un grand foulard kaki en guise de sari. Elle aussi sourit à Julia, entre deux regards cinglants destinés à David.

– Et le Pr Robert Mwangi, vice-président chargé de la vie étudiante.

Ce dernier était un Canadien d'origine kényane qui portait des lunettes à monture métallique et une chemise de costume sans veste ni cravate. Vêtu de la manière la plus décontractée, il semblait aussi le plus amical. Quand il adressa un sourire à Julia, elle le lui retourna.

Le doyen poursuivit par quelques remarques préliminaires.

– Mademoiselle Mitchell, professeur Emerson, vous avez été informés par courrier de la raison de cette convocation. Dans le cadre de notre enquête portant sur une accusation d'infraction au règlement universitaire, mademoiselle Mitchell, nous nous sommes entretenus avec le Pr Picton, Mlle Peterson, Mme Jenkins, le Pr Jeremy Martin et M. Paul Norris.

» Au cours de nos investigations, plusieurs faits sont apparus, faits qui ont été corroborés par plus d'un témoin. (Il regarda fixement Gabriel en faisant la moue.) Le bureau du président a donc ordonné la formation de ce comité, afin de mener l'enquête plus avant.

» Les faits que nous avons mis au jour jusqu'à présent sont les suivants : premièrement, Mlle Mitchell et le Pr Emerson se sont disputés en public en usant de sous-entendus vraisemblablement personnels, pendant l'un des cours de ce dernier, le 28 octobre 2009.

» Deuxièmement, le 31 octobre, le Pr Picton a accepté de diriger le mémoire de Mlle Mitchell à la demande expresse du Pr Emerson, qui a ensuite prévenu le Pr Martin de ce changement. Le Pr Emerson a prétendu que cet échange avait été rendu nécessaire en raison d'un conflit d'intérêts, à savoir que Mlle Mitchell était "une amie de sa famille". Afin d'officialiser cette modification, les documents idoines ont été remplis en novembre.

» Troisièmement, le 10 décembre, le Pr Emerson a donné une conférence publique à Florence, en Italie ; il y était accompagné de Mlle Mitchell. Au cours de la soirée, il a présenté cette dernière comme étant sa fiancée. Ces faits sont attestés par la presse et des photographies, et corroborés par un certain Pr Pacciani, présent à cet événement.

Le doyen brandit ce qui semblait être l'impression d'un e-mail.

À la mention du nom de Pacciani, le visage de Gabriel s'assombrit, et l'enseignant marmonna un juron entre ses dents.

Le doyen le fixa du regard.

– Mlle Mitchell vous a-t-elle harcelé pour que vous ayez une relation amoureuse ?

Julia manqua tomber de sa chaise.

Dans la salle, tous les regards se tournèrent vers Gabriel, rouge de colère. Son avocat lui chuchota quelque chose à l'oreille, mais il le repoussa d'un geste.

— Absolument pas.

— Très bien. Entretenez-vous actuellement une relation amoureuse avec Mlle Mitchell ?

— Professeur Aras, vous n'avez apporté la preuve d'aucune infraction au règlement universitaire. Tout ce que vous nous avez proposé, c'est une chronologie sommaire ouverte à toutes sortes d'interprétations et le récit d'un journal à scandales italien. Je ne vous laisserai pas forcer la main de mon client, se plaignit John.

— Si votre client n'a rien à se reprocher, il serait préférable qu'il réponde à nos questions. Quand avez-vous entamé cette relation avec votre étudiante, professeur Emerson ?

Avant que John ait pu protester, le Pr Chakravartty intervint :

— Je désapprouve cette forme d'interrogatoire, car je pars du principe qu'une relation entre un professeur et une élève du même département ne saurait être consensuelle. Et j'aimerais que mon objection soit inscrite au procès-verbal.

Le doyen fit un signe de tête à son assistante, Meagan, qui tapait furieusement sur son ordinateur portable.

— J'en prends acte, répondit-il d'un ton vexé. Nous en discuterons plus tard. Professeur Emerson ?

— Sauf votre respect, professeur Aras, mon client n'est aucunement obligé de répondre à de simples suppositions. Peut-être Mlle Mitchell sera-t-elle d'un autre avis.

Il adressa un regard narquois à Soraya, puis un sourire innocent aux membres du comité.

— Très bien. Mademoiselle Mitchell ?

Soraya lança un regard noir en direction de John avant de reporter son attention sur le comité.

— Ma cliente a déjà fait l'objet de harcèlement de la part du bureau du doyen quand on l'a obligée à se défendre contre une plainte malveillante portée par une autre étudiante. Au vu du stress et du traumatisme émotionnel qu'on lui a déjà infligés, je vous demanderai de poser vos questions au Pr Emerson. Car c'est lui qui a demandé au Pr Picton de superviser le mémoire de ma cliente. C'est sa signature sur les formulaires, et nous n'avons aucun commentaire à formuler à ce sujet.

Julia se pencha vers son avocate pour protester, mais celle-ci la repoussa d'un geste. L'étudiante grinça des dents.

— Ah ! Le fameux dilemme du prisonnier. Je me demande si vous

vous rendez bien compte, tous les deux, de l'issue de cette affaire si vous poursuivez de la sorte.

Le Pr Aras s'éclaircit la voix.

— Je vais suspendre l'audience pour que vous puissiez vous entretenir avec vos avocats respectifs, mademoiselle Mitchell et professeur Emerson, mais j'attends de vous que vous me répondiez promptement et avec sincérité.

» En l'absence de témoignage de votre part, nous nous réservons le droit de tirer nous-mêmes nos conclusions en fonction des preuves que nous avons recueillies jusqu'à présent. Et de renvoyer l'affaire au bureau du président pour qu'il puisse engager des poursuites contre vous, si telles sont nos préconisations. Je vous donne cinq minutes, déclara le doyen d'un ton glacial.

— Les relations entre enseignants et étudiants du même département ne pouvant être consensuelles, je propose que nous donnions congé au Pr Emerson afin de pouvoir interroger Mlle Mitchell, déclara le Pr Chakravartty en adressant à Julia un regard compatissant. Permettez-moi de vous garantir que vous ne craignez rien. Vos révélations n'entraîneront pas de représailles de la part du département de littérature italienne. Si vous avez été victime de harcèlement sexuel, nous pouvons vous aider.

Lorsque Tara se tourna vers Gabriel, son air attendri fit aussitôt place à du dégoût.

Julia se leva d'un bond.

— Le Pr Emerson ne m'a pas harcelée.

Soraya la saisit par le bras, mais l'étudiante n'en tint aucun compte. L'avocate se leva donc à son tour, attendant le moment le plus propice pour l'interrompre et protester.

Agité, Gabriel secoua la tête, mais Julia, qui regardait fixement les membres du comité, ne le voyait pas.

— Quand j'étais son étudiante, nous n'entretenions aucune liaison, et notre relation actuelle est consensuelle.

Le silence se fit dans la salle, avant d'être rompu par le grattement des stylos des conseillers sur le papier.

Le doyen s'enfonça dans son siège, l'air aucunement surpris.

Julia comprit que quelque chose ne se déroulait pas du tout comme prévu. Elle se rassit lentement, indifférente à ce que Soraya lui chuchotait à l'oreille, et se tourna vers Gabriel. Il regardait droit devant lui, mais elle savait à sa façon se serrer les dents qu'il sentait ses yeux posés sur lui. Il croisa les bras d'un geste furieux, le regard rivé sur le doyen, tel un cobra attendant de frapper.

— Je vous remercie, mademoiselle Mitchell. Votre relation est donc de nature amoureuse, précisa le Pr Aras en jetant un coup d'œil vers Gabriel avant de reporter son attention sur Julia. Puisque vous semblez disposée à tout nous dire, permettez-moi de vous poser une autre question : quand avez-vous acheté votre billet d'avion pour l'Italie, sachant que vous feriez le trajet en compagnie du Pr Emerson ?

Julia dévisagea le doyen d'un air ébahi.

— Vous les avez certainement réservés avant le 8 décembre, ce qui placerait la date d'achat en plein pendant le semestre. Ainsi, avant même qu'il vous octroie votre note, vous avez forcément eu une conversation à propos de votre intention de l'accompagner en Italie. Ce serait fort problématique en ce qui concerne les relations professeurs-étudiants, non ?

Julia s'apprêta à répondre, mais Soraya l'en empêcha.

— Sauf votre respect, professeur Aras, il s'agit là de pures spéculations.

— En fait, mademoiselle Harandi, je ne fais que tirer des conclusions logiques, dit-il en serrant fortement les lèvres. De plus, oserai-je vous faire remarquer que votre cliente vient à l'instant de se parjurer. Elle a affirmé ne pas avoir entretenu de liaison avec le Pr Emerson au cours du semestre dernier. Sommes-nous censés croire que leur relation a débuté comme par magie une fois le semestre achevé ?

Julia inspira bruyamment, le bruit se répercutant contre les murs. De l'autre côté de l'allée, Gabriel trahissait son angoisse en serrant et desserrant ses poings, tentant de les dissimuler le long de son corps.

Le doyen allait poursuivre, mais le Pr Mwangi l'interrompit. Son calme et sa voix douce contrastaient savamment avec l'impatience brusque du doyen.

— Mademoiselle Mitchell, à ce stade, je me vois dans l'obligation de vous rappeler les peines encourues pour parjure, et aussi pour violation des règles de non-fraternisation de cette université. Le parjure peut conduire à une expulsion ou à de sérieuses sanctions. La violation de la règle de non-fraternisation peut compromettre les notes que vous avez obtenues au cours du dernier semestre.

Il parcourut quelques documents étalés sur la table devant lui.

— Vous rédigiez encore votre mémoire avec le Pr Emerson début novembre, environ un mois avant votre voyage en Italie. Vous avez suivi son cours sur Dante pendant tout le premier semestre et avez obtenu un A.

» La règle de non-fraternisation a pour objectif de protéger les étudiants de leurs professeurs et d'empêcher tout traitement de faveur. Si vous aviez abandonné le cours du Pr Emerson, nous ne serions pas là aujourd'hui. Mais comme ce n'est pas le cas, nous avons un sérieux problème.

Le Pr Mwangi tendit quelques documents à Meagan, qui les transmit docilement à Julia et à Soraya. Pendant que cette dernière y jetait un rapide coup d'œil, Julia prit un air horrifié. Elle se tourna de nouveau vers Gabriel, mais il ne lui rendit pas son regard.

— Le Pr Martin a attesté devant ce comité ne pas se souvenir de la moindre conversation avec le Pr Emerson à propos du fait d'envisager de demander au Pr Picton de noter vos travaux du cours sur Dante. Le bureau du secrétaire général nous a confirmé que c'est bien le Pr Emerson qui vous a donné votre note *via* le système de notation en ligne. Nous avons des copies datées de ces documents électroniques, que nous venons de vous remettre.

— Professeur Mwangi, puisque nous venons de prendre connaissance de ces documents, j'aimerais profiter d'une courte interruption de séance afin de pouvoir m'entretenir avec ma cliente, intervint l'avocate d'un ton qui sortit Julia de sa torpeur.

— C'est trop tard, mademoiselle Harandi, car votre cliente s'est déjà parjurée, tonna le doyen.

— Je ne suis pas de cet avis, intervint alors le Pr Chakravartty. Mlle Mitchell n'est pas apte à juger si elle a ou non été victime de pressions. Il ne fait aucun doute qu'on lui pardonnera le fait de s'être parjurée si elle a été victime de harcèlement.

— C'est le Pr Picton qui a noté mon travail sur Dante. Je suis certaine qu'elle pourrait dissiper ce malentendu.

Julia parlait d'un ton ferme qui tranchait nettement avec les trémolos altérant sa voix.

— Doyen Aras, pardonnez-moi de vous interrompre, mais je viens de recevoir un e-mail du Pr Picton, intervint Meagan avec une certaine hésitation.

Elle se dirigea vers le doyen et lui montra l'écran de son ordinateur portable.

Il lut rapidement le message avant de lui faire signe de regagner sa place.

— On dirait que le Pr Picton confirme votre histoire, mademoiselle Mitchell.

Soraya s'avança sur sa chaise.

— Alors, tous les problèmes sont résolus. Avec tout le respect qui lui est dû, nous demandons à ce comité de boucler son enquête et de mettre un terme à cette affaire.

— Pas si vite, mademoiselle Harandi.

Le Pr Mwangi regarda tour à tour Gabriel et Julia d'un air intrigué.

– Si cette relation est consensuelle, alors, pourquoi le Pr Emerson se dissimule-t-il derrière son avocat ?

– Vous vous êtes contentés jusqu'à présent de spéculations et d'affabulations. Pourquoi mon client devrait-il y répondre ? demanda John d'un ton hautain.

– Nous sommes en droit de parvenir à nos propres conclusions, dans le respect des preuves. Je ne puis me prononcer pour mes éminents collègues, mais j'affirmerai qu'à mon avis votre client et Mlle Mitchell avaient une liaison le semestre dernier. Cela signifie donc qu'ils ont violé la règle de non-fraternisation et que Mlle Mitchell s'est parjurée.

John se leva.

– Si ce comité a l'intention de poursuivre dans cette voie, nous ferons appel à l'Association des professeurs de l'université de Toronto ainsi qu'à l'Association canadienne des enseignants d'université, puis donnerons des suites judiciaires à cette affaire. Je ne permettrai pas que les conseillers continuent à discréditer mon client.

Le doyen fit un geste dédaigneux de la main.

– Asseyez-vous. Nous n'avons que faire de vos menaces.

Il attendit que John reprenne sa place avant de jeter son stylo sur la table devant lui. Il ôta ses lunettes et les posa à côté du stylo.

– Puisqu'il semblerait que nous ayons de nouveaux éléments, peut-être vaudrait-il mieux suspendre cette audience, le temps de poursuivre notre enquête.

Gabriel serra les dents, sachant que tout délai mettrait un peu plus en péril l'admission de Julia à Harvard.

– Avant d'interrompre la séance, je crois qu'il serait bon que Mlle Mitchell puisse nous donner sa version des faits sans être obligée de se trouver dans la même pièce que le Pr Emerson, proposa le Pr Chakravartty. Le Pr Emerson est quelqu'un de puissant. Peut-être, mademoiselle Mitchell, avez-vous craint pour votre statut et en a-t-il profité. Peut-être avez-vous l'impression aujourd'hui que cette relation est consentie, mais cela a-t-il toujours été le cas ? Plusieurs témoins nous ont signalé qu'il s'était montré très sévère avec vous, le semestre dernier…

– C'est scandaleux ! Professeur Aras, allez-vous rester là sans rien faire, alors que mon client est diffamé par l'un des conseillers ? Je veux que mon objection soit inscrite au procès-verbal, et qu'il soit signalé que j'ai l'intention de déposer une plainte auprès du président de l'université à propos de l'attitude déplacée du Pr Chakravartty.

Fou de rage, John s'était levé d'un bond.

– Je préfère que le Pr Emerson reste, déclara tranquillement Julia.

– Très bien, répondit le Pr Chakravartty d'une voix plus douce. Je comprends que cette situation puisse se révéler stressante et déroutante. Mais il faut que vous le sachiez, le comité est déjà au courant de l'e-mail que vous avez envoyé au Pr Emerson, et dans lequel vous l'implorez de cesser de vous harceler. Une fois encore, je tiens à rappeler que nous sommes là pour découvrir la vérité.

Sa vision commençant à se voiler, Julia cligna des yeux. Elle ne percevait plus que des sons étouffés, comme si elle se trouvait sous l'eau. Prenant conscience de l'atrocité de la révélation du Pr Chakravartty, elle eut soudain l'impression que tout se déroulait au ralenti.

Meagan remit quelques feuilles de papier à Soraya et à John.

Ce dernier les parcourut rapidement avant de les jeter devant lui.

– Il est tout à fait déplacé de nous prendre au dépourvu avec des documents dont vous avez omis de signaler l'existence dans la lettre que vous avez envoyée à mon client.

– Ce n'est pas un procès. Il s'agit d'une simple audition d'enquête, monsieur Green. Vous pouvez poursuivre, professeur Chakravartty.

Le doyen s'appuya sur le dossier de son fauteuil, concentrant toute son attention sur Tara.

– Je sais que vous n'avez pas porté plainte pour harcèlement sexuel contre le Pr Emerson, mais il n'est pas encore trop tard. Si vous le souhaitez, nous pouvons lui demander de sortir pour que nous puissions en discuter.

John secoua la tête.

– Sans la moindre équivoque, mon client nie tout harcèlement, qu'il soit sexuel ou non, à l'encontre de Mlle Mitchell. Si vous voulez mener une enquête sur quelqu'un pour harcèlement, allez voir du côté de Christa Peterson, qui, avec une certaine malveillance, est à l'origine de toute cette histoire.

– Mlle Peterson sera tenue responsable de ses actes, ne vous inquiétez pas, intervint le Pr Mwangi d'une voix à la fois douce et directe. Mademoiselle Mitchell, je suis très intéressé par cet échange d'e-mails, au cours duquel vous ordonnez au Pr Emerson de cesser de vous harceler. Pouvez-vous nous donner le contexte dans lequel vous avez formulé cette exigence ?

– C'était une erreur, répondit Julia d'une voix grave qui se répercuta pourtant de manière sonore contre les murs de la pièce.

– Une erreur ? répéta le Pr Chakravartty.

– Il y a eu… un malentendu. Je n'aurais jamais dû employer le terme de « harcèlement ». J'étais en colère. Je n'en pensais pas un mot.

Soraya chuchota quelque chose à l'oreille de Julia, mais celle-ci s'écarta en se tordant les mains.

— Il n'y a jamais eu de harcèlement. Voilà pourquoi je n'ai pas porté plainte.

Le Pr Chakravartty observa la jeune femme d'un œil sceptique avant de s'adresser au doyen.

— Je voudrais proposer de suspendre cette audition. J'aimerais poser à d'autres témoins de nombreuses questions qui n'ont pas encore trouvé de réponse. Et je souhaiterais interroger Mlle Mitchell dans un cadre un peu moins hostile, ajouta-t-elle en lançant un regard noir en direction de Gabriel.

— Mlle Mitchell a démenti l'accusation. Elle n'a pas porté plainte contre mon client, et, d'après le paragraphe dix du règlement de l'université à propos du harcèlement sexuel, personne ne peut l'y contraindre. Peut-on passer à autre chose ? protesta John.

— Inutile de tenter de m'apprendre comment présider une audience, monsieur Green, rétorqua sèchement le doyen. Nous prendrons le temps qu'il faudra pour enquêter sur tous les points de cette affaire.

Il fit signe aux autres conseillers d'approcher pour qu'ils puissent tenir conciliabule. À la simple possibilité d'un ajournement, Julia sentit son cœur battre plus fort. Elle posa un regard apeuré sur Gabriel, qui était écarlate.

Après quelques minutes, le doyen rechaussa ses lunettes et parcourut la salle du regard.

— Comme le Pr Chakravartty l'a suggéré, je vais suspendre cette audience. Vous vous êtes montrée coopérative, mademoiselle Mitchell, et je vous en remercie. Mais vous, professeur Emerson, vous ne nous avez rien dit. Votre absence de collaboration ne nous laisse pas le choix, il va nous falloir nous entretenir de nouveau avec tous les témoins. En particulier avec le directeur de votre département, le Pr Martin, à qui j'ai quelques questions à poser.

» Si votre relation est consensuelle, vous courez tous les deux le risque d'avoir violé la règle de non-fraternisation. Et vous, mademoiselle Mitchell, vous vous êtes peut-être parjurée à propos du début de votre relation. D'autre part, l'e-mail que vous avez envoyé au professeur est en contradiction avec l'ensemble de vos déclarations. Il y a également le problème de la bourse M.P. Emerson, à laquelle vous faites allusion dans votre message.

» Je ne permettrai pas que cette procédure soit bâclée. Il va donc nous falloir un peu plus de temps pour compléter notre enquête. Cela peut prendre plusieurs semaines, selon la coopération de chacun. Évidemment, si vous préférez éviter que cette affaire prenne du retard, il vous suffit de répondre à nos questions.

Sur ce, le doyen lança un regard noir en direction de John et de Gabriel.

Julia vit ce dernier fermer les yeux et remuer les lèvres comme s'il marmonnait quelque chose pour lui-même. Puis il rouvrit brusquement les yeux et se leva.

— Ça suffit ! déclara-t-il.

Tous les regards se tournèrent vers l'enseignant furieux qui regardait d'un air de défi les membres du comité.

— Il est inutile de prendre du retard. Je vais coopérer, déclara-t-il les dents serrées, son regard bleu étincelant.

Julia sentit son cœur se serrer.

— Il semblerait que nous soyons enfin parvenus à capter votre attention, professeur Emerson, et à vous convaincre de cesser de vous dissimuler derrière votre avocat, le railla le Pr Mwangi.

— Cette réflexion n'est pas digne de vous, rétorqua Gabriel avec un geste dédaigneux de la main.

— Êtes-vous disposé à répondre aux questions du comité ? les interrompit le doyen.

— Oui.

Dès que John se fut remis de sa surprise, il se leva auprès de Gabriel.

— Professeur Aras, mon client a fait appel à un avocat. Pouvez-vous m'accorder un moment pour que je m'entretienne avec lui ?

Quand le doyen acquiesça, John chuchota à toute allure à l'oreille de l'enseignant.

Julia devina que celui-ci n'était guère ravi de ce que John lui disait, et elle le vit articuler « non, non, non ».

Finalement, Gabriel congédia l'avocat d'un regard meurtrier.

— Je suis prêt à répondre à toutes vos questions, mais uniquement lorsque Mlle Mitchell aura quitté la pièce. Certaines des réponses que je vais vous donner sont très personnelles, et, pour diverses, euh… raisons, je préférerais qu'elles restent confidentielles.

Le doyen le jaugea attentivement puis hocha la tête.

— Très bien. Mademoiselle Mitchell, nous n'avons plus besoin de vous pour le moment, mais je vous prierai de ne pas quitter le bâtiment. Il se pourrait que nous devions vous rappeler sous peu.

— Si le Pr Emerson a l'intention de calomnier ma cliente, il peut parfaitement le faire devant nous, protesta Soraya.

— La convention collective établie avec le syndicat des enseignants garantit une certaine confidentialité dans toutes les procédures judiciaires, répliqua le doyen d'un ton glacial.

Il prit le temps de consulter ses confrères, puis eut vers Julia un signe de tête.

— Si le témoignage du Pr Emerson implique votre cliente, nous vous laisserons l'occasion de le contester. Tout ce qui ne vous concerne pas, mademoiselle Mitchell, demeurera confidentiel. Mademoiselle Harandi, mademoiselle Mitchell, nous n'avons plus besoin de vous pour le moment. Mon assistante vous avertira quand votre présence sera requise.

Soraya secoua la tête mais prit Julia par le bras et tenta de l'entraîner vers la porte, au fond de la pièce.

L'étudiante refusa de bouger.

— Notre relation est consensuelle. Je savais ce que je faisais, et je ne regrette rien. Rien du tout. Il ne s'agit pas d'une affaire sordide, et il n'y a pas eu de harcèlement.

Le doyen ne put s'empêcher de remarquer que le Pr Emerson commençait à se frotter les yeux et la bouche, jurant en silence.

— Vous aurez l'occasion de contester ses dires, mademoiselle Mitchell. À présent, si vous le voulez bien…

Soraya entraîna aussitôt Julia vers la sortie. La jeune femme tenta vainement de croiser le regard de Gabriel avant de quitter la salle, mais il avait baissé la tête et fermé les yeux.

# 24

— Pardon ? hurla le Pr Jeremy Martin dans le téléphone de son bureau.

À l'autre bout du campus, Meagan, l'assistante du doyen, tourna le dos aux membres du comité, s'apprêtant à lui répéter plus fort ce qu'elle venait de lui dire.

— Je vous dis que le doyen aimerait vous poser quelques questions à propos de Julianne Mitchell et du Pr Emerson. Ce dernier vient juste d'avouer qu'il avait enfreint plusieurs règles universitaires. Ne quittez pas, je vous prie, je vous mets sur haut-parleur.

— Dieu du Ciel… marmonna-t-il en clignant des yeux et en ouvrant la bouche comme un poisson.

— Professeur Martin ? Les conseillers aimeraient s'entretenir avec vous sur-le-champ.

Meagan se retourna et croisa le regard du doyen.

— J'arrive. Demandez au doyen de m'attendre.

Il raccrocha violemment son téléphone et quitta précipitamment son bureau, omettant de verrouiller la porte derrière lui. Il sortit de l'immeuble et traversa Queen's Park au pas de course, ne ralentissant l'allure que pour éviter de se faire écraser dans le flot de la circulation du centre-ville. À quelques rues de là, il atteignit le lieu où siégeait le comité d'audition, essoufflé, débraillé et incroyablement agacé d'être dans une forme physique si déplorable.

— Arrêtez ! haleta-t-il en franchissant les portes en trombe.

Il se plia en deux, les mains sur les genoux, pour tenter de reprendre son souffle.

— Merci de vous joindre à nous, professeur Martin, l'accueillit David d'un ton empreint de sarcasme.

— J'ai fait… aussi vite… que j'ai pu. Qu'est-ce que… qu'est-ce qui se passe ?

Le doyen fit signe à son assistante d'aller chercher un verre d'eau pour l'enseignant mal en point, et ce dernier but volontiers. Cela lui laissa le temps de repérer Gabriel, à côté de son avocat.

David fronça les sourcils.

— Il semblerait que certaines choses ne vont pas dans votre département. Le Pr Emerson vient de nous avouer avoir courtisé Mlle Mitchell et avoir noué des liens amoureux avec elle, alors qu'elle était son étudiante. J'aimerais savoir depuis quand vous êtes au courant.

— Pardon ?

Jeremy s'empara d'une chaise et s'y laissa tomber lourdement.

— Vous nous avez dit que le Pr Emerson vous avait révélé sa liaison avec Mlle Mitchell ce semestre-ci, mais que vous étiez incapable de vous rappeler à quelle date précisément. Je me demandais si vous n'aviez jamais eu de soupçons le semestre dernier.

Confus, Jeremy fronça les sourcils.

— Je… quoi ?

— Gabriel Emerson a tenté de dissimuler sa relation avec son étudiante en transférant la supervision de son mémoire et ses travaux dirigés à Katherine Picton, expliqua le Pr Mwangi. Que saviez-vous à ce sujet, et quand l'avez-vous appris ?

Le directeur de département prit un air sinistre.

— Sans vouloir vous manquer de respect, cette enquête concerne-t-elle Gabriel ou moi ? On m'a dit que vous souhaitiez me poser des questions à propos de ce qui s'était produit entre Gabriel et Mlle Mitchell, mais on ne m'a pas signalé que j'étais soupçonné de quoi que ce soit, sinon j'en aurais informé l'Association des professeurs et serais venu avec mon représentant syndical.

Le Pr Mwangi referma brusquement la bouche.

— Inutile d'être sur la défensive, Jeremy. Nous souhaiterions simplement savoir si vous pourriez faire la lumière sur le récit que nous a fait le Pr Emerson. C'est tout.

Le doyen lança à Robert un regard cinglant.

— Nous reviendrons à la question des dates dans un moment. Je suis particulièrement intrigué par un e-mail que Mlle Mitchell a envoyé au Pr Emerson, dans lequel elle l'accuse de harcèlement sexuel et lui annonce qu'elle va renvoyer la bourse M.P. Emerson. Que pouvez-vous nous dire à ce sujet ?

Jeremy se tourna légèrement vers Gabriel.

Il n'avait aucune idée de ce que l'enseignant avait avoué ou non. Cela ne tenait pas debout. Il lui aurait été bien plus facile d'éviter une éventuelle sanction disciplinaire en gardant le silence. En se confessant, il avait remis sa carrière entre les mains du doyen, un acte tenant quasiment du hara-kiri universitaire. Qui plus est, il avait manifestement impliqué Jeremy dans ses aveux, et ce denier n'appréciait guère.

— Je ne suis pas au courant de ce harcèlement. À mon poste de directeur de la littérature italienne, mon dossier est vierge en ce qui concerne les infractions au règlement universitaire.

Il jeta un coup d'œil vers Meagan.

— Et je souhaiterais que mon dossier administratif soit inclus dans cette procédure.

Le doyen fit un signe à son assistante, consentant à la demande de Jeremy.

Il observa les conseillers.

— Mlle Mitchell aurait-elle déposé une plainte pour harcèlement ?

Les membres du comité secouèrent la tête.

— Puis-je voir l'e-mail ?

Le doyen fit un nouveau signe de tête à Meagan, qui tendit aussitôt une feuille de papier à Jeremy.

À bout de nerfs, il profita de l'occasion pour tenter de gagner du temps, espérant, en observant l'attitude de Gabriel, obtenir quelque indice sur ce qui avait bien pu lui passer par la tête. Mais ce dernier refusait obstinément de se tourner vers lui, se contentant de serrer les poings, le visage impassible.

— Mlle Mitchell n'ayant jamais porté plainte, j'en déduis qu'elle a certainement changé d'avis. Sans doute aura-t-elle envoyé cet e-mail dans la précipitation et s'en mord-elle aujourd'hui les doigts. Quoi qu'il en soit, elle ne semble pas lui en vouloir.

Il rendit la feuille de papier à Meagan.

— Que savez-vous de cette bourse ? s'enquit le Pr Chakravartty.

Jeremy se tourna brièvement vers lui avant de reporter son attention sur le doyen.

— J'ai informé le doyen par e-mail que le service des bourses avait été approché par une association caritative américaine dont le nom m'échappe. Cette organisation souhaitait accorder une bourse au meilleur étudiant de maîtrise de mon département. C'est tout ce que je sais.

— Quel est le rapport entre le Pr Emerson et la bourse ? voulut savoir le doyen.

Jeremy haussa les épaules.

– Il n'y en a aucun.

Le Pr Mwangi croisa les doigts sur la table.

– J'ai du mal à le croire. La coïncidence entre le nom, le département et l'étudiante est frappante. Mlle Mitchell semble avoir fait le lien entre cette bourse et le Pr Emerson… Sinon, pourquoi l'aurait-elle menacé de la retourner ?

Jeremy esquissa un sourire narquois.

– Vous souvenez-vous de ce à quoi ressemblait votre existence quand vous étiez étudiant ? Quand vous tentiez de subsister en ne consommant que du café et des nouilles chinoises, tout en manquant cruellement de sommeil ? Ces conditions sont souvent à l'origine de comportements fantasques chez les étudiants. Je suis certain que nous avons tous fait pire.

» Je vous garantis, dit-il avec un signe de tête en direction de Gabriel, que le Pr Emerson n'a rien à voir avec cette bourse. C'est moi qui l'ai accordée, en me basant sur le fait que Mlle Mitchell était la meilleure étudiante de maîtrise du département. Vous obtiendrez plus d'informations sur l'association caritative auprès de Tracy, au service des bourses, et vous pouvez consulter le dossier qu'elle a établi.

Comprenant que son directeur prenait ainsi sa défense, Gabriel tenta avec peine de dissimuler sa surprise. Ayant du mal à tenir en place sur son siège, il se passa une main dans les cheveux en attendant la réaction du doyen.

– Ce ne sera pas nécessaire.

Le doyen ôta ses lunettes et, d'un air songeur, mordilla l'extrémité d'une des branches.

– Comme je vous l'ai dit, le Pr Emerson a avoué sa liaison avec Mlle Mitchell et en prend l'entière responsabilité. De son propre aveu, il a profité de sa vulnérabilité et lui a promis qu'il « s'occuperait de tout ». Son appel au Pr Picton semble corroborer ces faits, tout comme la nervosité de Mlle Mitchell au cours de cette audition.

» Le Pr Emerson se trouvant en position de pouvoir par rapport à Mlle Mitchell, et puisque plusieurs témoins nous ont confirmé qu'il s'était d'abord montré très sévère avec elle, nous pensons que leur relation n'était pas consensuelle.

Il croisa alors le regard du Pr Chakravartty, qui hocha la tête d'un air triomphant.

– Nous sommes par conséquent disposés à excuser son parjure, puisqu'il a manifestement été commis sous la contrainte, et à rejeter toutes les accusations portées contre elle. À moins que vous n'ayez une raison de vous y opposer.

Gabriel lança à Jeremy un regard si intense que ce dernier grimaça légèrement.

— Je ne vois aucune raison de sanctionner Mlle Mitchell, en effet, répondit-il en tirant sur le col de sa chemise d'un air gêné.

— Nous inciterons Mlle Mitchell à réfléchir à la possibilité de porter plainte pour harcèlement. Cela dit, et compte tenu du fait que le professeur s'est montré particulièrement coopératif, je suis peu enclin à faire traîner cette affaire. Toutefois, je me demande si je ne vais pas recommander au président de placer votre département sous surveillance. Une autre de vos étudiantes, Mlle Peterson, a intenté une action en justice contre nous. Et Mlle Mitchell a porté plainte pour harcèlement contre elle. Cela fait beaucoup pour un seul semestre, professeur Martin. Que se passe-t-il dans votre département ? demanda le doyen en lui lançant un regard sévère.

Jeremy redressa les épaules.

— Je suis aussi étonné et bouleversé que vous. Mais vous ne pouvez pas me reprocher d'éviter de m'intéresser à la vie privée des étudiants et des professeurs de mon département.

— Non, mais nous attendons de vous que vous proposiez un environnement sain à nos étudiants, et particulièrement à nos étudiantes, intervint le Pr Chakravartty d'un ton ferme et empreint de réprobation.

Le doyen approuva d'un signe de tête.

— Je suis néanmoins conscient de votre dossier vierge et de la réputation de votre département. J'aimerais donc avoir votre avis sur les mesures que nous devrions prendre à la suite de ces infractions au règlement, et je vous invite à venir vous joindre à nous quand nous en discuterons.

D'un signe de la main, le doyen lui donna congé.

Jeremy s'éclaircit la voix.

— Je vous remercie, mais j'aimerais m'entretenir auparavant avec le Pr Emerson.

— Son témoignage a été consigné au procès-verbal. Meagan vous en fournira une retranscription.

— Étant son supérieur, je préférerais lui poser mes propres questions. En ma qualité de directeur de département, je doute que vous puissiez me refuser ce droit.

Le doyen fronça les sourcils.

— Très bien. Je vous accorde cinq minutes.

Après l'avoir salué de la tête, Jeremy se dirigea vers la porte, attendant que Gabriel aille le rejoindre.

D'un geste de la main, celui-ci empêcha John de le suivre et, les épaules affaissées, alla retrouver son vieil ami d'un pas lent.

— Putain, qu'est-ce que tu as foutu ? siffla Jeremy entre ses dents, en tournant le dos aux membres du comité.

Gabriel l'imita.

— Ils étaient sur le point de suspendre l'audition pour aller déjeuner et de poursuivre leur enquête. Julianne aurait perdu sa place à Harvard, sans parler du fait qu'elle risquait d'être sanctionnée pour fraude universitaire et parjure.

— Et que crois-tu qu'il va se passer, à présent ? Le doyen peut te renvoyer !

— Avant que je fasse ma déclaration, mon avocat a demandé l'indulgence du comité. Le doyen a accepté, à condition que je ne sois impliqué dans aucune activité criminelle.

Jeremy se frotta le visage à deux mains.

— Alors, tu as tout reconnu ? Tu es fou ? Tu aurais dû te taire.

— Et faire voler en éclats l'existence de Julianne ? Jamais !

Jeremy adressa à son collègue un long regard glacial.

— Ils pourraient te révoquer, insista-t-il. Si tu es renvoyé, aucune université ne voudra plus de toi. C'en sera terminé de ta carrière.

Les traits de Gabriel se durcirent.

— Je m'en moque.

— Eh bien, pas moi ! tempêta le directeur du département. Je n'ai pas l'intention de perdre l'un de mes meilleurs professeurs à cause d'une étudiante de maîtrise. Avec toutes les coupes budgétaires qui touchent notre département, je ne pourrai peut-être même pas te remplacer. Déjà que nous n'avons qu'un seul spécialiste de Dante… Comment pourrai-je diriger un département de littérature italienne digne de ce nom si je n'en ai plus ?

— Ce n'est pas mon problème.

— Je l'avais bien compris, s'indigna Jeremy en le fusillant du regard. Julianne et toi… et cette Christa, vous avez discrédité mon département en un clin d'œil. Même si j'obtenais l'autorisation de te remplacer, qui voudra travailler pour moi quand se répandra la nouvelle de l'action en justice intentée par Christa ? Sans parler de ton amourette avec Julianne !

— Il ne s'agit pas d'une amourette, s'obstina Gabriel. Le doyen m'a promis la confidentialité la plus totale. C'est pourquoi j'ai accepté de faire des aveux officiels.

Jeremy secoua la tête d'un air incrédule.

— Tu ne comprends pas, hein ? Je suis ton ami. Et tu me fais passer pour un imbécile devant mon supérieur. Il est tout à fait possible qu'ils mènent une enquête sur moi pour tenter de découvrir ce que je savais, et quand je l'ai appris. Je vais devoir comparaître devant Dieu sait combien de comités, et peut-être même au tribunal !

— Je suis désolé, répondit sèchement Gabriel.

— Il y a de quoi ! J'ai l'air d'un idiot qui a permis à un prédateur de s'en prendre à deux étudiantes. Tu as de la chance que Tara fasse partie du comité, et non d'une association féministe : elle t'aurait pendu par les couilles au milieu du campus.

Gabriel redressa les épaules.

— Je leur dirai que tu n'étais au courant de rien, et j'en supporterai les conséquences.

Jeremy s'approcha d'un pas, regardant son jeune collègue droit dans les yeux.

— Ne joue pas les martyrs avec moi. Tu fais souffrir quantité de personnes en voulant protéger ta conquête à tout prix. Et ma carrière est en jeu, à présent. Que crois-tu qu'il arrivera s'ils te renvoient ?

— S'ils essaient de me renvoyer, je les poursuivrai.

Le directeur planta les mains sur ses hanches.

— Ce sera trop tard. Dès que tu auras été exclu, ils l'apprendront à Harvard, et la maîtrise de Julianne n'aura plus aucune valeur. Tu vas anéantir sa réputation, la mienne, et celle des autres professeurs et étudiants de mon département. À cause de toi, on sera tous mis dans le même panier. Comment peux-tu nous faire ça ?

Il secoua la tête.

Gabriel garda le silence, serrant et desserrant lentement les poings.

Jeremy poussa un juron sonore. Il était sur le point de se détourner, quand Gabriel le saisit par le bras.

— Je suis désolé.

— Il est trop tard pour des excuses.

— Je ne m'étais pas rendu compte des répercussions que ça aurait sur toi et les autres. Je n'ai pas réfléchi.

Il s'interrompit, les traits tourmentés.

— Aide-nous. Je t'en prie…

Jeremy le dévisagea d'un air incrédule. Le Pr Emerson semblait désespéré, en proie à la panique, ce qui ne lui ressemblait vraiment pas.

— Tu as fait assez de dégâts comme ça en tentant de la protéger. Tu aurais dû tout nier en bloc.

— Le doyen l'aurait alors sanctionnée ou aurait fait traîner l'enquête.

— Elle aurait pu se présenter de nouveau l'an prochain.

— Et essuyer un refus catégorique. Plus l'enquête sera longue, plus il est probable qu'il y ait des fuites. Le milieu universitaire est petit, tu le sais bien.

— Bien sûr que je le sais, dit Jeremy en secouant la tête. Et tu es assez intelligent pour comprendre qu'il aurait mieux valu éviter de baiser avec une étudiante.

Gabriel s'empourpra et s'approcha de Jeremy d'un air menaçant.

— Je ne l'ai pas baisée.

— Bien sûr. En tout cas, c'est sur nous que ça retombe, lui répondit-il sèchement.

Furieux, Gabriel parvint néanmoins à garder le silence.

Jeremy observa son ami.

— Ma priorité est de protéger mon département. Mais je n'ai pas envie que ton existence ou celle de Julianne soient anéanties. Combien de jeunes femmes ont souffert à cause de leurs professeurs, tu n'es pas d'accord ?

L'enseignant garda le silence, les lèvres serrées.

— Je vais t'aider, mais on va le faire à ma façon. Compris ? Je ne vais pas tout risquer pour que tu puisses encore changer d'avis et tout foutre en l'air.

Gabriel réfléchit un instant puis hocha la tête.

— À présent, tout ce qu'il me reste à faire, c'est de convaincre le doyen qu'il vaut mieux qu'il t'inflige un léger avertissement plutôt qu'une importante sanction.

Sans se donner la peine de le saluer, Jeremy regagna l'autre bout de la pièce et se joignit aux membres du comité en pleine délibération.

Gabriel baissa la tête, parvenant tout juste à contenir un soupir de soulagement.

## 25

Lorsque Meagan fit revenir Julia et Soraya dans la salle, l'étudiante s'était rongé les ongles jusqu'au sang, et l'avocate était énervée comme jamais.

Julia reporta aussitôt son attention sur Gabriel et fut contrariée par ce qu'elle vit. Il était penché sur sa chaise, les épaules voûtées, les mains croisées entre ses genoux, la tête baissée.

Elle le regarda fixement, espérant qu'il se tournerait vers elle.

Mais ce ne fut pas le cas.

Le Pr Martin était assis à côté de lui, les bras croisés.

Il ne semblait guère ravi.

— Permettez-moi d'aller droit au but, mademoiselle Mitchell. À la lumière du témoignage du Pr Emerson, vous êtes disculpée de toutes les charges portées contre vous. Nous informerons le secrétariat général que vous pouvez conserver la note qui vous a été attribuée par le Pr Emerson pour l'UV.

Au verdict du doyen, Julia ouvrit la bouche de stupéfaction.

— Nous ferons notre possible pour éviter toutes représailles.

Il lança un regard noir en direction de Gabriel.

— Si le Pr Emerson vous importune de quelque manière que ce soit, ou si vous avez la moindre inquiétude à propos des répercussions que pourrait avoir votre ancienne liaison avec lui, merci d'en informer aussitôt le Pr Martin. Vous êtes libre de porter plainte contre le Pr Emerson, mais vous devrez le faire dans les soixante jours suivant la remise du dernier travail universitaire de votre cursus.

Le doyen adressa un signe de tête à Soraya.

— Je suis certain que votre avocate saura vous expliquer par le détail la partie du règlement concernant le harcèlement. Je sais que vous avez déposé une plainte contre Mlle Peterson, mais, compte tenu de l'issue de cette audition, nous espérons qu'elle et vous parviendrez à vous entendre et que vous renoncerez à ces poursuites. Vous êtes libre.

Il fouilla dans ses documents.

— Nous vous remercions, professeur Aras, déclara Soraya avec un large sourire, adressant à Tara un hochement de tête et un regard entendus.

— Je ne suis pas une victime, s'obstina Julia.

— Pardon ? demanda le doyen en la regardant par-dessus la monture de ses lunettes.

— J'ai dit que je n'étais pas une victime. Notre relation était consensuelle. Que se passe-t-il ?

Elle se tourna vers Gabriel. Qui garda les yeux rivés sur le plancher.

— Mademoiselle Mitchell, le comité vous assure qu'il accordera au Pr Emerson toute l'attention qu'il mérite, lui déclara avec douceur le Pr Mwangi. Mais à la lumière de ses aveux, nous le tenons pour responsable de ses actes, et nous veillerons à votre bien-être.

— Mon bien-être est lié au sien. S'il est sanctionné, sanctionnez-moi aussi.

Elle s'approcha de la table derrière laquelle siégeait le comité.

Gabriel leva brusquement la tête et lança à Julia un regard furieux.

— Mademoiselle Mitchell, l'université a pour mission de protéger les étudiants de leurs enseignants. Laissez-nous faire notre travail, je vous prie, intervint le Pr Chakravartty d'un ton bien loin d'être antipathique.

— Nous sommes tous les deux responsables de cette situation. S'il est coupable, moi aussi.

— Pas nécessairement.

— Alors, répétez-moi ce qu'il a dit ! Donnez-moi l'occasion de lui répondre.

Julia se tourna vers les conseillers avec un air désespéré et les dévisagea l'un après l'autre, espérant que l'un d'eux, n'importe lequel, céderait à sa requête.

— Le Pr Emerson a reconnu avoir eu avec vous une relation inappropriée alors que vous étiez encore son étudiante. Le Pr Picton a confirmé avoir noté votre travail et dirigé votre mémoire. Nous sommes donc disposés à faire preuve d'indulgence envers lui. À moins que vous n'insistiez pour que ce ne soit pas le cas.

— Bien sûr que j'insiste ! Je veux que vous le laissiez partir !

Les conseillers secouèrent la tête.

— Pourquoi préférez-vous le croire plutôt que moi ? C'est moi, l'étudiante. Vous devriez prendre mon témoignage plus au sérieux. Il ne m'a fait aucun mal. Il faut me croire ! poursuivit-elle d'un ton désespéré, au bord des larmes.

— Mademoiselle Harandi, maîtrisez votre cliente ! commença à s'emporter le doyen.

— Je vous en prie, insista Julia en s'approchant des membres du comité. Vous devez me croire. Libérez-le !

— Nous vous demanderons, ainsi qu'à toutes les autres parties, de signer un accord de confidentialité, aussi bien pour votre protection que pour l'intégrité de cette procédure. Encore une fois, en cas de problème, veuillez en informer le Pr Martin, poursuivit le doyen avant d'adresser un signe de tête à Soraya.

— Venez, Julia, dit l'avocate en la tirant vainement par le bras. Partons avant qu'ils ne changent d'avis.

— Que s'est-il passé, Gabriel ?

Elle s'approcha de lui, mais le bout pointu de sa botte se prit dans le tapis et elle tomba à genoux.

Elle a croisé enfin le regard de Gabriel, quand il baissa les yeux sur elle. Elle prit une lente inspiration à la vue de la froideur et du vide de son regard bleu. Il baissa la tête.

Et, brusquement, la réaction de l'enseignant lui glaça le sang.

# 26

– « Il y a quelque chose de pourri au royaume du Danemark »,
récita Soraya en s'adossant au lavabo des toilettes des femmes, alors
que sa cliente sanglotait doucement sur une chaise.

Elle tira son BlackBerry de sa serviette et parcourut ses e-mails avant
de remettre son maudit appareil à sa place.

– Je connais John. Je suis certaine que son plan était de ne rien
dire, puis d'intenter une action en justice. Il aurait tenté de démontrer
que tout était votre faute, ce qui aurait été le socle de la défense de
Gabriel. Je ne l'imagine pas donner son aval pour ce genre de stratégie.

Elle regarda fixement sa cliente, l'œil sévère.

– Vous êtes au courant de quelque chose ? D'un secret que Gabriel
redoute de vous voir révéler ? D'une information qui pourrait lui être
extrêmement préjudiciable ?

Julia secoua la tête avec véhémence. Les drogues appartenaient au
passé, sa vie dissolue aussi, ainsi que sa liaison avec le Pr Singer. Bien
sûr, il y avait le problème des illustrations de Botticelli qu'il avait
acquises au marché noir, mais elle n'en révélerait jamais l'existence à
qui que ce soit, et certainement pas à Soraya.

– Vous en êtes sûre ? insista-t-elle en plissant les yeux.

– Je ne sais rien, renifla Julia en s'essuyant le nez avec un mouchoir
en papier.

L'avocate jeta ses longs cheveux noirs en arrière.

– Alors, il vous cache quelque chose, à vous aussi. Je ne vois pas ce
qui pourrait lui faire plus de tort que d'avouer une relation inappropriée avec vous. Il semblait que vous n'aviez pas couché ensemble avant
décembre…

– C'est le cas.

— Alors, pourquoi leur a-t-il dit que vous étiez ensemble quand vous étiez encore son étudiante ?

— Vous croyez qu'ils vont le renvoyer ? demanda Julia, changeant de sujet.

— Non, répondit Soraya en soupirant bruyamment. Emerson est titulaire, et d'après l'attitude des membres du comité, il a le soutien de ses collègues. Mais qui sait ? David est un enfoiré de moralisateur.

— Vous ne croyez pas que c'est pour me protéger qu'il a menti ?

Soraya réprima un sourire condescendant, déplacé en un moment pareil.

— Les êtres humains sont égoïstes. Il se protégeait lui-même... en dissimulant un secret qu'il ne veut pas révéler, ou en échangeant un aveu contre l'indulgence du comité. Gabriel a agi en solitaire, il a refusé de laisser John démentir les accusations. Sinon, on attendrait encore dans le couloir.

Julia se dirigea vers le lavabo et se passa de l'eau sur le visage et les mains, tentant de retrouver un air présentable.

L'avocate secoua la tête.

— Je ne voudrais pas vous paraître insensible, mais je ne crois vraiment pas qu'il mérite toutes ces larmes.

— Que voulez-vous dire ?

— Je suis certaine que vous n'étiez qu'une intéressante distraction. Il vous a probablement fait de belles promesses pour que vous acceptiez de coucher avec lui et de la fermer. Mais on ne peut pas se fier à ce genre d'hommes. Ils ne changent jamais.

Devant l'air horrifié de Julia, elle s'empressa de poursuivre.

— Je n'avais pas l'intention d'y faire allusion, mais l'une de mes amies est sortie avec lui à deux ou trois reprises. Ils ont fait connaissance dans un bar, il y a un an à peu près, et ils ont fini dans les toilettes. Un jour, l'automne dernier, il l'a appelée sans crier gare. Ils sont de nouveau sortis ensemble, et elle n'a plus eu de nouvelles de lui. Comme s'il s'était volatilisé.

Elle jaugea la réaction de Julia.

— Qu'est-ce qui vous pousse à rester avec un homme pareil ? Je suis sûre qu'il couche à droite à gauche depuis qu'il est avec vous.

— Vous ne le connaissez pas, ne le jugez pas, rétorqua l'étudiante d'un ton plutôt agressif.

Soraya se contenta de hausser les épaules avant de fouiller dans sa serviette à la recherche de son rouge à lèvres.

Les yeux fermés, Julia prit une profonde inspiration, tentant de traiter ces nouvelles informations.

*Gabriel et moi avons commencé à nous rapprocher l'automne dernier… Couchait-il avec quelqu'un d'autre quand il m'envoyait des fleurs et des e-mails ? Me mentait-il à propos de Paulina ?*

Julia ne savait plus que croire. Son cœur lui dictait de faire confiance à Gabriel, mais elle ne pouvait nier que Soraya venait de susciter le doute en elle.

Désireuses de quitter les lieux, elles longèrent le couloir en direction de l'escalier.

John et Gabriel en faisaient autant. Aucun d'eux ne semblait ravi.

– Gabriel ! s'écria Julia.

John lui lança un regard noir.

– Allons-y, Gabriel. Il ne faut pas qu'on te voie avec elle.

Julia croisa son regard tourmenté. Il ne semblait plus dégoûté, il avait l'air sérieux et inquiet.

– Vous n'avez pas fait assez de dégâts pour aujourd'hui ? lâcha John quand elle s'approcha d'eux d'un pas hésitant.

– Ne lui parle pas sur ce ton, rétorqua Gabriel en s'interposant entre eux.

Il ne la regardait toujours pas.

– Écoutez, tous les deux ! David et ses sbires ne vont pas tarder à franchir cette porte, et je préférerais ne plus être là quand ce sera le cas. Alors, si vous avez quelque chose à vous dire, faites-le vite, intervint sèchement Soraya.

– Il faudra me passer sur le corps, répliqua John en la foudroyant du regard. On a suffisamment de problèmes comme ça. Allez, viens.

Gabriel lança à son avocat un regard d'avertissement et se tourna vers Julia en serrant les dents.

– Que se passe-t-il ? Pourquoi leur as-tu dit que notre relation était inappropriée ? s'enquit la jeune femme en levant les yeux vers son regard tourmenté.

– Tu n'as pas conscience de ta propre détresse, lui chuchota Gabriel d'un ton pressant en se penchant vers elle.

– Que veux-tu dire ?

– Il veut dire qu'il vient de sauver votre peau, voilà ce qu'il veut dire ! intervint John en pointant un doigt méprisant vers elle. Et vous, que tentiez-vous de faire en vomissant des sentiments tout au long de cette audience ? Je savais que vous étiez naïve, mais je ne vous croyais pas si stupide.

– John, retire ton doigt du visage de Mlle Mitchell ou je te l'arrache, le menaça Gabriel d'un ton paisible mais glacial. Ne lui parle plus sur ce ton. Plus jamais. Me suis-je bien fait comprendre ?

John garda le silence.

Soraya profita de l'occasion pour le mettre sur la défensive.

– Ma cliente préférerait que l'un comme l'autre, vous évitiez les excès. Évite de faire comme si tu n'allais pas tout lui mettre sur le dos pour sauver ton client, enfoiré de lâche !

Pour toute réponse, John marmonna un juron.

Julia se tourna vers Gabriel, qui conserva son air impassible.

– Pourquoi le doyen a-t-il dit qu'ils allaient me protéger de toi ?

– Il faut qu'on y aille. Immédiatement.

John tenta de séparer le couple, quand un bruit dans la salle d'audience laissa penser que les conseillers étaient sur le point de sortir.

– Ils t'ont renvoyé ? demanda-t-elle d'une voix tremblante.

Gabriel lui adressa un regard affligé, puis secoua la tête.

– Bien joué, John. Je suis sûre que tu dois être fier de toi, siffla Soraya. As-tu été obligé de vendre ton âme à David ? Ou peut-être ton corps ?

– Lâche-moi, Soraya !

– Bien que tu n'aies pas perdu ton poste, tu ne peux plus m'adresser la parole ? Et que fais-tu de la nuit dernière, Gabriel ? demanda Julia en tendant un doigt tremblant vers sa main, mais il recula avec un regard oblique vers les deux avocats et secoua la tête.

– Tu m'avais promis de ne jamais me baiser. Mais que s'est-il passé la nuit dernière ? Pas un mot, pas un « je t'aime », pas même un SMS, ce matin. Ce n'était donc que ça pour toi, une « baise d'adieu » ?

Interrompue par un sanglot involontaire, elle haussa soudain le ton.

– Qui c'est, le « baiseur d'anges », à présent ?

Gabriel tressaillit.

Il recula, titubant comme un homme qui vient de recevoir un coup de poing. Fermant les yeux, il poussa un gémissement, encaissant le choc et serrant les poings.

Tout le monde le vit blêmir.

– Tu me fais de la peine, Julianne, chuchota-t-il.

– Tu conserves ton travail, mais tu ne me parles plus ? Comment peux-tu me faire ça ? s'écria-t-elle.

Il rouvrit les yeux, étincelants comme deux saphirs.

– Tu crois que je me suis simplement pointé chez toi, que je t'ai « baisée », et que c'était ma façon de te faire mes adieux ?

Julia vit qu'il tremblait, tentant de se maîtriser.

— C'étaient des… adieux ?

Sa voix achoppa sur le dernier mot.

Il plongea son regard dans le sien, comme pour tenter de lui communiquer quelque chose. Il se pencha, le nez à quelques centimètres du sien, et lui dit de façon presque inaudible :

— Je ne t'ai pas baisée. Jamais je ne t'ai baisée.

Il recula légèrement pour mettre un peu de distance entre eux et prit une longue inspiration.

— Tu risquais de tout perdre pour rien… Toutes ces années de dur labeur, tout ce dont tu rêvais et tout ce que tu espérais sans jamais pouvoir le réaliser. Il était hors de question que je te regarde commettre un suicide universitaire sans intervenir. Je t'ai dit que j'étais prêt à aller jusqu'en enfer pour te porter secours, et c'est ce que je viens de faire. Et, s'il le fallait, je recommencerais.

Il redressa le menton.

Julia bondit, lui plantant un doigt sur la poitrine.

— Je t'interdis de prendre des décisions à ma place ! C'est ma vie et ce sont mes rêves. Si je veux les abandonner, qui es-tu pour m'en empêcher ? Tu es censé m'aimer, Gabriel. Tu es censé me soutenir quand je me défends. N'est-ce pas ce que tu voulais que je fasse ? Au lieu de ça, tu négocies un accord avec eux et tu me laisses tomber ?

— Vous voulez bien la fermer, tous les deux ? siffla Soraya. Le doyen va franchir cette porte d'une minute à l'autre. Venez, Julia. Immédiatement.

Elle tira sa cliente par le bras, tandis que John tentait de s'interposer entre les amants querelleurs.

— Alors, c'est tout ? Ils disent que c'est terminé, et c'est terminé ? Depuis quand suis-tu les règles, Gabriel ? demanda Julia, toujours aussi furieuse.

L'intéressé changea aussitôt d'expression.

— Je n'avais pas le choix, Héloïse, chuchota-t-il. Les circonstances étaient indépendantes de…

— Il me semblait que j'étais Béatrice. Bien sûr, Abélard a abandonné Héloïse pour garder son travail. Ce nom me convient donc parfaitement, lâcha-t-elle en s'écartant de lui.

Au même instant, le Pr Martin sortit de la salle. Il s'approcha en grimaçant.

Gabriel se détourna, baissant davantage la voix.

— Lis ma sixième lettre, le quatrième paragraphe.

Julia secoua la tête.

– Je ne suis plus votre étudiante, monsieur le professeur. Je n'ai que faire de vos consignes.

Soraya entraîna sa cliente, et les deux femmes se hâtèrent de descendre l'escalier, alors que les membres du comité quittaient la salle d'audience.

# 27

Dès que Julia eut disparu, Gabriel alla se réfugier dans les toilettes pour hommes. Il ne pouvait prendre le risque de l'appeler, car Jeremy pouvait arriver à tout moment, mais il était loin d'être satisfait de l'idée qu'elle s'était faite de la situation. Après avoir ouvert un robinet pour faire du bruit, il rédigea un court e-mail sur son iPhone. Puis l'ayant envoyé, il referma le robinet et regagna le couloir, rangeant son téléphone dans la poche de sa veste. Il fit de son mieux pour sembler triste et déprimé. En approchant des deux hommes, il entendit sonner le portable de Jeremy.

*
* *

Quand Julia se réveilla, le lendemain matin, sa torpeur s'était quelque peu estompée. Le sommeil lui avait permis d'échapper un temps à la réalité. Mais pas aux cauchemars. Elle en avait fait plusieurs, tous lui rappelant le jour où elle s'était réveillée seule dans la pommeraie. Effrayée et se sentant perdue... et Gabriel était introuvable.

Il était presque midi quand elle sortit enfin de son lit pour consulter ses messages. Elle s'était attendue à recevoir un SMS ou un e-mail, même d'une ligne en guise d'explication. Mais il n'y avait rien.

Il s'était comporté de manière si étrange, la veille. D'un côté, il lui avait affirmé qu'il ne l'avait pas « baisée », et de l'autre, il l'avait appelée « Héloïse ». Elle refusait de le croire suffisamment cruel pour mettre fin à leur relation avec un jeu de mots, mais il avait employé le terme « adieux ».

Elle se sentait de plus en plus trahie, car il lui avait promis de ne jamais l'abandonner. Il s'était bien trop empressé de revenir sur sa promesse, trouvait-elle, alors que l'université n'avait aucun droit de regard sur sa vie privée puisqu'elle n'était plus son étudiante.

Une sombre idée lui traversa l'esprit. Peut-être s'était-il lassé d'elle et avait-il décidé de mettre un terme à leur union ? Sans doute l'université lui avait-elle simplement donné l'occasion qu'il attendait.

Si sa dispute avec Gabriel avait eu lieu quelques mois plus tôt, elle serait restée au moins trois jours au lit, mais elle préféra l'appeler pour lui demander des explications. Aucune réponse. Elle lui laissa un message bref et concis, lui demandant de la rappeler.

Agacée, elle se doucha, espérant mettre ce temps à profit pour tenter d'évaluer plus clairement la situation. Malheureusement, elle ne put songer à autre chose qu'à cette soirée en Italie quand Gabriel l'avait savonnée sous la douche et lui avait lavé les cheveux.

Après s'être habillée, elle décida de se lancer à la recherche de la sixième lettre de Gabriel pour en lire le quatrième paragraphe. Il lui avait laissé un indice, se dit-elle, sur ce qui s'était réellement produit. Il lui suffisait de mettre la main dessus.

Elle ignorait ce qu'il avait voulu dire par « lettre ». S'agissait-il d'e-mails, de SMS ? Des deux ? S'il avait compté les e-mails, les cartes et les mots qu'il lui avait rédigés depuis le début de leur relation, d'après ses calculs, la sixième lettre était un mot qu'il lui avait laissé le lendemain de leur horrible dispute pendant le cours sur Dante. Par bonheur, elle l'avait conservé.

Elle s'empara du morceau de papier et le lut avec une certaine impatience.

« Julianne,
J'espère que tu trouveras tout ce dont tu as besoin.
Dans le cas contraire, Rachel range sa trousse de toilette et ses affaires dans la salle de bains de la chambre d'amis. Fais comme chez toi.
Mes vêtements sont à ta disposition.
N'hésite pas à prendre un pull, il fait plutôt froid, aujourd'hui.
Amicalement,
Gabriel. »

Julia n'était pas vraiment d'humeur à se lancer dans une enquête ni à tenter de déchiffrer des messages complexes. Néanmoins, elle porta son attention sur le quatrième paragraphe et essaya de comprendre ce qu'il avait bien pu tenter de lui dire.

Il lui avait prêté son pull vert anglais, mais elle le lui avait rendu. Tentait-il de lui demander de jeter un coup d'œil à l'un des vêtements qu'il lui avait achetés ? Elle sortit des placards tout ceux qu'il lui avait offerts et ceux qu'elle lui avait empruntés et les disposa sur son lit. Elle s'obligea à prendre le temps d'examiner chacun d'eux. Mais elle ne découvrit rien de spécial.

Tentait-il de lui dire de laisser passer l'orage ? Ou de lui indiquer que l'affection qu'il avait pour elle était retombée et qu'il s'agissait d'adieux ?

Furieuse, elle se dirigea d'un pas lourd vers la salle de bains pour se laver les mains et jeta un coup d'œil à son reflet dans le miroir. La jeune fille nerveuse et naïve de la rentrée avait disparu. Il ne restait qu'une femme bouleversée au teint pâle, aux lèvres pincées et au regard sévère. Ce n'était plus le lapin timide, ni la Béatrice de dix-sept ans, mais Julianne Mitchell, bien près d'avoir sa maîtrise et refusant de continuer à se contenter des miettes que les autres daignaient lui jeter.

*S'il a un message à me transmettre, il n'a qu'à me le laisser en personne,* pensa-t-elle. *Je ne vais pas me lancer dans une chasse au trésor pour qu'il puisse soulager sa conscience.*

Oui, elle l'aimait. En consultant l'album photo qu'il avait composé pour son anniversaire, elle comprit qu'elle l'aimerait à tout jamais. Mais l'amour n'autorisait pas la cruauté. Elle n'était pas un jouet, une Héloïse que l'on pouvait abandonner. S'il voulait rompre avec elle, elle l'obligerait à le lui dire en face. Elle allait simplement lui donner jusqu'au soir même pour le faire.

En début de soirée, elle se rendit au Manulife Building, la clé de l'appartement de Gabriel en poche. À chacun de ses pas, elle imaginait ce qu'elle lui dirait. Elle ne fondrait pas en larmes, se promit-elle. Elle serait forte. Et elle exigerait des explications.

À l'angle de sa rue, non loin de l'entrée de son immeuble, elle aperçut une grande blonde impeccablement vêtue qui sortait du bâtiment. La femme se tourna vers elle puis tapa du pied avec une certaine impatience tandis que le portier hélait un taxi.

Julia se tapit derrière un arbre. Elle passa la tête pour jeter un coup d'œil.

Elle crut tout d'abord qu'il s'agissait de Paulina, mais comprit rapidement son erreur. Avec un soupir de soulagement, elle s'approcha de l'immeuble. Voir Paulina en ce jour si particulier l'aurait anéantie. Mais il ne lui aurait pas fait cela. Il était censé être son Dante, l'aimer assez pour traverser l'enfer afin de la protéger ; pas pour rappeler Paulina au moment même où leur relation était menacée.

Avec une certaine anxiété, elle pénétra dans le hall et salua d'un signe de la main le vigile, qui la reconnut. Elle préféra éviter d'annoncer sa présence à Gabriel et se diriger directement vers l'ascenseur. Elle frissonna en se demandant ce qu'elle allait trouver chez lui.

Sans se donner la peine de frapper, elle se contenta d'entrer, redoutant de découvrir Gabriel dans une situation compromettante. Mais dès qu'elle eut refermé la porte, quelque chose d'étrange attira son attention. L'appartement était entièrement plongé dans l'obscurité, et le placard du couloir était ouvert et à demi vidé, des cintres et des chaussures jetés pêle-mêle sur le sol. Un tel désordre ne lui ressemblait pas du tout.

Elle appuya sur plusieurs interrupteurs et déposa la clé sur la table où il mettait toujours les siennes. Elles n'y étaient pas.

– Gabriel ? Il y a quelqu'un ?

Elle se dirigea vers la cuisine et fut bouleversée par ce qu'elle découvrit. Une bouteille de scotch vide gisait sur le comptoir, à côté d'un verre brisé, des assiettes et des couverts sales emplissaient l'évier.

S'attendant au pire, elle découvrit une trace sur le mur près de la cheminée et des morceaux de verre par terre. Elle s'imagina très bien Gabriel jetant son scotch de rage, mais eut plus de mal à accepter qu'il puisse laisser les choses en l'état au risque de se blesser.

Rongée par l'inquiétude, elle emprunta le couloir dans l'obscurité, jusqu'à la chambre. Des vêtements étaient éparpillés sur le lit, les tiroirs de la commode à demi ouverts. Son dressing était lui aussi en pagaille, et elle remarqua qu'un certain nombre de ses vêtements manquaient, ainsi que sa grande valise.

Mais ce qui la troubla le plus, c'est que toutes leurs photos auparavant sur les murs étaient empilées sur le lit.

Horrifiée, elle retint un cri en remarquant que la reproduction de la toile de Holiday représentant Dante et Béatrice, décrochée, était à présent appuyée contre le buffet, face contre le mur.

Bouleversée, elle se laissa tomber sur une chaise.

*Il est parti*, se dit-elle.

Elle éclata en sanglots, se demandant comment il avait pu revenir si facilement sur ses promesses. Elle fouilla vainement l'appartement, à la recherche d'un mot ou d'un signe qui aurait pu lui indiquer sa destination. À la vue du téléphone, elle envisagea d'appeler Rachel. Mais la simple idée de devoir lui dire que leur relation était terminée lui semblait insupportable.

Après un dernier regard alentour, elle éteignit toutes les lumières et, sur le point de quitter l'appartement, se figea. Une chose l'intriguait. Elle referma la porte et regagna la chambre de Gabriel pour chercher quelque chose à tâtons. Ne le trouvant pas, elle alluma.

La photo prise par Rachel au Lobby quelques mois plus tôt et posée par Gabriel sur sa commode avait disparu. Elle représentait Julia dansant avec lui, qui la regardait avec une certaine ardeur.

Elle demeura immobile un long moment, le regard rivé sur la commode. L'avait-il détruite ? Après une rapide inspection de la corbeille à papiers et de la poubelle, elle eut la certitude qu'il ne l'avait pas jetée.

Ne comprenant pas pourquoi il était parti sans aucune explication, elle commença à se poser des questions.

En jetant un dernier coup d'œil dans le dressing, elle envisagea de récupérer ses affaires. Mais, curieusement, elle avait l'impression que ces vêtements ne lui appartenaient plus.

Un instant plus tard, elle attendait de nouveau l'ascenseur, abattue. Elle sécha quelques larmes et sentit son nez couler. Elle chercha hâtivement un Kleenex dans ses poches, sans succès, ce qui fit redoubler ses sanglots.

— Tenez, dit une voix derrière elle, tandis qu'on lui tendait un mouchoir en tissu.

Julia l'accepta volontiers, remarquant les initiales « S.I.R. » brodées dessus. Après avoir séché ses yeux, elle tenta de le rendre à son propriétaire, mais celui-ci agita les mains en signe de refus.

— Ma mère m'offre toujours des mouchoirs. J'en ai des dizaines.

Levant les yeux vers le regard brun brillant derrière une paire de lunettes sans montures, elle reconnut un voisin de Gabriel. Il portait un gros manteau de laine et un béret de la marine.

Il lui tint poliment la porte de l'ascenseur.

— Y a-t-il un problème ? Je peux vous aider ? s'enquit-il, la ramenant à la réalité.

— Gabriel est parti.

— Oui, je l'ai croisé. Il ne vous l'a pas dit ? Il me semblait que vous étiez sa...

Il fronça les sourcils en remarquant les yeux de Julia pleins de larmes et la regarda d'un air interrogateur.

Elle secoua la tête.

— Plus maintenant.

— Je suis désolé.

Ils poursuivirent leur descente en silence. De nouveau, il lui tint la porte.

Elle se tourna vers lui.

— Savez-vous où il est allé ?

Le voisin l'accompagna jusqu'au hall d'entrée.

– Non. Je ne le lui ai pas posé de question. Il était dans tous ses états, voyez-vous ?

S'approchant, il baissa d'un ton.

– Il empestait le scotch et semblait absolument furieux. Pas vraiment d'humeur à bavarder.

Elle esquissa un sourire larmoyant.

– Je vous remercie. Désolée de vous avoir importuné.

– Vous ne m'importunez pas. J'imagine qu'il ne vous a pas prévenue de son départ.

– En effet.

Elle s'essuya le visage avec son mouchoir.

Le voisin marmonna quelques mots en français à propos de Gabriel. Quelque chose qui ressemblait peu ou prou à « ordure ».

– Je peux lui transmettre un message à son retour, lui proposa-t-il. Il a tendance à venir sonner chez moi quand il manque de lait.

Elle garda le silence, puis déglutit à grand-peine.

– Dites-lui simplement qu'il m'a brisé le cœur.

À contrecœur, le voisin lui adressa un signe de tête peiné avant de prendre congé.

Elle sortit de l'immeuble et affronta le vent vivifiant, entamant sa longue marche vers chez elle. Seule.

# 28

Quelques heures après l'audition, Gabriel était assis chez lui dans la pénombre, éclairé par la seule lueur des flammes bleues et orangées dans l'âtre. Il se sentait cerné par « elle ». Par son souvenir par son fantôme.

Les yeux fermés, il aurait juré sentir son parfum et entendre son rire dans le couloir. Sa chambre ressemblait à un autel, raison pour laquelle il s'était installé devant la cheminée.

Il ne supportait plus de voir les grandes photos en noir et blanc. Surtout celle au-dessus de son lit.

*Julianne dans toute sa splendeur, étendue à plat ventre, le dos nu, en partie enroulée dans un drap, le regardant avec admiration, ses cheveux ébouriffés et son sourire comblé respirant le sexe...*

Il avait des souvenirs d'elle dans chaque pièce. Certains joyeux, d'autres aussi amers que du chocolat noir. Il se dirigea vers la salle à manger et se servit deux doigts de son meilleur scotch, qu'il but d'un trait, se délectant de la sensation de brûlure dans sa gorge. Il tenta désespérément d'oublier Julia debout devant lui, lui enfonçant furieusement son doigt dans la poitrine.

« Tu es censé m'aimer, Gabriel. Tu es censé me soutenir quand je me défends. N'est-ce pas ce que tu voulais que je fasse ? Au lieu de ça, tu négocies un accord avec eux et tu me laisses tomber ? »

Se souvenant de la lueur blessée dans son regard, il jeta son verre contre le mur, le regardant voler en éclats et tomber à terre. Il y avait des morceaux de cristal comme des glaçons partout sur le plancher, scintillant à la lueur des flammes.

Il savait ce qu'il lui restait à faire. Il lui fallait simplement en trouver le courage. S'emparant de la bouteille, il se dirigea à contrecœur vers la chambre. Deux gorgées plus tard, il fut à même de jeter sa valise sur le lit. Il ne se donna pas la peine de plier ses vêtements et se contenta de prendre le strict nécessaire.

Il comprit ce que l'on ressentait en étant banni. Il comprit les larmes d'Ulysse quand celui-ci se retrouva loin de chez lui, de sa femme et des siens. À présent, il comprenait ce qu'était l'exil.

Quand il en eut terminé, il saisit la photo sur sa commode et la glissa dans sa serviette. Passant tendrement le doigt sur le visage de sa bien-aimée, il vida un autre verre de scotch avant de tituber jusqu'à son bureau.

Il fit comme si le fauteuil de velours rouge n'existait pas, car il savait que s'il le regardait il la verrait lisant un livre, lovée dedans comme un chat. Elle se mordillerait la lèvre inférieure, fronçant ses adorables sourcils d'un air songeur. Un homme avait-il déjà aimé, adoré, vénéré une femme plus que lui ?

*À part Dante, je ne crois pas*, pensa-t-il. Et il eut une soudaine inspiration. Il déverrouilla l'un des tiroirs de son bureau – son tiroir aux souvenirs. Il y avait rangé l'échographie de Maia ainsi que les rares vestiges de son enfance : la montre à gousset de son grand-père, quelques bijoux de sa mère, le journal de celle-ci et des vieilles photos. Il s'empara d'une de ces dernières ainsi que d'une illustration, avant de les fourrer dans sa poche et de refermer le tiroir. Prenant juste le temps d'ouvrir une boîte de velours noir et d'en tirer une bague, il se dirigea vers la porte.

À l'air frais, Gabriel dessoûla rapidement sur le chemin de son bureau. Il espérait y trouver ce qu'il cherchait.

Le bâtiment dans lequel se trouvait le département de littérature italienne était plongé dans l'obscurité. En allumant la lumière dans son bureau, il fut assailli par ses souvenirs : la première fois qu'il avait convoqué Julia, se montrant incroyablement grossier avec elle ; quand elle s'était tenue devant cette même porte, après ce cours désastreux, et elle lui avait déclaré qu'elle n'était pas heureuse ; quand elle lui avait avoué qu'elle ne voulait pas de Paul… Il se frotta les yeux de ses mains, comme si cela pouvait l'aider à repousser ces images.

Il remplit sa jolie serviette de cuir des dossiers dont il avait besoin et de quelques livres, avant de parcourir ses étagères des yeux. Il mit enfin la main sur le manuel qu'il cherchait et poussa un soupir de soulagement. Il y rédigea quelques mots et y ajouta son marque-page avant d'éteindre puis verrouilla la pièce.

Tous les membres du corps enseignant détenaient les clés du département où se trouvaient le bureau de Mme Jenkins et les boîtes à lettres. S'éclairant à l'aide de l'écran de son iPhone, il chercha un casier précis. Il y déposa le livre, passant amoureusement les doigts sur l'étiquette de la boîte. Il remarqua avec satisfaction la présence d'autres manuels dans les autres casiers, puis, le cœur lourd, quitta le bureau.

*
* *

Paul Norris était furieux. Il en voulait à l'homme le plus malfaisant au monde, Gabriel Emerson, qui avait insulté et séduit son amie avant de la laisser tomber.

S'il avait été fan de Jane Austen, il aurait comparé le Pr Emerson à M. Wickham. Ou peut-être à Willoughby. Mais ce n'était pas le cas.

C'était néanmoins tout ce qu'il pouvait faire pour éviter de se jeter sur l'enseignant et lui infliger la correction qu'il méritait depuis le début de l'année. De plus, Paul se sentait trahi. Depuis Dieu sait combien de temps, Julia sortait avec un homme qu'elle appelait « Owen ».

*Gabriel Owen Emerson.*

Peut-être avait-elle voulu qu'il comprenne. Mais cela ne lui avait jamais traversé l'esprit. Il l'avait traité de tous les noms, avait raconté tous ses secrets à la jeune femme… pour l'amour du ciel ! Ses secrets à propos du Pr Singer. Et tout en acceptant sa compassion, elle couchait avec « lui ». Inutile de se demander pourquoi elle avait juré ses grands dieux que ce n'était pas Owen qui l'avait mordue dans le cou, mais un autre enfoiré.

Il imagina le Pr Emerson faisant des choses perverses à Julia et à ses toutes petites mains. À la gentille et douce Julia qui rougissait pour un rien. À la Julia qui ne passait jamais devant un sans-abri sans lui donner quelque chose. Ce qui le faisait le plus souffrir, c'était que cette douce demoiselle avait partagé sa couche avec un monstre fasciné par la souffrance, qu'elle avait été le jouet du Pr Singer. Sans doute Julia aimait-elle ce genre de vie. Sans doute Gabriel et elle invitaient-ils aussi Ann à venir les rejoindre au lit. Après tout, elle avait choisi Soraya Harandi comme avocate. Cela ne signifiait-il pas qu'elle « connaissait » le Pr Douleur ?

Manifestement, l'étudiante n'était pas celle qu'il croyait. Mais ses soupçons changèrent de nature quand, le lundi suivant l'audition, il croisa Christa Peterson qui sortait du bureau du Pr Martin.

– Paul…

Elle le salua d'un air suffisant, ajustant sa montre hors de prix à son poignet.

Du menton, il désigna la porte du bureau du Pr Martin.

– Tu as des ennuis ?

– Oh, non ! s'empressa-t-elle de répondre avec un sourire bien trop grand. En fait, j'ai l'impression que le seul qui en ait ici, c'est Emerson. Tu ferais bien de chercher un nouveau directeur de thèse.

Il plissa les yeux.

– De quoi parles-tu ?

– Tu le découvriras bien assez tôt.

– Si Emerson me laisse tomber, il te laissera tomber aussi. Si ce n'est pas déjà le cas.

– C'est moi qui le laisse tomber, déclara-t-elle en rejetant sa chevelure derrière ses épaules. Je vais à Columbia à la rentrée prochaine.

– Ce n'est pas de là que vient Martin ?

– Transmets mes amitiés à Julia, veux-tu ?

Elle s'éloigna en riant.

Paul se lança à sa poursuite, la rattrapant par le bras.

– De quoi parles-tu ? Qu'as-tu fait à Julia ?

Elle libéra son bras et plissa les yeux.

– Dis-lui qu'elle s'en est prise à la mauvaise personne.

Elle s'éloigna pour de bon. Paul, sidéré, se demanda ce qu'elle avait bien pu faire.

*
* *

Julia ne se donna pas la peine de répondre aux messages et aux e-mails inquiets de Paul. Le mercredi suivant l'audition, il se tenait devant son immeuble et sonna chez elle.

Elle ne répondit pas.

Refusant de se laisser décourager, il attendit. Profitant de la sortie d'un voisin, il alla frapper directement à la porte de la jeune femme. Il dut s'y reprendre à plusieurs fois avant qu'elle demande d'une voix hésitante :

– Qui est-ce ?

– C'est Paul.

Il entendit un choc, comme si elle s'était frappé le front contre la porte.

– Je voulais prendre de tes nouvelles, vu que tu ne réponds pas au téléphone. J'ai ton courrier.

Il marqua un temps d'arrêt.

– Paul... Je ne sais pas quoi te dire...

– Ne dis rien. Montre-moi que tout va bien et je m'en irai.

Il l'entendit traîner les pieds.

– Julia, insista-t-il doucement. Ce n'est que moi.

Avec un grincement, elle ouvrit lentement la porte.

– Salut, dit-il en apercevant son visage méconnaissable.

Elle ressemblait vraiment à une gamine, le teint pâle, sa chevelure noire rassemblée tant bien que mal en queue-de-cheval. Des cernes violets soulignaient ses yeux vitreux injectés de sang. Elle donnait l'impression de ne pas avoir dormi depuis l'audience.

– Je peux entrer ?

Elle ouvrit un peu plus sa porte et il s'introduisit chez elle. Il n'y avait jamais vu un tel désordre : de la vaisselle sale un peu partout, le lit défait, et la table pliante ployant sous le poids de documents et de livres. Son ordinateur portable était allumé, comme s'il l'avait interrompue en plein travail.

– Si tu es venu me dire à quel point je suis bête, je crois que je ne le supporteras pas, annonça-t-elle d'un ton qu'elle voulait provocateur.

– J'ai été très contrarié en découvrant que tu m'avais menti.

Il changea son courrier de main et se gratta la tempe.

– Mais je ne suis pas là pour te mettre mal à l'aise. Je n'aime pas te voir souffrir.

Ses traits s'adoucirent.

Elle baissa les yeux sur ses chaussettes de laine violette et bougea les orteils.

– Navrée de t'avoir menti.

Il s'éclaircit la voix.

– Euh… je t'ai apporté ton courrier. Il y avait quelques trucs dans ta boîte, et je t'ai aussi apporté celui de la fac.

Elle le dévisagea d'un air inquiet.

Il leva la main, comme pour la rassurer.

– Il ne s'agit que de deux ou trois prospectus et d'un manuel.

– Pourquoi m'enverrait-on un manuel ? Je n'enseigne pas…

– Les représentants commerciaux en mettent des exemplaires dans les casiers des professeurs, et parfois il leur arrive d'en donner aussi aux étudiants. J'en ai eu un sur la politique à la Renaissance. Où veux-tu que je pose tout ça ?

– Sur la table. Merci.

Il s'exécuta, pendant que Julia se lançait à la recherche de tasses et de bols dans le studio, avant de les empiler sur le micro-ondes.

– De quel genre de manuel s'agit-il ? s'enquit-elle par-dessus son épaule. Ce n'est pas sur Dante, si ?

— Non, il s'intitule *Le Mariage au Moyen Âge : l'amour, le sexe et le sacré*.

Elle haussa les épaules, le titre ne lui disant rien.

— Tu as l'air fatiguée.

Il lui adressa un regard compatissant.

— Le Pr Picton m'a demandé d'effectuer de nombreuses modifications dans mon mémoire. Je travaille du matin au soir.

— Il faut que tu prennes l'air. Pourquoi ne viendrais-tu pas déjeuner avec moi ? Je t'invite.

— J'ai tellement de travail…

Il s'effleura la bouche du revers de la main.

— Il faut que tu sortes un peu. C'est déprimant, ici. On se croirait chez Mlle Havisham.

— Qui serais-tu alors ? Pip ?

Il secoua la tête.

— Non, je ne suis qu'un fouineur qui se mêle de la vie des autres.

— Ça ressemble à la description de Pip.

— Tu dois rendre ton mémoire demain ?

— Non. Le Pr Picton m'a accordé une semaine de délai supplémentaire. Elle se doutait bien que je ne pourrais pas le rendre le 1ᵉʳ avril, à cause de… de tout ça.

Elle grimaça.

— Ce n'est qu'un déjeuner. On va prendre le métro jusqu'à la rue Queen, et on sera revenus en un clin d'œil.

Elle leva les yeux vers lui et remarqua son regard inquiet.

— Pourquoi es-tu si gentil avec moi ?

— Parce que je suis du Vermont. On est très sympa, là-bas. Et parce que tu as besoin d'un ami.

Il esquissa un sourire. Elle le remercia et lui retourna son sourire.

— Je n'ai jamais cessé de tenir à toi, reconnut-il, le regard étonnamment doux.

Elle fit comme si elle n'avait pas entendu.

— Donne-moi une minute, le temps de m'habiller.

Ils regardèrent tous deux son pyjama en pilou.

Paul ébaucha un petit sourire en coin.

— Jolis canards en plastique.

Gênée, elle disparut dans son dressing pour aller y chercher des vêtements propres. N'ayant pas fait de lessive depuis une semaine, son choix était limité, mais au moins il y avait quelque chose d'à peu près présentable pour un déjeuner décontracté.

Pendant qu'elle s'affairait dans la salle de bains, Paul prit l'initiative de nettoyer l'appartement, ou du moins d'y mettre un peu d'ordre. Il se garda bien de toucher à tout ce qui lui servait pour son mémoire, préférant faire le lit et ramasser ce qui traînait par terre. Quand il en eut terminé, il rangea le manuel sur l'étagère et se laissa tomber sur une chaise pliante pour étudier son courrier. Il se débarrassa aussitôt des prospectus et de la publicité, et empila le reste comme s'il s'agissait d'une liasse de billets. Il vit qu'il n'y avait aucune lettre personnelle.

— Dieu soit loué... marmonna-t-il.

Dès qu'elle fut habillée, Julia dissimula ses cernes sous un peu de maquillage et appliqua un peu de fond de teint sur ses joues. Quand elle eut enfin l'impression de ne plus ressembler à Mlle Havisham, elle rejoignit Paul dans l'autre pièce.

Il l'accueillit avec un sourire.

— On y va ?

— Oui. Je suis sûre que tu as un tas de choses à me raconter, dit-elle en croisant les bras. Autant en finir tout de suite.

Il désigna la porte en fronçant les sourcils.

— On en discutera en mangeant.

— Il m'a quittée, lâcha-t-elle d'un air affligé.

— C'est plutôt une bonne chose, non ?

— Non.

— Mince, Julia ! Ce type te séduit pour avoir des émotions fortes, il te laisse tomber et tu en redemandes ?

Elle leva brusquement la tête.

— Ce n'est pas comme ça que ça s'est passé !

Il la dévisagea, impressionné de la voir s'emporter si soudainement. Il préférait encore la voir en colère plutôt que triste.

— Tu devrais probablement te couvrir, il fait froid dehors.

Quelques minutes plus tard, ils étaient dans la rue, en route vers la station Spadina.

— Tu l'as vu ? s'enquit-elle.

— Qui ça ?

— Tu le sais très bien. Ne m'oblige pas à prononcer son nom.

Il soupira.

— Tu ne veux pas l'oublier un peu ?

— Je t'en prie.

Il lui jeta un coup d'œil et remarqua ses traits tirés. Il s'immobilisa.

— Je suis tombé sur lui quelques heures après l'audience. Il sortait du bureau du Pr Martin. Depuis, j'essaie tant bien que mal de terminer ma thèse. Si Emerson me lâche, je suis foutu.

— Tu sais où il est ?

— En enfer, j'espère, répondit-il d'un ton guilleret. Martin a envoyé un e-mail à tout le département pour nous signaler qu'Emerson serait en congé jusqu'à la fin du semestre. Tu l'as probablement reçu, toi aussi.

Elle secoua la tête.

Paul la regarda plus attentivement.

— J'imagine qu'il ne t'a pas dit au revoir…

— Je lui ai laissé quelques messages, et il m'a finalement répondu par e-mail hier.

— Qu'est-ce qu'il disait ?

— Il me demande de cesser de le contacter et me confirme que c'est terminé. Il ne m'appelle même pas par mon nom. Il m'a juste envoyé un message de deux lignes depuis son compte professionnel à l'université, et l'a signé : *Cordialement, Pr Gabriel O. Emerson.*

— L'enfoiré !

Julia grimaça, mais elle était du même avis que lui.

— Après l'audition, il m'a dit que je n'avais pas conscience de ma propre détresse…

— Enfoiré de prétentieux !

— Pardon ?

— Il te brise le cœur, et il a le toupet de te citer *Hamlet* ? Incroyable. En plus, ce n'est pas la citation exacte, quel crétin !

Surprise, elle cilla.

— Je n'ai pas compris que c'était un poème. J'ai cru… que ça venait de lui.

— Shakespeare aussi était un enfoiré de prétentieux. C'est sans doute pour cette raison que tu n'as pas pu faire la distinction ! C'est un vers issu de la tirade de Gertrude à propos de la mort d'Ophélie. Écoute ça :

« … Et tous ses trophées champêtres sont, comme elle,
Tombés dans le ruisseau en pleurs. Ses vêtements se sont étalés
Et l'ont soutenue un moment, nouvelle sirène,
Pendant qu'elle chantait des bribes de vieilles chansons,
Comme insensible à sa propre détresse,
Ou comme une créature naturellement formée
Pour cet élément. Mais cela n'a pu durer longtemps :
Ses vêtements, alourdis par ce qu'ils avaient bu,
Ont entraîné la pauvre malheureuse de son chant mélodieux
À une mort fangeuse. »[1]

---

1. Traduction de François-Victor Hugo.

Julia devint livide.

— Pourquoi m'a-t-il dit ça ?

— Tu n'as rien à voir avec elle. Redoutait-il que tu fasses quelque chose… que tu te fasses du mal ? demanda-t-il.

Paul commençait à s'agiter, ses souvenirs de licence sur Shakespeare lui revenant peu à peu en mémoire.

Julia feignit la surprise.

— J'ignore à quoi il pensait. Il a simplement marmonné quelque chose à propos du fait que j'allais commettre un suicide universitaire.

Paul sembla soulagé. Enfin, en partie.

— Il faut que je te dise autre chose. J'ai parlé à Christa. Elle était ravie du départ d'Emerson. Et elle a fait allusion à toi.

Julia se mordit la joue avant de lui faire signe de poursuivre.

— Elle m'a toujours détestée.

— Je ne sais pas ce qu'elle mijote, mais je veillerai sur toi.

Le regard de Julia se perdit dans le lointain.

— Elle ne peut plus me faire de mal. J'ai déjà perdu ce qui comptait le plus à mes yeux.

Paul et Julia prirent place face à face dans un café rétro branché de la rue Queen. Ils parlèrent de choses et d'autres avant de passer commande, un silence gêné s'installant alors que la jeune femme pensait à sa situation.

— Sinon, comment ça va ? demanda Paul.

Elle ne le dirait pas parce qu'elle ne voulait pas parler de ce genre de choses avec Paul. Mais à part le fait que Gabriel lui manquait, l'une des raisons de sa contrariété était tout ce qu'il représentait pour elle : la concrétisation de son béguin de lycéenne, la perte de sa virginité, la découverte de ce qu'elle avait cru être un amour profond et réciproque...

Quand elle se remémora la première fois qu'il lui avait fait l'amour, elle sentit venir des larmes. Personne ne l'avait jamais traitée avec autant de prévenance. Il craignait tant de lui faire mal et voulait tant être certain qu'elle était détendue... Il avait répété de manière insistante à quel point il l'aimait en approchant de l'extase. Son premier orgasme avec elle, grâce à elle...

*Gabriel me regardant droit dans les yeux, me pénétrant tout en disant m'aimer, me le prouvant. Il m'a certainement aimée. Seulement, j'ignore quand ça s'est arrêté. Ou plutôt, quand il a décidé qu'il me préférait son travail.*

Quand Paul s'éclaircit la voix, l'air débonnaire, elle lui adressa un sourire d'excuse.

— Euh... je suis contrariée et furieuse, mais j'essaie de ne plus y penser. Je travaille sur mon mémoire, mais il est difficile d'écrire sur l'amour et l'amitié quand on vient de perdre les deux d'un coup, lui confia-t-elle en soupirant. À la fac, tout le monde doit me prendre pour une putain.

Paul se pencha par-dessus la table.

— Mais tu n'es pas une putain. Le premier qui s'avise de dire une telle bêtise, je lui mettrai une bonne raclée.

Elle garda le silence, triturant un mouchoir brodé sur ses genoux.

— Tu es tombée amoureuse de la mauvaise personne, voilà tout. Il en a profité, poursuivit-il malgré les protestations de Julia. Le bureau du doyen m'a demandé de signer une clause de confidentialité. Ils veulent éviter d'ébruiter tout ce qui s'est passé entre Emerson et toi, donc ne t'inquiète pas de ce que les autres peuvent penser. Ils ne sont au courant de rien.

— Christa est au courant, rectifia-t-elle.

— Je suis sûr qu'ils lui ont fait signer la même clause. Si elle propage des rumeurs sur toi, va aussitôt voir le doyen.

— À quoi bon ? Ces commérages me suivront jusqu'à Harvard.

— Les professeurs ne sont pas censés profiter des étudiants. Si tu lui avais dit non, il aurait fichu ta carrière en l'air. C'est lui le méchant, dans l'histoire.

Il fulminait.

— Il y a de bonnes perspectives qui t'attendent, ton diplôme et Harvard. Un jour, quand tu seras prête, tu trouveras quelqu'un qui te traitera correctement. Quelqu'un qui te mérite. (Il lui serra la main.) Tu es gentille et douce, drôle et brillante. Et quand tu es en colère, tu es sexy comme tout !

Elle esquissa un sourire.

— Le jour où tu t'en es prise à lui en plein cours, c'était une véritable catastrophe, mais je paierais cher pour revoir ça ! Tu es la seule à lui avoir jamais tenu tête. À l'exception de cette folle de Christa et du Pr Douleur, qui a l'esprit tordu. Autant je craignais ses représailles, autant tu m'as impressionné par ton courage.

— J'ai perdu mon calme, je ne suis pas très fière de moi.

— Peut-être, mais ça m'a appris quelque chose, autant qu'à lui. Tu es une emmerdeuse ! De temps à autre, tu dois laisser sortir l'emmerdeuse qui est en toi. Dans les limites du raisonnable, bien entendu.

Il souriait à présent, la taquinait.

— Je fais tout pour éviter de céder à la colère, mais, crois-moi, elle est bien présente, lui affirma-t-elle d'un ton calme mais implacable.

À la fin du repas, alors qu'ils savouraient leur café, elle lui fit un récit extrêmement concis de sa relation avec Gabriel, commençant par son invitation à l'accompagner en Italie. Elle lui raconta comment il l'avait secourue quand Simon l'avait agressée chez elle à Thanksgiving, et qu'il l'avait aidée financièrement pour qu'elle puisse faire disparaître la trace de morsure de son cou. Paul en fut pour le moins étonné.

Julia s'était toujours sentie à l'aise avec lui. Loin d'être aussi véhément que Gabriel, bien sûr, et d'une humeur bien plus accommodante, c'était un excellent ami qui savait écouter. Même quand il la houspilla pour avoir choisi Soraya Harandi comme avocate.

Bien sûr, quand elle lui apprit que c'était le choix de Gabriel, sa colère changea de cible.

— Je vais te poser une question personnelle. Si tu ne veux pas y répondre, dis-le.

Il regarda autour de lui pour s'assurer que personne ne pouvait les entendre.

— Que veux-tu savoir ?

— Gabriel a-t-il toujours une liaison avec le Pr Singer ? L'as-tu vue… en dehors du travail, quand tu étais avec lui ?

— Bien sûr que non ! Il a tenté de me tenir éloignée d'elle, même quand on est allés dîner au Segovia.

— Je n'arrive pas à croire que je ne me suis jamais rendu compte que vous étiez ensemble tous les deux, reconnut-il en secouant la tête.

— Je sais que tu ne le tiens pas en grande estime, mais c'est parce que tu ne le connais pas. Il m'a certifié que sa relation avec Singer était terminée depuis longtemps. Et que les choses soient claires, Paul, je le crois.

Elle prononça ces derniers mots avec une certaine intensité.

Il se frotta le menton.

— Je t'ai raconté que j'avais porté plainte contre le Pr Douleur l'an dernier. Son avocate était Soraya Harandi. J'ai assisté à son cours sur la torture médiévale parce que j'espérais qu'elle aborderait des thèmes liés à ma thèse. Et elle m'a dragué. Au début, je n'y ai attaché aucune importance, mais un jour elle m'a envoyé un drôle d'e-mail. Elle a pris soin de s'exprimer de manière ambiguë, mais tous ceux qui assistaient à ses cours auraient compris qu'elle me faisait des avances. J'ai donc déposé plainte.

» Malheureusement, Soraya Harandi a fait un sacré boulot. Elle est parvenue à convaincre l'université que j'avais mal compris l'e-mail et que j'enjolivais ses propos. C'était ma parole contre la sienne. Une seule personne m'a soutenu, le Pr Chakravartty. Elle a produit des e-mails que Singer avait envoyés à d'autres, et souligné qu'ils étaient sur le même modèle. Mais le Pr Aras m'a congédié dès qu'elle y a fait allusion. Je n'ai donc aucune idée de leurs destinataires et de leur contenu. Le Pr Douleur a reçu un avertissement, et on lui a interdit de m'approcher. Je n'ai plus entendu parler d'elle. Mais je me suis toujours demandé à qui elle s'en était prise par ailleurs. J'espérais qu'Emerson te protégerait contre elle.

– C'est le cas. Je n'ai jamais eu de contact avec elle, et lui non plus. Je suis vraiment désolée pour toi.

Il haussa les épaules.

– Ça m'ennuie encore qu'elle s'en soit tirée à si bon compte. C'est la raison d'être de ces règles de non-fraternisation : elles servent à protéger les étudiants et leurs carrières universitaires.

Ils gardèrent tous les deux le silence un long moment en buvant leur café.

– Je m'en veux de t'avoir menti, lui assura-t-elle, les larmes aux yeux.

Il soutint son regard, puis soupira en baissant les yeux.

– J'en aurais probablement fait autant.

Puis il reprit sa main.

*
\* \*

En rentrant chez elle, Julia était de bien meilleure humeur. Mais elle ne se sentait pas au mieux pour autant, ni entière. Comment aurait-ce pu être le cas, alors que sa moitié l'avait rejetée ?

Après un week-end productif, elle fut suffisamment satisfaite de ses progrès pour décider de rappeler Nicole. Celle-ci se demandait pourquoi Julia avait cessé de se rendre à ses rendez-vous hebdomadaires. L'étudiante lui expliqua timidement que Gabriel et elle n'étaient plus ensemble et qu'il avait financé la thérapie jusqu'à présent. La psy lui répondit qu'il continuait à la payer, et ce pour une durée indéterminée.

Par chance, les deux femmes convinrent qu'il serait déplacé de continuer à lui faire payer les séances, même s'il était à l'origine du problème. Nicole rendit donc simplement son argent à Gabriel et établit pour Julia un tarif dégressif : en d'autres termes, elle était ravie de lui appliquer un tarif ridiculement bas adaptés à ses revenus d'étudiante. Lors de leur rendez-vous du mercredi, environ deux semaines après le départ de Gabriel, elles discutèrent du chagrin de Julia et de la façon dont elle le gérait. Nicole la mit au défi de se concentrer sur les aspects positifs de son existence, et aussi d'achever son mémoire. Ses deux conseils trouvèrent un certain écho auprès de Julia.

Ce soir-là, après avoir bien progressé dans la rédaction de son mémoire, Julia s'endormit. Elle sentit soudain un mouvement dans son lit, et un corps brûlant se blottir contre elle, lui caresser le dos de son nez d'une manière plus que familière, soupirer contre son omoplate…

— Gabriel ?

Il poussa un soupir contre sa peau, mais s'abstint de toute autre réponse.

— Tu m'as tellement manqué, chuchota-t-elle, des larmes ruisselant soudain sur ses joues.

Il sécha ses larmes en silence, puis l'embrassa sur les joues sans s'arrêter.

— Je sais que tu m'aimes.

Elle se détendit dans son étreinte et ferma les yeux.

— Simplement, je ne comprends pas pourquoi tu ne m'aimes pas assez pour rester.

Les mains qui l'entouraient desserrèrent progressivement leur étreinte avant de disparaître, laissant Julia solitaire dans son petit lit glacé.

\*
\* \*

Le lendemain, Julia regarda par la fenêtre toute la matinée, réfléchissant au rêve étrange qu'elle avait fait cette nuit-là. Gabriel lui était revenu, silencieux. Il ne lui avait offert aucune explication et n'avait nullement imploré son pardon. Il l'avait simplement rejointe dans son lit.

Elle s'était blottie contre lui, contre son torse familier et réconfortant. Elle avait poussé un soupir de soulagement à son retour, son inconscient peu disposé à le repousser, incapable de le rejeter.

*Ce n'était pas vraiment un rêve… Juste un cauchemar d'un genre différent.*

Après un petit déjeuner frugal, elle vérifia ses e-mails et ses SMS. En parcourant ses nouveaux messages sur son iPhone, elle tomba sur celui de Rachel :

« Salut, Julia ! Comment se fait-il que Gabriel ne réponde pas au téléphone ? J'ai même tenté le fixe, mais personne ne décroche. J'imagine que ce doit être torride entre vous, sinon il répondrait au moins de temps en temps.

J'ai choisi les robes des demoiselles d'honneur : elles sont rouge foncé, ce qui va drôlement bien t'aller. Je t'enverrai le lien par e-mail, et tu me diras ce que tu en

penses. Il va me falloir tes mensurations pour que je puisse
commander la tienne.
Au fait, j'ai enfin fait la connaissance de la copine de
Scott ! Elle a un fils trop mignon, il s'appelle Quinn.
Je t'embrasse, Rachel. »

Le premier réflexe de Julia fut d'éteindre son téléphone et de faire
comme si elle n'avait pas reçu ce message. Ça avait été sa réaction
quand Simon et Natalie l'avaient humiliée. Mais comme sa thérapeute
le lui avait bien fait comprendre, elle devait adopter une attitude
différente. Faire preuve de courage.

Elle prit une profonde inspiration et rédigea une réponse.

« Rachel, les robes des demoiselles d'honneur ont l'air
magnifiques. Je t'enverrai mes mensurations. Je suis
contente que tu aies rencontré la copine de Scott. J'ai hâte
de faire sa connaissance et celle de son fils.
Voilà des jours et des jours que je n'ai plus de nouvelles
de Gabriel. J'ignore où il est. Il est parti. C'est fini.
Julia. »

Il s'écoula précisément une minute et quarante-cinq secondes avant
que son iPhone sonne, signalant un appel de Rachel. Son courage
l'abandonna malheureusement au même instant, et elle ne répondit
pas. Un SMS lui parvint aussitôt :

« Je vais le tuer.
Rachel. »

## 30

Gabriel s'était enfoncé à grands pas dans les bois derrière ce qui avait longtemps été la maison des Clark. Il avait pris soin d'emporter une lampe de poche, mais il n'en avait presque pas besoin. Il connaissait si bien les lieux que même alcoolisé ou sous cocaïne, il aurait trouvé son chemin jusqu'à la pommeraie. Il était doué pour se déplacer dans l'obscurité.

Il se tenait à la lisière, les yeux fermés, sous une pluie glaciale. En les rouvrant et en les plissant, il pouvait presque l'apercevoir : une silhouette d'adolescente contre une silhouette masculine, toutes deux blotties sur une vieille couverture de laine. Ses cheveux lui tombaient sur les épaules, son bras autour de la taille de son compagnon. Il était certain d'avoir un faible pour l'ange au regard noisette qu'il tenait dans ses bras.

Gabriel demeura immobile, écoutant l'écho à la fois des souvenirs et des rêves...

– *Il faut que tu partes ?*

– *Oui, mais pas ce soir.*

– *Tu vas revenir ?*

– *On va m'expulser du paradis demain, Béatrice. Notre seul espoir, c'est que tu me retrouves après. Cherche-moi en enfer.*

Il n'avait pas prévu de retourner à la pommeraie sans elle. Il n'avait pas prévu de la quitter. Il lui avait brisé le cœur. Même s'il était accablé par la culpabilité et le regret, il savait que si c'était à refaire il ne changerait rien.

Julianne avait déjà fait tant de sacrifices pour rester avec lui. Il refusait qu'en plus elle trace une croix sur son avenir.

Gabriel, torse nu dans son ancienne chambre, se séchait les cheveux avec une serviette tout en triturant les boutons de la chaîne hi-fi. Il était d'humeur à écouter de la musique qui le ferait souffrir. Il choisit *Blood of Eden*, de Peter Gabriel. Au milieu du refrain, le téléphone sonna. Il avait oublié de demander à Richard de résilier la ligne quand celui-ci était parti à Philadelphie après que Gabriel eut racheté la maison.

Ne tenant aucun compte de la sonnerie, il fit les cent pas, tel un fantôme en plein tourment. Il s'étendit ensuite sur le lit, le regard rivé au plafond. Il ne s'agissait que d'un tour de son imagination, il le savait, mais il aurait juré sentir le parfum de Julia sur son oreiller et entendre le souffle léger de sa respiration. Il fit tourner son alliance en platine à son doigt, dans un sens et dans l'autre. Des vers de *La Vita Nuova*, de Dante, lui revinrent en mémoire, décrivant le rejet de Béatrice : « Et il résulta de ces bavardages qui semblaient m'accuser d'infamie que cette merveille, qui fut la destructrice de tous les vices et la reine de toutes les vertus, passant quelque part, me refusa ce si doux salut dans lequel résidait toute ma béatitude. »[1]

Gabriel ne se sentait pas le droit de comparer sa situation à celle de Dante, car son malheur était le résultat de ses propres choix. Néanmoins, écrasé par les ténèbres, il comprit qu'il avait probablement perdu sa béatitude. À tout jamais.

---

1. Traduction de Max Durand Fardel, 1898.

## 31

– Quel fils de pute ! jura Tom Mitchell d'une voix sonore dans l'oreille de sa fille, si bien qu'elle fut obligée d'éloigner son iPhone pour épargner son tympan. Ça s'est passé quand ?

– Euh, en mars, renifla Julia. Il me l'a confirmé par mail.

– Le fils de pute. Pour quel motif ?

– Il ne me l'a pas dit.

Elle ne se sentait pas la force de lui raconter les événements qui avaient conduit à sa séparation d'avec Gabriel, et tout ce qui était lié aux accusations de fraude universitaire n'aurait fait qu'accroître la colère de son père.

– Je vais le descendre.

– Papa, je t'en prie.

La discussion lui était déjà assez pénible sans qu'elle doive en plus redouter qu'il pourchasse Gabriel à travers bois.

Tom respirait bruyamment dans l'écouteur.

– Où est-il maintenant ?

– Je n'en ai pas la moindre idée.

– Je suis désolé de te le dire, Jules, parce que je sais que tu... tenais à lui, mais c'est un drogué. « Accro un jour, accro toujours. » Il a peut-être replongé. Il a peut-être eu des ennuis avec son dealer. La drogue, c'est un sale milieu, et je suis content qu'il ait disparu de la circulation. Plus il restera loin de toi, mieux ça vaudra

Elle se retint de fondre en larmes, mais son cœur se serra.

– Je t'en prie, ne dis pas des choses pareilles, papa. Pour ce qu'on en sait, il travaille sur son livre en Italie.

– Dans un squat en train de fumer du crack...

– Papa, s'il te plaît...

– Désolé. Vraiment. Mais je veux que ma petite fille trouve quelqu'un de bien et soit enfin heureuse.

– C'est aussi ce que je te souhaite, rétorqua-t-elle.

– Eh bien, les deux font la paire, dit-il en s'éclaircissant la voix et en changeant de sujet. Et ta maîtrise ? J'ai mis un peu d'argent de côté avec la vente de la maison, et j'aimerais assister à la remise des diplômes. Il faudrait aussi qu'on parle de ce que tu voudrais faire cet été. Ta chambre t'attend dans la nouvelle maison. Tu peux la peindre de la couleur que tu veux. Merde, pour l'instant, elle est rose !

Elle esquissa un sourire.

– Ça fait longtemps que je n'ai pas eu de chambre rose, mais je te remercie, papa.

Même si elle n'avait vraiment pas envie d'aller à Selinsgrove pour le moment, au moins elle avait son père et un toit. Une maison qui ne lui rappellerait ni Simon ni Sharon. Ni lui.

# 32

Le 9 avril, Julia se rendait chez le Pr Picton, marchant dans la neige fondue, son mémoire dans une main, une bouteille de chianti dans l'autre.

Elle était nerveuse. Même si sa relation avec l'enseignante avait toujours été cordiale, celle-ci ne s'était jamais vraiment montrée chaleureuse. Katherine n'était pas du genre à se lier d'amitié avec ses étudiants, ni à leur passer de la pommade. Elle était professionnelle, exigeante, et ne faisait pas de sentiment. Julia avait donc été plutôt troublée quand le Pr Picton l'avait invitée à lui remettre son mémoire en personne et à rester dîner. Il lui avait été impossible de refuser.

Elle gravit le perron de la maison de brique de deux étages et sonna, essuyant ses mains moites sur son caban.

— Bienvenue, Julia, l'accueillit l'enseignante en ouvrant la porte.

Si le petit studio de Julia rappelait un trou à lapin, alors la maison du Pr Picton ressemblait à la demeure d'un elfe sylvain. D'un elfe amateur de vieux mobilier. Tout était aussi ancien qu'élégant, des murs lambrissés de bois foncé, au sol couvert de tapis onéreux. La décoration était d'inspiration aristocratique mais dépouillée, et tout était parfaitement ordonné et bien rangé.

Après avoir pris le manteau de Julia, Katherine accepta volontiers le chianti et le mémoire, et dirigea la jeune femme vers un petit salon à côté de l'entrée. L'étudiante prit place dans un fauteuil club en cuir devant l'âtre, et accepta un verre de xérès.

— Le dîner est bientôt prêt, lui dit Katherine, avant de se volatiliser telle une déesse grecque.

Julia regarda les gros livres traitant d'architecture et de jardins anglais posés sur la table basse. Les murs étaient ornés de scènes pastorales alternant avec quelques portraits sévères en noir et blanc des ancêtres

Picton. Julia but lentement son xérès, en savourant la chaleur dans sa gorge. Avant que l'étudiante ait pu finir son verre, Katherine la conduisit à la salle à manger.

— C'est ravissant, dit Julia, souriant pour dissimuler sa nervosité.

Elle fut intimidée par toute la porcelaine anglaise, le cristal et ces bougeoirs en argent que l'enseignante avait disposés sur une nappe en damas blanc qui semblait avoir été repassée. Même le linge de maison n'avait pas le droit de se froisser sans l'autorisation du Pr Picton.

— J'aime recevoir, déclara Katherine. Mais sincèrement, rares sont les convives avec lesquels je supporte de passer une soirée entière.

Julia sentit son estomac se nouer. En faisant le moins de bruit possible, elle prit place à côté de l'enseignante, qui s'installa à la tête de la longue table de chêne.

— Ça sent délicieusement bon, tenta Julia, évitant de humer avec trop de voracité le fumet montant de son assiette garnie de viande et de légumes. Elle n'avait pas beaucoup mangé ces derniers jours, mais l'invitation du Pr Picton semblait lui avoir aiguisé l'appétit.

— J'ai tendance à devenir de plus en plus végétarienne, mais je sais par expérience que les étudiants ne mangent jamais assez de viande. Je vous ai donc préparé une vieille recette de ma mère. Du « ragoût normand », elle appelait ça. J'espère que vous aimez le porc.

— Bien sûr, répondit Julia en souriant.

Mais à la vue du zeste de citron sur les brocolis à la vapeur, son sourire s'évanouit.

*Gabriel avait un faible pour les petites garnitures...*

— On trinque ?

Katherine servit Julia en vin et leva son verre. Celle-ci l'imita obligeamment.

— À votre succès à Harvard.

— Je vous remercie.

Julia dissimula ses émotions contradictoires en buvant.

Après un moment de silence poli, Katherine prit la parole.

— Je vous ai fait venir pour discuter de différentes choses. D'abord, de votre mémoire. En êtes-vous satisfaite ?

Julia s'empressa d'avaler un morceau de panais.

— Non.

Katherine fronça les sourcils.

— Je veux dire... il y a encore des améliorations à faire. Si j'avais eu une année de plus devant moi, il aurait pu être mieux. Euh...

Ne sachant plus où se mettre, Julia aurait voulu se cacher dans un trou de souris.

Étonnamment, Katherine esquissa un sourire et s'appuya sur le dossier de sa chaise.

— C'est la réponse que j'attendais. Bravo !

— Pardon ?

— De nos jours, les étudiants ont l'impression d'être nettement plus doués qu'ils le sont en réalité. Je suis ravie qu'en dépit de tout votre succès, vous ayez conservé une certaine humilité universitaire. Bien sûr qu'avec un an de plus, vous auriez pu améliorer votre mémoire. Vous serez une meilleure étudiante et une personne plus érudite l'an prochain, si vous continuez à travailler dur. Je suis ravie que vous soyez consciente des progrès qu'il vous reste à effectuer. À présent, nous pouvons parler d'autre chose.

Julia arracha son regard de Katherine et se concentra sur ses couverts. Elle n'avait aucune idée de ce qui l'attendait.

L'enseignante tambourina sur la table d'un doigt impatient.

— Je n'aime pas qu'on vienne fouiner dans ma vie privée, j'ai donc tendance à éviter de m'occuper de celle des autres. Dans votre cas, c'est David Aras qui m'a entraînée dans cette histoire, dit-elle avec une grimace. Je ne suis pas au courant de tout ce qui s'est dit au cours de cette audition maccarthyste, et je ne veux pas l'être davantage.

Elle lança à Julia un regard éloquent.

— Greg Matthews, de Harvard, cherche quelqu'un pour une chaire consacrée aux études sur Dante. J'avais espéré qu'il confierait ce poste à Gabriel.

Du coin de l'œil, elle vit s'agiter sur son siège, mais poursuivit aussitôt.

— Malheureusement, il a choisi quelqu'un d'autre. Il a bêtement tenté de m'extraire de ma retraite, mais j'ai refusé. Comment cet affreux Pacciani a-t-il pu terminer parmi ses finalistes, je ne le saurai jamais. Quoi qu'il en soit, c'est Cecilia Marinelli qui a obtenu le poste. Ils ont réussi à la débaucher d'Oxford. Ce serait bien si vous pouviez travailler avec elle. Sous réserve que tout se passe bien pour votre mémoire, je serais ravie de lui téléphoner pour l'informer de votre arrivée.

— Je vous remercie, professeur Picton, c'est très gentil de votre part.

Katherine fit un geste désinvolte de la main.

— Pas du tout.

Les deux femmes terminèrent le repas dans un silence relatif. Pendant que Katherine débarrassait la table après avoir refusé l'aide de son étudiante à plusieurs reprises, celle-ci finit son vin.

Même si elle trouvait dommage que Gabriel n'ait pas obtenu ce poste, Julia fut soulagée qu'il ne la suive pas à Harvard. Sa présence dans le département aurait pu créer toutes sortes de problèmes. Elle ne pourrait plus travailler avec lui, désormais. Et elle aurait trouvé extrêmement pénible de devoir entretenir une relation strictement professionnelle avec lui. Non, il valait nettement mieux que Gabriel reste à Toronto quand elle déménagerait à Boston. Cela la soulageait, même si c'était un peu rude, que Harvard ait préféré recruter le Pr Marinelli.

Après le dessert et le café, Katherine suggéra de se retirer au salon. De nouveau, Julia prit place dans le confortable fauteuil club devant l'âtre et accepta volontiers le petit verre de porto que l'enseignante lui offrait. Même si le style décoratif de Katherine était très différent de celui de Gabriel, il lui sembla que les spécialistes de Dante aimaient particulièrement boire auprès du feu.

— Vous prendrez un nouveau départ à Harvard, et personne ne saura ce qui s'est passé ici. En attendant, il serait sage d'éviter d'attirer l'attention sur vous.

Elle lui lança un regard perçant, sinon sévère.

— Les étudiants, surtout les étudiantes, sont très vulnérables. Certains membres de l'Académie confondent encore les fruits du talent et du travail avec ceux de la promotion canapé et de la prostitution. Il vaut mieux éviter de leur laisser la moindre occasion de croire que votre réussite est due à autre chose qu'à votre travail acharné.

— Professeur Picton, je vous jure que j'ai travaillé très dur pour le cours sur Dante. Le Pr Emerson ne m'a pas aidée pour ma dissertation et ne m'a accordé aucun traitement de faveur. C'est pourquoi il vous a demandé de me noter.

— J'en suis convaincue. Mais vous m'avez déçue et, franchement, ça me contrarie un peu.

Julia se tourna vers elle, l'air horrifié.

— Néanmoins, je comprends la raison pour laquelle je n'ai pas été mise dans la confidence. Je suis sûre que Gabriel vous l'a défendu. Lui aussi m'agace sérieusement, mais, pour des raisons que je ne divulguerai pas, je lui suis redevable.

Le Pr Picton savoura son porto d'un air songeur, le regard perdu dans le vide.

— Quand j'étais étudiante à Oxford, il était honteusement courant que des professeurs entretiennent des relations amoureuses avec leurs étudiantes. Parfois, il s'agissait de ce que l'on appellerait aujourd'hui des cas de harcèlement. D'autres fois, c'étaient des sentiments sincères. J'ai vu les deux.

Elle regarda Julia fixement, l'air imperturbable.

— Je sais faire la différence entre un Willoughby et un colonel Brandon. J'espère que vous aussi.

*<br>* *

Le lendemain soir, Julia se rendit chez Paul. Ils étaient convenus de se voir pour évoquer le dîner avec le Pr Picton devant un café.

Sur le canapé, Paul se tourna vers elle.

— Maintenant que le semestre est terminé pour toi, où vas-tu aller ?

Elle but une gorgée de café.

— Mon bail dure jusqu'à fin juillet, mais j'espérais pouvoir convaincre mon propriétaire de me laisser partir mi-juin.

— Après la cérémonie de remise des diplômes ?

— Oui. Mon père va m'aider à déménager.

Il posa son mug sur la table basse.

— Je retourne dans le Vermont en juin. On pourrait faire le chemin ensemble, je t'aiderais à déménager.

— Mon père vient pour la remise des diplômes.

— On pourrait faire le chemin tous ensemble. Tu pourrais rester avec moi à la ferme un jour ou deux, et puis on irait à Boston pour que tu puisses t'installer. Tu vas en résidence universitaire ?

— Je ne sais pas. Ils m'ont envoyé des documents pour me dire que je ne pouvais pas y aller avant août. Mais il va bien falloir que j'habite quelque part en attendant.

— Le petit frère de mon meilleur ami va au Boston College. Je peux lui en parler, pour voir s'il connaît un endroit que tu pourrais sous-louer en attendant. La moitié de la population de Boston a moins de vingt-cinq ans. Il y a beaucoup d'étudiants.

— Tu ferais ça ? M'aider à déménager et à trouver un appartement ?

— Je compte bien me faire payer… en bière. J'adore la Krombacher, au cas où.

— Je crois que ça mérite réflexion.

Elle lui sourit, et ils firent tinter leurs mugs l'un contre l'autre.

— Qui c'est ?

Elle désigna une photo de quatre personnes, deux hommes et deux femmes, que Paul avait en partie dissimulée derrière un pingouin sur la télévision.

– La fille complètement à gauche, c'est Heather, ma petite sœur, et à côté, c'est son mari, Chris. Sur la droite, c'est moi.

– Et l'autre fille ?

Julia observa le visage de la jolie jeune femme qui se cramponnait à la taille de Paul en riant.

– Euh… c'est Allison.

Elle attendit poliment qu'il poursuive.

– Mon ex.

– Oh !

– On est restés amis. Mais elle travaille dans le Vermont et n'a pas supporté d'avoir une relation à longue distance. On a rompu il y a un moment, expliqua-t-il brièvement.

– Tu es quelqu'un de bien, dit Julia, gênée, puis elle changea de position sur le canapé. Je n'aurais peut-être pas dû dire ça…

Il lui prit la main et la porta à ses lèvres, lui embrassant chastement les doigts.

– Tu as le droit de dire tout ce que tu penses. Sache que moi aussi, j'ai toujours trouvé que tu étais quelqu'un de bien.

Elle lui sourit, puis ôta sa main avec suffisamment de délicatesse pour éviter de le blesser.

Peu avant minuit, elle s'endormit sur le futon, la tête sur son épaule. Paul laissa libre cours à son imagination, se figurant le contact de ses lèvres contre les siennes, celui de sa peau sous ses doigts. Il plongea son visage dans ses cheveux, la serrant dans ses bras. Elle bougea, marmonnant le nom d'Emerson avant de se blottir contre lui.

Il comprit qu'il lui fallait prendre une décision. S'il voulait rester son ami, il allait devoir contenir ses sentiments. Il ne pouvait ni l'embrasser ni tenter de faire avancer les choses. Il était encore bien trop tôt. Et il était tout à fait possible qu'elle ne veuille pas de lui, même quand elle n'aurait plus le cœur brisé. Mais elle avait besoin d'un ami. Elle avait besoin de lui. Il était hors de question qu'il l'abandonne dans un moment pareil, même s'il lui serait pénible de mettre de côté ses véritables sentiments.

Ainsi, au lieu de la prendre dans ses bras pour s'endormir, il la porta dans sa chambre et la déposa sur le lit. Il remonta le drap et les couvertures, s'assurant qu'elle était à l'aise ; puis emportant un oreiller et une couette, il se replia dans le salon.

Il resta agacé une bonne partie de la soirée, le regard rivé sur le plafond, tandis qu'elle dormait à poings fermés dans son lit.

*
* *

Pendant que Julia passait la nuit chez Paul, Gabriel était devant son ordinateur portable dans sa chambre d'hôtel. Il venait de recevoir un nouvel e-mail laconique de son supérieur, Jeremy Martin, lui rappelant à quel point il avait usé de son capital personnel et politique pour lui « sauver la mise ». Comme s'il avait besoin qu'on le lui rappelle…

Son regard se porta ensuite sur la bague à son doigt, résistant à l'envie pressante de regarder une fois de plus les mots qu'il avait fait graver à l'intérieur. Il la fit tourner dans un sens, puis dans l'autre, maudissant son échec récent.

Harvard l'avait aimablement informé que sa candidature n'avait pas été retenue et que le Pr Marinelli avait été recruté. Cet échec était encore une manière de décevoir Julianne. Mais peu importait, à présent. Quel intérêt d'aller à Harvard si elle ne lui pardonnait pas ?

Il jura amèrement. Quel intérêt d'aller où que ce soit, si elle ne lui pardonnait pas ? Même à l'hôtel, elle ne le quittait pas. Sur son ordinateur, son téléphone, son iPod, dans sa tête…

Oh oui ! dans sa tête. Il ne s'était pas trompé en disant qu'il n'oublierait jamais ce que cela faisait de poser son regard sur sa peau nue pour la première fois, alors qu'elle baissait timidement les yeux, rougissant à son contact.

Il se rappela quand il l'avait regardée dans ses grands yeux noisette, alors qu'elle tremblait de tout son être en dessous de lui, ses lèvres vermeilles entrouvertes, son souffle lourd, la façon dont elle avait écarquillé les yeux quand il l'avait pénétrée.

Elle avait tressailli. Il se rappela toutes les fois où il l'avait fait tressaillir. Et elles étaient nombreuses : quand il lui avait reproché d'être pauvre, quand il l'avait portée jusqu'au lit la première fois, quand il lui avait glissé les doigts dans les cheveux, quand elle l'avait supplié de ne pas lui tenir la tête, quand il avait reconnu avoir accepté de la quitter…

Combien de fois allait-il la faire souffrir en une seule vie ?

Il avait été à la torture en écoutant les messages qu'elle avait laissés sur son répondeur, et auxquels il n'avait pas répondu. Ils étaient de plus en plus déprimés, jusqu'à cesser complètement. Il ne pouvait pas lui en vouloir. À l'évidence, il n'était pas parvenu à se faire comprendre, à l'exception d'un seul e-mail. Il l'ouvrit de nouveau, imaginant sa réaction.

« Cessez de me contacter,
c'est terminé.
Cordialement,
Pr Gabriel O. Emerson,
Maître de conférences,
Département de littérature italienne, Centre des études
médiévales, université de Toronto. »

Un rire amer qu'il reconnut comme le sien résonna dans la pièce. Évidemment, il avait fallu que ce soit ce message qu'elle croie et pas les autres. Il l'avait perdue à présent. Quel espoir y avait-il sans elle ?

Il se remémora leur conversation à propos du livre préféré de Grace, Dans cette histoire, les personnages principaux avaient idolâtré leur amour, le vénérant au détriment de chacun d'eux. Il avait fait de même avec Julia, il le savait. Il l'avait idéalisée, convaincu qu'elle était la lumière qui illuminerait ses ténèbres.

Il l'avait suffisamment aimée pour la quitter afin de protéger son avenir. Et il courait à présent le risque de ne jamais plus pouvoir regagner son amour. C'était le coup du sort le plus amer du monde, que son amour pour Béatrice soit précisément ce qui le séparait d'elle.

Et Paul ? Sans doute avait-il profité de l'occasion pour la réconforter. Et où ce réconfort les mènerait-il ? Il ne pouvait envisager qu'elle lui soit infidèle. Mais il savait, grâce à ses messages, qu'elle pensait qu'entre eux tout était terminé. Paul n'avait plus qu'à lui offrir une épaule sur laquelle s'appuyer pour être de retour dans sa vie, chez elle, dans ses pensées.

*Le baiseur d'anges.*

Seules parvenaient à le soulager, si l'on pouvait parler de soulagement, la musique et la poésie. Il appuya sur un bouton, et l'adaptation de Sting de l'histoire de David et Bethsabée retentit dans la pièce. Tandis que la chanson résonnait, il se plongea dans la réflexion poétique de Dante sur la mort de Béatrice et se rappela les vers de *La Vita Nuova*.

« Et quelque élevée que soit l'intelligence,
Elle ne parviendra jamais à la comprendre
Si elle ne s'appuie sur la noblesse du cœur,
Et elle ne trouvera pas de larmes pour elle.
Mais tristesse et douleur,
Soupirs et pleurs à en mourir,
Et renoncement à toute consolation
Sont le lot de celui qui regarde dans sa propre pensée,

Ce qu'elle fut, et comment elle nous a été enlevée.
Je ressens toutes les angoisses des soupirs
Quand mon esprit opprimé
Me ramène la pensée de celle qui a déchiré mon cœur.
Et souvent, en songeant à la mort,
Il me vient un désir plein de douceur
Qui change la couleur de mon visage.
Quand je m'abandonne à mon imagination,
Je me sens envahi de toutes parts
Par tant de douleur que mon cœur en tressaille.
Et je deviens tel
Que, la honte me séparant du monde,
Je viens pleurer dans la solitude.
Et j'appelle Béatrice, et je dis :
Tu es donc morte à présent !
Et de l'appeler me réconforte. »[1]

Gabriel ferma le document sur son ordinateur et passa un doigt léger sur la photo de la femme ravissante qui ornait son fond d'écran. Il s'acquitterait de son devoir dans les jours à venir, mais sans sa Béatrice pour le réconforter. En son absence, peut-être céderait-il à ses vieux démons pour apaiser ses souffrances.

---

1. Traduction par Max Durand Fardel, 1898.

## 33

Un vendredi après-midi, en ce milieu du mois d'avril, Julia arriva chez Aaron et Rachel à Philadelphie. Son amie avait prévu d'aller lui rendre visite à Toronto et de lui apporter sa robe de demoiselle d'honneur, mais elle avait eu du mal à obtenir des jours de congé exceptionnels. Comme elle tentait de garder ses vacances pour son voyage de noces, Julia avait accepté de quitter son confortable trou à lapin.

Rachel l'accueillit en l'enlaçant, puis l'accompagna au salon. Julia jeta un coup d'œil aux classeurs d'échantillons qui envahissaient la table basse.

— Alors, les préparatifs du mariage sont terminés ?

Son hôtesse secoua la tête.

— Pas tout à fait. Mais je n'ai pas envie de parler du mariage. C'est de toi que je veux parler.

Elle se tourna vers son amie d'un air inquiet.

— Ce truc entre Gabriel et toi, ça m'a anéantie.

Julia grimaça.

— Moi aussi.

— Il ne répond ni au téléphone ni à ses e-mails, et crois-moi, ce n'est pas faute d'avoir essayé. Scott m'a mise en copie du message qu'il lui a envoyé, et c'était cinglant. Savais-tu qu'il était à Selinsgrove il y a deux semaines ?

— À Selinsgrove ? dit Julia, tombant des nues. Je le croyais en Italie.

— Pourquoi serait-il allé là-bas ?

— Pour terminer son livre. Pour se retrouver loin de moi.

— Le crétin ! jura Rachel. Tu as eu de ses nouvelles ?

— Oui. Il m'a envoyé un e-mail pour me signifier que tout était terminé.

Elle ramassa son sac à main et en tira deux clés et une carte magnétique, qu'elle tendit à son amie.

— C'est à lui.

Rachel contempla les objets, confuse.

— Que veux-tu que j'en fasse ?

— Garde-les. Ou donne-les à ton père. Je les lui aurais bien envoyés par la poste, mais comme il ne souhaite aucun contact…

Rachel déposa les objets incriminés sur l'un de ses classeurs. Puis, se ravisant, elle les jeta dans le tiroir d'une des petites tables de canapé avec un juron.

— Je sais qu'il est allé à l'ancienne maison de mes parents, parce que l'un des voisins a appelé mon père. Apparemment, il est resté debout toute la nuit à écouter de la musique à plein tube et à rôder dehors.

Julia songea aussitôt à la pommeraie. Il lui sembla raisonnable qu'il aille chercher du réconfort dans l'unique lieu où il s'était toujours senti en paix… son paradis. Mais étant elle-même indissociable de cet endroit, elle s'étonna qu'il y soit allé. Secouant la tête, elle repoussa cette idée.

Rachel la regarda dans les yeux.

— Je ne comprends pas pourquoi il a fait ça. Il t'aime. Il n'est pas du genre à tomber facilement amoureux, ni à prononcer ces mots à la légère. Ce genre d'amour ne se dissipe pas en une nuit.

— Il préfère peut-être son travail. À moins qu'il ait décidé d'aller la retrouver.

— Paulina ? C'est donc de ça qu'il s'agit ? Tu ne me l'avais pas dit, la réprimanda-t-elle, le regard étincelant.

— Jusqu'à il y a un an et demi, ils étaient encore… ensemble.

— Quoi ?

— À Noël, on s'est disputés à propos d'elle et, euh… d'autres choses. Il m'a avoué que leur histoire était plus récente que je ne le croyais.

— Je n'avais même jamais entendu son nom avant qu'elle se pointe chez mes parents !

— Je savais qui elle était. Mais quand on a commencé à sortir ensemble, il m'a dit clairement qu'il avait rompu avec elle à Harvard. En fait, ça a duré encore des années.

— Il n'a pas pu te quitter pour elle. Après Florence, après tout le reste…

— Tout me paraît possible, à présent, rétorqua froidement Julia.

Rachel se couvrit les yeux à deux mains en poussant un grognement.

— Quel gâchis ! Mon père est vraiment contrarié et Scott aussi.

Quand il a découvert que Gabriel était à Selinsgrove, il a décidé de prendre la voiture pour tenter de lui faire entendre raison.

— Il l'a vu ?

— Tammy avait besoin de lui pour surveiller son petit garçon. Il a donc dû se résoudre à aller lui botter les fesses une autre fois.

Julia esquissa un sourire narquois.

— Je vois d'ici la conversation.

— Scott est raide dingue de Tammy. C'en est écœurant.

— Je suis contente qu'ils viennent dîner.

Rachel consulta sa montre.

— D'ailleurs, il faudrait peut-être que je me mette aux fourneaux. Ils vont arriver tôt pour pouvoir donner à manger à Quinn en premier. L'existence de Scott est complètement bouleversée. Tout tourne autour de l'emploi du temps du petit.

Julia la suivit dans la cuisine.

— Comment ton père la trouve-t-il ?

Rachel fourragea dans le frigo.

— Il l'aime bien. Il adore le bébé. On dirait que Quinn est son petit-fils.

Elle disposa sur le comptoir les ingrédients nécessaires pour une salade.

— Tu crois vraiment que Gabriel retournerait auprès de Paulina ?

Julia fut incapable de le dire à voix haute, mais, oui, elle trouvait cela envisageable. Pour elle, il avait considérablement modifié sa façon de vivre et ses mécanismes de défense. Maintenant que leur relation avait pris fin, il était tout à fait possible qu'il retourne à son ancienne existence.

— Il est en territoire connu, expliqua-t-elle.

— Tu parles d'elle comme s'il s'agissait de l'Europe, dit Rachel en s'appuyant contre le comptoir. Crois-tu que ce soit l'université qui lui a demandé de rompre avec toi ?

— Oui, mais comment ont-ils pu l'obliger à faire une chose pareille ? Peuvent-ils exiger de lui qu'il quitte la ville ? Peuvent-ils lui dire ce qu'il doit faire de sa vie privée, alors qu'il est en congé exceptionnel ? Si Gabriel avait voulu me parler, il aurait pu m'appeler. Il ne l'a pas fait. L'université lui a offert un moyen commode de rompre avec moi. Ça devait faire un moment qu'il envisageait cette possibilité.

Elle croisa les bras. Il lui était plus aisé d'exprimer ses craintes avec Rachel que d'y réfléchir toute seule.

— Quel gâchis… répéta son amie en se retournant pour se laver les mains.

## 34

Au petit matin, Rachel et Julia étaient encore affalées en peignoir sur le canapé, buvant du vin et gloussant. Scott, Tammy et Quinn étaient partis depuis longtemps, et Aaron dormait depuis des heures. Elles entendaient ses ronflements depuis le couloir.

Réconfortée par un excellent pinot noir, Julia raconta à son amie le déroulement de l'audition et, ce qui était tout à son honneur, Rachel se retint de l'interrompre.

— Je ne crois pas que Gabriel te laisserait tomber uniquement pour garder son boulot. Il n'a pas besoin d'argent, et il lui serait toujours possible de travailler ailleurs. Mais j'ai du mal à comprendre pourquoi il ne t'a pas donné plus d'explications. Pourquoi n'est-il pas allé te voir après coup, pour te dire « Je t'aime, mais il faut qu'on attende » ?

L'alcool la fit glousser.

— Le connaissant, il aurait profité de l'occasion pour te réciter quelque chose en pentamètre iambique.

— Il a fait allusion à Pierre Abélard, mais ça n'avait rien de réconfortant. Abélard a gardé secrète sa relation avec Héloïse pour éviter de perdre son poste d'enseignant. Ensuite, il l'a envoyée au couvent.

Rachel s'empara d'un coussin et le jeta sur la tête de son amie.

— Il ne va pas t'envoyer dans un couvent, il t'aime. Et je refuse de croire le contraire.

Julia serra le coussin contre sa poitrine et s'étendit sur le côté.

— S'il m'aimait, il ne m'aurait pas quittée. Il n'aurait pas rompu par e-mail.

— Tu crois vraiment qu'il t'a menée en bateau pour s'amuser ?

— Non. Mais ça n'a plus d'importance.

Rachel poussa un bâillement sonore.

— Quoi qu'il ait voulu faire, il a merdé. Je me demande s'il n'essaie pas de te protéger d'une certaine manière.

— Il aurait pu m'envoyer un SMS pour me le dire.

Rachel se protégea les yeux avec son bras.

— C'est ce que j'ai du mal à comprendre. Il aurait pu nous demander de te laisser un message. Ou rédiger une lettre. Pourquoi ne les a-t-il pas envoyés se faire voir ?

Julia s'allongea sur le dos, se posant à peu près la même question. Rachel récupéra son téléphone mobile sur la table basse.

— Tu veux l'appeler ?

— Non.

— Pourquoi ? Il répondra peut-être, s'il croit que c'est moi.

— C'est le milieu de la nuit et j'ai trop bu. Ce n'est pas vraiment le meilleur moment pour avoir une discussion sérieuse. De plus, il m'a demandé de ne plus le contacter.

Rachel agita le téléphone devant son nez.

— Si tu souffres, lui aussi.

— Je lui ai laissé un message pour lui dire que s'il voulait me parler, il fallait que ce soit face à face. Je ne vais pas le rappeler.

Elle vida son verre d'un trait.

— Il sera peut-être à la cérémonie de remise des diplômes, soupira-t-elle d'un air déprimé.

Malgré sa colère et sa frustration, elle éprouvait toujours du désir pour lui.

— C'est quand ?

— Le 11 juin.

La date tardive fit jurer Rachel.

Après quelques minutes de silence, Julia décida d'exprimer l'une de ses autres grandes craintes.

— Rachel ?

— Oui ?

— Et s'il couchait avec elle ?

Son amie garda le silence un long moment. À tel point que Julia allait répéter sa question quand elle lui répondit enfin.

— Si Gabriel était cruel, alors peut-être qu'il coucherait avec une autre. Mais je n'imagine pas qu'il puisse faire ça et croire que tu le lui pardonnerais.

— S'il est avec quelqu'un d'autre et que tu le découvres, dis-le-moi, lui intima Julia avec un regard implorant. Je préférerais l'apprendre par toi.

— Ouvre les yeux, ma chérie.

Sa voix était chaude et sonore, alors qu'il s'activait en elle, prenant appui sur ses avant-bras. Il se pencha pour l'embrasser à l'intérieur du bras et lui lécher la peau. Ce fut suffisant pour la tourmenter, et peut-être lui laisser une petite marque. Il savait que ça la rendrait folle.

— Je ne peux pas, hoqueta-t-elle entre deux gémissements.

À chacun de ses mouvements, elle éprouvait de merveilleuses sensations dans tout son être.

Jusqu'à ce qu'il cesse.

Soudain, elle ouvrit les yeux en battant des cils.

Il frotta son nez contre le sien et lui sourit.

— Il faut que je te voie.

Son regard était doux mais intense, comme s'il contenait momentanément la flamme de son désir.

— Je n'arrive pas à les garder ouverts.

Elle poussa un petit râle quand il reprit ses va-et-vient.

— Essaie pour moi, la pria-t-il en l'embrassant doucement. Je t'aime tant.

— Alors, pourquoi es-tu parti ?

Gabriel baissa les yeux sur elle avec un grand désarroi, plissant ses yeux bleus.

— Je ne suis pas parti…

*
* *

Ce même soir, Gabriel était étendu au milieu de son lit, les yeux fermés, tandis qu'elle l'embrassait doucement sur les pectoraux, s'attardant respectueusement sur son tatouage avant de prodiguer ses attentions à ses abdominaux. Il lâcha un juron quand elle caressa du bout des doigts ses muscles parfaitement dessinés avant de le lécher autour du nombril.

*Ça faisait si longtemps…*

Ce fut sa dernière pensée avant qu'elle tende la main vers son entrejambe pour le saisir fermement. Il se cambra légèrement. Elle le caressait, à présent, et il haletait et la suppliait. Elle l'excita en prenant tout son temps, ses longs cheveux soyeux lui effleurant le haut des cuisses, avant de le prendre à pleine bouche.

Il poussa un cri de surprise avant de s'abandonner à ses sensations, avant de lui passer ses doigts dans sa chevelure.

Il se figea.

Il éprouva un étrange sentiment de dégoût, au souvenir de ce qui s'était passé la dernière fois qu'il avait fait cela. Il retira aussitôt sa main, préférant éviter de l'effrayer.

— Désolé, dit-il en lui caressant la joue. J'avais oublié.

Elle lui empoigna le bras et le força à lui saisir la tête sans ménagement.

— Qu'est-ce que tu as oublié ? le nargua-t-elle. Le meilleur moyen d'apprécier une fellation ?

Il ouvrit grand les yeux. Horrifié, il se redressa et aperçut un regard bleu rieur.

Nue, Paulina était accroupie au-dessus de lui, un sourire triomphant sur les lèvres, le tenant à quelques centimètres de sa bouche. Il recula, se recroquevillant contre la tête de lit en jurant pendant qu'elle s'asseyait sans le quitter des yeux.

Elle éclata de rire et désigna son nez, lui indiquant qu'il ferait bien d'ôter les traces de cocaïne de ses narines.

*Qu'est-ce que j'ai fait ?*

Il se frotta le visage de ses deux mains. Comprenant l'étendue de sa dépravation, il eut un haut-le-cœur et, sur le point de vomir, se pencha sur le côté du lit. Quand il recouvra ses esprits, il tendit sa main gauche pour lui montrer sa bague, mais elle n'était plus là.

L'alliance avait disparu.

Paulina éclata encore de rire et rampa vers lui, le regard sauvage, effleurant son corps nu du sien.

# 35

Gabriel se débattit et s'agita dans tous les sens avant de se réveiller en sursaut. Il déchira les draps, cherchant le moindre signe de sa présence avec le plus grand sérieux. Mais il n'en trouva aucun.

Il était seul dans sa chambre d'hôtel plongée dans l'obscurité. Il avait éteint avant d'aller se coucher – sa première erreur. La seconde avait été d'avoir négligé de disposer la photo sur sa table de chevet, car elle lui servait de talisman contre les ténèbres.

Il s'assit sur le bord du lit et se prit le visage à deux mains. Sa cure de désintoxication, toutes ces années auparavant, lui avait semblé insupportable, mais ce n'était rien comparé au fait d'avoir perdu Julianne. Il aurait volontiers accepté de subir le même cauchemar si ça lui avait permis de pouvoir la prendre dans ses bras chaque soir.

Jetant un coup d'œil méprisant à la bouteille de scotch à moitié vide, il se sentit rattrapé par les ténèbres. Sa poursuite désespérée lui avait mis un poids terrible sur les épaules. Doublé d'un profond sentiment de manque, ce poids l'empêchait de fonctionner à son plus haut niveau sans l'aide d'une béquille.

Chaque jour, il buvait plus que le précédent. Chaque jour, il comprenait qu'il lui fallait réagir avant de se retrouver piégé par ses anciens mécanismes de défense et de réduire son avenir à néant. Il savait que s'il ne faisait rien, il rechuterait rapidement.

De manière impulsive, il passa deux coups de fil avant de rassembler ses affaires et de les fourrer dans sa valise. Ensuite, il demanda au concierge de lui appeler un taxi pour l'aéroport. Il ne prit pas la peine de se donner une apparence nette et professionnelle. En fait, il ne prit même pas le temps de se regarder dans le miroir, sachant que ce qu'il y verrait le répugnerait.

Plusieurs heures plus tard, il arriva à Florence et se présenta à la réception du Gallery Art Hôtel. Il s'y était pris au tout dernier moment, mais il était parvenu à convaincre le gérant de l'établissement de lui donner la suite où Julia et lui avaient consommé leur relation pour la première fois. C'était soit cela, soit une nouvelle cure de désintoxication, et il avait la conviction que le lien qui l'unissait à elle se révélerait bien plus efficace.

En entrant dans la suite, il s'attendit presque à la voir, ou du moins à découvrir des signes de sa présence. Une paire d'escarpins à talons aiguilles, négligemment jetée sous une table basse. Une robe de taffetas par terre devant un mur vierge. Une paire de bas noirs à couture sur un lit défait...

Mais, bien sûr, il n'y avait rien de tout cela.

Après un somme relativement réparateur et une douche, il contacta son vieil ami le *dottore* Vitali à la Galerie des Offices et le retrouva pour dîner. Ils discutèrent de la nouvelle chaire de Harvard consacrée aux études sur Dante, et de Giuseppe Pacciani. Gabriel apprit avec un certain plaisir que, même si on avait proposé un entretien à Giuseppe, contrairement à lui, sa conférence avait été jugée très médiocre par le corps enseignant de la faculté. Maigre consolation, certes, mais tout était bon à prendre.

Le lendemain, Gabriel tenta d'oublier ses problèmes en s'adonnant à des activités agréables : un petit déjeuner sur une *piazza*, une longue promenade le long de l'Arno, un après-midi chez son tailleur, à qui il commanda un costume de laine noire fait à la main, et une heure ou deux à chercher la paire de chaussures à la hauteur de sa nouvelle tenue. Son tailleur lui avait affirmé en plaisantant que le costume était si élégant qu'il aurait pu le porter pour son mariage. Il avait ensuite éclaté de rire, jusqu'à ce que Gabriel brandisse sa main gauche et lui montre son alliance.

– Je me suis marié récemment, expliqua-t-il, à la grande surprise de l'artisan.

Où que Gabriel se rende dans la ville de Florence, il était assailli par des souvenirs avec elle. Il demeura un moment sur le *ponte* Santa-Trinita, ressassant ses impressions douces-amères, conscient que c'était préférable à une solution chimique.

Un soir, tard, légèrement ivre, il se promenait non loin du Duomo, parcourant de nouveau le trajet effectué avec Julianne quelques mois auparavant. Tourmenté par le souvenir de son visage quand elle l'avait accusé de la baiser, il vit un mendiant qui lui semblait familier, assis dans l'ombre du dôme de Brunelleschi.

Il s'en approcha.

— Une pièce ou deux pour un vieillard, geignit l'homme en italien.

Gabriel fit encore un pas vers lui, l'observant d'un œil soupçonneux. Assailli par une odeur de sueur et d'alcool, il continua néanmoins de s'en approcher. Reconnaissant le mendiant auquel Julia avait accordé la charité au mois de décembre précédent, il s'immobilisa en chancelant.

Il s'empara de son portefeuille. Sans se donner la peine de regarder leur valeur, il en tira plusieurs billets et les tendit à l'indigent.

— Je vous ai vu en décembre. Pourtant, vous êtes encore là, dit-il en italien d'un ton légèrement accusateur.

L'homme lança un regard avide aux billets.

— Je suis là tous les jours. Même à Noël.

Gabriel lui fit miroiter les euros devant son nez.

— Ma *fidanzata* vous a donné de l'argent. Vous l'avez qualifiée d'ange. Vous vous en souvenez ?

L'homme se fendit d'un sourire édenté et secoua la tête sans quitter l'argent des yeux.

— Il y a beaucoup d'anges, à Florence, mais encore plus à Assise. J'ai l'impression que Dieu préfère les mendiants de là-bas. Mais c'est chez moi, ici.

L'homme tendit la main d'un geste hésitant, pas certain que Gabriel lui donnerait cet argent.

Gabriel eut une vision de Julia prenant la défense du mendiant avec compassion. Elle voulait qu'il lui donne de l'argent, même s'il y avait une forte probabilité que ça lui serve à acheter du vin.

Tandis qu'il regardait le mendiant du même œil que lors du geste généreux de Julia, il fut frappé par le fait qu'elle n'aurait pas hésité à lui donner de l'argent tous les jours, persuadée qu'un acte de charité n'était jamais perdu. Elle aurait gardé l'espoir qu'un jour cet homme prenne conscience que quelqu'un tenait à lui et tentait de lui venir en aide. Elle savait que sa gentillesse la rendait vulnérable, mais ne s'en souciait pas.

Gabriel fourra les billets dans la main de l'homme et tourna brusquement les talons, l'écho de la joie du mendiant et de ses remerciements résonnant à ses oreilles. Il ne méritait pas sa reconnaissance. Contrairement à Julianne, il n'avait pas fait acte de charité par compassion et gentillesse. Il avait simplement rendu justice à sa mémoire, ou acheté une indulgence.

En trébuchant sur un pavé, il comprit ce qu'il lui restait à faire.

* *

Le lendemain, il tenta de réserver la maison qu'il avait partagée avec elle en Ombrie, mais celle-ci était déjà occupée. Il se rendit donc à Assise, où il trouva une petite pension de famille au mobilier simple, peuplée de pèlerins.

Gabriel ne s'était jamais considéré comme un pèlerin. Il était bien trop fier pour cela. Néanmoins, quelque chose dans l'air de cette ville lui permit de trouver un sommeil serein. En fait, il n'avait jamais si bien dormi depuis qu'il avait quitté les bras de Julia.

Le lendemain matin, il se leva de bonne heure pour se rendre à la basilique Saint-François. C'était un lieu pour des pèlerins de toutes confessions, ne serait-ce que pour ses fresques moyenâgeuses et l'atmosphère paisible qui y régnait. Ce fut loin d'être une coïncidence s'il suivit le même trajet qu'avec Julianne avant Noël. Il l'avait emmenée à la messe de la *basilica superiore*, dans la partie haute de l'édifice, attendant patiemment qu'elle aille se confesser avant le début de l'office.

En flânant dans la basilique supérieure, admirant les images et s'imprégnant du silence réconfortant du sanctuaire, il entrevit une femme à la longue chevelure châtain disparaissant dans l'embrasure d'une porte. Intrigué, il décida de la suivre. Malgré la foule de touristes et de pèlerins, il n'eut aucune difficulté à l'identifier, et descendit à son tour dans la *basilica inferiore*.

Puis il la perdit de vue.

Bouleversé, il arpenta la partie basse de l'édifice. Ses recherches se révélant vaines, il eut l'idée de descendre plus profondément dans les entrailles de la *basilica*, vers le tombeau de saint François. Elle était là, agenouillée au premier rang de la crypte. Il se glissa devant la dernière rangée de bancs et s'agenouilla par respect. Mais il ne pouvait la quitter des yeux.

Ce n'était pas Julianne. La jeune femme devant lui avait des hanches un peu plus rondes, des épaules plus larges et des cheveux plus foncés. Mais elle était magnifique, et sa beauté lui rappela tout ce qu'il avait perdu.

La salle, petite et austère, contrastait de manière étudiée avec la basilique supérieure ouverte sur l'extérieur et ornée de fresques élégantes. Il n'était pas le seul à trouver que le tombeau sans prétention de saint François reflétait le mieux la simplicité de l'existence et de la mission de ce dernier. Perdu dans ses pensées, il se retrouva appuyé contre le banc de devant, tête baissée. Avant même d'en prendre conscience, il priait.

Au début, il ne s'agissait que de mots, de paroles de désespoir et de confessions chuchotées. Puis ses prières prirent la forme d'une pénitence, pendant que, sans qu'il s'en rende compte, la jeune femme allumait un cierge et s'éloignait.

Si la vie de Gabriel avait été un film, un vieux moine franciscain au visage tanné se serait agenouillé près de lui pour prier et, prenant conscience de sa détresse et faisant preuve de compassion, lui aurait dispensé des conseils spirituels. Mais l'existence de Gabriel n'était pas un film. Il pria donc seul.

Si quelqu'un lui avait demandé après coup ce qui s'était passé dans la crypte, il aurait haussé les épaules et éludé la question. Certaines choses étaient impossibles à exprimer par des mots. Le langage n'y suffisait pas.

Mais à un moment, durant ses prières, qui le confrontèrent à l'ampleur de ses échecs aussi bien moraux que spirituels, il sentit la présence d'une entité prête à l'accepter en dépit de l'état de son âme. Il comprit soudain ce qu'Annie Dillard avait jadis qualifié d'« extravagance » de la grâce. Il songea à l'amour et au pardon que Grace et Richard avaient répandus sur le monde, et en particulier sur lui.

*Et Julianne, ma tendre pousse de printemps...*

L'aimant à péchés découvrit quelque chose d'assez inattendu sous la basilique supérieure. Quand il quitta l'église, il était plus déterminé que jamais à ne plus céder à ses vieilles habitudes.

# 36

Pour Julia, le reste du mois d'avril passa à la vitesse de la lumière. Elle dut apporter les dernières corrections à son mémoire, honorer ses rendez-vous avec Katherine Picton et avec Nicole, et passer ses vendredis soirs avec Paul.

Katherine s'assura que la rédaction finale de Julia ne comportait aucune erreur et qu'elle pouvait en être satisfaite. Puis elle téléphona à Cecilia Marinelli, à Oxford, pour lui demander de contacter Julia à Harvard à la rentrée.

Paul lui trouva à Cambridge un studio qu'elle pouvait sous-louer. Elle entreprit d'étudier des textes que Katherine lui avait suggérés en prévision des cours du Pr Marinelli.

Fin avril, elle reçut un courrier très officiel du bureau du doyen des études supérieures. Le Pr Aras la convoquait à son bureau une semaine plus tard. Il lui garantissait que cet entretien n'avait aucun lien avec la précédente affaire disciplinaire, et précisait que le Pr Martin serait lui aussi présent.

Le lundi après-midi en question, elle traversa le campus avec une certaine anxiété, serrant son sac à dos L.L. Bean entre ses bras. Il la réconfortait, car il avait été son compagnon pendant presque une année. Paul lui avait proposé de l'accompagner, mais elle avait décliné son offre, soutenant qu'elle devait affronter le doyen seule. Pourtant, il l'avait enlacée, lui promettant de l'attendre à leur Starbucks préféré.

— Je vous remercie d'être venue, mademoiselle Mitchell. Comment s'est passé votre semestre ?

Elle leva les yeux vers le doyen d'un air surpris.

— C'était… intéressant.

Il acquiesça et se tourna vers le Pr Martin.

– Je sais que cette année universitaire a été particulièrement éprouvante pour vous. Si je vous ai demandé de venir, c'est simplement pour savoir si vous n'avez pas eu d'autres problèmes depuis l'audition.

Elle regarda tour à tour les deux universitaires, s'efforçant de les jauger.

– Quel genre de problèmes ?

– Le doyen Aras voudrait s'assurer que le Pr Emerson ne vous a plus importunée depuis l'audience. Vous a-t-il appelée ou envoyé des e-mails ? A-t-il essayé de vous rencontrer ?

Le Pr Martin semblait amical, mais son attitude éveilla les soupçons de l'étudiante.

– En quoi cela vous intéresse-t-il ? Vous avez obtenu ce que vous vouliez. Il a quitté la ville.

Les traits du doyen se tendirent.

– Je n'ai pas l'intention de rejuger l'affaire avec vous, mademoiselle Mitchell. Il s'agit d'un entretien de courtoisie, pour vérifier que vous avez pu poursuivre votre cursus sans la moindre interférence. Nous tentons de déterminer si le Pr Emerson a tenu parole et vous a laissée tranquille.

– Il m'a envoyé un e-mail quelques jours après l'audition. Il m'a demandé de cesser de le contacter et m'a confirmé que tout était terminé. C'est ce que vous voulez entendre, n'est-ce pas ?

Elle n'avait pu empêcher sa voix de prendre un ton amer.

Le Pr Martin échangea un regard lourd de sens avec le doyen.

– Je suis certain que vous êtes ravie que cette histoire soit derrière vous.

Julia garda le silence, ne se donnant pas la peine de répondre.

– Vous pouvez y aller. Félicitations pour cette année fructueuse, et pour avoir été admise à Harvard. Nous nous reverrons à la cérémonie de remise des diplômes.

Le doyen lui donna congé d'un signe de tête dédaigneux.

Elle ramassa son sac à dos et se dirigea vers la porte. Juste avant d'en saisir la poignée, elle se ravisa et se tourna vers les deux professeurs.

Comme il était étrange, se dit-elle, que ces deux hommes, armés de leur seule intelligence et de leurs costumes de tweed, puissent détenir un tel pouvoir sur ses sentiments et son bonheur.

– Je ne regrette pas ma relation avec le Pr Emerson, même si elle s'est mal terminée. Vous vous êtes tous les deux montrés incroyablement méprisants et condescendants envers moi tout au long de cette affaire. Je comprends l'importance de protéger quelqu'un qui en a besoin, mais les seules personnes contre lesquelles j'aie eu besoin de me défendre, c'était vous.

# 37

Gabriel resta si longtemps à Assise qu'il eut l'impression de commencer à faire partie des meubles de la basilique. Chaque jour il restait une heure à méditer dans la crypte de saint François. Parfois il priait. Certains jours, Dieu lui semblait à l'écoute ; d'autres, il lui semblait très loin. Chaque fois il regrettait l'absence de Julia, même s'il commençait à comprendre à quel point leur relation avait été imparfaite, à quel point il avait voulu modifier ses habitudes pour être à la hauteur. Alors que vraiment il aurait dû en changer complètement, parce qu'il était un insupportable crétin.

Un jour qu'il déjeunait à l'hôtel, un compatriote américain engagea la conversation avec lui. L'homme était médecin en Californie et visitait Assise avec son épouse et son fils adolescent.

— On va à Florence demain, et on va y rester deux mois.

— Qu'est-ce que vous allez y faire ? s'enquit-il, dévisageant l'homme grisonnant d'un air intrigué.

— On va rester chez les franciscains. Avec ma femme, qui est infirmière, nous allons travailler dans une clinique. Mon fils va aider les sans-abri.

Gabriel fronça les sourcils.

— Vous faites ça bénévolement ?

— Oui. On veut le faire en famille.

L'homme s'interrompit et l'observa attentivement.

— Ça vous dirait de nous accompagner ? Les franciscains ont toujours besoin de monde.

— Non, répondit Gabriel, en découpant son steak avec détermination. Je ne suis pas catholique.

— Nous non plus. Nous sommes luthériens.

293

Gabriel regarda le médecin avec intérêt. Sa connaissance des luthériens se limitait presque exclusivement aux écrits de Garrison Keillor. Même s'il n'avait aucune intention de l'admettre.

Le médecin esquissa un sourire.

– On souhaitait mettre la main à la pâte, faire de bonnes actions, et je voulais encourager mon fils à faire autre chose que passer ses vacances à la mer ou jouer à la console.

– Merci pour l'invitation, mais je vais refuser.

Sa réponse semblant sans appel, le médecin changea de sujet.

Plus tard dans la soirée, Gabriel regardait par la fenêtre de sa chambre d'hôtel sans prétention, pensant comme d'habitude à Julia.

Elle n'aurait pas dit non. Elle y serait allée.

Comme toujours, il prit conscience du fossé entre la générosité de la jeune femme et son propre égoïsme. Un fossé que, même après tous ces mois passés avec elle, il lui faudrait encore combler.

*
* *

Deux semaines plus tard, Gabriel se tenait devant le monument dédié à Dante, à Santa Croce. Ayant accompagné les luthériens à Florence, il était devenu l'un des bénévoles les plus turbulents des franciscains. Il donnait à manger aux indigents, mais avait été horrifié par la qualité des repas qu'on leur proposait. Il avait donc fait un chèque pour qu'un traiteur se charge des menus, puis avait rejoint les bénévoles qui leur donnaient des articles de toilette et des vêtements propres ; mais il avait été si incommodé par leur saleté qu'il avait fait un autre chèque pour la construction de sanitaires et de douches pour les sans-logis à la mission franciscaine.

Pour résumer, quand Gabriel eut participé à l'ensemble des travaux des moines pour les pauvres, il avait tenté de tout changer et accepté de financer lui-même ces modifications. Puis il rendit visite à quelques familles aisées de Florence qu'il connaissait grâce à son passé universitaire, et leur demanda de soutenir les franciscains dans leur mission d'aide aux plus démunis. Leurs dons procureraient aux moines un revenu régulier pour les années à venir.

Alors qu'il se tenait devant le monument de Dante, il fut frappé par ses points communs avec son poète préféré. Dante s'était fait bannir de Florence. Même si la cité lui avait finalement accordé son pardon puis avait permis que soit érigé un monument en son honneur au sein de la basilique, Dante avait été enterré à Ravenne. Par un étrange coup du sort, Gabriel savait désormais ce que cela faisait d'être éloigné de son travail, de sa ville et de son havre – car il considérerait toujours les bras de Julianne comme son havre. Même s'il avait été forcé à l'exil.

Les monuments alentour de lui rappelèrent qu'il était lui-même mortel. Avec un peu de chance, il vivrait longtemps mais de nombreuses personnes, à l'instar de Grace, avaient vu leur existence abrégée. Il pouvait se faire renverser par une voiture, avoir un cancer ou une crise cardiaque. Soudain, la vie lui parut extrêmement courte et précieuse.

Après avoir quitté Assise, il avait tenté d'apaiser sa culpabilité et sa solitude par des bonnes actions. En se portant volontaire pour travailler avec les franciscains, il avait fait un pas dans cette direction ; mais comment allait-il faire amende honorable auprès de Paulina ? Il était bien trop tard pour se racheter auprès de Grace, de Maia ou de sa mère biologique, et de son père.

*Et Julianne ?*

Il observa une femme éplorée penchée au-dessus de ce qui ressemblait au cercueil de Dante. Il avait accepté son exil, mais cela ne signifiait pas qu'il s'était abstenu de lui écrire lettre après lettre – des lettres qu'il ne lui avait jamais envoyées.

*
* *

Les cimetières étaient des lieux paisibles. Même ceux de grands centres urbains. Il y régnait une tranquillité surnaturelle.

En flânant dans le cimetière, Gabriel ne put faire comme s'il s'agissait d'un parc. Aucun oiseau ne chantait dans les quelques arbres épars émaillant le paysage. Dans l'herbe, même si elle était verte et parfaitement entretenue, aucun écureuil ni lapin ne jouait avec ses semblables ou ne cherchait de quoi manger.

Il aperçut les anges de pierre dans le lointain, leurs silhouettes jumelles se dressant comme des sentinelles au milieu des monuments funéraires. Ils n'étaient pas en granit, mais d'un marbre à la peau blanche et parfaite. Ils lui tournaient le dos, ailes déployées. Il lui était plus facile de se tenir derrière le monument. Il ne pouvait voir le nom gravé dans la pierre. Il aurait pu rester là à tout jamais, à quelques mètres', sans jamais les approcher. Mais ç'aurait été lâche.

Il prit une profonde inspiration, fermant brusquement ses yeux saphir et récitant une prière silencieuse. Puis il contourna le monument et s'immobilisa devant la pierre tombale.

Il tira un mouchoir neuf de sa poche de pantalon. Un badaud aurait pu croire que c'était pour s'éponger le front ou sécher ses larmes. Il se pencha et, d'une main délicate, passa le linge immaculé sur la pierre noire. La poussière partit facilement. Il allait devoir s'occuper des rosiers qui commençaient à empiéter sur les lettres. Il ferait appel à un jardinier, se promit-il.

Il déposa ses fleurs devant la pierre, remuant les lèvres comme s'il chuchotait quelque chose. Mais ce n'était pas le cas. La tombe, bien sûr, était vide.

Une larme ou deux voilèrent sa vision, puis il sanglota. Il ne se donna pas la peine de sécher ses larmes et leva les yeux vers les anges, les âmes silencieuses de la compassion.

Il demanda pardon, exprima la culpabilité dont il souffrirait, il le savait, pour le restant de ses jours. Il ne demanda pas à être délivré de son fardeau, car il se sentait responsable des conséquences de ses actes. Ou, plutôt, des conséquences de ce qu'il n'avait pas fait pour une mère et son enfant.

Il plongea la main dans sa poche et en tira son iPhone avant de sélectionner un numéro dans son répertoire.

– Allô ?

– Paulina ? Il faut qu'on se voie.

## 38

Le père de Julia insista pour assister à la remise de diplôme de sa fille unique et refusa que Paul l'aide seul à emménager à Cambridge. Il paya la caution et le loyer de sa sous-location estivale et prit l'avion jusqu'à Toronto pour pouvoir assister à la cérémonie le 11 juin.

Vêtue simplement de noir, portant de belles chaussures, Julia quitta Paul et Tom sur les marches du perron pour aller rejoindre la file des autres étudiants en attente de leurs diplômes.

Tom appréciait beaucoup Paul. Énormément.

Ce dernier était sans détour et avait une franche poignée de main. Quand ils discutaient, il le regardait droit dans les yeux. Il avait proposé son aide pour le déménagement de Julia à Cambridge, et aussi de l'héberger dans la ferme familiale à Burlington, même après que Tom lui eut déclaré avec insistance qu'il allait lui-même aider sa fille. La veille de la remise des diplômes, il avait lâché une allusion au cours du dîner, suggérant que Paul était un choix évident pour une nouvelle histoire, mais Julia avait fait mine de ne pas l'entendre.

Tandis que les étudiants s'entassaient dans la salle, Julia ne put s'empêcher de parcourir l'assemblée du regard à la recherche de Gabriel. Avec tant de monde, il était peu probable qu'elle l'aperçoive, même s'il se trouvait là. Toutefois, en jetant un coup d'œil vers les sièges réservés au personnel enseignant, elle repéra aisément Katherine Picton, vêtue de sa robe d'Oxfordienne. S'ils étaient placés par ordre alphabétique, ce qui semblait être le cas, elle aurait dû pouvoir deviner où se trouverait Gabriel, paré de la pourpre de Harvard. Mais il n'était pas là.

Quand on appela le nom de Julia, Katherine monta sur l'estrade d'un pas lent mais assuré, pour remettre à la jeune femme sa tenue de *magister*. Elle lui serra la main de manière très professionnelle, lui souhaita bonne chance pour Harvard et lui tendit son diplôme.

Plus tard dans la soirée, après un dîner de fête en compagnie de Paul et de Tom dans un restaurant de la ville, Julia vérifia son répondeur et y découvrit un nouveau message. Il était de Rachel.

« Félicitations, Julia ! On t'envoie tout notre amour, et on a des cadeaux pour toi. Merci de m'avoir donné ta nouvelle adresse à Cambridge. Je t'enverrai tout et ferai en sorte que ça arrive après toi. J'en profite pour t'envoyer ta robe de demoiselle d'honneur.

Mon père t'a réservé un vol de Boston à Philadelphie pour le 21 août. J'espère que ça ira. Il a absolument voulu le payer, et je savais que tu voulais venir au moins une semaine avant.

Sinon, je n'ai toujours pas de nouvelles de Gabriel. J'espère qu'il a assisté à ta remise de diplôme. Mais si ce n'est pas le cas, vous aurez peut-être l'occasion de régler tout ça au mariage. Je n'ose même pas imaginer qu'il ne vienne pas. Il est censé être l'un des garçons d'honneur, et je n'ai même pas ses mensurations pour son costard ! »

# 39

Avant de dire sa prière du soir, un certain spécialiste de Dante aux yeux bleus lisait *Mercredi des Cendres*, le poème de T.S. Eliot. Il était seul.

Jetant un coup d'œil à la photo sur sa table de chevet, il songea à la remise de diplômes. Comme elle avait dû être belle et fière dans sa robe ! Poussant un soupir, il referma le recueil et éteignit la lumière.

Dans l'obscurité de sa vieille chambre, dans l'ancienne maison des Clark, il pensa aux semaines qui venaient de s'écouler. Il avait quitté l'Italie pour Boston et le Minnesota. Il avait promis aux franciscains de revenir, car ils lui avaient déclaré qu'ils prisaient davantage sa présence que ses dons. Méditant cette pensée, il ferma les yeux.

\*

\* \*

— Gabriel, il est temps de se lever.

Gardant les yeux fermés, il poussa un gémissement de mécontentement, espérant que la voix se dissiperait. Il était au calme quand il dormait, et il en avait besoin.

— Allez, je sais que tu es réveillé.

Il entendit un rire léger puis sentit le matelas s'enfoncer près de ses jambes.

Il ouvrit les yeux, et vit sa mère adoptive assise sur le bord de son lit.

— C'est déjà l'heure d'aller à l'école ? s'enquit-il en se frottant les yeux.

Grace rit de plus belle, d'une voix cristalline et éthérée.

– Tu es un peu âgé pour aller à l'école, du moins en tant qu'étudiant.

Perplexe, il regarda autour de lui. Puis il se redressa.

Elle lui adressa un sourire chaleureux et lui tendit la main. Il savoura le contact de sa main douce avant de la serrer dans la sienne.

– Il y a un problème ? lui demanda-t-elle tandis qu'il tenait sa main entre les deux siennes.

– Je ne t'ai jamais dit au revoir. Je n'ai pas été capable de te dire…

Il s'interrompit et prit une brève inspiration.

– Que je t'aimais.

– Ce sont des choses qu'une mère sait, Gabriel. Je l'ai toujours su.

Soudain envahi par un flot d'émotions, il l'étreignit.

– J'ignorais que tu étais malade. Rachel m'a dit que tu allais mieux. J'aurais dû venir.

Elle lui donna une tape amicale dans le dos.

– Je veux que tu cesses de te rendre responsable de tout. Tu as pris la meilleure décision possible, compte tenu des informations dont tu disposais à l'époque. Personne n'attend de toi que tu sois omniscient. Ni parfait.

Elle recula pour mieux voir son visage.

– Ne sois pas si exigeant envers toi. J'aime tous mes enfants, mais tu es mon don de Dieu. Tu as toujours été particulier à mes yeux.

La mère et son fils passèrent un long moment à communier en silence, puis elle se leva et défroissa sa robe.

– Voici quelqu'un que j'aimerais bien que tu rencontres.

Il se frotta les yeux, rabattit les couvertures s'assit puis se leva, tentant de mettre un peu d'ordre dans ses cheveux, oubliant momentanément qu'il était torse nu. Grace s'éloigna dans le couloir et revint, tenant une jeune femme par la taille.

Gabriel la regarda fixement.

C'était une femme jeune, même si elle semblait sans âge. Longue chevelure blonde, visage sans défaut et teint pâle. Mince et élancée. Son regard lui était familier. Elle l'accueillit avec ses grands yeux saphir et un large sourire.

Il se tourna vers Grace d'un air interrogateur.

– Je vais vous laisser, déclara-t-elle avant de disparaître.

– Gabriel, se présenta-t-il en lui souriant poliment et en lui tendant la main.

Elle la lui serra en lui souriant joyeusement.

– Je le sais, répondit-elle d'une voix douce qui lui évoqua le tintement d'une clochette.

– Et vous êtes ?

– Je voulais te rencontrer. Grace m'a raconté à quoi tu ressemblais quand tu étais enfant, et elle m'a parlé de ton travail de professeur. Moi aussi, j'aime bien Dante. Il est très amusant.

Gabriel hocha la tête sans vraiment comprendre.

La jeune femme le regarda d'un air mélancolique.

– Tu veux bien me parler d'elle ?

– De qui ?

– De Paulina.

Il se raidit, plissant les yeux d'un air soupçonneux.

– Pourquoi ?

– Je ne l'ai jamais connue.

Il se frotta les yeux avec ses mains.

– Elle est allée voir sa famille dans le Minnesota pour tenter de se réconcilier avec eux.

– Je le sais. Elle est heureuse.

– Alors, pourquoi me posez-vous la question ?

– Je voudrais savoir à quoi elle ressemble.

Il prit le temps de réfléchir à ce qu'il allait dire.

– Elle est séduisante et intelligente. Et obstinée. Elle parle plusieurs langues et cuisine très bien, poursuivit-il en gloussant. Mais elle n'a pas l'oreille musicale, elle est incapable de chanter juste.

La jeune femme eut un rire.

– C'est aussi ce que j'ai entendu dire.

Elle lui lança un regard intrigué.

– Tu l'aimais ?

Il détourna les yeux.

– Je crois que je l'aime à présent, d'une certaine manière. On était amis au départ, quand j'ai fait sa connaissance à Oxford.

La jeune femme acquiesça puis tourna la tête comme si quelqu'un l'appelait dans le couloir. Elle reporta aussitôt son attention sur Gabriel.

– Je suis ravie de t'avoir rencontré. Ça n'avait pas été possible plus tôt. Mais on se reverra.

Elle esquissa un sourire et se tourna vers la porte.

Il lui emboîta le pas.

– Je n'ai pas saisi votre nom.

Elle haussa les sourcils.

– Tu ne m'as pas reconnue ?

– Non, désolé. Même si votre regard m'est familier…

Elle éclata de rire et il sourit malgré lui, car son rire était contagieux.

– C'est normal que mon regard te soit familier, c'est le tien.

Le sourire de Gabriel s'estompa.

– Tu ne me reconnais toujours pas ? demanda-t-elle d'un ton perplexe.

Il secoua la tête.

– C'est moi, Maia.

Il se figea. Puis, après un moment, ses traits laissèrent transparaître diverses émotions, comme autant de nuages traversant le ciel un jour d'été.

Elle désigna son tatouage, au-dessus de son cœur.

– Tu n'étais pas obligé de faire ça.

Elle se pencha pour lui chuchoter sur le ton de la conspiration :

– Je savais très bien que tu m'aimais. Je suis très heureuse ici. Tout n'est que lumière, espoir et amour. Et c'est si merveilleux !

Elle se hissa sur la pointe des pieds et l'embrassa sur la joue, son contact ne durant qu'une seconde, avant de s'éloigner dans le couloir.

# 40

Le lendemain de la remise des diplômes, Tom se tenait devant la porte d'entrée de l'immeuble de sa fille, vêtu d'un tee-shirt gris orné sur la poitrine du logo de Harvard.

– Papa ?

– Je suis très fier de toi, dit-il d'un ton bourru en l'attirant à lui.

Le père et sa fille s'étreignirent en silence un long moment sur le perron, avant d'entendre quelqu'un gravir les marches derrière eux.

– Euh, bonjour… J'ai apporté le petit déjeuner.

Paul portait un plateau sur lequel étaient posés trois cafés et quelques donuts de chez Tim Horton. Il semblait quelque peu gêné d'avoir interrompu les Mitchell, mais Tom l'accueillit avec une poignée de main, puis Julia l'étreignit.

Ils partagèrent tous les trois le petit déjeuner sur la table pliante du studio, puis les deux hommes réfléchirent à la meilleure manière d'emballer toutes ses affaires. Par chance, Paul était parvenu à convaincre Sarah, qui sous-louait son appartement à Julia, de lui permettre d'emménager à Cambridge le 15 juin.

– Euh… Katherine Picton m'a invitée à déjeuner, aujourd'hui. Mais je ne suis pas obligée d'y aller, déclara-t-elle.

Elle n'avait aucune envie de laisser Tom et Paul travailler pendant qu'elle irait s'amuser.

– Tu n'as pas beaucoup d'affaires, Jules, constata Tom, estimant rapidement le contenu de son studio. On te laissera emballer tes vêtements pendant qu'on s'occupera des livres. Je suis sûr qu'on aura presque fini quand il sera l'heure d'aller voir ton professeur.

Il lui ébouriffa les cheveux en souriant avant de se diriger vers la salle de bains, laissant Paul et sa fille en tête à tête.

— Tu n'es pas obligé. Mon père et moi pouvons très bien nous en sortir.

Il fronça les sourcils.

— Quand vas-tu accepter le fait que si je suis là, c'est parce que j'en ai envie ? Je ne suis pas du genre à partir, Julia. Surtout quand j'ai une bonne raison de rester.

Gênée, elle se crispa et fixa la tasse de café à moitié vide devant elle.

— Si le Pr Picton t'a demandé de passer chez elle, c'est qu'elle a quelque chose à te dire. Tu ferais bien d'y aller. On va très bien s'en sortir, ton père et moi.

Il lui serra légèrement la main.

Elle poussa un profond soupir et lui sourit.

*
* *

Julia dissimula dans son sac à dos L.L. Bean les quelques babioles intimes qu'elle ne voulait pas que son père ou Paul puissent voir. Il ne s'agissait pas forcément de ce que l'on aurait pu imaginer de la part d'une jeune femme : un journal intime, des boucles d'oreilles en diamant et quelques articles liés à ses séances de thérapie.

Nicole était ravie de ses progrès et, à la fin de leur dernière séance, lui avait donné les coordonnées d'un psy non loin de Harvard. Non seulement elle avait aidé Julia à tenir le coup, mais elle la mettait entre de bonnes mains qui lui permettraient de franchir de nouvelles étapes.

Pour aller chez le Pr Picton, Julia avait enfilé une robe et de modestes sandales, s'étant dit qu'une invitation à déjeuner justifiait une tenue correcte. Elle portait son sac à dos sur l'une de ses épaules et tenait dans une main une boîte de ce qu'on lui avait garanti comme étant un excellent thé Darjeeling, acheté pour l'offrir à son hôtesse. Elle fut accueillie par une retenue toute pictonienne, et l'enseignante la conduisit aussitôt dans la salle à manger, où elles savourèrent un agréable repas.

— Où en êtes-vous dans votre liste de lectures ? s'enquit Katherine en regardant l'étudiante par-dessus sa soupe.

— Ça avance lentement, mais sûrement. Je lis les textes que vous m'avez suggérés, mais je n'en suis qu'au début.

— Le Pr Marinelli a hâte de faire votre connaissance. Ce serait bien si vous pouviez vous présenter à elle dès son arrivée à Cambridge.

— Je n'y manquerai pas. Et je vous remercie.

– Vous auriez aussi tout intérêt à rencontrer les autres spécialistes de Dante de la région, notamment à l'université de Boston, ajouta Katherine en esquissant un sourire. Même si je suis certaine que les circonstances vous feront faire leur connaissance. Mais si ce n'est pas le cas, promettez-moi d'aller faire un saut au département de littérature romane avant septembre.

– Comptez sur moi. Je vous remercie. Je ne sais pas ce que j'aurais fait…

Submergée par ses émotions, Julia s'interrompit.

À sa grande surprise, Katherine tendit la main par-dessus la table et tapota la sienne – aussi étrangement qu'un brillant professeur célibataire tapoterait la tête d'un enfant qui pleure, mais non sans sensibilité.

– Vous avez obtenu votre diplôme avec les félicitations du jury. Votre mémoire est solide et pourrait parfaitement servir d'armature à votre future thèse. J'ai hâte de pouvoir suivre votre carrière. Et quelque chose me dit que vous serez très heureuse à Cambridge.

– Je vous remercie.

Quand il fut temps pour Julia de partir, elle s'apprêtait à serrer la main de Katherine, donc fut surprise quand celle-ci l'étreignit – avec retenue mais beaucoup de chaleur.

– Vous avez été une excellente étudiante. À présent, allez à Harvard et faites en sorte que je puisse être fière de vous. N'hésitez pas à m'envoyer un e-mail de temps à autre, pour me donner de vos nouvelles.

Elle recula et regarda fixement Julia.

– Il est fort possible que j'aille donner une conférence à Boston à l'automne. J'espère qu'on s'y verra.

Julia acquiesça.

En regagnant son petit studio de Madison Avenue, elle contempla d'un air émerveillé le présent que le Pr Picton lui avait offert : un exemplaire rare et élimé d'une des premières éditions de *La Vita Nuova*, de Dante, qui avait appartenu à Dorothy L. Sayers, une amie de la directrice de thèse de Katherine à Oxford. Il contenait des annotations de Sayers rédigées de sa propre main. Julia en prendrait soin comme de la prunelle de ses yeux.

Qu'importe la façon dont Gabriel s'était conduit, le fait d'avoir convaincu Katherine d'accepter de superviser son mémoire était un si beau cadeau qu'elle lui en serait redevable à vie.

*L'amour, c'est faire plaisir aux autres sans rien attendre en retour*, pensa-t-elle.

Le lendemain matin de bonne heure, Julia, Tom et Paul chargèrent les affaires de la jeune femme à l'arrière d'un camion de location puis firent huit heures de route jusqu'à la ferme des Norris, située à l'entrée de Burlington, dans le Vermont. Les Mitchell y reçurent un accueil chaleureux, et on les persuada de rester quelques jours de plus afin que Ted Norris, le père de Paul, puisse emmener Tom à la pêche.

Julia douta que quoi que ce soit puisse le faire déroger à son emploi du temps rigoureux, mais c'était avant qu'ils goûtent aux plats de Louise. La mère de Paul, excellente cuisinière, savait tout faire, y compris les donuts, à partir de rien. Le ventre de Tom était tombé amoureux.

Le 15 juin, la nuit précédant le départ des Mitchell et de Paul pour Cambridge, l'étudiant peinait à trouver le sommeil. Son père l'avait tiré du lit bien après minuit à cause d'une urgence bovine. Le problème résolu, il avait été bien trop agité pour retourner se coucher.

Ses pensées étaient tournées vers deux femmes. Allison, son ex, lui avait rendu visite à son arrivée avec Julia deux jours auparavant. Comme ils étaient encore amis, son geste partait certainement d'une bonne intention, mais il savait qu'au fond elle était venue en partie pour jauger Julia. Il lui avait parlé d'elle à Noël, elle était donc parfaitement consciente de la présence de la jeune femme dans sa vie et de son affection pour elle. Une affection qui, dut-il l'admettre, n'était pas partagée. Du moins, pour le moment.

Pourtant, Allison s'était montrée amicale envers Julia qui avait été égale à elle-même : timide mais charmante. Paul avait trouvé très étrange de regarder son passé et son avenir potentiel parler de tout et de rien pendant qu'il cherchait quelque chose à bredouiller.

Lorsque Allison l'avait appelé sur son mobile, avant qu'il aille se coucher ce soir-là, et qu'elle lui avait dit trouvé Julia ravissante, il n'avait pas su quoi lui répondre. Bien sûr, qu'il avait des sentiments pour Allison. Ils avaient eu une longue et belle histoire en tant qu'amis avant de sortir ensemble. Il l'aimait toujours. Mais elle avait rompu. Il était passé à autre chose et avait rencontré Julia. Pourquoi aurait-il dû se sentir coupable de quoi que ce soit ?

Pendant que Paul pensait à sa vie sentimentale, à la fois complexe et inexistante, Julia luttait contre l'insomnie. Quand elle en eut assez de se tourner et se retourner, elle décida de descendre de la mansarde du deuxième étage et d'aller dans la cuisine pour s'y servir un verre de lait.

Elle y trouva Paul, assis à la grande table, dévorant un bol de crème glacée plutôt bien rempli.

— Salut ! l'accueillit-il avec un coup d'œil rapide mais appréciateur.

Vêtue d'un vieux tee-shirt du lycée de Selinsgrove et d'un short de sport sur lequel on avait effrontément brodé « St. Joe » sur les fesses, Julia s'approcha. Aux yeux de Paul, elle incarnait Hélène de Troie… en tenue décontractée.

— Toi non plus, tu n'arrives pas à dormir ? s'enquit-elle en tirant une chaise près de lui.

— Mon père a eu un problème avec l'une des vaches. Un peu de glace à la barre chocolatée ?

Il lui tendit une grosse cuillerée de Ben And Jerry's. Son parfum préféré. Elle accepta volontiers la cuillerée.

— Hmm… gémit-elle de plaisir, les yeux fermés.

Elle les rouvrit et lui rendit la cuillère, résistant à l'envie de la lécher.

Il la déposa dans le bol et se leva. Elle le regarda en cillant et recula instinctivement sur sa chaise.

— Julia… chuchota-t-il en l'obligeant à se lever.

Il repoussa ses cheveux derrière ses épaules, remarquant qu'elle n'avait pas tressailli cette fois. Il la regarda dans les yeux avec intensité, lui effleurant la poitrine de son torse.

— Je ne veux pas qu'on se dise adieu.

Elle esquissa un sourire.

— Ce ne seront pas des adieux. On s'enverra des e-mails, et on se téléphonera. Si tu vas à Boston, on se verra.

— Je crois que tu ne comprends pas.

Elle libéra son bras de sa poigne et recula d'un pas.

— C'est à cause d'Allison ? Je ne veux pas créer de problèmes entre vous. Mon père et moi pouvons faire le trajet tout seuls.

Elle attendit patiemment sa réponse, mais au lieu de se sentir soulagé il sembla soudain tiraillé.

— Ça n'a rien à voir avec Allison.

— Ah bon ?

— Tu ne comprends vraiment pas ?

Il s'approcha encore.

— Ça ne se voit pas ?

Redoutant de se faire éconduire, il leva lentement les doigts et les porta à son visage, le faisant presque entièrement disparaître entre ses grandes mains. Il la tint tendrement, se méfiant d'une telle fragilité, et lui caressa lentement les joues de ses pouces.

Elle détourna le regard.

— Paul, je…

— Laisse-moi parler ! l'interrompit-il vivement. Juste une fois, laisse-moi te dire ce que je ressens.

Il prit une inspiration et attendit qu'elle croise de nouveau son regard.

— Je suis amoureux de toi. Je ne veux pas qu'on soit séparés, parce que je t'aime. Le simple fait de savoir que tu pars pour Cambridge m'anéantit.

Elle prit une lente inspiration et secoua la tête.

— Écoute-moi jusqu'au bout. Je sais que tu n'es pas amoureuse de moi. Je sais qu'il est trop tôt. Mais penses-tu pouvoir éprouver des sentiments pour moi… un jour ?

Elle ferma les yeux. Son esprit vagabonda, imaginant un avenir auquel elle n'avait jamais songé. Elle était à la croisée des chemins. Elle se demanda à quoi pourrait ressembler le fait d'aimer Paul, d'être embrassée par lui. La porterait-il jusqu'à son lit à l'étage, pour lui faire tendrement l'amour ? Car elle savait bien que Paul se montrerait délicat avec elle.

Il voudrait l'épouser, bien sûr, et avoir des enfants. Mais il serait fier de sa carrière universitaire et la soutiendrait dans ses efforts.

Elle ne fut pas rebutée par ces images, agréables. Elle pourrait mener une existence comblée avec un homme honnête qui ne l'avait jamais fait souffrir et qui, elle en était persuadée, ne la décevrait jamais. Elle aurait une vie sans problèmes avec lui.

Il lui leva le menton et elle ouvrit les yeux.

— Il n'y aura ni drames ni disputes, ni ex du genre du Pr Douleur. Je te traiterais avec respect, et je ne te quitterais jamais. Choisis-moi, chuchota-t-il, le regard profond et intense. Choisis-moi, et je te rendrai heureuse. Tu ne pleureras plus jamais d'épuisement.

Elle sentit des larmes couler sur ses joues. Elle savait qu'il avait raison. Mais il y avait une différence entre connaître la vérité et la vouloir.

— Je ne suis pas comme lui. Je ne suis pas un brasier qui flamboie et qui s'éteint. Je suis quelqu'un de constant. Je me suis contenu parce que je savais que tu voulais seulement qu'on soit amis. Mais, rien qu'une fois, j'aimerais pouvoir te montrer ce que je ressens sans devoir me retenir.

Il prit son silence pour un assentiment et l'enlaça. Il se baissa pour l'embrasser, et mit toute sa passion et tout son amour dans un seul baiser. Il avait la bouche brûlante et accueillante. Et le doux contact se fit rapidement plus pressant de désir.

En une fraction de seconde, elle prit la décision de s'ouvrir à lui timidement, et sa langue entra rapidement en contact avec la sienne, pendant qu'il glissait ses doigts dans ses cheveux. Il ne chercha ni à la dominer ni à franchir ses limites ; ce ne fut ni écrasant ni grossier.

Il l'embrassa aussi longtemps qu'il le put sans que cela devienne obscène, puis il recula lentement, lui déposant un baiser rapide avant d'approcher ses lèvres de son oreille.

– Je t'aime, Julia. Dis-moi que tu m'accepteras, un jour. Tu ne le regretteras pas.

En sanglotant, elle le serra dans ses bras.

# 41

Le lendemain matin au petit déjeuner, Louise Norris regarda tour à tour son fils et la jeune femme qu'il aimait d'un air inquiet. Son mari, Ted, tenta d'animer la conversation en parlant de la vache malade dont il avait dû s'occuper pendant la nuit. Tom essaya d'enfourner un donut maison sans passer pour un barbare, mais en vain.

Après le petit déjeuner, la cuisine se vida comme un galion de ses rats en accostant dans un nouveau port, laissant Paul et Julia face à face, chacun triturant sa tasse de café et évitant le regard de l'autre.

Ce fut elle qui rompit le silence.

— Je suis vraiment désolée.

— Moi aussi.

Elle se mordilla la lèvre en cherchant son regard, se demandant s'il était en colère ou juste amer. Ou les deux.

Mais ce n'était pas le cas. Son regard était toujours aussi doux, mais elle y décela de l'abattement.

— Il fallait que j'essaie, tu comprends ? Je ne voulais pas prendre le risque que tu rencontres quelqu'un d'autre. Mais n'en parlons plus. Ne t'inquiète pas, je ne te mettrai plus dans l'embarras.

Il prit un air résigné.

Julia se pencha par-dessus la table et lui prit la main.

— Tu ne m'as pas mise dans l'embarras. Je sais très bien qu'on aurait pu avoir une vie paisible, tous les deux. Moi aussi, je tiens à toi. Mais tu mérites mieux. Tu mérites de passer le restant de tes jours avec quelqu'un qui t'aime autant que tu l'aimes.

Il libéra sa main et s'éloigna.

\*
\* \*

— Tu veux bien m'expliquer pourquoi il ne dit rien ? demanda Tom en se tournant vers Julia alors qu'ils attendaient que Paul sorte des toilettes d'une station-service du New-Hampshire.

— Il attend de moi plus que je ne peux lui offrir.

Tom regarda dans le lointain en plissant les yeux.

— Il me donne l'impression d'être quelqu'un de bien. Il est issu d'une bonne famille. Quel est le problème ? Tu as quelque chose contre les vaches ?

Il tentait de la faire rire, mais il obtint l'effet inverse de celui escompté. Il leva aussitôt les mains en signe de reddition.

— Qu'est-ce que j'en sais, après tout ? Je croyais que le fils du sénateur serait un bon parti pour toi… J'imagine que je ne suis qu'un crétin.

Avant que Julia ait pu le contredire, Paul était de retour au camion de location, mettant un terme à la conversation à cœur ouvert entre le père et sa fille.

*
* *

Deux jours plus tard, Julia se tenait devant son nouvel immeuble, faisant ses adieux à Paul, se sentant encore plus mal que lorsqu'elle l'avait éconduit dans la cuisine de ses parents. Il ne s'était montré ni froid, ni grossier, ni rancunier. Il ne s'était pas dérobé à ses responsabilités et les avait conduits du Vermont à Cambridge avant de décharger les affaires de Julia.

Il avait même fait tout son possible pour programmer un entretien d'embauche pour elle au café branché en face de chez elle, l'ancien occupant de l'appartement venant d'en démissionner. Sachant qu'elle aurait besoin d'argent, Paul avait espéré qu'elle pourrait le remplacer.

Il avait dormi par terre et ne s'était jamais plaint. Il avait été parfait. Au point que Julia eut presque l'impression qu'elle allait changer d'avis.

Il lui serait plus sûr et plus facile de choisir Paul. Avec lui, son cœur finirait par guérir. Mais en le choisissant, elle devrait se contenter de quelqu'un de bien, et non d'exceptionnel. Et même si l'exceptionnel lui échappait pour le restant de ses jours, mieux valait, pensait-elle, mener l'existence d'une Katherine Picton que de finir comme sa mère. En épousant quelqu'un de bien sans l'aimer passionnément et complètement, elle ferait preuve d'une grande malhonnêteté, aussi bien envers lui qu'envers elle. Et elle n'était pas égoïste à ce point.

— Au revoir.

Il l'étreignit fermement, puis la regarda attentivement. Peut-être essayait-il de voir si elle avait changé d'avis ?

— Au revoir. Et merci pour tout. Je ne sais pas ce que j'aurais fait sans toi, pendant tous ces mois…

Il haussa les épaules.

— C'est à ça que servent les amis.

Voyant ses yeux s'emplir de larmes, il eut l'air inquiet.

— On est toujours amis, hein ?

— Bien sûr, répondit-elle en reniflant. Tu as été un ami génial, et j'espère qu'on le restera longtemps, même si…

Elle n'acheva pas sa phrase, et Paul hocha la tête comme s'il lui en était reconnaissant.

Avec une certaine hésitation, il lui caressa la joue une dernière fois. Puis il se dirigea vers la voiture où l'attendait son ami Patrick qui allait le ramener dans le Vermont.

Soudain, il se figea. Il se retourna et s'approcha nerveusement de la jeune femme.

— Je ne voulais pas t'en parler devant ton père, alors j'ai attendu qu'il s'en aille… et puis je me suis dit qu'il vaudrait peut-être mieux que je ne te dise rien.

Il se tourna vers la rue Mount-Auburn, visiblement tiraillé.

— Que se passe-t-il ?

Il secoua la tête et reporta son attention sur elle.

— Hier, j'ai reçu un e-mail du Pr Martin. Emerson a démissionné.

Julia le regarda avec une certaine surprise.

— Quoi ? Quand ?

Elle porta la main à sa tempe, comme si elle tentait de se concentrer sur l'énormité de ce que Paul lui apprenait.

— Je n'en sais rien. Malgré son départ, il a accepté de continuer à superviser ma thèse. Enfin, c'est ce que Martin m'a dit. Je n'ai eu aucune nouvelle d'Emerson.

Remarquant l'agitation de Julia, il la prit par les épaules.

— Je ne voulais pas te contrarier, mais je me suis dit que tu aimerais le savoir. Le département est à la recherche d'un remplaçant, et je suis certain qu'ils vont recruter à Harvard. Tu allais donc en entendre parler, alors j'ai pensé que tu préférerais l'apprendre par moi.

Elle hocha la tête d'un air impassible.

— Où va-t-il ?

— Je n'en ai pas la moindre idée. Martin n'en a pas dit davantage. J'ai l'impression qu'il est furieux. Après tout ce qu'il a fait subir au département, il fiche le camp.

Elle le salua d'un air hébété et regagna son nouvel appartement pour aller y réfléchir. Ce soir-là, elle appela Rachel. En tombant sur son répondeur, elle envisagea de joindre Richard, mais elle ne voulait pas le déranger. Quant à Scott, elle savait que personne ne lui aurait dit où il se trouvait.

Elle laissa donc quelques messages sur le mobile de Rachel les jours suivants, puis attendit. Elle ne lui répondait pas.

Début juillet, Julia commença à travailler à temps partiel en tant que serveuse au café Chez Peet, situé dans une maison de deux étages réaménagée juste en face de chez elle. Tom avait payé son loyer et ses frais de déménagement ; et comme il avait insisté pour qu'elle accepte une partie de la somme de la vente de sa maison de Selinsgrove, avec son salaire et ses économies, elle pouvait vivre de manière simple mais confortable jusqu'aux premières mensualités de sa bourse, à la fin du mois d'août.

Elle prit rapidement rendez-vous avec le Dr Margaret Walters, la thérapeute que Nicole lui avait recommandée, et commença ses séances hebdomadaires. Un jour où elle n'apprenait pas les ficelles du commerce et n'était pas obligée de faire des sourires aux habitants de Harvard Square, elle suivit les conseils de Katherine Picton et alla se présenter à Greg Matthews, le directeur de son nouveau département.

Le Pr Matthews la reçut chaleureusement, et ils passèrent une grande partie de leur entrevue à discuter de leur intérêt commun pour Dante. Il lui apprit que Cecilia Marinelli arriverait d'Oxford la semaine suivante et lui proposa de venir assister à la réception qui serait donnée en l'honneur du nouveau professeur. Elle accepta volontiers l'invitation. Il l'emmena ensuite au foyer des étudiants et la présenta à un groupe de jeunes gens avant de prendre poliment congé.

Deux des étudiants se montrèrent cordiaux avec elle, mais pas particulièrement amicaux. La troisième, Zsuzsa, venue tout droit de Hongrie, lui souhaita aussitôt la bienvenue. Elle lui apprit qu'un certain nombre d'entre eux avaient l'habitude d'aller prendre un verre ensemble chaque mercredi au Grendel's Den, un pub donnant sur Winthrop Park. Apparemment, il y avait là une ravissante terrasse et une carte de bières exceptionnelle. Julia lui promit d'y aller le mercredi suivant, et les deux jeunes femmes échangèrent leurs adresses e-mail.

En dépit de sa timidité, un trait de caractère qu'elle ne perdrait jamais tout à fait, Julia trouvait que Harvard lui allait comme un gant. Un étudiant de licence prénommé Ari lui fit visiter le campus, ne manquant pas de lui indiquer la bibliothèque et les bâtiments destinés aux élèves de troisième cycle. Elle se procura une carte de bibliothèque avant les inscriptions qui auraient lieu en août.

Elle faisait parfois un saut au foyer des étudiants pour saluer Zsuzsa et s'imprégner de l'ambiance du département. Elle passait de longues heures à la bibliothèque, à la recherche d'ouvrages qu'il lui faudrait lire durant l'été. En explorant son quartier, elle découvrit un petit supermarché et une banque ainsi qu'un restaurant thaï, juste en bas de sa rue, dont elle devint une cliente assidue.

Ainsi, quand Rachel la rappela, le 26 juin, Julia se sentait déjà chez elle, et sa nouvelle vie lui plaisait. Presque.

Quand son téléphone sonna, elle était entre deux clients. Elle demanda donc à l'un de ses collègues de la remplacer et sortit sur la pelouse de devant afin de ne déranger personne.

— Rachel, comment ça va ?

— Ça va ! Désolée d'avoir mis si longtemps à te rappeler. Un enfoiré m'a volé mon téléphone, et j'ai dû en acheter un nouveau. Ensuite, j'ai dû répondre à tous les messages, à commencer par ceux qui avaient trait au mariage, et…

Julia serra légèrement les dents en attendant que Rachel reprenne son souffle, pour changer de sujet. À force, sa patience fut récompensée.

— Gabriel a démissionné.

— Pardon ? Comment le sais-tu ?

Elle avait presque hurlé.

— L'un de mes amis était son assistant de recherche à Toronto.

— Ça explique tout, déclara mystérieusement Rachel.

— Ça explique quoi ?

— Il a vendu son appartement. Il a envoyé un e-mail à mon père pour lui annoncer qu'il déménageait et allait loger à l'hôtel en attendant de trouver une maison.

Julia s'adossa au vieux chêne noueux qui se dressait devant Chez Peet.

— Il a dit où il cherchait ?

— Non. Juste qu'il avait fait appel à une société pour empaqueter ses affaires et les entreposer. Mais s'il a quitté son boulot…

— Il démissionne.

— Il faut que tu l'appelles ! Julia, c'est le moment idéal. Il faut que tu l'appelles.

L'étudiante serra les dents.

— Non.

— Pourquoi ?

– C'est lui qui a rompu, tu te rappelles ? Ce n'est pas à moi d'essayer de réparer les dégâts. Si tant est qu'ils puissent être réparés.

Rachel resta muette un instant.

– Je ne te demande pas d'oublier tout ce qui s'est passé, mais j'aimerais que vous en discutiez tous les deux. Il doit entendre ton point de vue sur toute cette affaire, et ce qui s'est passé après son départ. Et, franchement, il faut qu'il s'explique. Il te doit bien ça. Ensuite, tu pourras lui dire d'aller se faire voir, si c'est ce que tu veux vraiment.

Submergée par une vague de douleur, Julia ferma les yeux. La simple idée de voir Gabriel ou d'écouter ses explications la faisait souffrir physiquement.

– Je ne suis pas certaine que mon cœur puisse se remettre de ses explications.

# 42

Les jours suivants, Julia se réfugia dans le travail, se préparant à sa présentation au Pr Marinelli. Cette dernière étant l'invitée d'honneur de la fastueuse réception où elles firent connaissance, leur conversation fut brève mais fructueuse. L'enseignante était en cours d'installation dans sa nouvelle maison, mais elle reconnut le nom de Julia grâce aux recommandations du Pr Picton, et lui proposa d'aller boire un café dans le courant du mois de juillet.

Julia rentra chez elle avec un certain optimisme. Et si heureuse qu'elle décida qu'il était temps de se lancer dans une tâche soigneusement repoussée jusqu'à présent : le déballage de ses livres et leur rangement sur les étagères de son petit appartement. Jusqu'à ce soir-là, elle avait profité des bibliothèques de Harvard ; mais chaque jour ses cartons la narguaient, elle décida donc qu'il était temps de les vider. Cela lui prit plus de temps que prévu. Ce soir-là, avant d'aller au restaurant thaï pour y commander quelque chose à emporter, elle n'avait déballé qu'un tiers des cartons.

Deux jours plus tard, elle en arriva au dernier. Le 30 juin, après avoir passé une très agréable soirée avec Zsuzsa et d'autres étudiants au Grendel's Den, Julia rentra chez elle avec la ferme intention de terminer de tout déballer.

Comme à son habitude, elle avait classé ses ouvrages par ordre alphabétique sans même y réfléchir. Jusqu'au dernier livre, au fond du dernier carton, *Le Mariage au Moyen Âge : l'amour, le sexe et le sacré*, publié par Oxford University Press. Fronçant les sourcils, elle tourna et retourna l'ouvrage entre ses mains. Il lui fallut quelques minutes pour que la mémoire lui revienne : dans son studio, Paul lui avait signalé avoir récupéré dans son casier.

« Un manuel sur l'histoire du Moyen Âge », lui avait-il dit.

Curieuse, Julia le parcourut et découvrit à la page de la table des matières une carte de visite d'Alan Mackenzie, le représentant d'Oxford University Press à Toronto. Au verso, il avait rédigé un mot stipulant qu'il serait ravi de l'aider si elle avait besoin de manuels.

Julia était sur le point de refermer l'ouvrage et de le ranger avec les autres, quand son regard se posa sur le titre d'un des chapitres :

« Les lettres d'Abélard et d'Héloïse – lettre six. »

En une fraction de seconde, elle se rappela sa dernière conversation avec Gabriel.

– *Lis ma sixième lettre, le quatrième paragraphe.*

Son cœur commençant à s'emballer, Julia tourna les pages, bouleversée de découvrir une illustration et une photo à la page où commençait la sixième lettre.

« Mais où mon imagination stérile m'entraîne-t-elle ! Ah, Héloïse, que nous sommes loin du bonheur ! Votre cœur brûle encore de cette flamme funeste et insatiable, et le mien ne renferme que trouble et inquiétude. Ne croyez pas, Héloïse, que je jouisse ici d'une paix parfaite. Je vais pour la dernière fois vous ouvrir mon cœur : vous ne m'êtes pas encore indifférente, et même si je lutte contre mes sentiments trop tendres à votre égard, en dépit de tous mes efforts, je reste encore sensible à votre peine et désire la partager avec vous. Vos lettres, je vous l'avoue, m'ont ému ; je n'ai pu lire avec indifférence des caractères tracés par une main qui m'est si chère ! Je soupire et je saigne, et toute ma raison suffit à peine à cacher ma faiblesse à mes élèves. Oui, malheureuse Héloïse, tel est l'état dans lequel se trouve le pauvre Abélard. Les autres, qui se trompent généralement dans leurs jugements, me croient en paix et, s'imaginant que je vous ai aimée pour le seul plaisir de mes sens, sont persuadés que je vous ai oubliée. Quelle erreur grossière ! »

Elle dut lire le passage à cinq reprises avant d'en comprendre le message.

Elle regarda l'illustration de plus près. Le titre en était *La Dispute de Guido da Montefeltro.* Cela lui disait quelque chose, mais elle ne se souvenait plus de sa signification. Elle saisit son ordinateur portable avec l'intention de chercher l'image sur le Web, mais elle se rappela aussitôt qu'elle n'avait pas encore d'accès Internet chez elle.

Elle s'empara de son téléphone, mais la batterie s'était déchargée, et elle n'avait aucune idée de l'endroit où se trouvait son chargeur. Sans se laisser décourager, elle reporta son attention sur le livre et saisit la photo placée à côté de l'illustration. Il s'agissait d'un cliché de la pommeraie derrière la maison des Clark. Au dos, elle y reconnut l'écriture de Gabriel :

« *À ma bien-aimée,*
*Mon cœur t'appartient,*
*Mon corps et mon âme aussi.*
*Je te serai fidèle, Béatrice.*
*Je veux être ton dernier.*
*Attends-moi...* »

Remise de sa surprise, Julia ne put plus attendre de lui parler. Elle se moquait qu'il soit près de minuit et que la rue Mount-Auburn soit plongée dans l'obscurité. Elle se moquait que Chez Peet soit fermé depuis plusieurs heures. Elle attrapa son ordinateur et quitta son studio, sachant que même devant la porte du café elle pourrait capter un signal wi-fi et envoyer un e-mail à Gabriel. Elle n'avait encore aucune idée de ce qu'elle allait écrire. Pour l'instant, elle ne pensait qu'à une chose, courir.

Le quartier était calme. Malgré la légère bruine et la brume née de la chaude pluie vespérale, un petit groupe de ce qui semblait être les membres d'une fraternité discutait et riait non loin. Elle descendit du trottoir et s'apprêta à traverser, ses tongs faisant un bruit spongieux sur la chaussée. Elle ne tint aucun compte de la pluie, de son tee-shirt détrempé. Elle fit comme si elle n'entendait pas le tonnerre gronder et ne voyait pas les éclairs illuminer le ciel, à l'est.

Elle s'immobilisa au milieu de la rue, car devant elle, derrière le chêne se dressant sur la pelouse de Chez Peet, elle aperçut une silhouette indistincte. Un nouvel éclair lui permit de voir qu'il s'agissait d'un homme. À demi dissimulé derrière l'arbre et, loin de tout éclairage. Impossible de discerner ses traits. Elle savait bien qu'il valait mieux éviter d'approcher les inconnus dans l'obscurité. Elle resta donc où elle était, tendant le cou pour mieux le voir.

Comme en réponse à ses mouvements, il contourna l'arbre et s'avança dans la lumière du réverbère. Un autre éclair zébra le ciel, et un bref instant Julia eut l'impression de se trouver face à un ange. *Gabriel.*

## 43

Gabriel décela de la souffrance dans son regard. Ce fut la première chose qu'il remarqua. Elle avait l'air plus âgée. Mais sa beauté, qui reflétait sa bonté, était plus époustouflante que jamais.

Immobile devant elle, il comprit à quel point il l'aimait. Tous ses doutes se dissipèrent. Il avait pris son courage à deux mains pour aller la retrouver, sonner à sa porte et la supplier de le laisser entrer. Quand il avait compris qu'il ne pouvait plus attendre une minute de plus, il l'avait vue ouvrir la porte de son immeuble et détaler comme un chevreuil.

Il avait fantasmé leurs retrouvailles. Certains jours, cette seule pensée lui permettait de tenir. Mais plus Julia restait figée comme une statue, n'esquissant aucun geste pour aller le retrouver, plus il sentait grandir en lui un sentiment de désespoir. Plusieurs hypothèses lui vinrent à l'esprit, mais peu nombreuses étaient les favorables.

*Ne me repousse pas*, l'implora-t-il en silence. Se passant une main gênée dans les cheveux, il tenta de remettre un peu d'ordre dans sa tignasse détrempée.

– Julianne...

Il ne put réprimer le frisson dans sa voix. Elle semblait regarder à travers lui, comme s'il était un fantôme.

Avant qu'il ait pu exprimer cette idée, il entendit un véhicule approcher. Julia se tenait toujours au milieu de la rue.

– Julia, attention ! lui cria-t-il de toutes ses forces.

Paralysée, elle ne tint pas compte de son avertissement, et la voiture la frôla, la manquant de peu. Il s'approcha d'elle avec de grands gestes.

– Remonte sur le trottoir, Julia. Immédiatement !

## 44

Julia avait fermé les yeux. Elle percevait des bruits et le bourdonnement lointain de sa voix, mais elle ne comprenait pas ce qu'il disait. La pluie tombait sur ses bras et ses jambes, et elle sentit soudain que quelqu'un pressait son buste puissant contre son visage et l'enveloppait de son corps comme d'une couverture.

Elle rouvrit les yeux.

Le beau visage de Gabriel exprimait une profonde inquiétude, mais son regard étincelait d'espoir. Il porta une main hésitante à sa joue, lui caressant le dessous de l'œil de son pouce.

Ils restèrent silencieux un long moment.

— Ça va ? lui a-t-il demandé.

Sans voix, elle leva les yeux vers lui.

— Je ne voulais pas te faire peur. Je suis venu dès que j'ai pu.

Ses paroles la tirèrent de sa torpeur. Elle se libéra de son étreinte.

— Que fais-tu ici ?

Il fronça les sourcils.

— Ça me semble évident…

— Pas à moi.

Il souffla d'agacement.

— On est le 1er juillet. Je suis venu dès que j'ai pu.

Elle secoua la tête, reculant d'un pas prudent.

— Pardon ?

Il prit un ton conciliant.

— J'aurais bien aimé venir plus tôt.

Le visage de Julia trahissait toutes ses émotions : ses yeux plissés, son regard soupçonneux, ses lèvres vermeilles pressées l'une contre l'autre, sa mâchoire serrée…

— Tu sais que j'ai démissionné. Tu t'es forcément doutée que j'allais revenir.

Elle serra son ordinateur contre sa poitrine.

— Qu'est-ce qui m'aurait fait croire ça ?

Il écarquilla les yeux. Pendant un instant, il fut trop sidéré pour pouvoir lui répondre.

— Tu croyais que je n'allais pas revenir après avoir démissionné ?

— C'est ce qu'on aurait tendance à croire quand son amant fuit la ville sans un coup de fil. Et quand il annonce que tout est terminé dans un e-mail impersonnel.

Les traits de Gabriel se durcirent.

— Le sarcasme ne te va pas, Julianne.

— Le mensonge ne vous va pas bien non plus, monsieur le professeur, lui rétorqua-t-elle en le foudroyant du regard.

Il s'approcha d'un pas, puis s'immobilisa.

— Voilà donc où on en est revenus ? À « Julianne » et à « monsieur le professeur » ?

— D'après ce que tu as dit aux membres du comité, on n'est jamais allés plus loin. Tu es le professeur et je suis l'étudiante. Tu m'as séduite et tu m'as laissée tomber. Les conseillers ne m'ont pas dit si ça t'avait plu.

Il jura entre ses dents.

— Je t'ai envoyé des messages. Tu as simplement préféré ne pas y croire.

— Quels messages ? Les coups de téléphone que tu ne m'as jamais passés ? Les lettres que tu ne m'as jamais écrites ? À l'exception de cet e-mail, je n'ai eu aucune nouvelle de toi depuis que tu m'as appelée « Héloïse ». Absolument aucune. Et les messages que j'ai laissés sur ton répondeur ? Tu les as peut-être effacés sans te donner la peine de les écouter. De la même manière que tu es parti sans me le dire. Tu ne te rends pas compte à quel point c'est humiliant. Pour rompre, l'homme qui était censé m'aimer quitte simplement la ville.

Il porta la main à son front, comme pour l'aider à se concentrer.

— Et la lettre d'Abélard à Héloïse ? Et la photo de notre pommeraie ? J'ai mis moi-même ce livre dans ton casier.

— J'ignorais que ce manuel était de toi. Je l'ai ouvert il y a quelques minutes seulement.

— Mais je t'avais demandé de lire la lettre d'Abélard ! Je te l'ai dit en personne, bredouilla-t-il, l'air horrifié.

Julia se cramponna encore plus à son ordinateur.

– Non, tu as dit : « Lis ma sixième lettre. » Ce que j'ai fait. Tu me recommandais de mettre un pull parce qu'il faisait froid. Tu avais raison.

Elle lui lança un regard furieux.

– Je t'ai appelée « Héloïse ». Ce n'était pas évident ?

– C'était terriblement évident, répliqua-t-elle sèchement. Héloïse s'est fait séduire et abandonner par son professeur. Ton message était clair comme de l'eau de roche !

– Mais le manuel… commença-t-il en cherchant son regard. La photo…

– Je l'ai découverte ce soir en déballant mes livres. Jusqu'alors, j'étais persuadée que tu me disais t'être lassé de moi.

Ses traits s'adoucirent.

– Pardonne-moi, parvint-il à articuler.

Ses paroles, cruellement, n'étaient pas à la hauteur, mais elles venaient du cœur.

– Je… Julianne, il faut que je t'expl…

– On ferait bien de rentrer, l'interrompit-elle en jetant un coup d'œil aux fenêtres de son appartement.

Il allait lui prendre la main mais se ravisa, laissant retomber son bras.

Ils gravirent l'escalier, l'orage continuant à gronder. Lorsqu'ils pénétrèrent dans son studio, les lumières vacillèrent avant de s'éteindre.

– Je me demande si c'est juste cet immeuble, réfléchit Julia, ou si c'est toute la rue.

Gabriel marmonna une réponse, la regardant traverser la pièce d'un air impuissant. Elle remonta les stores pour laisser entrer autant de lumière que possible. La rue Mont-Auburn était plongée dans l'obscurité.

– On pourrait aller quelque part où il y a du courant, dit la voix de Gabriel derrière elle, la faisant sursauter. Désolé, ajouta-t-il en posant la main sur son bras.

– Je préférerais rester là.

Comprenant qu'il n'était pas en position d'exiger quoi que ce soit d'elle, il se retint d'insister. Il jeta un coup d'œil dans la pièce.

– Tu as une lampe de poche ou des bougies ?

– Les deux, il me semble.

Elle mit la main sur une lampe torche et lui tendit une serviette tandis qu'elle allait se réfugier dans la salle de bains pour enfiler des vêtements secs. À son retour, il était assis sur le futon, cerné par une demi-douzaine de petites bougies de chauffe-plats, astucieusement disposées sur les meubles et sur le sol.

Julia observa les ombres qui vacillaient sur le mur derrière lui. Des formes surnaturelles semblaient danser autour de lui, comme s'il était prisonnier de l'enfer de Dante. Sur son front, ses rides s'étaient creusées, lui sembla-t-il, et ses yeux lui paraissaient plus grands. Cela faisait manifestement un moment qu'il ne s'était pas rasé, une barbe naissante lui recouvrait une partie du visage. Il avait peigné ses cheveux mouillés à l'aide de ses doigts, mais une mèche s'était rebellée, demeurant obstinément collée à son front.

Julia avait oublié à quel point il était séduisant. Comment, d'un simple regard ou avec un seul mot, il pouvait la mettre dans tous ses états. Il était aussi dangereux que beau.

Il tendit la main pour l'inviter à s'asseoir à côté de lui, mais elle se blottit dans l'angle opposé de la pièce.

— J'ai trouvé un tire-bouchon et une bouteille de vin. J'espère que ça ne te dérangera pas.

Il lui tendit un verre à moitié rempli de syrah bon marché. Elle fut étonnée qu'il se soit donné cette peine, car il s'agissait d'un genre de vin qu'il aurait méprisé par le passé.

Elle en but quelques longues gorgées, savourant le breuvage sur sa langue. Elle attendit qu'il se mette à tousser, à crachoter et à se plaindre de cette épouvantable piquette. Mais ce ne fut pas le cas. En fait, il n'en but pas du tout. Il se contenta de la dévisager, posant finalement sans aucun remords son regard sur ses seins ronds.

— Tu changes de fac ? s'enquit-il d'une voix rauque.

— Pardon ?

Il désigna son sweatshirt.

Elle baissa les yeux. « Boston College ».

— Non, c'est Paul qui me l'a offert. C'est là qu'il a eu sa maîtrise, tu te rappelles ?

Il se raidit.

— Je t'ai offert un sweatshirt, moi aussi, fit-il remarquer, plus pour lui-même que pour elle.

Elle prit une autre gorgée de vin, regrettant que son verre soit déjà vide.

Il la regarda boire, le regard rivé sur sa bouche et sa gorge.

— Tu as toujours mon sweat de Harvard ?

— Parlons d'autre chose.

Il s'agita d'un air gêné, mais fut incapable de détourner son regard. Il désirait plus que tout la caresser et l'embrasser.

– Que penses-tu de l'université de Boston ?

Elle se tourna vers lui d'un air méfiant. En réponse, il sembla perdre tout son courage et commença à se mordiller l'intérieur de la joue.

– Katherine Picton m'a demandé d'aller me présenter au spécialiste de Dante du département de littérature romane, mais je n'ai pas encore eu le temps d'y aller. Je suis assez occupée.

– Alors, je dois la remercier.

– Pourquoi ?

Il hésita.

– C'est moi, le nouveau spécialiste de Dante de l'université de Boston.

Il chercha son regard pour voir sa réaction. Mais elle n'en avait eu aucune. Elle était immobile, la lueur des bougies se reflétant sur son joli visage.

Il lâcha un rire forcé, lui reservant du vin.

– Ce n'est pas la réponse que j'espérais.

Elle marmonna son agacement, portant de nouveau son verre à ses lèvres.

– Alors, tu es là… définitivement ?

– Ça dépend.

Il jeta à son sweatshirt un coup d'œil expressif.

Son regard était si ardent qu'elle eut l'impression qu'il lui brûlait la peau. Elle se retint de cacher ses seins en croisant les bras.

– Je suis professeur à part entière, à présent. Le département de littérature romane n'a pas de cursus de second cycle en italien. L'université voulait pouvoir attirer des étudiants de maîtrise dans mon cours sur Dante… Alors ils m'ont intégré à la religion, pour laquelle ils ont un programme d'études supérieures.

Il scruta l'obscurité de la pièce en secouant la tête.

– C'est surprenant, hein ? Qu'un type qui a passé sa vie à fuir Dieu puisse devenir professeur de religion.

– J'ai déjà vu plus étrange.

– Oui, chuchota-t-il. J'en suis certain. J'aurais bien démissionné de Toronto plus tôt, mais ça aurait fait scandale. Dès que tu as obtenu ton diplôme, j'ai été libre d'accepter le poste à Boston.

Elle se détourna, et il remarqua qu'elle n'avait pas de boucles d'oreilles. Elle ne portait plus celles de Grace. Il sentit son ventre se nouer.

Fronçant les sourcils, elle réfléchit à ce qu'il venait de dire.

– Qu'y a-t-il de si important, le 1er juillet ?

– C'est aujourd'hui que s'achève mon contrat avec Toronto. C'est le jour où ma démission prend effet, dit-il en s'éclaircissant la voix. J'ai lu tes e-mails et écouté tes messages. Tous. Mais j'espérais que tu verrais le livre. Je l'ai mis moi-même dans ton casier.

Elle réfléchissait encore à ses paroles. Elle n'acceptait pas ses excuses, elle ne voulait simplement pas se disputer avec lui. Du moins pas encore.

– Je suis désolé d'avoir manqué ta remise de diplôme. Katherine m'a envoyé quelques photos.

Il but un verre d'eau et s'éclaircit la voix, hésitant.

– Tu étais magnifique. Tu es magnifique.

Il enfonça la main dans la poche de son pantalon et en tira son iPhone. Curieuse, elle l'accepta, posant son verre à côté d'elle. Comme fond d'écran, il avait mis une photo d'elle en tenue de jeune diplômée, serrant la main de Katherine Picton.

– C'est Katherine qui me les a fait parvenir, expliqua-t-il de nouveau, remarquant son air confus.

Elle parcourut son album photo avec une certaine détermination, l'estomac noué. Il y avait des clichés de leur voyage en Italie, d'autres de Noël, mais aucune trace de Paulina. Il n'y avait aucune photo compromettante de Gabriel, aucune d'autres femmes. En fait, elle était sur presque toutes, y compris une série de clichés très sexy qu'il avait pris au Belize.

Elle était étonnée. Après avoir été persuadée qu'il ne voulait plus rien avoir à faire avec elle, elle fut déconcertée de constater l'estime qu'il lui avait apparemment gardée.

Elle lui rendit son téléphone.

– La photo que tu avais mise sur ta commode, celle de nous au Lobby, tu l'as emportée avec toi ?

Surpris, il haussa les sourcils.

– Bien sûr… Comment le sais-tu ?

Elle se tut un moment pour réfléchir à sa réponse.

– J'ai remarqué qu'elle avait disparu quand je te cherchais.

Il s'apprêta à lui prendre la main, mais de nouveau elle se déroba.

– Quand je suis retourné chez moi, j'ai vu tes vêtements. Pourquoi ne les as-tu pas pris ?

– Ce n'étaient pas vraiment les miens.

Il fronça les sourcils.

– Bien sûr que c'étaient les tiens. Ils sont toujours à toi, si tu les veux.

Elle secoua la tête.

– Crois-moi, Julianne, j'aurais préféré que tu sois avec moi. Cette photo n'était qu'un piètre substitut.

– Tu voulais que je sois avec toi ?

Il ne put s'empêcher de lui caresser doucement la joue de son pouce, soulagé qu'elle ne recule pas.

– Je n'ai jamais cessé de te vouloir à mon côté.

Elle s'écarta, le laissant la main en l'air, et prit un ton sévère.

– As-tu la moindre idée de ce que ça fait d'être abandonné par la personne qu'on aime, non pas une fois, mais deux ?

Il pinça les lèvres.

– Non. Pardonne-moi.

Il attendit de voir si elle allait lui répondre, mais ce ne fut pas le cas.

– Alors, c'est Paul qui t'a offert ce sweatshirt ? demanda-t-il en triturant ses lunettes. Comment va-t-il ?

– Il va bien. En quoi cela t'intéresse-t-il ?

– C'est mon étudiant, lui répondit-il d'un ton affecté.

– C'était aussi mon cas, fut un temps, lui fit-elle remarquer d'un ton amer. Tu devrais lui envoyer un e-mail. Il m'a dit qu'il n'avait plus de nouvelles de toi.

– Tu as donc parlé avec lui ?

– Oui, Gabriel. J'ai parlé avec lui.

Elle défit sa queue-de-cheval, passant précautionneusement les doigts dans ses cheveux mouillés pour les démêler.

Il la contempla, fasciné, tandis qu'elle laissait retomber sa chevelure brillante sur ses frêles épaules.

– Mes cheveux me font mal, expliqua-t-elle.

Il esquissa un sourire amusé.

– J'ignorais qu'on pouvait avoir mal aux cheveux.

Il passa la main dans ses mèches emmêlées et eut aussitôt l'air inquiet.

– Tu aurais pu être grièvement blessée en restant au milieu de la rue.

– Heureusement que je n'ai pas lâché mon ordinateur, il y a toutes mes recherches dedans.

– C'est ma faute, je t'ai surprise. Je devais ressembler à un fantôme, caché derrière cet arbre.

– Tu ne te cachais pas. Et je ne t'ai pas pris pour un fantôme. Tu ressemblais à quelque chose d'autre.

– À quoi ?

Elle sentit soudain sa peau s'embraser.

Il la vit rougir, prenant un teint rosé qui lui ressemblait davantage. Il était rongé par le désir de lui caresser le visage. Mais il se garda bien d'insister.

Elle fit un geste vague.

— Paul m'a incitée à sauvegarder mes fichiers sur une clé USB, de sorte que si quelque chose devait arriver à mon ordinateur, je dispose encore de tous mes dossiers. Mais ça fait un moment que je ne les ai pas enregistrés.

En l'entendant citer le nom de son ancien assistant de recherche pour la seconde fois, Gabriel réprima un grognement et se retint de proférer son juron préféré.

Il se tourna vers elle.

— Je m'étais dit que tu t'attendrais que j'essaie de te contacter une fois ton diplôme obtenu.

— Quand bien même, Gabriel. J'ai eu mon diplôme, mais tu ne m'as pas donné la moindre nouvelle.

— Comme je te l'ai dit, je devais attendre que ma démission prenne effet. Mon contrat a pris fin le 1er juillet.

— Je n'ai pas envie de parler de ça maintenant.

— Pourquoi ?

— Parce que je serais incapable de te dire ce que j'ai à te dire tant que tu seras assis sur mon futon.

— Je vois, dit-il lentement.

Elle remua les pieds, résistant de toutes ses forces à l'envie de se jeter dans ses bras et de lui dire que ce n'était pas grave. Que tout allait bien entre eux. Et qu'elle se devait à elle-même, sinon à lui, d'être honnête.

— Je t'ai assez gâché la soirée comme ça, déclara-t-il d'un ton abattu.

Il se leva, jeta un coup d'œil à la porte, puis reporta son attention sur Julia.

— Je comprends parfaitement que tu n'aies pas envie de me parler. Mais j'espère que tu m'accorderas une ou deux conversations avant de me faire tes adieux.

Elle redressa les épaules.

— Tu n'as pas pris la peine de me faire tes adieux en face. Tu me les as faits en me baisant contre une porte.

Il s'approcha aussitôt d'elle.

— Tais-toi. Tu sais ce que je pense de ce terme. Je t'interdis de l'employer à notre sujet.

En dépit de son air contrit, le Pr Emerson était de retour. Comme il avait fait preuve d'une certaine douceur jusqu'à présent, elle trouva son changement de ton plutôt discordant. Mais ce n'était pas la première fois qu'elle subissait son courroux, et elle découvrit à cet instant même que cela ne la dérangeait pas vraiment. Elle n'en tint donc aucun compte et se leva, prête à le raccompagner jusqu'à la porte.

– N'oublie pas ça.

Elle lui tendit son téléphone.

– Merci. Julianne, je t'en supplie…

– Comment va Paulina ?

Sa question siffla comme une flèche.

– Pourquoi me poses-tu cette question ?

– Je me demande combien de fois tu l'as vue depuis ton départ.

Il rangea son téléphone dans sa poche.

– Je suis allé la voir une fois. Je lui ai demandé de me pardonner, répondit-il sur un ton définitif.

– C'est tout ?

– Pourquoi ne me poses-tu pas la question qui te brûle les lèvres, Julianne ? Pourquoi ne me demandes-tu pas si j'ai couché avec elle ?

Furieux, il serra les dents.

– C'est le cas ?

Elle croisa les bras.

– Bien sûr que non !

Sa réponse avait été si prompte, si véhémente que Julia battit légèrement en retraite. Indigné à juste titre, il serra les poings.

– Peut-être devrais-je me montrer plus précise. Il y a un tas de choses qu'un homme et une femme peuvent faire sans coucher ensemble.

Elle haussa le menton d'un air de défi.

Il la foudroya du regard et s'obligea à compter jusqu'à dix. Ce n'était pas le moment de s'emporter. Il lui restait encore un long chemin à parcourir.

– Je me rends bien compte qu'on a l'un et l'autre des points de vue très différents sur mon départ, mais je te promets que je ne cherche pas d'autres femmes.

Il prit une voix plus douce.

– J'étais tout seul avec tes photos et mes souvenirs, Julianne. C'étaient de piètres compagnons, mais je ne voulais que toi.

– Il n'y a donc eu personne d'autre ?

– Je te suis resté fidèle. Je te le jure sur Grace.

Son serment les surprit tous les deux, et quand elle croisa son regard, elle sut qu'il était sincère. Elle ferma les yeux, commençant à se sentir soulagée.

Il lui prit la main et la blottit dans le creux de la sienne.

— Il y a tant de choses que j'aurais dû te dire. Je vais m'y employer dès maintenant. Viens avec moi.

— Je préférerais rester ici, chuchota-t-elle d'un ton lugubre à la lueur vacillante des bougies.

— La Julianne dont je me souviens détestait rester dans le noir, lui fit-il remarquer en lâchant sa main. Paulina est dans le Minnesota. Elle s'est réconciliée avec sa famille et a rencontré quelqu'un. On s'est mis d'accord pour que je cesse de la soutenir financièrement, et elle nous accompagne de ses vœux.

— Elle t'accompagne de ses vœux, marmonna Julia.

— Non, nous deux. Tu ne comprends pas ? Elle croyait qu'on était encore ensemble, et je ne l'ai pas détrompée. À mes yeux, c'était encore le cas.

Au tour de Gabriel de lui décocher une flèche. Il n'avait pas dit à Paulina qu'il était célibataire. Cette prise de conscience la troubla.

— Il n'y a personne d'autre, insista-t-il d'un ton d'une profonde sincérité.

Elle détourna le regard.

— Que faisais-tu devant un café fermé au beau milieu de la nuit ?

— Je tentais de trouver le courage de sonner à ta porte. Il m'a fallu convaincre Rachel de me donner ton adresse. Elle hésitait, et je la comprends.

Il triturait l'anneau de platine à sa main gauche, et Julia baissa les yeux dessus.

— Pourquoi portes-tu une alliance ?

— À ton avis ?

Il l'ôta et la lui tendit.

Elle eut un mouvement de recul.

— Lis l'inscription, lui demanda-t-il.

Avec hésitation, elle saisit l'anneau et l'approcha d'une des bougies. *Julianne, ma bien-aimée, m'appartient comme je lui appartiens.*

Sentant son estomac se nouer, elle le lui rendit aussitôt. Il le replaça à son doigt sans dire un mot.

— Pourquoi portes-tu un anneau avec mon nom inscrit dessus ?

— Tu disais que tu ne voulais pas en parler, lui fit-il remarquer d'un ton légèrement réprobateur. Si tu as le droit de me poser des questions, je peux t'en poser sur Paul ?

Elle rougit et détourna le regard.

— Il était là pour réparer les pots cassés.

Gabriel ferma les yeux, dangereusement près de céder à sa colère et de prononcer des paroles cinglantes ; mais il le savait, cela ne ferait que l'éloigner un peu plus.

Il rouvrit les yeux.

— Pardonne-moi. Cette bague a une sœur, un peu plus petite. Elles viennent de chez Tiffany à Toronto. Je les ai achetés le jour où je me suis procuré le cadre en argent pour la photo de Maia. Je te considère encore comme ma moitié. Ma *bashert*[1]. Malgré ce qui s'est passé, il n'a jamais été question pour moi de chercher quelqu'un d'autre. Je te suis resté fidèle depuis que tu m'as révélé qui tu étais en octobre dernier.

Julia éprouva une immense difficulté.

— Gabriel… ces derniers mois, sans un mot de ta part, puis ce soir…

Il la regarda avec compassion, désirant plus que tout la serrer dans ses bras. Mais elle était trop loin.

— Nous ne sommes pas obligés d'avoir cette conversation maintenant. Mais… si tu crois pouvoir le supporter, laisse-moi te revoir demain, proposa-t-il, les yeux pleins d'espoir.

Elle croisa brièvement son regard.

— D'accord.

Il poussa un soupir sonore.

— Parfait. On parlera demain, alors. Repose-toi bien.

Elle lui ouvrit la porte en acquiesçant.

— Julianne ?

Il se tenait devant elle, bien trop près à son goût. Elle leva les yeux vers lui.

— Me permettrais-tu… de t'embrasser la main ? s'enquit-il d'un ton nostalgique, avec une voix de garçonnet.

Elle attendit qu'il lui fasse un baisemain, puis, sans y réfléchir, se hissa sur la pointe des pieds et lui déposa un baiser sur le front. Soudain, il l'enlaça et la serra contre lui.

Même s'il avait du mal à penser à autre chose qu'à elle quand il l'embrassait, il tenta de lui faire comprendre avec ses lèvres qu'il ne l'avait pas trahie. Et qu'il l'aimait.

Quand elle lui rendit son baiser avec la même passion, il poussa un gémissement de plaisir.

Il prit garde de se montrer délicat, sinon intense, et, sentant qu'elle ralentissait les mouvements de sa langue, il lui mordilla légèrement la

---

1. « Âme sœur ».

lèvre inférieure avant de l'embrasser sur les deux joues, puis sur le bout du nez.

En rouvrant les yeux, il remarqua un flot d'émotions dans le regard de Julia.

Il passa ses doigts dans sa chevelure humide, une fois, deux fois, et la regarda avec envie.

– Je t'aime.

Elle resta muette, le laissant franchir le seuil de chez elle.

*
* *

Le baiser de Gabriel ne fit rien pour accroître la détermination de Julia, au contraire, mais elle ne le considéra pas comme une erreur. Elle avait été curieuse de savoir à quoi cela ressemblerait de l'embrasser de nouveau, et surprise de constater à quel point cela lui avait semblé familier. En quelques secondes, il était parvenu à lui faire battre le cœur à tout rompre et à lui nouer la gorge.

Elle ne pouvait nier qu'il l'aimait. Elle l'avait senti. Même Gabriel, avec ses manières et son charme raffinés, était incapable de mentir avec ses baisers.

Il avait changé. Il semblait plus doux, plus vulnérable, d'une certaine manière. Certes, il ne pouvait s'empêcher de s'emporter de temps à autre, tel l'ancien Pr Emerson, mais elle savait qu'il n'était plus le même. Simplement elle en ignorait la raison.

Le lendemain matin, le courant était revenu et Julia put mettre son téléphone à recharger. Elle appela le responsable de Chez Peet pour lui expliquer qu'elle n'était pas dans son assiette et se reposerait tout le week-end. Il n'en fut guère ravi, car il s'agissait du week-end du 4 juillet, mais il se résigna.

Après avoir pris une longue douche, pendant laquelle elle rêva des lèvres de Gabriel et se remémora de vieux souvenirs refoulés, Julia envoya un rapide e-mail à Rachel, lui expliquant que Gabriel était revenu lui déclarer sa flamme. Une heure plus tard, son téléphone sonna. Elle s'attendait à ce que ce soit Rachel. Étonnamment, il s'agissait de Dante Alighieri.

– Tu as bien dormi ? demanda Gabriel d'un ton enjoué.

– Oui, et toi ?

Il marqua une pause.

– Pas aussi bien que par le passé… Mais c'était acceptable, dirons-nous.

Elle éclata de rire. Voilà le Pr Emerson dont elle se souvenait.

— Je voudrais te montrer ma nouvelle maison, lui déclara-t-il.

— Quoi, maintenant ?

— Aujourd'hui, si ça te dit.

Il semblait inquiet à l'idée qu'elle refuse.

— Où est-ce ?

— Sur Foster Place, pas loin de la maison de Longfellow. Idéal pour aller travailler à Harvard, mais un peu loin de l'université de Boston.

Julia était perplexe.

— Si ce n'est pas pratique pour Boston, pourquoi l'as-tu achetée ?

Il s'éclaircit la voix.

— Je me suis dit que… J'espérais que…

Il lutta pour trouver ses mots.

— Elle est petite, mais le jardin est magnifique. J'aimerais avoir ton avis. Bien sûr, je peux toujours déménager.

Il se racla de nouveau la gorge, et elle aurait juré l'entendre tirer sur le col de sa chemise.

Ne sachant que dire, elle lui répondit par un grognement inarticulé.

— Maintenant que tu as bien dormi, tu veux bien me parler un peu ?

Elle ne l'avait jamais entendu si nerveux.

— Bien sûr. Mais pas au téléphone.

— Je dois faire un saut sur le campus pour voir mon nouveau bureau. Je ne serai pas long.

— Rien ne presse.

— Si, ça presse.

Il avait pris un ton un peu plus brusque.

Elle poussa un profond soupir.

— Je viendrai chez toi plus tard.

— Viens dîner. Je viendrai te chercher à 18 h 30.

— Je prendrai un taxi.

Elle rompit le silence gêné qui s'installait en prétextant qu'elle devait partir.

— Très bien, abdiqua-t-il d'un ton crispé. Si tu veux prendre un taxi, c'est ton droit.

— Je vais tenter de réserver mon jugement jusqu'à ce qu'on discute, et j'aimerais que tu en fasses autant de ton côté, lui dit-elle.

Il eut l'impression que ses rêves ne tenaient plus qu'à un fil. Il était loin d'être assuré qu'elle voudrait de nouveau de lui. Et même si c'était le cas, le vieux spectre de la jalousie continuait à le narguer. Il ignorait comment il récupérerait si elle lui révélait que dans le chagrin elle s'était tournée vers Paul et avait partagé sa couche avec lui.

*Le maudit baiseur d'anges…*

— Bien sûr, répondit-il d'une voix tendue.

— Je suis étonnée que tu m'aies appelée. Pourquoi ne l'as-tu pas fait pendant ton absence ?

Il garda le silence un long moment.

— C'est une longue histoire.

— Bien sûr. À ce soir.

Elle raccrocha, se demandant à quoi ressemblerait son histoire.

*
* *

Quand Julia arriva chez Gabriel, elle étudia les lieux avec une grande perplexité. Il s'agissait d'une maison de bois d'un étage avec une façade simple et sans ornement, recouverte d'une couche de peinture gris anthracite et aux finitions plus sombres. Devant, il n'y avait pas de jardin à proprement parler, mais une allée pavée pour la voiture sur la droite.

Dans un e-mail rédigé pour lui donner des indications, Gabriel lui avait envoyé un lien vers l'agence immobilière qui lui avait vendu la bâtisse. Érigée avant la Seconde Guerre mondiale, elle lui avait coûté plus d'un million de dollars. En fait, la rue entière avait été un quartier d'immigrants italiens ; ils avaient construit ces petites maisons d'un étage et de trois pièces dans les années 1920. Désormais, la rue était habitée par de jeunes cadres issus de vieilles fortunes, par des professeurs de Harvard, et par Gabriel.

En appréciant la simplicité soignée de la demeure, elle secoua la tête.

*Alors, voilà ce qu'on peut s'offrir avec un million de dollars à Harvard Square…*

S'apprêtant à frapper à la porte, elle fut surprise d'y trouver un billet rédigé de la main même de Gabriel.

« Julianne,
Retrouve-moi dans le jardin.
G. »

Elle soupira et comprit que la soirée s'annonçait très, très difficile. Elle contourna la maison et descendit la petite allée pavée, sursautant lorsqu'elle dépassa l'angle de la maison.

Le jardin débordait de fleurs et de verdure, d'herbes marines et de buis élégamment taillés ; et en son centre se dressait ce qui ressemblait à une tente de sultan. Sur la droite de la pelouse, se trouvait une fontaine ornée d'une Vénus en marbre. En dessous, avait été creusé un petit bassin où évoluaient des carpes koï blanches et rouges.

Julia approcha de la tente pour jeter un coup d'œil à l'intérieur. Ce qu'elle y vit lui fit de la peine.

Elle était meublée d'un petit lit bas et carré, exactement comme le futon de la terrasse à Florence. La suite où ils avaient fait l'amour pour la première fois. La terrasse où il lui avait donné à manger du chocolat et des fraises, et où ils avaient dansé sur du Diana Krall sous le ciel toscan. Le futon où il lui avait fait l'amour le lendemain matin. Il avait tenté de reproduire l'ambiance de cette terrasse jusque dans les nuances de couleurs de la literie.

La voix de Frank Sinatra semblait provenir de la maison, tandis que presque toutes les surfaces planes ne risquant pas de prendre feu étaient surmontées d'un grand cierge. Il avait aussi accroché des lanternes marocaines finement ouvragées à des fils entrecroisés au-dessus de sa tête.

Un vrai conte de fées. C'était Florence et leur pommeraie, et les mille et une nuits. Malheureusement pour Gabriel, cette extravagance soulevait une question : s'il avait pu mettre en œuvre une telle débauche d'énergie pour construire une caravane marocaine dans son jardin, pourquoi n'avait-il pas pu lui annoncer qu'il envisageait de revenir ?

Quand il la vit dans son jardin, son cœur s'emballa. Il mourait d'envie de l'enlacer et de l'embrasser, mais il devinait à la position de ses épaules et à la raideur de son dos que ce serait malvenu. Il se contenta donc de s'approcher prudemment.

– Bonsoir, Julianne.

Sa voix soyeuse fut douce aux oreilles de la jeune femme tandis qu'il se penchait derrière elle.

Ne l'ayant pas entendu approcher, elle frémit. Il lui caressa un bras, puis l'autre, d'un geste qui se voulait réconfortant, mais qui lui procura en réalité un frisson des plus sensuels.

– J'adore cette musique, dit-elle en s'écartant de lui.

Il lui tendit la main en signe d'invite. Avec précaution, elle y déposa la sienne. Il lui embrassa doucement les doigts avant de la libérer.

– Tu es éblouissante, comme toujours.

Il prit lentement conscience de sa beauté dans sa petite robe noire, ses jambes pâles et bien faites dans une paire de chaussures plates noires elles aussi, une légère brise collant quelques mèches de ses cheveux sur ses lèvres rouges brillantes quand elle se tourna dans sa direction.

— Merci.

Elle attendit qu'il fasse un commentaire sur ses chaussures, car son regard s'y attarda plus longtemps que la politesse ne le permettait. Elle avait mis des chaussures plates pour leur confort, et parce qu'elle souhaitait affirmer son indépendance. Elle savait qu'il ne les aimerait pas. Étonnamment, elle le vit sourire.

Il était vêtu de manière décontractée, d'une chemise de lin blanc, d'un pantalon kaki et d'une veste de lin bleu marine. Son sourire était sans doute son atout le plus séduisant.

— La tente est magnifique.

— Elle te plaît ? chuchota-t-il.

— Tu me poses toujours cette question.

Son sourire s'estompa un peu, mais il se retint de froncer les sourcils.

— Avant, ça te plaisait que je sois un amant attentionné.

Quand il croisa son regard, Julia détourna le sien.

— C'est un geste charmant, mais j'aurais préféré que tu m'envoies une lettre ou que tu me passes un coup de fil il y a trois mois.

Il sembla sur le point de vouloir se défendre, mais, en un clin d'œil, changea d'attitude.

— Où sont passées mes bonnes manières ? marmonna-t-il.

Il lui offrit son bras et l'accompagna à une petite table de bistro, sur la terrasse dallée.

Dans les branches basses d'un érable, de petites lumières blanches illuminaient la terrasse. Julia se demanda s'il avait fait appel à un décorateur d'extérieur rien que pour cette occasion. Il tira sa chaise, et, quand elle fut assise, la rapprocha doucement de la table, au centre de laquelle était disposé un panier débordant d'oranges et de gerberas rouges.

— Comment t'y es-tu pris pour faire tout ça ? s'enquit-elle en dépliant sa serviette et en la glissant sur ses genoux.

— Rebecca est une perle rare, en Nouvelle-Angleterre.

Julia lui adressa un regard interrogateur, mais elle obtint bientôt réponse à sa question lorsque la gouvernante servit le dîner. Rebecca était grande, plutôt quelconque, et portait une petite coiffe sur sa chevelure poivre et sel. Ses grands yeux sombres pétillaient d'amusement. Julia devina aussitôt que Gabriel l'avait mise dans la confidence, du moins à propos de cette soirée.

Malgré la décoration soignée et la musique idéale, le dîner fut assez simple... enfin, selon les critères de l'enseignant : une bisque de homard ; une salade de gorgonzola aux poires et aux noix ; des moules cuites à la vapeur avec des frites ; et, pour terminer, une merveilleuse tarte à la myrtille avec de la crème glacée au citron. Il servit le champagne, le même Veuve Clicquot que lors de leur premier dîner chez lui. Ce soir-là lui semblait extrêmement lointain, pourtant ça ne faisait même pas un an.

Pendant le repas, ils parlèrent de tout et de rien, du mariage de Rachel, de la petite amie de Scott et de son fils. Gabriel lui décrivit ce qu'il adorait dans cette maison, et ce qu'il aimait moins, lui promettant de la lui faire visiter. Ni l'un ni l'autre n'avaient hâte de discuter des événements qui avaient conduit à leur séparation.

— Tu ne bois pas ? lui demanda-t-elle, remarquant qu'il s'était contenté de Perrier pendant le repas.

— J'ai arrêté.

Elle haussa les sourcils.

— Pourquoi ?

— Parce que je buvais trop.

— Pas quand tu étais avec moi. Tu t'étais engagé à ne plus être ivre.

— Précisément.

Elle le regarda attentivement, ses yeux lui indiquant qu'il y avait derrière ses paroles une expérience désagréable.

— Mais tu aimais bien boire.

— J'ai tendance à devenir rapidement accro, Julianne. Tu le sais.

Il changea discrètement de sujet pour quelque chose de plus agréable.

Quand Rebecca servit le dessert, Julia et lui échangèrent un regard.

— Pas de gâteau au chocolat ce soir ?

— *Non, mon ange*, répondit-il en français. Même si rien ne me plairait davantage que te nourrir à nouveau.

Elle se sentit rougir et comprit qu'il valait mieux éviter de prendre cette voie avec lui avant qu'ils aient eu leur conversation. Mais comme il la dévisageait avec une passion non dissimulée, elle fut incapable de s'y résoudre.

— J'adorerais ça, dit-elle tranquillement.

Il sourit comme si le soleil venait de revenir après une absence prolongée et approcha aussitôt sa chaise de la sienne. Près. Très près. Si près qu'elle put sentir son souffle chaud sur son cou, ce qui lui donna la chair de poule.

Il s'empara de la fourchette à dessert de la jeune femme et la garnit d'un peu de tarte et de glace avant de se tourner vers elle.

Quand elle lui lança un regard plein d'envie, il eut soudain du mal à respirer.

— Qu'est-ce qu'il y a ? s'enquit-elle, aussitôt inquiète.

— J'avais presque oublié à quel point tu étais ravissante.

Tout en portant la fourchette à ses lèvres, il lui caressa la joue de sa main libre.

Elle ferma les yeux et ouvrit la bouche, et à cet instant Gabriel sentit son cœur s'emballer. Certes, ce n'était pas grand-chose, et même insignifiant par rapport à ce qu'ils avaient déjà vécu, mais Julia n'était pas du genre à accorder sa confiance aisément. La facilité avec laquelle elle s'offrait lui lui fit chaud au cœur.

Elle savoura le mélange de saveurs et rouvrit les yeux.

Incapble de s'en empêcher, il s'approcha de sorte que leurs lèvres ne soient plus séparées que de quelques centimètres et chuchota :

— Je peux ?

Elle acquiesça, et il l'embrassa. Elle n'était que douceur et lumière, délicatesse et bonté, l'objectif ardent de toutes ses quêtes et de toutes ses fascinations. Mais elle ne lui appartenait pas. Il l'embrassa donc avec délicatesse, comme la première fois dans la pommeraie, ses deux mains dans ses longs cheveux bouclés. Puis il recula pour admirer son visage.

Elle laissa échapper un soupir de satisfaction et ferma les yeux, avec l'impression d'être en lévitation.

— Je t'aime, déclara-t-il.

Elle rouvrit les yeux. Il lut dans son regard des émotions indistinctes, mais elle ne lui répondit pas.

Après le dessert, Gabriel lui suggéra d'aller prendre un espresso sous la tente, donnant congé à Rebecca pour le reste de la soirée. La nuit était tombée sur ce petit bout de paradis, et tel Adam il conduisit son Ève rougissante à son pavillon.

D'un coup de pied elle quitta ses chaussures puis se lova contre les coussins du futon, se rongeant nerveusement les ongles tandis qu'il allumait les bougies dans les lanternes marocaines. Il prit son temps, les ajustant pour qu'elles diffusent de manière agréable leur lueur sur le futon. Puis il alluma les autres chandelles disposées un peu partout dans la tente. Enfin, il s'étendit sur le dos auprès d'elle, les mains derrière la tête, de sorte qu'il puisse voir son visage.

— J'aimerais qu'on parle de ce qui s'est passé, lança-t-elle.

Il lui accorda toute son attention.

— Quand je t'ai vu devant chez moi, je ne savais plus si je devais te gifler ou t'embrasser, lui expliqua-t-elle à voix basse.

— Vraiment ? chuchota-t-il.

— Je n'ai fait ni l'un ni l'autre.

— Tu n'as jamais été rancunière. Ni cruelle.

Elle prit une profonde inspiration et se lança. Elle lui raconta comme cela lui avait brisé le cœur de lui laisser des messages sans jamais obtenir la moindre réponse. Elle lui avoua sa surprise en trouvant son appartement désert. Elle lui parla de la gentillesse de son voisin, de Paul et de Katherine Picton. Elle lui relata ses perpétuelles séances avec Nicole.

Elle était trop occupée à triturer sa tasse de café pour remarquer à quel point cela le perturbait. Quand elle lui expliqua comment le manuel qu'il lui avait remis avait fini sur l'étagère sans même qu'elle l'ouvre, Gabriel s'en prit à Paul.

— Tu n'as pas le droit de lui en vouloir, lui interdit-elle d'un ton sec. Ce n'est pas sa faute si tu as mis ton message dans un manuel. Pourquoi n'as-tu pas choisi un livre de ta propre bibliothèque ? Je l'aurais reconnu.

— J'avais reçu l'ordre de ne plus t'approcher. Si j'avais mis un livre de ma bibliothèque dans ton casier, Jeremy l'aurait remarqué. En fait, j'ai choisi un manuel et l'ai mis dans ta boîte aux lettres après l'heure de la fermeture. Le titre n'a pas attiré ton attention ?

Il poussa un soupir d'agacement.

— Quel titre ?

— Celui du manuel : *Le Mariage au Moyen Âge : l'amour, le sexe et le sacré*.

— Qu'aurait-il dû signifier, Gabriel ? Aux dernières nouvelles, j'étais Héloïse, et tu m'avais abandonnée. Je n'avais aucune raison de croire le contraire, et tu ne m'en as donné aucune.

Il se pencha, le regard étincelant.

— C'était le manuel, la raison. Le titre, la photo de la pommeraie, l'image de saint François tentant de sauver Guido da Montefeltro…

Sa voix se brisa et, souffrant le martyre, il marqua une pause.

— Ne te souviens-tu pas de notre conversation au Belize ? Je t'avais dit que j'étais prêt à aller en enfer pour te porter secours. Et, crois-moi, j'y suis allé.

— Je ne savais pas que tu m'avais laissé des messages. J'ai négligé le manuel parce que j'ignorais qu'il venait de toi. Pourquoi ne m'as-tu pas appelée ?

— Je ne pouvais pas te parler, chuchota-t-il. On m'avait prévenu que le doyen te convoquerait avant la remise de diplômes, et qu'il te demanderait si tu avais eu de mes nouvelles. Tu es une femme ravissante, Julianne, mais tu ne sais pas mentir. Il fallait que je t'envoie des messages codés.

La surprise de Julia se lut aussitôt sur son visage.

– Tu étais au courant pour la convocation ?

– J'étais au courant d'un grand nombre de choses, déclara-t-il stoïquement. Mais je ne pouvais rien en dire. C'est le problème.

– Rachel m'a conseillé de ne pas désespérer.

Elle soutint son regard un long moment.

– Mais il fallait que j'entende ces mots de ta bouche. Lors de notre dernière nuit ensemble, tu as couché avec moi, mais tu ne m'as rien dit. Qu'étais-je censée en déduire ?

Les larmes lui montèrent aux yeux. Mais avant qu'elle ait pu les sécher, Gabriel l'enlaça. Il la serra contre lui et l'embrassa sur le front.

Le contact de ses bras autour de sa taille fit redoubler les sanglots de la jeune femme. Il la serra un peu plus.

– C'est mon orgueil qui a entraîné ma chute. J'ai cru pouvoir te séduire alors que tu étais mon étudiante, et m'en tirer sans être inquiété. J'ai eu tort.

– J'ai cru que tu avais préféré garder ton travail plutôt que de me garder, moi.

Sa voix trahissait sa souffrance.

– Quand j'ai découvert que tu avais quitté ton appartement… Pourquoi ne m'as-tu pas dit que tu partais ?

– Je ne pouvais pas.

– Pourquoi ?

– Pardonne-moi, Julianne. Mon but n'était pas de te faire souffrir, je te le promets. Je regrette que tout ce que tu viens de me raconter se soit produit, dit-il en l'embrassant de nouveau sur le front. Je vais te raconter ce qui s'est passé. C'est une longue histoire. Et il n'y a que toi qui puisses me dire comment elle se terminera…

# 45

Julia recula pour mieux voir son visage, se préparant mentalement à ce qui allait suivre. Son mouvement lui permit de sentir le parfum de sa chevelure.

– Tes cheveux sont différents, murmura-t-il.

– Ils sont un peu plus longs, peut-être…

– Ils ne sentent plus la vanille.

– J'ai changé de shampoing, répondit-elle sèchement.

– Pourquoi ?

Il s'approcha d'elle.

– Parce qu'il me faisait penser à toi.

– C'est pour ça que tu ne portes pas tes boucles d'oreilles ? lui demanda-t-il en lui caressant le lobe des oreilles.

– Oui.

Il s'interrompit et la dévisagea, sa souffrance se devinant dans son regard.

Elle détourna les yeux.

– Je t'aime, Julianne. Peu importe ce que tu penses de moi ou de ce que j'ai fait, je te promets que c'était seulement pour te protéger.

Elle s'étendit sur le côté, prenant soin de ne pas le toucher.

– « Je suis ton serviteur fidèle, Béatrice », cita-t-il, le regard brillant d'émotion. Je t'en prie, souviens-t'en quand je te raconterai ce qui s'est passé.

Il prit une profonde inspiration et pria en silence avant d'entamer son récit.

– Lors de notre comparution devant les conseillers, j'espérais leur en dire le moins possible et les obliger à produire les preuves dont ils disposaient. Mais il est devenu évident qu'ils voulaient nous inculper et nous sanctionner. J'ai foiré en remettant au secrétariat général la note que Katherine t'avait donnée. L'administration s'inquiétant du fait que cette note ait pu t'être attribuée parce que tu couchais avec moi, ils allaient la suspendre pendant toute leur enquête.

— Ils pouvaient faire ça ?

— C'est l'une des dispositions envisagées dans le règlement universitaire. Tant que tu n'avais pas toutes tes notes, tu ne pouvais pas obtenir ton diplôme.

Julia cilla en comprenant ce que voulait dire Gabriel.

— C'en était fini de Harvard, chuchota-t-elle.

— Pour cette année, et sans doute pour les suivantes, car le fait que l'université de Toronto suspende ton diplôme aurait éveillé leurs soupçons. Ils ont tellement de demandes que, même sans en connaître la raison, ils auraient préféré prendre un étudiant sans problèmes.

Julia demeura immobile, prenant peu à peu la mesure de ses paroles.

Troublé, il se gratta le menton.

— Je redoutais que les membres du comité ne réduisent ton avenir à néant. Mais c'était ma faute. C'est moi qui t'ai persuadée que tu ne craignais rien en sortant avec moi. C'est moi qui t'ai invitée en Italie. J'aurais dû attendre. C'est mon égoïsme qui nous a conduits à tout ça.

Il la regarda dans les yeux et baissa d'un ton.

— Je suis désolé d'avoir gâché notre dernière nuit. J'aurais dû te parler. Mais j'étais rongé par l'inquiétude. Jamais je n'aurais dû te traiter de cette façon.

— Je me suis sentie si seule, le lendemain matin…

— C'était la pire des manières pour moi de gérer mon angoisse. Mais j'espère que tu me crois quand je te dis que ce n'était pas simplement pour… (Il s'interrompit, butant sur le mot.) Pour baiser. Chaque fois qu'on a couché ensemble, c'était toujours, toujours avec amour. Je te le jure.

Elle baissa les yeux sur le futon.

— Pour moi aussi. Il n'y a jamais eu qui que ce soit d'autre, avant ou depuis.

Soulagé, il ferma les yeux un instant. Même furieuse et se sentant trahie, elle ne s'était pas jetée dans les bras d'un autre. Elle n'avait pas renoncé à lui.

— Merci, murmura-t-il.

Il prit une profonde inspiration avant de poursuivre.

— Quand tu as avoué qu'on entretenait une relation et que j'ai vu la réaction du doyen, j'ai compris qu'on était fichus. Mon avocat s'était préparé à faire de l'obstruction, espérant que le comité serait disposé à m'excuser ou à prendre une décision que je puisse contester au tribunal. Mais quand tu as avoué, tu as apporté la confirmation dont le comité avait besoin.

— On était d'accord pour montrer un front uni. Un accord, Gabriel ! s'emporta-t-elle.

— J'y ai consenti de bonne foi, Julianne. Mais je t'ai aussi promis que je ne laisserais personne te faire du mal ou mettre un terme à ta carrière. Cette promesse était prioritaire.

— Un accord, c'est une promesse.

Gabriel se pencha.

— Ils menaçaient ton avenir. Tu croyais vraiment que j'allais rester sans rien faire ?

N'obtenant aucune réponse, il la mit au défi :

— Es-tu restée les bras croisés quand ils t'ont dit qu'ils allaient donner suite aux accusations qu'ils portaient contre moi ?

Elle le regarda droit dans les yeux.

— Tu sais très bien que non. Je les ai suppliés. Ils ne m'ont pas écoutée.

— Exactement, confirma-t-il en plongeant son regard bleu dans le sien. Qui, à ton avis, m'a appris à faire preuve d'abnégation ?

Elle secoua la tête sans se donner la peine de répondre.

— Puisqu'on a enfreint les règles, pourquoi le doyen n'a-t-il pas tenté de nous poursuivre tous les deux ?

— C'est moi l'enseignant. J'aurais dû réfléchir. Et le Pr Chakravartty était de ton côté depuis le début. Elle ne croit pas que des relations professeur-étudiant puissent être consensuelles. Et, malheureusement pour nous, ils ont découvert ce vieil e-mail que tu m'avais envoyé.

— Alors, c'est ma faute.

Il se pencha légèrement et lui caressa la joue du dos de la main.

— Non. C'est moi qui t'ai persuadée qu'on pouvait enfreindre les règles sans rien avoir à craindre. Ensuite, au lieu d'assumer la responsabilité de mes actes, je suis resté planqué derrière mon avocat. Tu as été la seule assez courageuse pour dire la vérité. Après, je ne pouvais plus faire autrement que de la confesser à mon tour. J'ai accepté leurs sanctions à condition qu'ils bouclent rapidement leur enquête. Les conseillers ont été ravis de pouvoir se débarrasser de cette affaire sans que je porte plainte, et ils m'ont promis de se montrer indulgents.

Julia eut l'air peiné.

— Malheureusement, ils n'ont vraiment pas la même définition de l'indulgence que moi. Je m'attendais à recevoir un blâme, mais pas à me voir contraint de prendre un congé exceptionnel.

Il se frotta le visage à deux mains.

– Jeremy était furieux à l'idée de me perdre, ne serait-ce que pour un semestre. J'étais à l'origine d'un scandale qui non seulement l'embarrassait, lui, mais aussi tous mes collègues et les étudiants du département. Christa a porté plainte contre l'université. C'était une véritable pagaille, et j'en étais le responsable.

– On en est tous les deux responsables, Gabriel. Je connaissais le règlement et je l'ai enfreint, moi aussi.

Il lui adressa un petit sourire.

– Les règles sont écrites de telle sorte que l'étudiant puisse être pardonné, car c'est l'enseignant qui a tout pouvoir sur lui.

– Le seul pouvoir que tu avais sur moi, c'était l'amour.

Il l'embrassa doucement.

– Merci.

Le cœur de Gabriel débordait de reconnaissance. Elle n'avait pas réfléchi au temps qu'ils avaient passé ensemble et ne le voyait pas sous le même angle que les membres du comité. Elle n'avait pas reculé quand il l'avait embrassée. En fait, elle avait bien accueilli son baiser. Elle lui donnait l'espoir qu'à la fin de son histoire, elle serait encore à son côté.

– Quand ils ont fait venir Jeremy, je l'ai imploré de nous aider. Je lui ai promis de faire n'importe quoi.

– N'importe quoi ?

Il changea de nouveau de position.

– Je n'imaginais pas un seul instant qu'il prendrait le parti des conseillers et me demanderait de cesser tout contact avec toi. C'était une promesse inconsidérée faite dans un accès de désespoir.

Elle s'écarta de lui.

– Qu'a-t-il répondu ?

– Il a convaincu le comité de me mettre en congé administratif. Dans les faits, c'était une suspension, mais ils lui ont donné une autre appellation afin d'éviter de salir le département. Ils m'ont également interdit de superviser des étudiantes pendant trois ans.

– Je suis désolée, je n'en avais pas la moindre idée.

Il serra les lèvres.

– Ils m'ont intimé l'ordre de mettre un terme à notre relation sur-le-champ et de cesser tout contact avec toi. Ils m'ont dit que si je violais ces conditions, l'accord serait annulé et qu'ils reprendraient l'enquête. Contre nous deux.

Il marqua un temps d'arrêt, cherchant manifestement ses mots.

– Ils me considéraient comme une victime, pourquoi ont-ils menacé de rouvrir l'enquête sur moi ?

Gabriel plissa ses yeux bleus.

– Le doyen te soupçonnait de dire la vérité, il commençait à croire que notre relation était consensuelle et que je tentais simplement de sauver ta réputation. Il était hors de question qu'il nous laisse poursuivre cette liaison. Voilà pourquoi je t'ai envoyé cet e-mail.

– Ton message était cruel…

Il fronça les sourcils.

– Je le sais. Mais en l'envoyant de mon compte professionnel à ton adresse à l'université, je me suis dit que tu comprendrais que c'était pour la galerie. T'avais-je déjà parlé de cette façon avant ?

Elle lui lança un regard de défi.

Il grimaça.

– Enfin, t'ai-je déjà parlé de cette manière depuis que je sais qui tu es ?

– L'université avait-elle le droit d'exiger que tu cesses de me parler ?

Il haussa les épaules.

– Oui. À cause de la menace de la plainte de Christa suspendue au-dessus de nos têtes à tous. Jeremy semblait penser que si je prenais un congé exceptionnel, il pourrait convaincre Christa de laisser tomber ses poursuites. Et ç'a été le cas. Mais, encore une fois, il a dit que s'il venait à découvrir que je continuais à te fréquenter, il ne lèverait pas le petit doigt pour m'aider.

– C'est du chantage.

– C'est le milieu universitaire. La plainte de Christa aurait fait du tort au département, probablement de façon irrémédiable. Jeremy n'aurait plus eu la possibilité de recruter les meilleurs enseignants et les meilleurs étudiants, parce que tous auraient pensé que ce n'était pas une fac sûre. Je ne souhaitais pas plus que lui être impliqué dans un scandale, et je ne voulais absolument pas que tu sois traînée devant un tribunal en tant que témoin.

Il s'éclaircit la voix, cherchant manifestement ses mots.

– J'ai donné mon accord. Jeremy et le doyen m'ont fait comprendre qu'ils te convoqueraient à la fin du semestre pour voir si j'avais tenu ma promesse. Je n'avais pas le choix.

Elle tritura les plis de sa robe.

– Pourquoi ne me l'as-tu pas dit ? Pourquoi n'as-tu pas demandé une suspension d'audience pour pouvoir m'expliquer ce qui se passait ? On formait un couple, Gabriel. On était censés œuvrer de concert.

Il déglutit avec peine.

– Que se serait-il passé si je t'avais prise à part pour t'expliquer ce que j'étais sur le point de faire ?

– Je t'en aurais empêché.

– Exactement. Je n'allais pas te laisser tout perdre à cause de moi. Je ne l'aurais pas supporté. J'espérais simplement que tu me le pardonnerais… un jour.

Julia était abasourdie.

– Tu étais prêt à tout perdre pour me sauver, doutant que je puisse te le pardonner ?

– Oui.

Elle sentit les larmes lui monter aux yeux.

– Je regrette que tu ne m'en aies pas parlé.

– Moi aussi, mais j'avais promis à Jeremy de ne plus t'approcher. Avant qu'il sorte de la salle, j'ai tenté de te parler, mais John et Soraya n'ont pas arrêté de me couper la parole.

– Je sais, mais…

Il l'interrompit.

– Si je t'avais dit que c'était seulement temporaire, ils s'en seraient rendu compte en te voyant. Ils auraient compris que je n'avais aucune intention de tenir ma promesse. J'avais donné ma parole.

– Mais tu savais que tu ne la tiendrais pas.

– En effet.

Il se tut de nouveau un long moment, le regard perdu dans le lointain.

– Ce n'est pas logique, Gabriel. Tu leur as fait plein de promesses, mais tu les as enfreintes. Tu as mis le manuel dans mon casier, tu m'as écrit un message…

– Je voulais en faire davantage. J'ai tenté de t'envoyer un e-mail pour te dire que ce n'était que jusqu'à la fin du semestre. Dès que tu aurais obtenu ton diplôme et que j'aurais donné ma démission, on aurait pu reprendre notre relation. Enfin, si tu voulais encore de moi, dit-il en baissant le ton. Je savais qu'ils te surveilleraient. Et que le doyen te convoquerait pour savoir si j'avais tenu parole. Je craignais que tu sois incapable de mentir.

– N'importe quoi ! s'exclama-t-elle d'un ton féroce. Tu aurais pu m'envoyer un e-mail pour m'expliquer que je devais faire mine d'avoir le cœur brisé. Je ne suis pas une grande actrice, mais je sais tout de même jouer un peu la comédie.

– Il y avait d'autres… facteurs.

Elle ferma les yeux.

— Quand je suis tombée, tu m'as regardée comme si tu me haïssais. Tu avais l'air écœuré.

— Je t'en prie, Julia.

Il la prit par la main et l'attira à lui.

— Ce regard ne t'était pas destiné. Tout le dégoût que j'éprouvais était dirigé contre le comité et moi-même. Ce n'est pas toi que je regardais, je te le jure.

À la fois bouleversée, angoissée et en partie soulagée d'avoir obtenu des réponses à ses questions, Julia fondit en larmes. Mais les questions les plus importantes restaient en suspens.

— Je m'en veux de t'avoir encore fait pleurer, dit Gabriel, l'air contrit, lui caressant le dos pour la réconforter.

Elle sécha ses larmes.

— Il faut que je rentre.

— Tu peux rester avec moi, cette nuit.

Il lui jeta un coup d'œil prudent. Elle était tiraillée. Si elle restait avec lui, elle ne pourrait pas lui dire tout ce qu'elle avait encore à lui dire, mais aller se réfugier dans son petit studio lui semblait bien lâche. Elle savait que dès qu'elle serait blottie contre lui, elle serait fichue.

— Je ferais bien d'y aller, soupira-t-elle d'un air abattu. Mais je n'arrive pas à me résoudre à partir.

— Alors, reste… dans mes bras.

Il l'embrassa sur le front, lui murmurant son amour.

Lentement, il se dégagea de son étreinte et s'empara de deux couvertures, sans manquer d'en profiter pour souffler les bougies. Il laissa les lanternes marocaines allumées, admirant les jeux de lumière et de couleurs contre les parois de la tente. L'air lui-même semblait chatoyer.

Ils se firent un petit nid douillet au milieu du futon. Il s'étendit sur le dos, sa bien-aimée à son côté. Il ne fit aucun effort pour retenir un profond soupir de soulagement en la prenant par les épaules.

— Gabriel ?

— Oui ?

Il lui caressait doucement les cheveux, savourant leur contact soyeux, les faisant glisser entre ses doigts. Il tenta de se faire à son nouveau parfum, mais il préférait de loin l'ancien.

— Tu m'as manqué.

— Merci.

Envahi par un profond soulagement, il la serra contre lui.

— La nuit, je restais éveillée de longues heures, regrettant ton absence.

Elle semblait à la fois si vulnérable et si courageuse qu'il sentit les larmes lui monter aux yeux. S'il avait eu un moment de doute quant au fait de savoir s'il l'aimerait et l'admirerait à tout jamais, qu'elle choisisse de rester avec lui ou non, ce doute se dissipa comme une volute de fumée.

– Moi aussi.

Elle poussa un petit gémissement de contentement, et quelques minutes plus tard, exténués, les deux anciens amants s'endormirent profondément.

## 46

En ouvrant les yeux, Julia aperçut par les battants ouverts de la tente les rayons éclatants du soleil de juillet. Elle était roulée en boule sous deux couvertures en cachemire qu'il avait amoureusement remontées sur elle. Et seule. Si elle n'avait pas su que la tente était celle de Gabriel, elle aurait pu croire qu'elle avait rêvé la soirée précédente. Ou qu'elle commençait un nouveau songe.

En descendant du lit, elle trouva un mot juste à côté de son oreiller.

« Très chère,
Tu dormais si paisiblement que j'ai préféré ne pas te déranger. Je demanderai à Rebecca de te faire des gaufres au petit déjeuner, je sais que tu aimes ça. Le fait de m'endormir dans tes bras m'a rappelé qu'il me manquait une partie de moi en ton absence.
Avec toi, je me sens entier.
Avec tout mon amour,
Gabriel. »

Julia ne put nier qu'en lisant le billet elle sentit une vague d'émotions la submerger, telle une symphonie. Le sentiment dominant était sans doute le soulagement.

Gabriel l'aimait. Il était revenu.

Mais la réconciliation et le pardon n'allaient pas forcément de pair. Même si des forces extérieures avaient œuvré à leur éloignement, elle savait qu'ils portaient tous les deux la responsabilité de leur situation actuelle. Julia refusait de se jeter de nouveau dans ses bras uniquement pour échapper à la douleur de leur séparation. Elle aurait eu l'impression de prendre un cachet contre la douleur sans chercher la cause de cette dernière.

Elle retrouva ses chaussures et traversa lentement le jardin, récupérant son sac à main avant d'entrer dans la maison par la porte de derrière. Rebecca était déjà au travail dans la minuscule cuisine et préparait son petit déjeuner.

— Bonjour, l'accueillit-elle, sourire aux lèvres.

— Bonjour.

Julia indiqua l'escalier menant au premier étage.

— J'allais juste à la salle de bains.

La gouvernante s'essuya les mains sur son tablier.

— Je crains que Gabriel y soit déjà.

— Oh !

— Pourquoi n'iriez-vous pas frapper à la porte ? Il a peut-être terminé.

L'idée de pouvoir le croiser, encore mouillé de la douche, une serviette autour de la taille, la fit rougir.

— Euh… je vais attendre. Vous permettez ?

Elle désigna l'évier et, avec la permission de Rebecca, se lava les mains. Dès qu'elle les eut séchées, elle tira un élastique de son sac à main et les attacha en queue-de-cheval.

La gouvernante l'invita à s'asseoir à la petite table ronde de la cuisine.

— Cette maison n'est pas très pratique, avec sa seule salle de bains. Je suis obligée de gravir cet escalier plusieurs fois par jour. Même dans ma petite maison, il y en a deux.

Julia fut étonnée.

— Je croyais que vous logiez ici…

Rebecca éclata de rire, prenant dans le réfrigérateur un pichet de jus d'oranges fraîchement pressées.

— J'habite à Norwood. Avant, je vivais avec ma mère, mais elle est morte il y a quelques mois.

— Oh, je suis désolée…

Julia lui adressa un regard compatissant tandis qu'elle servait du jus d'orange dans deux verres à vin.

— Elle avait un Alzheimer, dit-elle simplement avant de se remettre à cuisiner.

Julia la regarda brancher un gaufrier électrique, puis laver et équeuter une barquette de fraises toutes fraîches avant de les garnir de crème fouettée. Gabriel avait tout prévu.

— Il va falloir que je m'adapte : le fait de m'occuper de la maison d'un professeur me change de la surveillance de ma mère. Il est un peu exigeant, mais ça me plaît. Vous saviez qu'il me prêtait des livres ? Je viens de commencer *Jane Eyre*. Je ne l'avais jamais lu. Il m'a dit que du moment que je faisais la cuisine, je pouvais lui emprunter des livres. J'ai enfin l'occasion de parfaire mon éducation et de mettre en pratique tout ce que j'ai appris depuis des années en regardant les chaînes culinaires.

— Il vous prête des livres de sa bibliothèque personnelle ? demanda Julia d'un ton incrédule.

— Oui. N'est-ce pas adorable ? Je ne connais pas très bien le professeur, mais je l'adore déjà. Il me fait penser à mon fils.

Julia savoura son jus d'orange et entama son petit déjeuner, la gouvernante l'ayant incitée à ne pas attendre l'arrivée de Gabriel.

— Je ne comprends pas pourquoi il a acheté cette maison, vu que la cuisine est minuscule et qu'il y a une seule salle de bains, déclara Julia entre deux bouchées de gaufre aromatisée à la cannelle.

Rebecca lui adressa un sourire entendu.

— Il voulait habiter près de Harvard Square, et il a bien aimé le jardin. Il m'a dit qu'il lui rappelait celui de ses parents. Il a l'intention de rénover la maison pour la rendre plus confortable, mais il refuse de faire venir des entrepreneurs tant que vous ne lui aurez pas donné votre approbation.

— Mon approbation ?

Julia fit tomber sa fourchette par terre.

Aussitôt, Rebecca lui en tendit une autre.

— Je crois même qu'il a parlé de vendre si ça ne vous plaisait pas. Mais d'après ce que j'ai entendu à l'étage ce matin, je crois qu'il a décidé d'entreprendre des aménagements sur-le-champ !

Elle lui tendit une assiette de bacon croustillant.

— Je ne sais pas si vous l'avez remarqué, mais le professeur est parfois quelqu'un de très passionné.

La jeune femme éclata d'un rire sonore.

— Vous n'imaginez même pas !

Elle eut le temps de savourer non pas une, mais deux gaufres avant d'entendre le pas de Gabriel – portant ses chaussures italiennes – le long de l'escalier.

— Bonjour, la salua-t-il en l'embrassant sur le front.

— Bonjour.

Tout à fait conscients de la présence de Rebecca, ils discutèrent de banalités avant que Julia s'excuse et se rende à la salle de bains.

En jetant un coup d'œil à son visage et à ses cheveux dans le miroir, elle comprit qu'elle devait se doucher. Au même instant, elle remarqua la présence d'un sac de courses à côté du lavabo.

À l'intérieur, elle trouva des flacons de son ancienne marque de shampoing et de gel douche ainsi qu'une éponge couleur lavande. Encore plus surprenant, elle y découvrit une petite robe d'été jaune pâle avec le gilet assorti. Il lui fallut un moment pour maîtriser la soudaine vague d'émotion qui venait de la submerger. Mais elle parvint à se ressaisir, se doucha, s'habilla et se recoiffa, se rendant plus présentable.

Elle était ravie de pouvoir porter des vêtements propres, mais un peu agacée par l'audace de Gabriel. Elle se demanda si elle trouverait de la lingerie à sa taille dans son placard. Elle se demanda aussi s'il avait gardé toutes ses affaires, quand il avait quitté son appartement.

Elle repoussa ses cheveux derrière ses oreilles. Elle avait dissimulé les boucles de Grace chez elle, au fond de son tiroir à sous-vêtements, avec d'autres objets précieux. Elle savait que ne plus les porter, même si cela lui avait semblé nécessaire après le départ de Gabriel, affecterait profondément ce dernier.

Ils s'étaient fait souffrir mutuellement et avaient tous les deux besoin de se faire pardonner et de guérir. Mais Julia ignorait la meilleure voie à suivre pour se racheter. Dans la vie, les choix les plus évidents n'étaient pas nécessairement les plus judicieux.

Quand elle redescendit enfin, Rebecca nettoyait la cuisine et Gabriel était dans le jardin. Elle le retrouva dans un fauteuil, les yeux fermés, à l'ombre d'un grand parasol.

– Ça va ? s'enquit-elle.

Il lui sourit.

– Maintenant, oui. Tu viens te joindre à moi ?

Il lui tendit la main et elle s'en saisit, prenant place sur le fauteuil voisin.

– Cette couleur te va à ravir, déclara-t-il, regardant sa robe jaune avec une joie non dissimulée.

– Merci d'être allé faire les magasins.

– Qu'aimerais-tu faire, aujourd'hui ?

Elle tira sur le bas de sa robe pour se couvrir les genoux.

– Je crois que nous devrions terminer notre conversation.

Il acquiesça, renouvelant silencieusement sa prière. Il ne voulait pas la perdre. Et il savait que son histoire risquait d'aboutir à ce résultat.

– Tu te souviens de notre discussion dans le couloir après l'audition ? Quand John s'est montré grossier avec toi, j'aurais voulu lui arracher le doigt et le lui faire bouffer.

– Pourquoi ?

– J'ai l'impression que tu ne saisis pas la profondeur de mes sentiments pour toi. Ça va bien au-delà de vouloir être auprès de toi ou te protéger. Je veux que tu sois heureuse et qu'on te traite avec respect.

— Tu ne peux pas arracher le doigt de toutes les personnes grossières avec moi.

Il se caressa le menton en prenant un air songeur.

— Je suppose que non. Qu'est-ce que je peux faire d'autre ? Les assommer avec l'intégrale de Shakespeare ?

— En un seul volume ? Bien sûr.

Ils éclatèrent de rire, puis se turent un long moment.

— Je voulais te raconter ce qui s'était passé à huis clos, mais on m'avait intimé l'ordre de ne plus te parler. Alors j'ai essayé de communiquer avec toi par codes. Sauf que j'ai bêtement fait allusion à Abélard, oubliant que nous avions chacun une interprétation différente de sa relation avec Héloïse. J'aurais dû citer Dante, Shakespeare, Milton ou n'importe qui d'autre.

Il secoua la tête.

— Tu semblais si furieuse. Tu m'as accusé de t'avoir baisée. Julianne… (Sa voix se brisa en prononçant son prénom.) As-tu donc si peu d'estime pour moi ? Croyais-tu que j'aurais pu te faire mes adieux de cette manière ?

Elle détourna les yeux, préférant éviter l'intensité de son regard.

— Qu'étais-je censée croire ? Tu ne m'as rien dit. Tu es parti le lendemain matin sans même me laisser un mot. Et puis à l'audition, soudain, c'était terminé.

— Je ne pensais pas pouvoir m'en remettre à des mots. Quand je t'ai fait l'amour, j'ai cru que tu comprenais ce que j'essayais de te dire… que nous n'étions qu'un. Que nous n'avions toujours fait qu'un.

— À propos de notre conversation dans le couloir après l'audition, répliqua-t-elle, préférant changer de sujet, je ne comprends pas comment ils ont pu t'obliger à quitter la ville.

— Ils ne pouvaient pas. Pas vraiment. Jeremy voulait simplement que je lui promette de ne plus te voir.

Elle croisa les bras.

— Alors, pourquoi es-tu parti ?

— Jeremy a découvert que je n'avais pas tenu parole avant même qu'on ait quitté le bâtiment. Il a exigé que je rompe avec toi et que je jure sur mon honneur que je ne m'approcherais plus de toi. Je lui avais déjà dit que je ferais n'importe quoi s'il nous aidait. Je n'avais pas le choix.

Julia se remémora son entretien avec le doyen et le Pr Martin, juste avant la remise des diplômes.

– Pourquoi Jeremy a-t-il cru que tu avais rompu ta promesse ? Tu ne me parlais pas et tu ne répondais pas à mes messages. Tu m'as simplement envoyé un e-mail pour m'annoncer que c'était terminé.

– Je sais. Je suis désolé. J'avais espéré que tu lirais entre les lignes et que tu comprendrais que c'était juste pour l'administration. Avant ce message, je t'en ai envoyé un autre depuis mon compte Gmail pour te dire que c'était seulement temporaire.

– Non, c'est faux.

Il s'empara de son téléphone. Après avoir fait défiler quelques écrans, il s'arrêta sur une page. Puis il se tourna vers elle, d'un air bouleversé et hagard.

– Après l'audition, je suis allé me réfugier dans les toilettes, et je t'ai envoyé un e-mail rapide.

Il lui prit délicatement la main.

– Tiens, ajouta-t-il en lui tendant son portable.

Julia jeta un bref coup d'œil à l'écran.

`« Je t'aime, Béatrice. N'en doute jamais. Je t'en prie, fais-moi confiance. G. »`

Elle cligna des yeux, tentant de faire correspondre ce qu'elle voyait d'inscrit noir sur blanc avec la réalité.

– Je ne comprends pas. Je ne l'ai jamais reçu.

Il lui adressa un regard tourmenté.

– Je le sais.

Elle consulta de nouveau l'écran et constata que la date et l'heure d'envoi du message correspondaient à l'histoire de Gabriel. Mais l'adresse du destinataire n'était pas la sienne. En fait, c'était celle de quelqu'un d'autre : « J. H. Martin ».

Julia écarquilla les yeux, comprenant soudain l'ampleur de l'erreur de Gabriel. Au lieu d'envoyer l'e-mail à Julianne H. Mitchell, il l'avait envoyé à Jeremy H. Martin, le directeur du département de littérature italienne.

– Oh, mon Dieu ! lâcha-t-elle.

Il lui prit le téléphone des mains en marmonnant quelques jurons.

– Chaque fois que j'ai essayé de faire quelque chose pour toi, ça s'est retourné contre moi. J'ai tenté de te sauver, et les conseillers ont eu des soupçons. J'ai voulu te donner des indices en allant te parler, et je t'ai donné l'impression de t'abandonner. J'ai rédigé un e-mail, mais je l'ai envoyé à la personne même qui m'interdit de te contacter. Franchement, Julia, si je n'avais pas eu l'espoir qu'un jour on tiendrait cette conversation, je me serais jeté sous une voiture dans la rue Bloor pour en finir.

— Ne dis pas des choses pareilles ! N'y pense même pas !

Le soudain accès de férocité de Julia lui plut, mais il fit aussitôt machine arrière.

— Le fait de te perdre m'a mis au plus bas, mais le suicide n'est pas une solution envisageable.

Il lui adressa un regard plus significatif que n'importe quels mots.

— Jeremy était furieux. Pour m'aider, il avait mis sa carrière et son département en péril, et je le trahissais moins de deux minutes plus tard. Il avait à présent la preuve écrite que je ne tenais pas la parole que j'avais donnée au comité. Je n'avais plus le choix, je devais faire tout ce qu'il exigeait. S'il avait fait suivre mon e-mail au doyen, les conséquences auraient été terribles pour nous deux.

À cet instant, Gabriel et Julia furent interrompus par Rebecca, qui les rejoignit sur la terrasse avec un pichet de citronnade maison garnie de quelques framboises. Elle les servit avec un sourire encourageant et disparut de nouveau à l'intérieur.

Profitant de ce sursis, Gabriel but avidement.

— Alors ? insista Julia en savourant sa citronnade.

— Jeremy m'a demandé de ne plus t'approcher. Je n'avais pas le choix. Juste une épée de Damoclès au-dessus de la tête.

— Il t'a laissé partir ?

— Avec une poignée de main et une promesse.

Il grimaça au souvenir de cette terrible conversation qui le hantait encore.

— Il a fait preuve d'une certaine clémence à mon égard. Plus que jamais, je me suis senti obligé de tenir parole. J'ai pris la décision de ne pas te contacter directement, jusqu'à ce que tu sois certaine d'obtenir ta place à Harvard.

Elle secoua la tête d'un air obstiné.

— Mais que fais-tu de moi, Gabriel ? Tu m'as fait beaucoup de promesses. Tu n'as pas pensé à les tenir ?

— Bien sûr que si. Avant de quitter Toronto, j'ai mis le manuel dans ton casier. Je me suis dit que tu trouverais le passage dans la lettre d'Abélard et que tu lirais ce que j'avais écrit au dos de la photo.

— Mais je n'ai pas compris que c'était toi qui l'avais mis là. Je n'y ai jeté un coup d'œil que le soir où tu es venu me voir. C'est pourquoi j'ai couru dehors. Je n'avais pas de connexion Internet chez moi, et je voulais t'envoyer un e-mail.

— Pour me dire quoi ?

— Je ne sais pas. Il faut que tu le comprennes, je croyais que tu t'étais lassé de moi. Que tu avais décidé que je n'en valais pas la peine.

Sentant les larmes ruisseler sur ses joues, elle les essuya du dos de la main.

— C'est moi le seul dans cette relation qui n'en valais pas la peine. Je savais que je m'étais mis dans une situation qui m'empêchait de satisfaire tes désirs. Mais je ne l'ai pas fait pour te faire souffrir. C'était de la fierté, une mauvaise appréciation, et une succession d'erreurs.

Il baissa les yeux sur ses mains et fit tourner l'alliance autour de son doigt.

— Katherine Picton a tenté de m'aider. Elle m'a dit que l'université t'avait laissée tranquille en mon absence et qu'elle ferait tout ce qui était en son pouvoir pour que tu puisses avoir ton diplôme à temps. Elle m'a signalé qu'un vieil ami à elle venait de quitter le département de littérature romane à l'université de Boston pour aller à l'UCLA. Elle m'a demandé la permission de me proposer pour le remplacer. Je la lui ai donnée. J'ai eu un entretien et, en attendant leur réponse, je suis allé en Italie. Il me fallait agir pour me sortir de ma dépression, avant de faire quelque chose que j'aurais pu regretter.

Julia sentit son estomac se serrer.

— Quelque chose que tu aurais pu regretter ?

— Pas avec des femmes. La simple idée de pouvoir être avec quelqu'un d'autre m'écœurait. Je craignais plus d'autres… vices.

— Avant d'aller plus loin, je dois te dire quelque chose, déclara-t-elle d'une voix plus déterminée qu'elle ne l'était réellement.

Il la considéra attentivement, se demandant ce qu'elle allait bien pouvoir lui révéler.

— Quand je t'ai dit que ma relation avec Paul n'était pas allée plus loin que l'amitié, c'était le cas. En partie.

— En partie ? répéta-t-il en haussant les sourcils et en baissant d'un ton.

— Paul voulait aller plus loin. Il m'a dit qu'il m'aimait. Et on… s'est embrassés.

Il garda le silence un long moment, et Julia vit blanchir les articulations de ses doigts.

— C'est lui que tu veux ?

— Il a été là quand j'en ai eu besoin. Mais je n'ai jamais éprouvé le moindre sentiment pour lui. Tu le sais déjà, tu m'as coupé l'envie d'aller voir ailleurs quand j'avais dix-sept ans.

Sa voix tremblait.

— Mais tu l'as embrassé.

— C'est vrai.

Elle se pencha et, d'un geste délicat, repoussa une mèche de cheveux du front de Gabriel.

— Mais c'est tout. Je n'imaginais pas que tu allais revenir, mais je l'ai tout de même éconduit, dit-elle en ôtant sa main. Pas parce que ça m'aurait déplu de vivre avec lui, mais parce que ce n'était pas toi.

— Je suis sûr qu'il en a été bouleversé, dit-il d'un ton sarcastique.

— Je lui ai brisé le cœur, lui fit-elle remarquer en rentrant la tête dans les épaules. Et ça ne m'a pas fait plaisir.

Il remarqua sa gêne évidente, mais ne put dissimuler son soulagement quand elle admit qu'il n'avait aucun rival.

Il referma la main sur son épaule avant de reprendre la parole.

— Si on entrait en contact, je craignais que Paul le découvre et aille le répéter à Jeremy.

— Il n'aurait jamais fait une chose pareille. Il a été très gentil avec moi, même après que je lui ai brisé le cœur. Je sais que tu m'as dit que tu m'étais resté fidèle, et je ne mets pas ta parole en doute, mais est-ce que quelqu'un t'a... embrassé ?

Elle lissa des plis imaginaires sur sa robe jaune.

— Non, répondit-il en souriant d'un air contrit. J'aurais fait un bon dominicain ou un bon jésuite, tu ne trouves pas ? Avec mon nouveau vœu de célibat. Même si j'ai découvert pendant notre séparation que je n'étais pas fait pour être franciscain.

Elle lui adressa un regard perplexe.

— C'est une longue histoire. Je te la raconterai un autre jour.

Elle lui serra tendrement la main et la retira, désirant secrètement qu'il poursuive son histoire.

— Si on ne m'avait pas proposé un poste à l'université de Boston, j'avais tout de même l'intention de démissionner de Toronto. Il suffisait que je parvienne à tenir jusqu'à la remise de ton diplôme. Je voulais me sentir près de toi, me rappeler de bons moments... Alors, je suis allé en Italie. Tu sais, Julianne, tout ce temps passé avec toi à Florence et en Ombrie, c'était le plus beau moment de ma vie, dit-il en détournant le regard. Je suis même allé à Assise.

— Pour devenir franciscain ?

Elle esquissa un petit sourire en coin.

— Presque. En visitant la basilique, j'ai cru te voir.

Il lui jeta un coup d'œil hésitant, se demandant si elle n'allait pas le prendre pour un désaxé.

— Ton sosie m'a conduit jusqu'à la basilique inférieure, et dans la crypte, au tombeau de saint François. Au début, je l'ai dévisagée, priant pour que ce soit toi. Pour que je n'aie pas commis tant d'erreurs. J'étais mis face à mes propres échecs… à mes péchés. J'avais fait de toi mon idole. Je t'ai vénérée comme un païen. Ensuite, je t'ai perdue et je risquais de tout perdre. Je me suis dit qu'il fallait que tu me sauves de là, que je n'étais rien sans toi. J'ai commencé à voir qu'on m'avait donné ma chance à de nombreuses reprises. Même si je n'avais fait preuve d'aucune bonté de mon côté, on m'avait accordé grâce et amour. Et je les avais rejetés ou traités avec dédain. Je ne méritais pas la famille qui m'avait adopté. Je ne méritais pas Maia, ce qui m'était arrivé de mieux dans ma relation avec Paulina. Je ne méritais pas d'avoir survécu à la drogue, ni d'avoir été diplômé de Harvard. Je ne te méritais pas.

Il marqua une pause et se frotta de nouveau les yeux, mais cette fois ne parvint pas à sécher ses larmes.

— La grâce, ce n'est pas quelque chose qu'on mérite ou non, Gabriel, lui fit doucement remarquer Julia. Elle est issue de l'amour. Et Dieu accorde à tout le monde des secondes chances, des tendres pousses et sa miséricorde, même si certains n'en veulent pas.

Il l'embrassa sur le dos de la main.

— Précisément. Dans la crypte de la basilique, quelque chose s'est produit. J'ai compris que tu ne pouvais pas me sauver. Et j'ai trouvé… la paix.

— On cherche parfois la grâce, et c'est elle qui finit par nous trouver.

— Comment se fait-il que tu ne sois pas un ange ? lâcha-t-il. J'ignore ce qui m'est arrivé, mais ça m'a incité à faire preuve de bonté. Mon expérience m'a poussé à me concentrer sur Dieu, mais aussi à t'aimer davantage. J'ai toujours été attiré par ta bonté, Julianne. Mais je suis persuadé de t'aimer beaucoup plus aujourd'hui qu'avant.

Elle hocha la tête, ses yeux soudain emplis de larmes.

— J'aurais dû te dire bien plus tôt que je t'aimais. J'aurais dû te demander en mariage. Je croyais savoir ce qu'il y avait de mieux pour toi. Je pensais qu'on avait tout le temps devant nous.

Julia tenta de lui répondre, mais sa gorge nouée l'en empêcha.

— Je t'en supplie, Julianne, dis-moi qu'il n'est pas trop tard. Dis-moi que je ne t'ai pas perdue à tout jamais.

Elle le regarda fixement un long moment avant de l'enlacer.

— Je t'aime, Gabriel. Je n'ai jamais cessé de t'aimer. Nous avons tous les deux commis des erreurs, dans notre relation, avec l'université, et l'un envers l'autre. Mais j'espérais que tu reviendrais. Et que tu m'aimerais encore.

Elle l'embrassa sur les lèvres, et Gabriel se sentit submergé par une vague de joie mêlée de culpabilité.

Il était embarrassé, visiblement. Mais Julia savait aussi que ses yeux pleins de larmes étaient le résultat d'une myriade de choses : l'épuisement, la frustration et la douleur après une dépression prolongée.

— Alors, tu vas rester ? demanda-t-il d'une voix douce.

Elle hésita juste assez longtemps pour qu'il commence à s'inquiéter.

— Je ne veux plus me contenter de ce qu'on avait avant, déclara-t-elle.

— De ce que je peux t'offrir ?

— Pas nécessairement, mais j'ai changé au cours de ces derniers mois, et je vois que c'est aussi ton cas. Alors... qu'est-ce qu'on fait, maintenant ?

— Dis-moi ce que tu veux. Dis-le-moi, et je te l'offrirai.

Elle secoua la tête.

— Je veux qu'on résolve nos problèmes ensemble. Et ça va nous prendre du temps.

*
* *

Il fit bientôt trop chaud pour rester dehors. Gabriel et Julia retournèrent donc à l'intérieur et prirent place dans le salon. Il s'étendit sur le canapé de cuir pendant qu'elle s'installait dans l'un des fauteuils de velours rouge.

— Alors, on discute sérieusement ? demanda-t-elle.

Il acquiesça, soudain tendu.

— Euh... je vais commencer, proposa-t-elle. Je souhaiterais apprendre à te connaître de nouveau. Je voudrais être ta partenaire.

— J'aimerais que tu sois bien plus que ça, chuchota-t-il.

Elle secoua la tête avec véhémence.

— C'est trop tôt. Tu ne me laisses pas le choix, Gabriel. Il faut que tu cesses de faire ça, sinon on ne va pas aller bien loin.

Le visage de l'enseignant se décomposa.

— Qu'y a-t-il ? demanda-t-elle, redoutant sa réponse.

— Je ne regrette pas d'avoir tenté de sauver ta carrière. Je suis désolé de ne pas t'en avoir parlé, mais quand j'ai compris que tu étais en danger, j'ai réagi. Et qui plus est, tu en aurais fait autant si j'avais été en péril.

Elle sentit la colère monter en elle.

— Alors, toute cette conversation, tes excuses, c'était du vent ?

— Bien sûr que non ! J'aurais dû t'en parler avant de faire quoi que ce soit. Mais si tu attends de moi que je sois du genre à regarder la femme que j'aime se faire déposséder de ses rêves, je crains de ne pouvoir te satisfaire. J'en suis désolé.

Julia devint écarlate.

— Alors, nous voici de nouveau au point de départ ?

— Je ne t'en ai pas tenu rigueur, quand tu as tout fait pour me protéger de Christa ou du comité. Je ne t'en ai pas voulu pour ton e-mail qui m'accusait de harcèlement, même si nous sommes tous les deux d'accord pour dire qu'il s'agissait d'une erreur. Peux-tu avoir pour moi la même considération ? Ne peux-tu pas m'offrir la grâce, Julianne ? Ta grâce ?

Malgré son ton implorant, Julia ne l'écoutait déjà plus. À cet instant, tout ce qu'elle entendait, c'était Gabriel repoussant ses objections. Une fois de plus.

Elle secoua la tête et se dirigea vers la porte.

La croisée des chemins était là. Elle pouvait franchir le seuil, et tout serait terminé avec Gabriel. Il n'y aurait pas de troisième chance. Sinon, elle pouvait rester, sachant qu'il refusait de considérer ses actes héroïques devant le comité comme un problème.

Elle hésita.

— Laisse-moi t'aimer, Julianne. De la manière dont tu devrais être aimée.

Il se tenait derrière elle, ses lèvres contre son oreille. Malgré ses vêtements, elle pouvait sentir la chaleur de son corps contre son dos.

— Je suis ton fidèle serviteur, Béatrice. Il est normal que je veuille te protéger. Rien ne pourra y faire.

— J'aurais préféré t'avoir plutôt que Harvard.

— Tu peux avoir les deux, à présent.

Elle se retourna.

— À quel prix ? Tu sais bien que cette situation laissera des traces. Elle a déjà fait des dégâts, sans doute irréparables.

Il repoussa sa chevelure de côté et l'embrassa sur la nuque.

— Pardonne-moi. Je te promets que je ne te déposséderai pas de ta dignité ni de notre partenariat. Mais je ne resterai jamais les bras ballants si quelqu'un veut te faire du mal et que j'ai la possibilité de l'en empêcher. Ne m'oblige pas à redevenir un enfoiré d'égoïste.

Avec un mécontentement obstiné, Julia fit un pas de plus en direction de la porte, mais Gabriel la saisit par le bras.

— Dans un monde parfait, il y aurait toujours de la communication et de la concertation dans un couple. Mais on ne vit pas dans ce monde-là. Il y a des urgences, des gens dangereux et rancuniers. Mon désir de te tenir à l'écart de ce genre de danger est-il un tel péché que tu préférerais me quitter ?

Comme elle gardait le silence, il poursuivit.

— Je ferai de mon mieux pour prendre des décisions avec toi, et non pour toi. Mais je ne m'excuserai pas de vouloir ton bonheur et ta sécurité. En cas d'urgence, jamais je ne me sentirai obligé de respecter la règle exigeant que je te consulte avant d'agir. Tu veux que je te traite en égale. Eh bien, moi aussi. Et ça signifie que tu vas compter sur ma capacité à prendre les meilleures décisions possible, compte tenu des informations dont je dispose, sans être omniscient. Ni parfait.

— Je préférerais que tu sois vivant pour pouvoir te protéger avec ton bouclier, plutôt que mort, rétorqua-t-elle d'un ton toujours aussi obstiné.

Il éclata de rire.

— Il me semble que la bataille des Thermopyles est derrière nous, très chère. Mais je partage ton sentiment, et je te demanderai la même chose, ma petite guerrière.

Il l'embrassa de nouveau dans le cou.

— Prends mon alliance.

Il la fit aussitôt glisser de son doigt et la lui tendit par-dessus son épaule droite.

— Je la porte pour signifier que mon cœur et ma vie t'appartiennent.

Elle s'en saisit avec une certaine hésitation et la passa à l'un de ses pouces.

— Je vais vendre cette fichue maison. Je l'ai achetée dans le seul but de me rapprocher de toi. Mais je trouverai un appartement, le temps qu'on choisisse un foyer ensemble.

— Tu viens d'emménager. Et je sais que tu adores le jardin, dit-elle en soupirant.

— Alors, dis-moi ce que tu veux. On peut prendre notre temps sans faire de promesses pour l'avenir. Mais, je t'en prie, pardonne-moi. Enseigne-moi, et je te promets d'être ton étudiant le plus assidu.

Après quelques minutes, comme elle gardait le silence et demeurait immobile, il la prit par la main et la conduisit à l'étage, dans sa chambre.

— Qu'est-ce que tu fais ? demanda-t-elle tandis qu'il approchait de la porte.

— Il faut que je te serre dans mes bras, et j'ai l'impression que tu en as besoin. Ce maudit canapé est bien trop étroit pour nous deux. Je t'en prie…

Il la guida jusqu'au lit et s'étendit sur le dos, les bras en croix, l'invitant à venir le rejoindre.

Elle hésita.

— Et Rebecca ?

— Elle ne nous dérangera pas.

Julia n'était pas disposée à aller dans son lit juste parce qu'il le lui demandait. Elle regarda donc autour d'elle, à la recherche de quelque chose, n'importe quoi, susceptible de détourner l'attention de Gabriel.

— Qu'est-ce que c'est ? demanda-t-elle en désignant ce qui ressemblait à deux séries de grands cadres de photos appuyés contre l'un des murs et recouverts d'un drap.

— Vois par toi-même.

Elle s'accroupit sur le plancher et ôta le drap.

Une dizaine de grandes photos empilées cinq par cinq, toutes en noir et blanc. Toutes avec Julia. Certaines avec Gabriel aussi.

Elle en voyait certaines pour la première fois, car il ne les avait fait encadrer qu'après leur rupture. Il y en avait du Belize et d'Italie, ainsi que des clichés posés, une partie du cadeau de Noël qu'elle lui avait fait. Elles étaient toutes d'une beauté et d'une passion saisissantes.

— Quand je croyais t'avoir perdue, j'avais du mal à les regarder. Mais, comme tu peux le constater, je les ai gardées.

Il la regarda les contempler de nouveau avant de s'attarder sur sa préférée, une photo d'elle étendue à plat ventre sur un lit au Belize.

— Qu'as-tu fait des anciennes ? Celles que tu avais déjà avant de me connaître ?

— Je m'en suis séparé depuis longtemps. Je n'en ai plus besoin et je n'en veux plus.

Elle replaça le drap sur les cadres avant d'approcher du lit. Elle semblait tiraillée.

Il lui tendit la main.

— Détends-toi. Je veux simplement t'enlacer.

Elle se laissa attirer dans ses bras et se blottit contre sa poitrine.

— Voilà qui est mieux, murmura-t-il en l'embrassant sur le front. Je veux regagner ta confiance et ton respect. Je veux devenir ton mari.

Elle garda le silence un moment, retenant son souffle pendant qu'elle tentait d'assimiler ses paroles.

— Je voudrais qu'on avance doucement. Ne parlons plus de mariage.

— Heureusement, je peux attendre.

Il l'embrassa de nouveau.

Cette fois, le baiser dégénéra. Ils aventurèrent leurs mains sur les muscles et les courbes de l'un et de l'autre, pressant leurs bouches avec détermination, agrémentant le tout de soupirs, de gémissements et de halètements, leurs cœurs battant plus fort. C'était le baiser de leurs retrouvailles, la promesse de leur fidélité et de leur amour.

Gabriel l'embrassait pour lui montrer qu'il l'aimait et qu'il était désolé. Quant à Julia, elle l'embrassait pour lui faire comprendre que jamais elle ne pourrait offrir son cœur à un autre. Qu'elle espérait qu'ils pourraient remédier à leurs défauts, quand ils en auraient pris conscience et les auraient traités, pour pouvoir mener une vie riche et heureuse.

Elle fut la première à s'écarter. Elle percevait son souffle court, et ça la réconforta de constater qu'il y avait encore cette étincelle entre eux.

— Je n'attends pas que notre relation soit parfaite. Mais nous avons quelques problèmes à résoudre, et avec un psy ou sans, je sais que ça va nous demander du temps.

Il croisa son regard.

— Je suis d'accord. Je veux pouvoir te faire la cour comme je n'en ai pas eu la possibilité à Toronto. Je veux pouvoir te tenir par la main quand on se promènera dans les rues de la ville. Je veux t'emmener à l'opéra et t'embrasser devant chez toi.

Elle éclata de rire.

— On était amants, Gabriel. Tu as des photos de nous deux au lit, juste là. Te contenterais-tu vraiment de me faire la cour ?

Il mêla ses doigts aux siens.

— Je veux avoir l'occasion de te faire plaisir, de me comporter comme j'aurais dû le faire depuis le début.

— Tu t'es toujours montré très généreux au lit, rétorqua-t-elle.

— Mais égoïste partout ailleurs. Raison pour laquelle je ne te ferai pas l'amour tant que je n'aurai pas regagné ta confiance.

# 47

*Pardon ?*

Du moins, c'était ce que Julia aurait aimé lui demander, mais étant donné la situation, elle tint sa langue. D'une certaine manière, sa remarque aurait semblé déplacée après une telle déclaration.

— Je crains que si nous couchions ensemble, cela puisse court-circuiter les modifications que nous devons effectuées.

— Alors, tu veux attendre ?

Il lui adressa un regard torride.

— Non, Julianne, je ne veux pas attendre. J'aimerais te faire l'amour sur-le-champ, et pendant toute une semaine sans discontinuer. Mais je sais qu'il vaudrait mieux que nous attendions.

Elle écarquilla les yeux en comprenant qu'il était sérieux.

Il l'embrassa tendrement.

— Si on veut devenir partenaires, il faut qu'une certaine confiance s'établisse entre nous. Si tu ne me fais pas confiance avec ton esprit, comment pourrait-ce être le cas avec ton corps ?

— Il me semble avoir déjà entendu ça…

— La boucle est bouclée. (Il s'éclaircit la voix.) Et, pour que les choses soient claires, quand je parle de confiance, je veux dire « complète ». Avec le temps, j'espère que ta colère s'apaisera et que tu me pardonneras. J'espère aussi qu'on sera en mesure d'honorer notre besoin de nous protéger mutuellement sans qu'il y ait d'autres crises.

Il lui lança un regard interrogateur.

— J'aurais dû attendre que tu ne sois plus mon étudiante avant de sortir avec toi. Comme on ne couchait pas ensemble, je m'étais dit qu'on n'enfreignait aucune règle. Mais j'avais tort. Et c'est toi qui en as payé le prix. Tu ne me crois pas ?

Il chercha son regard.

— Oh si, je te crois. Mais le Pr Emerson que je connaissais et que j'aimais n'était pas à proprement parler un adepte de l'abstinence.

Il fronça les sourcils.

— Tu as peut-être oublié de quelle manière notre relation a débuté. La nuit où on s'est rencontrés et celles qui ont suivi, on s'est abstenus.

Elle lui baisa les lèvres pour se faire pardonner.

— C'est vrai. Je suis désolée.

Il se tourna sur le côté et la regarda droit dans les yeux.

— Je meurs d'envie de te sentir dans mes bras, de m'unir à toi corps et âme. Mais quand je serai en toi, je veux que tu saches que je ne te quitterai jamais. Que tu m'appartiendras et que je t'appartiendrai. À tout jamais, dit-il d'une voix rauque. Que nous serons mariés.

— Pardon ?

— Je veux t'épouser. Quand je te ferai de nouveau l'amour, je veux que ce soit en tant que mari.

La voyant le regarder bouche bée, il ajouta aussitôt :

— Richard m'a montré le genre d'homme que je voulais être : un homme qui passe le reste de ses jours avec une seule femme. Je veux te jurer fidélité devant Dieu et nos familles.

— Gabriel, je suis incapable d'envisager de me marier avec toi pour le moment. Je dois réapprendre à vivre avec toi. Et, franchement, je t'en veux encore beaucoup.

— Je le comprends, et je n'ai pas l'intention de te forcer la main. Te souviens-tu de la première fois qu'on a fait l'amour ?

Elle se sentit rougir.

— Oui.

— De quoi te souviens-tu ?

Elle hésita, le regard absent.

— Tu étais très passionné, mais doux. Tu avais tout prévu, jusqu'à ce ridicule jus de canneberge. Je me rappelle que tu étais cambré au-dessus de moi, ton regard plongé dans le mien pendant que tu t'activais, et tu m'as dit que tu m'aimais. Jamais, jusqu'à mon dernier souffle, je n'oublierai ce moment.

Elle se cacha le visage contre son cou, qui sentait le savon.

— Te voilà timide, à présent ? demanda-t-il en suivant les contours de sa mâchoire du bout des doigts.

— Un peu.

— Pourquoi ? Tu m'as déjà vu nu. Et j'ai rendu grâce à chaque centimètre carré de ton corps.

— Le lien qu'on avait m'a manqué. Je ne me sentais pas entière, sans cela.

– Moi non plus. Mais crois-tu que je puisse te faire l'amour si tu n'as pas confiance en moi ? Tu oublies, mon amour, que je te connais. Tu n'es pas du genre à offrir ton corps sans ton cœur. Te souviens-tu de notre dernière fois ensemble ? Tu m'as dit avoir eu l'impression que je t'avais baisée. La prochaine fois que tu seras nue dans mon lit, je veux que tu n'aies plus le moindre doute sur le fait que notre union est née de l'amour, et non du désir.

– On peut atteindre ce but sans pour autant se marier, lâcha-t-elle.

– Peut-être. Mais si tu as l'impression que tu ne pourras jamais me faire assez confiance pour m'épouser, sans doute vaudrait-il mieux me laisser partir.

Elle écarquilla les yeux.

– C'est un ultimatum ?

– Non. Mais je veux te montrer ce dont je suis capable, et il te faut du temps pour guérir tes plaies. Il me faut quelque chose de durable.

Il la regarda avec attention.

Elle le contemplait, de nouveau bouche bée.

– Tu veux quelque chose de durable, ou il te faut quelque chose de durable ?

Il changea de position sur le lit.

– Les deux. Je veux t'épouser, mais je veux aussi devenir le genre d'homme que j'aurais dû être avant.

– Gabriel, tu essaies sans cesse de me gagner. Quand vas-tu enfin cesser ?

– Jamais.

Elle leva les mains d'agacement.

– Refuser de coucher avec moi jusqu'à ce que j'accepte de t'épouser, c'est du chantage.

Le visage de Gabriel s'illumina.

– Je ne refuse pas de coucher avec toi. Si tu me déclarais ne pas être prête à coucher avec moi et que je tentais de te mettre la pression, je serais un parfait crétin. Ne devrais-je pas avoir le droit d'attendre pour coucher avec toi que notre relation soit de nouveau sur les bons rails ? Et faire en sorte que ce choix soit respecté ? À moins que l'expression « Non, c'est non » soit réservée aux femmes ?

– Je ne te forcerais pas la main si tu avais une bonne raison de t'opposer au fait de coucher avec moi, bredouilla-t-elle. Tu t'es montré plus que patient avec moi, lorsque je n'étais pas prête à faire l'amour avec toi. Mais que fais-tu des « réconciliations sur l'oreiller » ? Tu n'en as jamais entendu parler ?

Il approcha son visage du sien.

– Une « réconciliation sur l'oreiller » ?

Elle eut l'impression que la chaleur de son regard lui brûlait la peau.

– Est-ce vraiment ce que tu veux ? demanda-t-il d'une voix rauque.

*Ravie de vous revoir, Pr Emerson.*

– Euh… oui ?

Il caressa sa lèvre tremblante du bout des doigts.

– Dis-moi, l'invita-t-il à poursuivre.

Elle cligna des yeux, pour tenter de rompre l'attraction magnétique de son regard bleu. Il l'avait laissée sans voix.

– Je ne désire rien de plus que me consacrer à ton plaisir, des jours et des nuits durant, explorer ton corps et te rendre grâce. Ce que je ne manquerai pas de faire. Lors de notre lune de miel, je serai le plus attentionné et le plus imaginatif des amants. Je mettrai tous mes talents à ton service, et quand je coucherai avec toi, quand tu seras ma femme, je m'efforcerai de te faire oublier tous mes torts.

Julia posa la main juste au-dessus de son tatouage, sous sa chemise blanche impeccable.

– Comment peux-tu te montrer si… froid ?

Il la fit se retourner pour qu'elle soit entourée de ses bras, son dos contre sa poitrine, leurs corps pressés l'un contre l'autre.

Il l'embrassa, d'abord doucement, puis lui aspira la lèvre inférieure et tira délicatement dessus. Leur étreinte se faisant plus passionnée, il referma la main sur son cou, la caressant jusqu'à ce qu'elle soit un peu plus détendue.

Il lui agaça la lèvre supérieure du bout de la langue, comme un homme bien élevé ignorant comment il va être reçu. Il n'aurait pas dû s'inquiéter. Quand elle l'eut accueilli chaleureusement, il l'embrassa avec encore plus de fougue, la prenant presque au dépourvu avant de se retirer sans prévenir.

– Là aussi, je t'ai paru froid ?

Elle sentit son souffle chaud sur sa joue et remarqua la lueur de désir dans son regard.

– Je te donne l'impression de ne pas vouloir de toi ?

Elle aurait secoué la tête si elle ne l'avait pas complètement perdue.

Il l'embrassa sur la mâchoire, le menton et, avec une terrible lenteur, s'attarda sur le côté gauche de son cou, jusqu'à ce qu'il puisse l'embrasser dans le creux de sa gorge.

– Et là ? Je suis toujours aussi froid ?

Il déplaçait sa bouche sur sa peau.

– N… non, répondit-elle en frissonnant.

Il la caressa avec le bout de son nez jusqu'à l'oreille, dont il mordilla le lobe entre deux chuchotements.

— Et là ?

Il avait fait lentement glisser sa main droite sur son flanc, suivant le contour de chacune de ses côtes comme s'il s'agissait d'objets précieux, ou peut-être comme s'il était à la recherche de la côte originale qu'Adam avait perdue. Il lui fit changer légèrement de position, de sorte que la cuisse de la jeune femme glisse sur sa hanche, la faisant entrer en contact avec la preuve irréfutable de son ardeur.

— Et ça, tu peux le nier ?

— Non.

— Maintenant que nous sommes d'accord sur ce point, j'aimerais bien entendre ta réponse.

Julia ne pouvait réfléchir dans cette position. Elle se tortilla, et il la serra davantage contre lui.

— Il n'y a eu personne d'autre. Tu étais dans mes bras même quand j'étais seul. Mais si tu devais me dire que tu es tombée amoureuse d'un autre et que tu es heureuse, je te laisserais partir. Même si ça devait m'anéantir.

Il baissa la voix.

— Je t'aimerai jusqu'à mon dernier souffle, Julianne, que tu m'aimes ou non. C'est mon paradis. Et mon enfer.

Le silence régna sur la pièce pendant plusieurs minutes, et Julia porta une main tremblante à sa bouche. Lentement, des larmes roulèrent sur ses joues.

— Qu'y a-t-il ? demanda-t-il, tentant de l'attirer à lui à plusieurs reprises avant qu'elle accepte de sangloter contre lui. Je n'avais pas l'intention de te faire souffrir.

Son ton était désespéré, et il lui caressait le bras. Il fallut plusieurs minutes à Julia pour être en mesure de se maîtriser et de parler.

— Tu m'aimes.

Confus, Gabriel se tendit aussitôt.

— C'est une question ?

N'obtenant aucune réponse, il fut pris de panique.

— Tu ne croyais pas que je t'aimais ? Mais je n'ai eu de cesse de te le dire. J'ai tenté de te le prouver par mes actes, mes paroles et mon corps. Tu ne m'as pas cru ?

Elle secoua la tête d'un côté et de l'autre, comme si elle tentait de lui indiquer qu'il ne comprenait pas.

— Tu ne m'as jamais cru ? Même en Italie ? Au Belize ?

Il se tira douloureusement les cheveux.

– Mon Dieu ! Julia, as-tu fait de moi ton premier en pensant simplement que je t'« aimais bien » ?

– Non.

– Alors, pourquoi ne crois-tu que maintenant que je t'aime ?

– Tu me laisserais partir pour que je puisse être heureuse, même si c'était avec un autre ?

Deux larmes roulèrent sur ses joues, et il les intercepta avec ses doigts.

– C'est comme ça, quand on aime quelqu'un. On souhaite son bonheur.

Elle s'essuya les yeux du dos de la main et il regarda une larme glisser sur l'alliance qu'elle portait à son pouce.

– Quand j'ai trouvé l'illustration de saint François et de Guido da Montefeltro, je n'ai pas compris pourquoi tu l'avais mise là. Mais c'est très clair à présent. Tu craignais que l'université gâche mon avenir. Et, plutôt que de la laisser faire, tu as pris ma place. Tu m'aimais assez pour me laisser partir, même si ça te brisait le cœur.

– Julia, je…

Gabriel n'eut pas le temps de protester, la jeune femme pressant ses lèvres brûlantes contre les siennes. Le baiser fut chaste et plein de tristesse, érotique et joyeux.

Pour la première fois, elle se sentait digne d'*agapè*. Ce n'était pas un objectif, ni une sorte de saint Graal. Quand il lui avait dit pour la première fois qu'il l'aimait, elle l'avait cru. Mais elle n'avait alors aucune idée de l'étendue de son amour. Cela ne lui était devenu évident qu'à cet instant même, et cette révélation impliquait un formidable respect.

Sans doute l'amour de Gabriel avait-il toujours été de nature sacrificielle. Sans doute avait-il grandi au fil du temps, comme le vieux pommier qui les avait nourris, ce soir-là, il y avait bien longtemps. Et elle n'avait pas remarqué à quel point.

À cet instant, la genèse de son amour sacrificiel lui importait peu. Confrontée à ce qu'elle pouvait définir comme un sentiment très profond, elle comprit qu'elle ne douterait plus de son amour. Il l'aimait comme il la connaissait, pleinement, et sans le moindre doute.

Il recula, posant la paume de sa main sur le visage de la jeune femme.

– Je ne suis pas quelqu'un de noble. Mais l'amour que j'éprouve pour toi est infini. Quand je suis allé chez toi, j'avais pour intention de te dire que je t'aimais et que je venais voir si tu allais bien. Et si tu m'avais rejeté… (Il prit une profonde inspiration.) Eh bien, je serais parti.

– Je ne vais pas te rejeter, chuchota-t-elle. Et je ferai tout mon possible pour t'aider.

– Merci.

Elle changea de position pour pouvoir poser la tête sur sa poitrine.

– Je suis désolé d'être parti.

Il l'embrassa.

## 48

Durant les jours et les semaines qui suivirent, Julia et Gabriel se virent autant que possible ; mais, entre la préparation de l'enseignant pour son premier semestre et les heures supplémentaires de l'étudiante chez Peet, la majeure partie de leurs contacts se firent soit par téléphone, soit par e-mail.

Julia poursuivit ses séances de thérapie avec le docteur Walters, qui donna une nouvelle dimension au retour de Gabriel. Ils entreprirent aussi une thérapie de couple qui prit rapidement des allures de préparatifs prénuptiaux officieux.

Lorsque Julia emménagea dans l'une des résidences étudiantes, au mois d'août, Gabriel et elle étaient déjà parvenus à s'attaquer à quelques-uns de leurs problèmes de communication. Mais leur obstination générale restait intacte. Il ne coucherait pas avec elle tant qu'ils ne seraient pas mariés, et elle voulait faire avancer leur relation progressivement. L'enseignant répugnait à partager sa couche avec elle, sauf à l'occasion, à contrecœur, en prenant l'air accablé d'un martyr.

Un soir, Julia était encore éveillée dans ses bras, un long moment après qu'il se fut endormi. Il était brûlant et avait eu des mots doux pour elle, mais elle se sentait rejetée. L'ardent professeur n'avait pas rechigné à reprendre contact avec Paulina quand elle l'avait cherché. Mais il refusait d'aimer Julia physiquement, même s'il lui promettait son éternel dévouement.

Sentant sa poitrine se soulever sous sa joue à chacune de ses respirations, elle réfléchit à la tournure que son existence avait prise. Elle se demanda si Béatrice avait passé certaines de ses soirées à désirer sincèrement la présence de Dante, alors même qu'elle devait se contenter du fait qu'il la vénérait de loin.

– Julia.

Elle sursauta. Marmonnant quelque chose, il la serra contre lui.

Elle laissa échapper une larme.

Elle savait qu'il l'aimait, mais le résultat était à double tranchant. Il tentait d'oublier son passé avec Paulina et les autres femmes, mais c'était elle qui en payait le prix. Mais sans doute n'était-ce pas un prix plus élevé que celui qu'il avait payé pour la honte qu'elle avait portée à cause de Simon.

Il marmonna de nouveau, et cette fois elle lui chuchota à l'oreille :

– Je suis là.

Elle l'embrassa sur son tatouage et ferma les yeux.

## 49

En dépit de la douleur de leur éloignement physique, Julia dut reconnaître que Gabriel découvrait constamment de nouvelles manières, souvent ingénieuses, de lui prouver son amour. Même si elle trouvait leur nouvelle situation difficile, elle continuait de lui faire confiance.

Il refusa l'idée même de passer la nuit dans sa petite chambre universitaire, mais il y avait fait un saut en plus d'une occasion, que ce soit avec un bouquet de fleurs ou de quoi manger, et ils avaient pique-niqué par terre. Il l'avait emmenée au cinéma – il avait même daigné voir un film non sous-titré, une comédie romantique américaine –, et lui avait souhaité bonne nuit devant chez elle en l'embrassant sur le front.

Plus d'une fois, il passa un vendredi ou un samedi soir à la bibliothèque avec elle, attelée à la rédaction de son livre pendant qu'elle préparait les cours du Pr Marinelli. Il la courtisait, et cela plaisait à la jeune femme. Mais elle ressentait aussi le manque et la terrible envie de connaître à nouveau l'intimité de'' ceux qui font l'amour.

Le 21 août arriva bientôt, et ils prirent l'avion pour Philadelphie afin d'aider Rachel et Aaron dans les préparatifs de mariage. En pénétrant dans le hall de l'hôtel Four Seasons, Julia fut étonnée d'y voir son père dans un grand fauteuil, en pleine lecture du *Philadelphia Inquirer*.

– Mon père est là, signala-t-elle à Gabriel en espérant que ce dernier puisse prendre une longueur d'avance en direction des ascenseurs avant que Tom brandisse l'un de ses fusils et lui tire dessus.

– Je sais, c'est moi qui l'ai appelé.

Elle se tourna vers Gabriel, incrédule.

– Pourquoi ? Il veut te tuer.

L'enseignant se dressa de toute sa hauteur.

– Je veux t'épouser. Ça implique que je fasse amende honorable auprès de ton père. J'aimerais pouvoir me trouver dans la même pièce que lui sans qu'il tente de me tirer dessus. Ou de me castrer.

– Ce n'est pas le bon moment pour lui demander ma main, chuchota-t-elle. Avec un peu de chance, il renoncera à la castration pour pouvoir t'amputer des deux jambes… avec son couteau suisse.

– Je ne vais pas lui demander ta main. Cette décision t'appartient. Mais accepterais-tu vraiment d'épouser un homme que ton père exècre ?

Très angoissée, elle se tordait les mains.

Il se pencha pour lui chuchoter à l'oreille :

– Laisse-moi essayer de limiter les dégâts, histoire qu'il finisse par accepter notre relation. Tu aimerais peut-être que ce soit lui qui te conduise un jour à l'autel.

Dès que Gabriel eut achevé sa phrase, Tom les aperçut. Il adressa un grand sourire à sa petite fille chérie, puis jeta un coup d'œil à Gabriel et se renfrogna. Il se leva en défroissant sa veste, puis mit les mains sur ses hanches, l'air menaçant.

*Ô dieux des femmes dont les pères souhaitent castrer leurs petits amis dans le hall du Four Seasons, je vous en supplie, faites qu'il n'ait sur lui aucun objet tranchant…*

Avec une certaine audace, Gabriel se pencha pour l'embrasser sur le front tout en regardant Tom droit dans les yeux. Celui-ci le fusilla du regard.

– Salut, p'pa, dit Julia en s'approchant de lui et en l'enlaçant.

– Salut, Jules.

Il la serra à son tour dans ses bras avant de l'attirer derrière lui comme pour la protéger.

– Emerson…

Sans se laisser décourager par le ton inamical de Tom, Gabriel lui tendit la main. Le père de Julia se contenta de la regarder fixement, comme s'il s'agissait de celle d'un criminel.

– Je crois qu'on ferait bien de trouver un coin tranquille au bar. Personne n'a besoin d'entendre ce que j'ai à te dire. Jules, tu as besoin d'un coup de main pour porter tes valises ?

– Non, le bagagiste s'en occupe. Je vais, euh… aller dans ma chambre, Gabriel. Je te laisse aller à la tienne tout seul, d'accord ?

Il acquiesça, remarquant que Tom s'était quelque peu détendu en apprenant que sa fille n'allait pas partager la même chambre que le diable incarné.

– Je vous rappelle que je vous aime tous les deux, dit Julia. Alors, ça me ferait vraiment plaisir si vous pouviez éviter de vous insulter.

D'un air méfiant, elle regarda tour à tour les deux hommes et, constatant qu'aucun des deux ne lui répondait, elle secoua la tête puis se dirigea vers la réception.

Sa première mission serait de découvrir à quel point le minibar était bien approvisionné.

*
* *

Plus tard dans la soirée, après un dîner avec son père, quelque peu tendu mais pas désagréable, Julia profita du panier cadeau de produits de bain à la lavande que Gabriel avait fait parvenir à sa chambre, accompagné d'une éponge couleur lavande. Elle éclata de rire en se rappelant la première fois qu'il l'avait lavée avec une telle éponge.

Elle se calma rapidement, remarquant qu'il avait acheté des produits à la lavande et non à la vanille, alors que c'était son parfum préféré. Sans doute s'agissait-il de sa manière de la tenir à distance respectable. Quelle qu'en soit la raison, elle respecterait ses vœux, tout en espérant qu'il changerait d'avis. Rapidement.

Elle se détendait dans la grande baignoire, quand son téléphone sonna. Heureusement, le fichu portable se trouvait à portée de main.

– Qu'est-ce que tu fais ? demanda la douce voix de Gabriel.

– Je me détends. Merci pour le panier cadeau, au fait. Comment vas-tu ?

– Je ne peux pas dire que la conversation avec ton père ait été très agréable, mais elle était nécessaire. Je lui ai donné l'occasion de me maudire et de me faire savoir que je n'étais qu'un bon à rien de drogué qui ne te méritait pas. Ensuite, j'ai fait de mon mieux pour tenter de lui expliquer ce qui s'était passé. En fin de compte, même si c'était à contrecœur, il m'a offert une bière.

– Tu plaisantes ?

– Non.

– J'ai du mal à imaginer Tom débourser dix dollars pour une Chimay Première.

Il gloussa.

– C'était une Budweiser, en fait. Et pas une Budweiser Budvar originale de République tchèque. C'est lui qui a passé la commande.

– Tu dois drôlement m'aimer pour accepter de renoncer à tes prétentieuses bières importées d'Europe, et boire cette épouvantable eau de vaisselle.

Elle jeta un coup d'œil sinistre à la grande baignoire. Elle aurait préféré prendre son bain avec lui plutôt qu'en solitaire.

— C'était le moins que je pouvais faire. Je ne crois pas que ton père me pardonnera jamais de t'avoir fait souffrir, mais avec un peu de chance ça ira de mieux en mieux avec le temps. Je lui ai dit que je voulais t'épouser. Il en a parlé au dîner ?

Elle hésita.

— Il m'a certifié que j'étais sa petite fille chérie et qu'il voulait me protéger. Puis il a dit deux ou trois choses sur toi assez peu flatteuses. Mais il a reconnu que j'étais adulte et que je devais mener ma vie comme je l'entendais. Il a trouvé que tu avais changé depuis votre dernière rencontre. Je crois que tu l'as surpris. Et il n'est pas habitué à se faire surprendre.

— Je suis désolé, dit-il d'un ton peiné.

— Tu es désolé de quoi ?

— De ne pas être le genre d'homme que tu peux ramener chez toi.

— Attends ! Mon père considérait Simon comme le messie. Ce n'est pas vraiment le plus fin des psychologues. Et il ne te connaît pas comme je te connais.

— Mais c'est ton père.

— Ne t'inquiète pas.

Réfléchissant à sa réponse, Gabriel garda le silence un moment.

— Ma discussion avec Tom a été un bon entraînement pour mon dîner avec ma famille.

— Oh, non ! Comment ça s'est passé ?

Il marqua un temps d'arrêt.

— Il y a une différence entre parler à Scott au téléphone et dîner avec lui.

— Il veut me protéger. Je lui en toucherai un mot.

— Mon père m'a demandé de porter un toast à ma mère, le soir du mariage.

— Oh, mon chéri… Ça ne va pas être facile. Tu es sûr de vouloir le faire ?

Il se tut un instant.

— Il y a deux ou trois sujets que je dois aborder. Des sujets dont j'ai envie de parler depuis près de trente ans. C'est le moment ou jamais.

— Alors, tu t'es réconcilié avec tout le monde ?

— Grosso modo. Mon père et moi avons fait la paix, il y a plusieurs semaines de ça, au téléphone.

– Tu as fait la connaissance du petit garçon de Tammy ?

Il gloussa dans le téléphone.

– Il s'est lâché sur moi dès que je l'ai pris dans mes bras. C'est sans doute Scott qui lui a appris à exprimer son opinion.

– Quinn t'a fait pipi dessus ?

– Non, il a vomi tout son lait sur mon nouveau costume Armani.

Julia éclata de rire, en imaginant le professeur élégant et maniaque couvert de vomi par le fils de la petite amie de son frère.

– C'est grave si ça ne m'a pas tant préoccupé que ça ? Enfin, à propos du costume.

Julia cessa de rire brusquement.

– Ça ne t'a pas contrarié ? Qu'est-ce que tu en as fait ?

– Le concierge l'a envoyé au pressing. On m'a garanti que le lait partait facilement sur le crêpe de laine, mais je m'en moque. Contrairement aux gens, les costumes, ça se remplace.

– Vous me surprenez, monsieur le professeur.

– Pourquoi ?

– Tu es si gentil.

– Je fais ce que je peux, chuchota-t-il.

– C'est vrai. Mais je ne t'ai jamais vu en compagnie d'enfants.

– Tu ferais des bébés magnifiques, Julianne. Des petites filles et des petits garçons aux grands yeux noisette et aux joues roses.

Il l'entendit prendre une brève inspiration.

D'une voix étouffée, il lui demanda :

– Il est encore trop tôt pour en parler ?

Aucune réponse.

– Julianne ?

– Mon hésitation à propos du mariage n'est pas due à la question des enfants. Elle vient de ce qui s'est produit entre nous, et du fait que je suis une fille de parents divorcés. Ils se sont aimés, fut un temps, il me semble, mais ils ont fini par se haïr.

– Mes parents sont restés mariés des années.

– C'est vrai. Si seulement je pouvais avoir un mariage comme le leur…

– On pourra avoir un mariage comme le leur, rectifia Gabriel. C'est ce dont je rêve. Et je veux que ce soit avec toi.

Il tenta de lui faire comprendre au ton de sa voix à quel point il désirait une union comme celle de Richard et Grace. Et combien désespérément il tentait de devenir celui qui pourrait la lui offrir.

Elle soupira.

– Si tu m'avais demandé de t'épouser avant, j'aurais accepté. Mais pour l'instant, je ne peux pas. Nous avons encore beaucoup de problèmes à régler, et je suis déjà stressée par la fac.

– Je n'ai pas l'intention de te stresser davantage, lui assura-t-il d'une voix douce mais un peu tendue.

– Il me semblait que tu avais pris ta décision, au sujet des enfants.

– Il est toujours possible d'adopter, rétorqua-t-il, sur la défensive.

Elle réfléchit un moment.

– L'idée d'avoir un petit bébé aux yeux bleus avec toi me remplirait de joie.

– Vraiment ?

– Oui. En voyant ce que Grace et Richard ont fait avec toi, je crois que ça m'intéresserait d'adopter un jour. Mais pas avant la fin de mes études.

– Il faudrait que ce soit une adoption privée. Je doute qu'une agence respectable accepte de placer un enfant chez un ancien toxicomane.

– Tu veux vraiment des enfants ?

– Avec toi ? Absolument. Si on était mariés, je réfléchirais à la possibilité de revenir sur ma vasectomie. Je l'ai subie il y a de nombreuses années, alors j'ignore à quel point une telle opération pourrait être efficace. Mais dès qu'on sera mariés, j'aimerais essayer. Avec ton accord.

– Je crois qu'il est trop tôt pour ce genre de conversation.

Le bras sur lequel elle avait pris appui glissa contre la paroi de la baignoire, provoquant de grosses éclaboussures.

*Scheisse !* se dit-elle, trop épuisée pour appeler un dieu à sa rescousse.

– Tu prends un bain ?

– Oui.

En l'entendant pousser un gémissement de désir dans l'écouteur de son téléphone, elle fut rassurée. Elle souffrait du fait qu'il puisse lui résister jour après jour, quoi qu'il advienne.

Il soupira.

– Eh bien, je suis à l'autre bout du couloir, je me sens seul et triste, au cas où tu aurais besoin de quelque chose.

– Moi aussi, je me sens seule, Gabriel. On ne pourrait pas régler ce problème ?

Il hésita, et Julia eut une lueur d'espoir.

Il poussa un gémissement, de frustration cette fois.

– Désolé, il faut que je raccroche. Je t'aime.

– Bonne nuit.

Elle secoua la tête d'un air résigné et reposa le téléphone.

Malgré l'absence de sa mère, Rachel eut un mariage de conte de fées. Aaron et elle s'unirent dans un magnifique jardin de Philadelphie, et, même si Aaron avait tout d'abord refusé l'idée de lâcher cinquante colombes au moment où le prêtre les déclarerait mari et femme, Rachel l'avait eu à l'usure. Et puis aucun de ses proches ne se décida à travailler sa précision au tir.

En tant que demoiselle et garçon d'honneur, Julianne et Gabriel se tenaient aux côtés des mariés, flanqués de Scott. Julia passa une bonne partie de la cérémonie à contempler Gabriel, et il en fit autant sans la moindre gêne.

Quand on eut pris les photos, porté les toasts et dîné, Rachel et Aaron eurent le plaisir d'ouvrir le bal. Ils se serrèrent dans les bras l'un de l'autre avant d'inviter leurs parents à venir les rejoindre sur la piste.

Il y eut un moment de nervosité dans l'assemblée quand Richard se leva, seul, avant de s'approcher de Julia et de lui demander de lui faire l'honneur d'être sa partenaire. Elle fut abasourdie par sa requête, car elle pensait qu'il choisirait une vieille tante ou une amie, mais elle accepta volontiers. Toujours en parfait gentleman, il la tint fermement mais respectueusement, tandis qu'il la guidait sur la piste de danse.

— Ton père semble bien s'amuser.

D'un signe de tête, il indiqua Tom, un verre à la main, et engagé dans une discussion animée avec l'une des enseignantes de l'université Susquehanna.

— Merci de l'avoir invité, dit-elle timidement, tandis qu'ils dansaient sur les accords d'*At Last*, d'Etta James.

— C'est un vieil ami. Grace et moi lui sommes énormément redevables depuis l'époque où nous avions des problèmes avec Gabriel.

Elle hocha la tête et tenta de se concentrer sur ses pas, de peur de trébucher.

— Le toast de Gabriel en l'honneur de Grace était très émouvant.

Il sourit.

— C'est bien la première fois qu'il nous appelle « papa » et « maman ». Je suis certain que Grace nous regarde et qu'elle est ravie. Je sais qu'elle est heureuse chaque fois qu'elle voit notre fils se transformer. C'est grâce à toi, Julia. Je te remercie.

Elle sourit.

— Je n'ai aucun mérite. Certaines choses nous dépassent.

— Je suis d'accord, mais parfois certaines relations peuvent conduire à la grâce, et je sais que tu es pour quelque chose dans la transformation de mon fils. Je t'en sais gré. Il a fallu longtemps pour que Gabriel accepte de se pardonner pour ce qui est arrivé à Maia, et pour son absence à la mort de Grace. Ce n'est plus le même homme qu'il y a un an. J'espère que j'aurai de nouveau la chance de danser avec toi à un autre mariage, dans un avenir proche. À un mariage où mon fils et toi tiendrez les rôles principaux.

Elle prit un air sérieux.

— On vit au jour le jour, mais je l'aime.

— N'attendez pas trop longtemps. La vie prend parfois des tours inattendus, et on n'a pas toujours le temps que l'on pensait avoir.

À la fin de la chanson, il lui fit un baisemain et la raccompagna auprès de Gabriel.

En s'asseyant, elle laissa couler une larme. Aussitôt, Gabriel s'approcha de son oreille.

— C'est mon père qui te fait pleurer ?

— Non. Il vient simplement de me rappeler des choses importantes. Je t'aime.

Elle lui prit la main et la porta à ses lèvres pour l'embrasser.

— Moi aussi, je t'aime, ma douce.

Il se pencha pour l'embrasser, et durant un instant ils oublièrent où ils se trouvaient. Elle le prit alors par le cou pour le serrer contre elle.

Lorsque leurs lèvres entrèrent en contact et que leurs souffles se mêlèrent, le bruit de la salle s'estompa. Il l'attira à lui, penchée par-dessus ses cuisses, la serrant contre son cœur et l'embrassant avec passion. Quand ils se séparèrent, ils avaient tous les deux le souffle court.

— J'ignorais que les mariages provoquaient de telles réactions, dit-il avec un petit sourire en coin. Sinon, nous serions allés à d'autres bien avant.

Après avoir dansé plusieurs slows avec Gabriel, Julia accepta de danser avec Scott, puis avec Aaron, et enfin avec son père. Tom et elle avaient manifestement beaucoup de choses à se dire, et visiblement pas toujours des plus agréables. Mais à la fin du morceau, ils semblèrent parvenir à une sorte d'arrangement, et Gabriel se sentit quelque peu soulagé quand elle revint près de lui avec le sourire.

Vers la fin de la soirée, Aaron demanda *True Companion,* de Marc Cohn, et dédia la chanson à Rachel. Aussitôt, une nuée de couples mariés prit d'assaut la piste de danse. Tammy surprit tout le monde en s'approchant de Julia avec le petit Quinn, et en lui demandant de le lui tenir pendant qu'elle dansait avec Scott.

Julia craignait que Quinn ne l'aime pas.

— Vous allez bien ensemble, tous les deux, lui chuchota Gabriel quand le garçonnet s'assoupit, pelotonné dans ses bras.

— J'ai peur qu'il ne se réveille.

— Il ne se réveillera pas.

Il caressa les cheveux fins du bébé, et eut un grand sourire quand celui-ci sembla pousser un soupir de satisfaction.

— Pourquoi veux-tu te marier et avoir des enfants, tout à coup ? laissa-t-elle échapper.

Mal à l'aise, il haussa les épaules.

— Des choses se sont passées pendant notre séparation. J'ai compris ce qu'il y avait de plus important, ce que je voulais faire de ma vie. Et je suis allé dans un orphelinat.

— Un orphelinat ? Pourquoi ?

— J'étais bénévole chez les franciscains à Florence, et ils allaient souvent apporter des bonbons et des jouets aux enfants de l'orphelinat. Je les ai accompagnés.

Julia en resta bouche bée.

— Tu ne m'avais pas parlé de ça.

— Ce n'était pas un secret. J'avais prévu de rester à Assise, mais j'ai fait la connaissance d'une famille américaine qui allait travailler dans une clinique pour les pauvres à Florence. J'ai décidé de me joindre à eux.

— Ça t'a plu ?

— Je n'étais pas très doué. Mais j'ai fini par trouver mon créneau : je leur racontais des histoires sur Dante en italien.

Julia esquissa un sourire.

— C'est un bon boulot, pour un spécialiste de Dante. Et l'orphelinat ?

— On s'occupait bien des enfants, mais c'était un endroit sinistre. Il y avait des nourrissons, dont certains étaient atteints du sida ou du syndrome d'alcoolisation fœtale. Et aussi des enfants plus âgés, qui ne seront jamais adoptés. La plupart des parents qui adoptent veulent de jeunes enfants.

Julia lui posa une main sur le bras.

— Je suis désolée.

Il se tourna et toucha délicatement la tête du tout-petit.

— Quand Grace m'a trouvé, j'étais considéré comme impossible à adopter. Elle a tout de même voulu de moi. C'était un don du ciel.

Julia perçut sa soudaine vulnérabilité et fut frappée de voir à quel point il avait changé. Elle n'aurait jamais pu imaginer l'ancien

Pr Emerson parler de don du ciel ou caresser la tête d'un petit enfant. Surtout s'il avait au préalable saccagé son nouveau costume Armani.

Juste avant la dernière danse, il s'approcha du DJ et s'entretint avec lui à voix basse. Puis, avec un grand sourire, il retourna auprès de Julia et lui tendit la main.

Ils se dirigèrent lentement vers la piste de danse, au moment même où retentissait la mélodie de *Return to Me*.

— Je suis étonnée que tu n'aies pas choisi *Besame Mucho,* dit-elle.

Il la regarda droit dans les yeux avec une certaine intensité.

— Je me suis dit qu'il nous fallait une nouvelle chanson. Pour un nouveau chapitre.

— J'aimais bien l'ancienne.

— On n'est pas obligé d'oublier le passé, lui fit-il remarquer. Mais à nous de faire en sorte que l'avenir soit encore meilleur.

Elle lui sourit et changea de sujet.

— Je me souviens de la première fois où nous avons dansé.

— J'ai été un parfait crétin, ce soir-là. Quand je repense à la manière dont je me suis comporté… commença-t-il d'un ton plein de remords. Tu me faisais tellement d'effet, mais je ne savais pas comment réagir.

— Tu sais comment te conduire avec moi, désormais. (Elle porta la main à son visage, et l'embrassa avant de triturer timidement son nœud papillon de soie noire.) Je me rappelle que j'admirais tes cravates, quand j'étais ton étudiante. Tu t'habillais toujours impeccablement.

Il lui saisit la main et en 'embrassa la paume.

— Tu as toujours été plus que mon étudiante, Julianne. Tu es mon âme sœur. Ma *bashert*.

Il l'attira contre lui, et elle fredonna contre son smoking. Quand Dean Martin commença la partie de la chanson en italien, Julia n'entendit plus que la voix de Gabriel.

*

\* \*

À une heure avancée de la nuit, Gabriel se tenait devant la chambre de Julia, la dévisageant d'un œil scrutateur. Sa longue chevelure bouclée, son teint magnifique et ses joues rouges, son regard pétillant de champagne et de bonheur. La façon dont sa robe rouge foncé sans bretelles lui allait à merveille. Son ange au regard noisette avait encore le pouvoir de le charmer.

Alors qu'il lui caressait délicatement la joue, elle le regarda dans les yeux, qu'il avait dissimulés derrière ses lunettes. Il était si élégant dans son smoking. Si sexy.

Avec une certaine audace, elle tendit la main vers son nœud papillon et sentit la soie se dénouer entre ses doigts. Elle l'enroula autour de son poignet pour attirer l'enseignant à elle.

Tandis qu'ils s'embrassaient, elle comprit soudain à quel point il avait dû être difficile pour lui, au début de leur relation, de se retenir de la toucher, le sang bouillonnant et la peau brûlante, quand on savait ce que réservait ce genre de baiser lors de la danse hédoniste des préliminaires. Elle avait du mal à contenir son désir pour lui.

– Je t'en prie, chuchota-t-elle, se hissant sur la pointe des pieds pour lui déposer de petits baisers dans le cou tout en continuant à tirer sur son nœud papillon défait.

Il poussa un râle.

– Ne me tente pas.

– Je te promets que j'essaierai d'être la plus douce possible.

Il éclata d'un rire bourru.

– Quel retournement de situation stupéfiant !

– On a suffisamment attendu. Je t'aime. Et j'ai envie de toi.

– Tu as confiance en moi ?

– Oui, répondit-elle à bout de souffle.

– Alors, épouse-moi.

– Gabriel, je…

Il l'interrompit par un baiser, l'attirant contre lui. Il passa les doigts dans ses cheveux, l'enlaça fermement. Puis, faisant doucement glisser ses mains sur ses épaules nues, il introduisit timidement la langue dans sa bouche.

Julia délaissa son nœud papillon et le prit par le cou, l'attirant à elle jusqu'à ce que leurs corps se mêlent. Elle lui mordilla la lèvre et poussa un gémissement de plaisir quand il suivit lentement les contours de sa bouche avec sa langue.

Soudain, il lui caressa les épaules et le dos, et sentit la peau de la jeune femme devenir brûlante.

– Il faut faire ça correctement, l'implora-t-il en lui prenant le visage entre ses mains.

– Comment ça, correctement ? demanda-t-elle, une lueur de désespoir dans le regard.

Il l'embrassa de nouveau, et cette fois elle enroula sans pudeur sa jambe autour de sa hanche, tentant de reprendre la danse contre le mur du Musée royal de l'Ontario.

Il la poussa contre la porte de sa chambre en lui caressant les cuisses, puis recula brusquement.

— Je ne peux pas.

Elle lui ôta ses lunettes pour lui masser les tempes, et décela dans son regard la passion, le tiraillement et l'amour qui l'animaient. Elle ôta sa jambe de sa hanche et se plaqua contre lui.

— Gabriel…

Il cilla, comme si elle venait de le tirer d'un rêve.

Ne le voyant pas bouger, elle s'écarta légèrement de lui et lui rendit ses lunettes.

— Bonne nuit, Gabriel.

Il semblait dévasté.

— Je ne voulais pas te faire souffrir…

— Je sais.

Il resta parfaitement immobile, le regard plongé dans ses yeux débordants de tristesse et de désir.

— J'essaie d'être fort pour nous deux, chuchota-t-il. Mais quand tu me regardes comme ça…

Il l'embrassa doucement sur les lèvres et acquiesça quand elle chercha sa carte magnétique. Ils disparurent ensuite tous les deux derrière la porte de sa chambre.

*
* *

Tôt le lendemain matin, Julia quitta l'étreinte confortable de Gabriel et se dirigea vers la salle de bains sur la pointe des pieds. À son retour, il était parfaitement éveillé et la regardait d'un air inquiet.

— Ça va ?

Se sentant rougir, elle lui sourit.

— Oui.

— Alors, viens ici.

Il ouvrit les bras et elle alla se blottir contre lui, posant une jambe par-dessus des siennes.

— Désolée si je t'ai mis mal à l'aise dans le couloir.

— Tu ne m'as pas mis mal à l'aise.

Son ton pressant déconcerta la jeune femme.

— Comment pourrais-je être mal à l'aise quand la femme que j'aime me montre qu'elle a envie de moi ?

— J'ai l'impression qu'on s'est un peu donnés en spectacle.

– Ça leur aura peut-être donné des idées, répondit-il en l'embrassant.

Elle posa ensuite la tête sur son épaule.

– J'imagine que tu es sérieux quand tu affirmes vouloir attendre le mariage.

– Tu ne t'en plaignais pas, cette nuit.

– Tu me connais, dit-elle avec un clin d'œil. Je ne suis pas du genre à me plaindre. Je te remercie d'avoir accepté un compromis, Gabriel. C'était important pour moi.

Elle le serra dans ses bras.

– Pour moi aussi, répondit-il avec un sourire. Ça me permet de voir que tu me fais confiance.

– Jamais je n'ai eu autant confiance en toi.

Il l'embrassa de nouveau avant d'écarter une mèche de cheveux de son visage.

– Il faut que je te dise quelque chose, déclara-t-il en lui caressant délicatement le cou du bout des doigts. Quelque chose d'étrange.

Interloquée, elle fronça les sourcils.

– Je t'écoute.

– À Selinsgrove, j'ai vu quelque chose. Ou, plutôt, il m'est arrivé quelque chose.

Elle posa la main sur la sienne afin de calmer sa nervosité.

– Tu t'es blessé ?

– Non.

Gêné, il marqua une pause.

– Promets-moi d'éviter de tirer des conclusions hâtives.

– Bien sûr…

– J'ai cru que c'était un rêve. À mon réveil, je me suis demandé si c'était une vision.

Elle cilla.

– Comme lorsque tu as eu l'impression de me voir à Assise ?

– Non. Comme ce que tu as dit à propos de la toile de Gentileschi, quand on était à Florence. C'était à propos de Maia et de Grace. Je l'ai vue. Grace. On était dans mon ancienne chambre, chez mes parents. Et elle m'a dit…

Sentant sa voix se briser, il s'efforça de se maîtriser.

– Elle m'a dit qu'elle savait que je l'aimais.

– Bien sûr, qu'elle le sait, murmura Julia en le serrant encore plus fort dans ses bras.

– Ce n'est pas tout. Elle était accompagnée. D'une jeune femme.

– De qui s'agissait-il ?

Il eut du mal à déglutir.

– Maia.

Les yeux écarquillés, Julia poussa un petit cri.

– Elle m'a dit qu'elle était heureuse.

Elle essuya une larme sur le visage de Gabriel.

– C'était un rêve ?

– Peut-être, je n'en sais rien.

– Tu en as parlé à Richard ? Ou à Paulina ?

– Non. Ils ont tous les deux fait leur deuil.

Elle posa la main sur sa joue.

– Tu avais peut-être besoin de ça pour parvenir à te pardonner. Pour comprendre que Grace et Maia t'avaient pardonné et qu'elles étaient heureuses.

Il hocha la tête en silence, enfouissant son visage dans la chevelure de la jeune femme.

## 50

Dans l'avion qui les ramenait à Boston en classe affaires, Julia étonna Gabriel en lui apprenant qu'elle accueillerait favorablement sa demande en mariage. Il eut du mal à contenir sa joie. Elle eut l'impression qu'il allait aussitôt se mettre à genoux.

Ce ne fut pas le cas.

À leur arrivée à Boston, elle crut qu'il allait l'emmener choisir son alliance.

Mais ce n'était manifestement pas dans ses projets.

En fait, à la fin du mois de septembre, elle se demanda s'il n'allait pas renoncer à lui faire sa demande. Peut-être allait-il simplement partir du principe qu'ils étaient déjà fiancés et prévoyait-il d'aller chercher les alliances plus tard.

Il la prévint que le programme de doctorat de Harvard était très exigeant. En fait, il lui fit remarquer que la majeure partie des enseignants de son cursus étaient nettement plus prétentieux et crétins qu'il ne l'avait jamais été, ce qui la poussa à se demander si un tel niveau de bêtise était humainement possible.

Néanmoins, ses avertissements ne l'avaient pas assez préparée à la quantité de travail quotidien requise. Elle passait de longues heures en travaux dirigés et à la bibliothèque, pour éviter de prendre du retard dans ses devoirs et compléter ses cours. Elle parlait régulièrement avec le Pr Marinelli, avec qui elle entretenait une relation strictement professionnelle mais agréable. Et elle travaillait sans relâche son italien et d'autres langues, afin de préparer ses examens de compétences.

Gabriel l'encourageait, bien sûr, et faisait tout son possible pour éviter de lui demander de passer du temps avec lui, renforçant ainsi la pression sur elle. Il était lui-même très occupé avec son nouveau poste, ayant accepté de superviser trois étudiants en doctorat, et préféré confier Paul aux bons soins de Katherine. Mais les enseignants avaient plus de temps libre que les étudiants, et Gabriel passait ainsi un grand nombre de ses soirées et de ses week-ends tout seul.

Il commença à faire du bénévolat pour l'Italian Home For Children, dans le quartier de Jamaica Plain. Malgré sa réussite quelque peu limitée, un petit groupe d'adolescents développa sous sa houlette un certain intérêt pour l'art et la culture italiens. Le professeur promit de les envoyer en Italie s'ils obtenaient leur bac avec une moyenne honorable.

Même s'il avait l'esprit occupé, chacune de ses journées s'achevait comme elle avait débuté, dans la solitude de sa maison nouvellement rénovée. Julianne lui manquait énormément.

Il envisageait sérieusement d'acheter un chien. Ou un furet.

Malgré tout son travail à la fac, qui lui apportait une distraction bienvenue, Julia continuait à se sentir frustrée. Leur éloignement était anormal, inconfortable, froid, et elle avait hâte de pouvoir y mettre un terme et de ne plus faire qu'un avec lui, comme par le passé. En être incapable l'attristait énormément. Sans relations, aucune activité romantique au monde ne pouvait remédier à ce genre de solitude. Et elle en avait assez d'écouter de la musique réconfortante seule dans son petit lit.

Il existait de nombreuses façons de satisfaire ses désirs sexuels, mais l'attention qu'il lui accordait quand ils faisaient l'amour et son dévouement farouche envers elle, comme si rien d'autre n'existait au monde, lui manquaient beaucoup. Elle voulait de nouveau connaître ce qu'il provoquait en elle quand il caressait son corps nu. Car dans ces moments-là, elle se sentait belle et désirable, en dépit de sa timidité innée et de ses complexes. Elle aimait aussi ce moment spécial après l'amour, lorsqu'ils étaient tous deux détendus et comblés, quand il lui susurrait des mots doux à l'oreille et qu'ils restaient simplement dans les bras l'un de l'autre.

Les jours passant, Julia ne savait combien de temps elle allait encore pouvoir supporter leur éloignement sans sombrer dans la dépression.

*
* *

Un jour, à la fin du mois de septembre, Julia ouvrit la porte du Range Rover et prit place en silence sur le siège passager. Elle boucla sa ceinture et regarda par la vitre.

– Mon cœur ?

Gabriel écarta les cheveux de son visage.

La voyant se crisper, il ôta sa main.

— Qu'est-ce qu'il y a ? Que s'est-il passé ?

— Sharon, marmonna-t-elle.

Il tendit de nouveau la main, cette fois pour tourner son menton vers lui. Elle avait le visage bouffi et la peau marquée. Elle avait dû pleurer longtemps.

— Viens là. Raconte-moi ce qui s'est passé.

Il déboucla la ceinture de la jeune femme et l'attira sur ses genoux en la faisant passer par-dessus la console centrale.

— Le Dr Walters a fait remonter à la surface tous ces trucs à propos de ma mère. Je ne voulais pas en parler, mais elle m'a dit que c'était son travail que de m'empêcher de vouloir étouffer tout ce qui s'est produit à Saint-Louis. Quand je ne l'ai plus supporté, je suis partie.

Gabriel grimaça. Le Dr Townsend lui avait fait à peu près la même remarque au sujet de sa propre mère, mais il semblait plus près que Julia de faire son deuil avec son passé, depuis son voyage en Italie. Sa présence assidue aux réunions des Dépendants anonymes semblait également l'avoir aidé.

— Je suis désolé, lui dit-il en l'embrassant sur le front. Mais Nicole n'a-t-elle jamais abordé ta relation avec ta mère ?

— Brièvement. On parlait surtout de toi.

Il grimaça. Il se sentirait toujours coupable de l'avoir fait souffrir, mais le fait d'avoir remplacé Sharon dans la liste des priorités de Nicole le hérissa.

— Je peux faire quelque chose pour t'aider ?

Elle eut un éclat de rire amer en continuant à sécher ses larmes.

— Trouve-moi un autre psy.

— Ce ne serait pas te rendre service. Tout psy digne de ce nom insisterait pour que tu abordes ce qui s'est passé avec ta mère. Et ses copains.

Elle s'apprêta à protester, mais il l'interrompit.

— Je comprends ce que tu traverses. Même si nos mères étaient différentes, je comprends.

Elle s'essuya le nez avec un mouchoir.

— Je suis là pour t'écouter, chaque fois que tu voudras en parler. Mais pour retrouver ton équilibre, tu dois parvenir à gérer ton passé. Je ferai tout mon possible pour t'aider, mais, ça, il n'y a que toi qui puisses y faire quelque chose. Pour toi et pour nous.

Il lui adressa un regard compatissant.

– Tu comprends, hein ? Que ce processus de guérison t'aide, mais qu'il nous aide aussi tous les deux ?

Elle acquiesça de mauvaise grâce.

– Je croyais que toute cette angoisse existentielle était derrière nous. Qu'après tout ce que nous avons traversé, nous pourrions enfin être heureux à tout jamais.

Il tenta de réprimer un rire amer. En vain.

– Quoi ? Tu ne crois pas au bonheur éternel ?

Il lui adressa un sourire en coin et lui tapota le bout du nez.

– Non, je ne crois pas à l'angoisse existentielle.

– Et pourquoi ?

– Parce que je ne suis pas existentialiste. Je suis… dantesque.

Elle fronça les sourcils.

– Très amusant, monsieur le professeur. Avec un nom comme « Emerson », je t'aurais plutôt cru transcendentaliste.

– Certainement pas, répondit-il en déposant un baiser affectueux sur son front. J'existe dans le seul but de te satisfaire. Nous serons heureux, Julianne… mais ne vois-tu pas que pour atteindre le bonheur, il te faut éliminer les souffrances du passé ?

Elle s'agita sur ses genoux, mais ne répondit pas.

– J'envisageais d'aller me recueillir sur la tombe de Maia, dit-il.

Il s'éclaircit la voix.

– J'aimerais que tu m'accompagnes, ajouta-t-il d'une voix hésitante, à peine plus forte qu'un chuchotement. J'aimerais que tu la voies. Enfin, si tu ne trouves pas ça trop morbide.

– J'en serais honorée. Bien sûr que je vais t'y accompagner.

– Merci.

Il l'embrassa de nouveau sur le front.

– Gabriel ?

– Oui ?

– Je ne t'ai pas raconté tout ce qui s'était passé avec Sharon. Ni avec Simon.

Il se frotta les yeux.

– Moi non plus, je ne t'ai pas raconté tout mon passé.

– Ça ne t'ennuie pas ? Qu'on ne se soit pas tout raconté ?

– Non. Je suis prêt à écouter tout ce que tu voudras me dire. Mais franchement, il y a des choses qui se sont produites dans ma vie et dont je n'ai vraiment pas envie de parler. Alors je comprends ta réticence à vouloir me raconter toute ton histoire.

Il soutint son regard.

– Le plus important, c'est que tu règles ces problèmes avec quelqu'un. Je suis certain que le fait d'en parler avec le Dr Walters sera suffisant.

Il l'embrassa de nouveau et la tint contre lui, pensant à la distance qu'ils avaient parcourue dans leurs voyages individuels, et à celle qu'il leur restait à parcourir.

# 51

Dans le courant du mois d'octobre, Gabriel convainquit Julia de l'accompagner chez lui à Selinsgrove pour le week-end, afin qu'ils puissent y retrouver leurs proches. Rachel et Aaron avaient insisté pour cuisiner pendant les deux jours, tandis que Quinn, le fils de Tammy, divertissait tout le monde, y compris Tom avec ses sourires.

— Alors, comment se passe ce mariage ? s'enquit Gabriel auprès d'Aaron tandis qu'il assemblait divers ingrédients pour une salade.

— Très bien. Tu devrais essayer un jour, se moqua Aaron en adressant un clin d'œil à Julia avant de boire une longue gorgée de Corona.

— Bonne idée ! rétorqua Gabriel avec un sourire satisfait, puis il se concentra sur sa salade.

— Arrête tes conneries, Gabriel. Quand vas-tu te décider à mettre une bague au doigt de cette jolie fille ? retentit la voix de Rachel depuis le four.

— Elle en a déjà une.

Rachel délaissa son poulet à la Kiev et se précipita à l'autre bout de la cuisine pour examiner la main gauche de Julia.

— Ça ne compte pas, fit-elle remarquer en désignant le pouce de Julia, orné de l'anneau en platine de Gabriel.

Les deux jeunes femmes échangèrent un regard et secouèrent la tête.

Voyant le visage de Julia se décomposer, Gabriel abandonna aussitôt sa salade, prétentieusement garnie de fruits et de noix, et l'enlaça en toute hâte.

— Fais-moi confiance, lui chuchota-t-il, si bas que personne d'autre ne put l'entendre.

Quand elle murmura son approbation, il la serra fermement contre lui avant de l'embrasser.

— Allez vous trouver une chambre ! railla Aaron.

– Oh ! on en a une, rétorqua Gabriel avec un regard de travers.

– On en a même deux, en fait, soupira Julia d'un air résigné.

Lorsqu'ils prirent place pour dîner, Richard demanda à tout le monde de se tenir par la main pendant qu'il réciterait le bénédicité. Il remercia Dieu pour sa famille, pour Tammy, Quinn et Julia, pour son nouveau gendre et pour l'amitié des Mitchell. Il remercia Dieu pour sa femme et le souvenir qu'elle lui laissait, et fit remarquer que les graines qu'elle avait plantées avec ses enfants, son mari et ses amis avaient porté leurs fruits. Et, quand il dit « Amen », ils se séchèrent tous les yeux et esquissèrent un sourire, plus ravis qu'ils ne voulaient l'admettre que la famille soit de nouveau forte et rassemblée.

# 52

Après dîner, Tammy et Scott se chargèrent de débarrasser pendant que Rachel et Aaron exerçaient leurs talents parentaux avec Quinn. Sur le perron de derrière, Richard et Tom fumaient un cigare en buvant du scotch, tout en regardant le vieux M. Bancroft prendre des choses dans le garage et les transporter vers le bois. Richard lança à Tom un regard entendu, et ils trinquèrent tous les deux.

À l'intérieur, Gabriel prit Julia par la main et la conduisit à l'étage.

— Mets quelque chose de chaud, lui recommanda-t-il en entrant dans la chambre de la jeune femme. J'aimerais t'emmener faire une balade.

— Il ne fait pas si froid dehors, lui fit-elle remarquer en enfilant l'un des vieux cardigans en cachemire de Gabriel.

Il avait vidé sa garde-robe de ses gilets, dès que Julia lui avait fait remarquer qu'il ressemblait à un grand-père. Ou à un présentateur de la télé nationale.

Après cela, Gabriel n'avait été que trop ravi d'offrir ses cardigans à l'Armée du salut, à l'exception de quelques-uns que Julia avait récupérés.

— Je ne veux pas que tu prennes froid, protesta-t-il en tirant malicieusement sur son gilet

— Tu n'auras qu'à me réchauffer, répliqua-t-elle avec un clin d'œil.

Après lui avoir enroulé son écharpe du Magdalen College autour du cou, il l'emmena dehors en passant par la cuisine.

— Tu vas te promener, Emerson ?

La voix de Tom les surprit.

— Avec votre permission, monsieur Mitchell.

Tom caressa son couteau suisse dans la poche de son manteau.

— Si tu la fais pleurer, je te vide comme un poisson.

– Je prendrai soin d'elle, je vous le promets. Et si je la fais pleurer, je sécherai ses larmes.

Tom pouffa et marmonna quelque chose entre ses dents.

Julia les regarda tour à tour d'un air intrigué.

– Que se passe-t-il ?

– Gabriel t'emmène faire une balade. Avec ma bénédiction.

Son père s'était exprimé d'un ton légèrement menaçant.

– Et la mienne, intervint Richard, ses yeux gris brillant d'amusement.

– Vous deux, il va falloir y aller doucement sur le scotch.

Elle secoua la tête, tandis que Gabriel l'emmenait vers les arbres.

– Qu'est-ce qui leur prend ? demanda-t-elle, alors qu'ils marchaient main dans la main en direction de ce qui restait de l'ancienne pommeraie.

– Tu verras.

Il l'embrassa sur le front et accéléra le pas. Humant son parfum, il esquissa un sourire.

– Tu sens la vanille…

– J'en avais assez de la lavande.

– Moi aussi.

Quelques minutes plus tard, ils atteignirent la lisière de la pommeraie. Malgré le feuillage relativement dense, Julia aperçut de la lumière derrière les branches.

– Qu'est-ce que c'est ?

– Viens, tu vas le découvrir par toi-même, lui répondit-il en la guidant entre les arbres.

Des petites lumignons ornaient quelques branches des arbres, au-dessus de leurs têtes, et l'on avait disposé un peu partout, sur le sol, des lanternes contenant des chandelles vacillantes. Au milieu de ces lumières douces éclairant chaleureusement les arbres sévères aux branches nues et l'herbe jaunie, se dressait un pavillon blanc. À l'intérieur, avaient été disposés un banc avec une couverture et quelques coussins à l'air familier.

– Oh, Gabriel ! chuchota Julia.

Il l'entraîna vers la tente, l'encourageant à s'asseoir.

– Il ne fallait pas te donner tant de mal. Je me serais contentée de cette vieille couverture par terre. Comme avant.

– J'aime te gâter.

Il croisa son regard, et quand elle remarqua l'intense lueur dans les profondeurs de ses yeux bleus, elle en eut le souffle coupé.

– Tu veux boire quelque chose ?

Il se dirigea vers une table basse sur laquelle était posé un seau à champagne avec deux flûtes. Elle acquiesça et le regarda ouvrir la bouteille et servir d'un geste expert.

– On porte un toast ?

– Bien sûr. On peut boire autre chose, si tu préfères.

Elle jeta un coup d'œil au verre dans sa main.

– Ce sera juste une gorgée pour moi. À Julianne, ma bien-aimée !

Il leva son verre.

– Il me semble qu'on devrait plutôt boire à nous deux.

– C'est vrai. À nous.

Il sourit, et ils trinquèrent.

– Comment as-tu fait tout ça ? Ça a dû te prendre des heures.

Elle contempla le spectacle autour d'eux.

– C'est le vieux M. Bancroft qui a pris soin de la maison et du domaine en mon absence. Je lui ai demandé de tout organiser pendant qu'on dînait. Tu permets ?

Il plongea la main dans un saladier de fraises, sélectionna la plus grosse et la plus juteuse puis la lui tendit.

Il la porta aux lèvres de la jeune femme, puis arborant un large sourire quand elle en croqua la moitié.

– Tu vas voir, ça va très bien avec le champagne.

Elle éclata de rire, laissant échapper un peu de jus. Comme elle s'apprêtait à l'essuyer avec la main, Gabriel fut le plus prompt. Il suivit lentement le contour de ses lèvres pour le recueillir et porta ses doigts à sa propre bouche avant de les sucer l'un après l'autre.

– Délicieux… murmura-t-il.

Tandis qu'il répétait son rituel, Julia commença à se sentir étrangement étourdie. Même bridée, la sensualité de Gabriel était vertigineuse.

Elle tendit la main pour lui rendre la pareille, et fut étonnée quand il prit un de ses doigts dans sa bouche et le suça d'un coup de langue.

– C'est aussi sucré qu'un bonbon, lui fit-il remarquer d'une voix rauque.

Il s'assit près d'elle sur le banc et la prit par les épaules, passant un doigt sur sa lèvre tremblante.

– As-tu la moindre idée de l'effet que tu me fais ? Tes joues rougies, ta peau brûlante, ton cœur battant… Il n'y a pas de mots, dit-il en secouant la tête.

Julia déboutonna son cardigan et plaça la main de Gabriel sur sa poitrine.

– Sens mon cœur, comme il bat. Voilà l'effet que tu me fais, Gabriel.

Il regarda sa main.

– J'ai bien l'intention de susciter cette réaction jusqu'à la fin de mes jours. Si je t'ai fait venir ici, c'est parce que c'est là que tout a commencé. Tu as modifié le cours de mon existence cette nuit-là. Je ne pourrai jamais t'en remercier assez.

Il l'embrassa farouchement, retira sa main et la porta à sa joue.

– Ton amour me suffit amplement.

Il l'embrassa tendrement.

– D'où vient la musique ?

Elle chercha une chaîne hi-fi du regard, en vain.

– C'est grâce à M. Bancroft.

– C'est ravissant.

– Pas aussi ravissant que toi. Tu as apporté une touche de beauté à ma vie au moment même où je t'ai vue. J'ai encore du mal à croire que tu sois enfin dans mes bras, après toutes ces années. Et que tu m'aimes.

Il la serra encore un peu plus fort.

– Je t'ai toujours aimé, Gabriel. Même quand tu ne m'as pas reconnue.

Elle posa la tête contre son cœur, tandis qu'il fredonnait en suivant la musique.

À la fin de la chanson, il lui murmura :

– J'ai un cadeau pour toi.

– Contente-toi de m'embrasser.

– Je te couvrirai de baisers dès que tu m'auras permis de t'offrir mon présent.

Il tira quelque chose de la poche de sa veste et le lui tendit. Il s'agissait d'une annonce rédigée en italien sur une carte en bristol.

– Qu'est-ce que c'est ? demanda-t-elle en levant les yeux vers lui.

– Lis-la ! la pressa-t-il, le regard brillant.

L'annonce provenait de la Galerie des Offices à Florence, et signalait la présentation exclusive d'une collection extraordinaire d'illustrations de Botticelli sur *La Divine Comédie* de Dante, dont certaines n'avaient jamais été présentées au public. L'annonce se poursuivait, proclamant que cette exposition était un prêt aux Uffizi de la part du Pr Gabriel Emerson, ainsi qu'un présent à sa *fidanzata*, Mlle Julianne Mitchell.

Sidérée, elle le regarda bouche bée.

– Gabriel, tes illustrations… Je n'arrive pas à le croire.

– Le bonheur me rend généreux.

– Mais les problèmes légaux ? Et la façon dont tu te les es procurées ?

– Mon avocat a fait appel à une équipe d'experts pour en déterminer la provenance, mais ils ne sont pas parvenus à remonter plus loin que la fin du XIXᵉ siècle. Avant ça, personne ne sait à qui elles appartenaient. Et comme elles ont toujours fait partie d'une collection privée, elles m'appartiennent légalement et de plein droit. À présent, j'ai envie de les partager.

– C'est merveilleux.

Elle rougit et regarda ses pieds.

– Mais mon nom ne devrait pas être lié à cette exposition. Les illustrations t'appartiennent.

– Si je les partage, c'est uniquement grâce à toi.

Elle lui caressa la joue.

– Merci. C'est très généreux de ta part. J'ai toujours trouvé que ces illustrations devaient être disponibles à la vue et au plaisir de tous.

– Tu m'as appris à ne plus être égoïste.

Elle l'embrassa, goûtant impatiemment à sa bouche.

– Tu m'as appris à accepter les cadeaux.

– Alors, on est quittes.

Il s'éclaircit la voix puis écarta une mèche de cheveux du visage de la jeune femme.

– Tu m'accompagneras à l'exposition ? On la prévoit pour l'été. Le *dottore* Vitali aimerait organiser une réception en notre honneur, comme celle de l'an dernier pour ma conférence.

– Bien sûr.

– Parfait. Peut-être parviendrons-nous à trouver un coin tranquille dans le musée pour…

– Ça me plairait énormément, monsieur le professeur, l'interrompit-elle avec un clin d'œil.

Il tira involontairement sur son col.

– Tu veux qu'on se marie à Florence l'été prochain ? On pourrait organiser la cérémonie pendant l'exposition…

– Non.

Profondément déçu, il baissa la tête.

– L'été prochain, c'est bien trop loin. Que dirais-tu du mois prochain ?

Il se tourna vers elle.

– Je t'épouserais demain, si je le pouvais. Mais tu es sûre de toi ? Ça ne nous laisse pas beaucoup de temps pour organiser le mariage.

– Je préférerais que ce soit un mariage intime. J'en ai assez de vivre seule. Je veux être à ton côté. Et ce n'est pas uniquement parce que j'ai envie de coucher avec toi.

Elle lui effleura une oreille du bout des lèvres.

Il laissa échapper un grondement, puis l'embrassa avec fougue. Elle soupira dans sa bouche, et ils s'étreignirent tous deux avec chaleur.

– Et tes études ?

– Il y a beaucoup d'étudiants mariés. Même si je ne te voyais que le soir au lit, ce serait plus qu'en ce moment. Je t'en prie, ne me fais pas attendre.

Il lui caressa la joue du dos de la main.

– Comme si cette attente était facile à supporter pour moi ! Où pourrions-nous nous marier ?

– À Assise. Ça a toujours été un lieu important pour moi, et je sais qu'il l'est tout autant pour toi.

– Eh bien, d'accord pour Assise. Dès que possible. On verra plus tard pour la lune de miel ?

Il haussa les sourcils de manière suggestive.

– À moins qu'il y ait un endroit particulier où tu souhaites aller ? À Paris ? À Venise ? Au Belize ?

– Ce sera merveilleux où tu voudras, du moment que nous sommes ensemble.

Il la serra très fort contre lui.

– Tant mieux. Je te ferai la surprise, alors.

Elle l'embrassa de nouveau, et en quelques instants eut l'impression que tout tournait autour d'elle. Dans ses bras, plus rien d'autre n'existait.

– Je voudrais te montrer autre chose, lui dit-il en interrompant leur baiser.

Il la prit par la main et la conduisit au vieux pommier qui se dressait à la lisière de la clairière.

Il se tourna vers elle, le regard débordant d'émotion.

– La première fois qu'on s'est rencontrés, j'ai cueilli une pomme de cet arbre.

– Je m'en souviens.

– La pomme représentait ce qu'était ma vie à l'époque, charnelle, égoïste, violente, un aimant à péchés.

Julia le regarda se laisser tomber sur un genou, tirant une golden de sa poche.

– Cette pomme représente ce que je suis devenu, un homme plein d'espoir. Et d'amour.

Elle contempla la pomme avant de chercher son regard.

– Quelqu'un t'a-t-il déjà demandée en mariage ?

Elle secoua la tête, se couvrant la bouche de sa main.

– Alors, je suis ravi d'être le premier.

Il ouvrit la pomme en deux, comme s'il s'agissait d'une boîte magique, et Julia aperçut une bague sertie d'un diamant étincelant sur un petit carré de velours rouge.

– Je voudrais être ton premier et ton dernier. Je t'aime, Julianne. Je t'offre mon cœur et ma vie. Épouse-moi. Deviens ma femme, mon amie, mon amante et mon guide. Deviens ma bienheureuse Béatrice et ma Julianne adorée.

Sa voix tremblait légèrement.

– Accepte de m'appartenir. À tout jamais.

– Oui, parvint-elle à dire avant de se laisser submerger par les larmes.

Il sortit la bague de la pomme et la glissa délicatement à son doigt avant de lui effleurer la main du bout des lèvres.

– J'ai choisi cette bague il y a très longtemps, en même temps que les alliances. Mais on peut l'échanger.

Il prit un ton mélancolique.

– Je sais que tu préférerais choisir tes propres bagues.

Elle lui effleura l'oreille du bout des lèvres, puis regarda le diamant de deux carats et demi taillé en forme de coussin sur sa monture de platine. Une bague assez vieux jeu, avec un entourage de petites pierres autour du diamant central, et d'autres de taille dégradée, en chute autour de l'anneau. Même si elle la trouvait bien plus importante et plus ornée que celle dont elle avait toujours rêvé, elle lui semblait parfaite parce que c'était lui qui l'avait choisie.

– Je choisis celle-ci, lui garantit-elle.

Dès qu'il se releva, elle se jeta dans ses bras.

– J'ai toujours voulu être auprès de toi. Depuis le jour où j'ai vu ta photo, déclara-t-elle, tandis que des larmes de joie coulaient sur la poitrine de son futur mari. Je t'ai voulu avant même de te connaître.

– Et moi, je voulais de toi alors que je ne savais même pas comment tu t'appelais. Je ne connaissais que ta bonté. Et désormais, je vais pouvoir garder ma Béatrice à tout jamais.

# 53

Quelques jours plus tard, Paul reçut un e-mail de Julia lui annonçant ses fiançailles. Cela le rendit malade. Lire et relire ce message ne fit rien pour améliorer la situation. Rien du tout. Mais cela ne l'empêcha pas de recommencer inlassablement, si ce n'était pour se torturer, au moins pour tenter de s'habituer à son nouveau statut.

« Cher Paul,
J'espère que tu vas bien. Désolée d'avoir mis si longtemps à répondre à ton dernier message, mais le travail universitaire me prend tout mon temps, et j'ai l'impression d'avoir pris du retard dans toutes les matières. Mais j'adore ça ! Au fait, merci de m'avoir recommandé les livres de Ross King. Je n'ai pas beaucoup le temps de lire, ces jours-ci, mais je vais me jeter sur Le Dôme de Brunelleschi dès que possible.
L'une des raisons pour lesquelles je n'ai pas beaucoup de temps pour lire, c'est que je viens de me fiancer. Gabriel m'a demandé de l'épouser et j'ai accepté. On espérait pouvoir se marier assez rapidement, mais bien que Gabriel ait des liens personnels avec les franciscains, on n'a pas pu réserver la basilique d'Assise avant le 21 janvier. Je suis très heureuse. S'il te plaît, sois heureux pour moi.
J'envoie mon invitation à ton appartement de Toronto. On invite aussi Katherine Picton.
Je comprendrai si tu ne peux pas venir, ou si tu n'en as pas envie, mais il est important pour moi d'inviter les personnes auxquelles je tiens. Gabriel a loué une maison en Ombrie pour héberger les invités, avant et après la céré-

monie. Tu es naturellement le bienvenu. Je sais que mon père serait ravi de te revoir.

Tu as toujours été un excellent ami pour moi, et j'espère qu'un jour je serai en mesure de te rendre la pareille.

Chaleureusement,

Julia.

P.S. : Gabriel ne voulait pas que j'en parle, mais c'est lui qui a convaincu le Pr Picton de diriger ta thèse. Je le lui avais demandé, mais elle avait refusé. Peut-être n'est-il pas aussi mauvais que tu le crois. »

La gratitude de Paul à l'égard de Gabriel ne suffit pas pour lui faire oublier la douleur aiguë qu'il éprouva en comprenant qu'il venait de perdre Julia. Encore une fois.

Oui, il l'avait déjà perdue. Mais avant le retour de Gabriel, il avait toujours eu l'espoir qu'elle changerait d'avis, même dans un avenir lointain. Quelque part, le fait de savoir qu'elle allait l'épouser, lui, le faisait bien plus souffrir que si elle s'était mariée, disons, à un autre pauvre type qui se serait aussi appelé Gabriel. Comme « Gabriel le plombier », ou « Gabriel le type du câble ».

Peu de temps après avoir envoyé son e-mail à Paul, elle reçut un colis dans son casier à Harvard. Remarquant qu'il avait été posté à Essex Junction, dans le Vermont, elle l'ouvrit en toute hâte.

Paul lui avait fait parvenir un exemplaire du *Lapin de velours* en édition limitée. Il lui avait écrit une petite dédicace sur la page de garde, ce qui la toucha beaucoup, et avait joint une lettre.

« Chère Julia,

J'ai été surpris par cette nouvelle. Félicitations !

Merci de m'avoir invité à ton mariage, mais je ne pourrai pas y assister. Mon père a eu une crise cardiaque il y a quelques jours. Il est à l'hôpital. Je suis obligé de donner un coup de main à la ferme. D'ailleurs, ma mère te passe le bonjour. Elle est en train de te préparer quelque chose pour ton mariage. Où doit-elle l'envoyer ? J'imagine que tu vas cesser d'habiter sur le campus, quand tu seras mariée ?

Dès le premier jour où je t'ai vue, j'ai voulu que tu sois heureuse. Que tu aies plus confiance en toi. Que tu aies la belle vie. Tu le mérites, et je n'aimerais pas que tu gâches tout ça.

Il en va de mon rôle d'ami de te demander si Emerson est vraiment l'homme que tu souhaites. Tu mérites ce qu'il y a de mieux. Et, si tu as le moindre doute, ne l'épouse pas.

Je te promets que je ne suis pas en train de faire mon crétin.

Amicalement,

Paul. »

Julia replia la lettre avec tristesse et la glissa dans le livre.

# 54

Bien que Tom eût donné – à contrecœur – sa bénédiction à Julia et à Gabriel, une dispute s'ensuivit quand les futurs mariés annoncèrent le lieu de la cérémonie.

Si les Clark étaient ravis d'aller passer une semaine en Italie en plein hiver, Tom, qui n'avait jamais quitté l'Amérique du Nord, fit preuve d'un certain manque d'enthousiasme. En tant que père de la mariée, il avait eu l'intention de financer les noces de sa fille unique au risque d'hypothéquer sa maison. Mais Julia avait refusé.

Même s'il s'agissait d'un petit mariage, les frais à engager étaient suffisamment élevés pour le mettre en difficulté. Au grand désarroi de Tom, Gabriel n'aurait, lui, aucun problème pour les couvrir. Il était plus important pour l'enseignant que Julia puisse vivre la journée de ses rêves que de chercher à calmer Tom.

Julia tenta d'apaiser tout le monde en faisant remarquer que son père pouvait payer certaines choses, sa robe de mariée par exemple, et les fleurs.

Fin novembre, rue Newbury à Boston, elle aperçut « la » robe dans la vitrine d'une élégante petite boutique : en organza de soie ivoire, avec un col en V et de toutes petites manches. Si le haut était couvert de dentelles, le bas était orné de volants qui la faisaient ressembler à un nuage.

Sans réfléchir davantage, elle entra dans la boutique et demanda à l'essayer. La commerçante la complimenta, lui affirmant que les robes Monique Lhuillier avaient beaucoup de succès.

Julia ne connaissait pas le nom de la créatrice et ne regarda pas le prix sur l'étiquette, pour la simple raison qu'il n'y en avait pas. Quand elle se présenta devant les miroirs de la salle d'essayage, elle sut que c'était *sa* robe. D'une beauté classique, elle mettrait son teint et sa silhouette en valeur. Et Gabriel allait adorer que la plus grande partie de son dos soit nu. Avec goût, évidemment.

Avec son iPhone, elle envoya à Tom sa photo avec la robe, pour lui demander son avis. Il l'appela aussitôt pour lui dire qu'il n'avait jamais vu une mariée aussi merveilleuse.

Il demanda à parler au responsable du magasin et, sans que Julia puisse en découvrir le prix conséquent, prit ses dispositions pour payer la robe. Savoir qu'il était en mesure d'offrir à sa fille la robe de ses rêves l'aida à accepter que Gabriel prenne en charge la majeure partie des autres frais.

Après avoir dit au revoir à son père, Julia passa plusieurs heures dans les magasins pour réunir le reste de sa tenue. Elle jeta son dévolu sur un voile qui lui arrivait presque aux chevilles, une paire de chaussures à talons en satin qui lui semblaient relativement confortables, et une longue cape de velours blanc qui les protégerait, la robe et elle, du climat hivernal d'Assise. Puis elle rentra chez elle.

*<br>* *

Deux semaines avant le mariage, Tom appela sa fille pour lui poser une question importante.

— Je sais que les invitations sont déjà parties depuis longtemps, mais resterait-il de la place pour une personne ?

Julia fut pour le moins étonnée.

— Bien sûr. Aurais-je un lointain cousin dont j'ignore l'existence ?

— Pas vraiment, se déroba-t-il.

— De qui s'agit-il, alors ?

Il prit une profonde inspiration puis retint son souffle.

— Crache le morceau, papa. Qui veux-tu inviter ?

Elle ferma les yeux et implora silencieusement les dieux des filles dont les pères étaient célibataires d'intervenir en son nom, et d'empêcher Deb Lundy d'assister à son mariage. Ou pire, de se remettre avec son père.

— Euh… Diane.

Elle écarquilla les yeux.

— Diane comment ?

— Diane Stewart.

— Diane, du Kinfolks ?

— Voilà.

Sa réponse bourrue en apprit bien plus à Julia qu'il ne l'aurait cru.

Elle en resta bouche bée.

– Jules ? Tu es là ?

– Oui, je suis là. Euh… Bien sûr, je vais l'ajouter à la liste des invités. Euh… c'est une amie… particulière ?

Il garda le silence un moment.

– On peut dire ça.

– Ah…

Il mit rapidement fin à la conversation, et Julia raccrocha en se demandant quel plat du jour avait bien pu déclencher cette idylle.

*Certainement pas le pain de viande*, conclut-elle.

## 55

Le 21 janvier, Tom faisait les cent pas devant l'entrée de la basilique d'Assise. Il était nerveux. Et le fait que Julia et ses demoiselles d'honneur soient en retard n'arrangeait rien. Il tira sur son nœud papillon. Puis un ange en velours et organza blanc apparut aux portes de l'édifice, tel un nuage de lumière.

Il en demeura sans voix.

— Papa ! lui souffla Julia avec un sourire d'excitation en s'approchant de lui.

Tammy et Rachel l'aidèrent à se défaire de sa cape et ajustèrent les volants de sa robe avant de dérouler sa traîne. Ensuite, Christina, l'organisatrice du mariage, leur tendit à chacune un bouquet composé d'un mélange d'iris et de roses blanches, assorti à leurs robes couleur iris.

— Tu es ravissante, marmonna Tom en embrassant timidement sa fille sur la joue malgré son voile.

— Merci.

Écarlate, elle baissa les yeux sur son bouquet, composé de deux douzaines de roses blanches et de quelques brins de houx.

— Vous pouvez nous accorder une minute ? demanda-t-il aux autres.

— Bien sûr.

Christina entraîna Tammy et Rachel vers l'entrée du sanctuaire, sans manquer de signaler à l'organiste que la procession était sur le point de débuter.

Tom adressa un sourire nerveux à sa fille.

— J'aime beaucoup ton collier, déclara-t-il.

Julia porta les mains aux perles ornant son cou.

— C'étaient les perles de Grace.

Elle tritura aussi ses boucles d'oreilles en diamant, mais préféra éviter de révéler leur origine.

— Je me demande ce qu'elle penserait du fait que tu te maries avec son fils.

— J'aimerais croire qu'elle en serait heureuse. Qu'elle nous regarde de là-haut en souriant.

Tom hocha de nouveau la tête et enfonça les mains dans les poches de son smoking.

— Je suis content que tu m'aies demandé de te conduire à l'autel.

Elle sembla perplexe.

— Je ne me serais pas mariée sans toi, papa.

Il s'éclaircit la voix, se dandinant maladroitement dans ses chaussures de location.

— J'aurais dû te garder, quand je t'ai retirée des mains de Sharon, la première fois. Je n'aurais jamais dû te renvoyer là-bas, reconnut-il, la voix brisée.

— Papa… chuchota-t-elle, sentant les larmes lui monter aux yeux.

Il l'enlaça, tentant de lui dire par son étreinte ce qu'il était incapable d'exprimer avec des mots.

— Ça fait très longtemps que je t'ai pardonné. On n'est même pas obligés d'en reparler.

Elle s'interrompit et leva les yeux vers lui.

— Je suis heureuse que tu sois là. Et que tu sois mon père.

— Jules…

Il toussa, puis la libéra avec un sourire.

— Tu es une fille bien.

Il se tourna vers l'allée menant à l'autel, où se tenait Gabriel en compagnie de son frère et de son beau-frère. Les trois hommes étaient vêtus de smokings Armani noirs et de chemises blanches impeccables. Toutefois, Scott et Aaron avaient convaincu Gabriel d'éviter de porter un nœud papillon et de préférer une simple cravate normale, car les premiers étaient réservés, comme l'avait dit Scott, « aux vieux, aux jeunes républicains et aux professeurs ».

— Tu sais ce que tu fais ? s'enquit Tom. Si tu as le moindre doute, j'appelle un taxi et je te ramène à la maison.

Elle serra sa main.

— Absolument. Gabriel n'est peut-être pas parfait, mais il l'est pour moi. On est faits l'un pour l'autre.

— Je lui ai dit que je comptais sur lui pour prendre soin de ma petite fille chérie. Que s'il ne se sentait pas prêt, on allait avoir des problèmes. Il m'a répondu que s'il te traitait moins bien que le trésor que tu étais, je pouvais le pourchasser avec mon fusil.

Il esquissa un sourire.

— Je lui ai dit que ça m'allait. Tu es prête ?

Elle prit une profonde inspiration.

— Oui.

— Alors, allons-y.

Il lui proposa son bras, et ils firent un signe de tête aux demoiselles d'honneur pour leur annoncer le début de la procession au son de *La Cantate de la chasse* de Jean-Sébastien Bach.

Quand Julia et Tom pénétrèrent dans la basilique, sur la mélodie de *Jésus, que ma joie demeure,* Gabriel croisa le regard de la jeune femme et lui fit un grand sourire. Les rayons du soleil de janvier s'infiltrèrent par les portes, illuminant la mariée par derrière et donnant l'impression qu'un halo de lumière étincelait autour de sa tête voilée.

Gabriel ne pouvait se retenir de sourire. Il conserva son air joyeux tout au long de la messe, y compris lorsqu'il fit le serment de révérer sa femme, et pendant l'interprétation d'extraits de *La Cantate du veilleur* de Bach et d'*Exsultate, jubilate,* de Mozart, par un soprano solo.

Après la cérémonie, il posa ses doigts tremblants sur le voile de Julia et le leva avec précaution. Il essuya du pouce les larmes de joie qui roulaient sur ses joues, et l'embrassa. C'était un baiser doux et chaste, mais plein de promesses. Ils se dirigèrent ensuite vers la basilique inférieure, puis la crypte.

Ce n'était pas prévu. Sans vraiment savoir comment, les mains entrelacées, ils se retrouvèrent devant le tombeau de saint François. Dans l'obscurité paisible où Gabriel avait eu son indicible vision quelques mois auparavant, ils s'agenouillèrent pour prier. Chacun remercia silencieusement Dieu pour l'autre, pour les nombreux bienfaits qu'Il leur avait accordés, pour Grace et Maia, pour leurs pères et leurs proches.

Lorsque Gabriel se leva et alluma un cierge, chacun d'eux demanda encore une chose à Dieu. Un petit miracle dans son immense grâce. À la fin de leurs prières, ils se sentirent gagnés par un sentiment étrange, mais réconfortant.

— Ne pleure pas, ma douce. Je t'en prie, ne pleure pas.

Il la prit par la main pour l'aider à se relever, et sécha ses larmes avant de l'embrasser.

— Je suis si heureuse, lui assura-t-elle en lui souriant. Je t'aime tant.

– Moi aussi. Je ne cesse de me demander comment c'est possible. Comment j'ai pu te retrouver et te convaincre de m'épouser.

– Le destin nous a souri.

À côté du tombeau de saint François, sans aucune honte, elle se hissa sur la pointe des pieds et l'embrassa, sachant qu'elle avait raison.

# 56

Plus tard, dans la soirée, ils se changèrent pour leur lune de miel – costume sombre pour Gabriel et robe violette pour Julia –, et prirent place côte à côte dans la voiture de maître qu'il avait louée.

Bientôt, le véhicule s'engagea dans l'allée conduisant à une villa près de Todi. Celle qu'il avait louée lors de leur séjour en Italie l'année précédente.

– Notre maison, chuchota-t-elle, dès qu'elle l'aperçut.

– Oui.

Il lui fit un baisemain et l'aida à descendre de la voiture. Il la prit ensuite dans ses bras et la porta jusqu'à l'intérieur.

– Tu n'es pas déçue ? Je me suis dit que tu préférerais un peu de tranquillité. Mais si ce n'est pas le cas, on peut aller à Venise ou à Rome. Je t'emmènerai où tu veux.

Il la reposa par terre.

– C'est parfait. Je suis très contente que tu aies décidé de nous amener ici.

Elle se jeta à son cou.

Après un moment, il s'écarta d'elle.

– Je crois que je ferais bien de monter nos bagages. Tu as faim ?

Elle sourit.

– Un peu.

– Pourquoi n'irais-tu pas regarder si quelque chose te tente dans la cuisine ? Je te rejoins tout de suite.

Elle se pencha avec un regard diabolique.

– La seule chose dans la cuisine qui me tenterait, ce serait toi sur la table.

Sa remarque sensuelle lui rappela leur précédent séjour, alors qu'ils

410

avaient étrenné cette table à plus d'une reprise. Poussant un râle, il s'empressa de monter leurs valises aussi vite que s'il était poursuivi.

Dans la cuisine, Julia remarqua que le garde-manger était parfaitement approvisionné, de même que le réfrigérateur. Elle éclata de rire en voyant les bouteilles de jus de canneberge qui l'attendaient, alignées sur le comptoir. Elle venait d'ouvrir un Perrier et terminait de préparer une assiette de fromage quand Gabriel la rejoignit.

Lorsqu'il se précipita dans la pièce, il semblait avoir rajeuni de plusieurs années. On aurait dit un garçonnet, le regard brillant et la mine réjouie.

– Ça a l'air délicieux. Merci.

Il prit place à son côté, lançant un regard lourd de sens vers la table de la cuisine.

– Mais je dois dire que je préférerais que nos premières fois aient lieu dans un lit.

Julia se sentit rougir.

– Cette table me rappelle beaucoup de choses.

– À moi aussi. Mais nous aurons tout le temps de nous faire de nouveaux souvenirs. Encore mieux.

Il lui adressa un regard torride.

Elle sentit le désir monter en elle.

– Tu es satisfaite du mariage ?

En la regardant avec avidité, il servit deux verres d'eau gazeuse.

– C'était encore mieux que je l'avais imaginé. La messe, la musique… Et avoir pu se marier dans la basilique, c'est incroyable ! Je m'y suis sentie si sereine !

Gabriel hocha la tête, car il éprouvait le même sentiment.

– Je suis contente qu'on n'ait invité que la famille et les amis proches. Je suis désolée de ne pas avoir eu l'occasion de m'entretenir avec Katherine Picton, mais je t'ai vu danser avec elle à deux reprises.

Comme elle faisait mine de s'en formaliser, il feignit la surprise.

– Vraiment ? J'ai dansé deux fois avec elle ? C'est plutôt impressionnant de la part d'une septuagénaire. Je suis étonné qu'elle ait pu me suivre.

Face à une telle prétention, Julia leva les yeux au ciel.

– Quant à vous, vous avez dansé deux fois avec Richard, madame Emerson. Je suppose donc que nous sommes quittes.

– Il est aussi mon père, à présent. Et c'est un excellent danseur. Très élégant.

– Meilleur que moi ? demanda-t-il, feignant la jalousie.

– Personne n'est meilleur que toi, mon chéri.

Elle se pencha pour l'embrasser, afin de faire disparaître sa moue.

— Tu crois qu'il va se remarier un jour ?

— Non.

— Pourquoi ?

Il lui prit la main et la lui caressa doucement, un doigt après l'autre.

— Parce que Grace était sa Béatrice. Quand on a connu un tel amour, le reste devient insignifiant.

Il esquissa un sourire attristé.

— Curieusement, c'était la même chose dans le livre préféré de Grace, *A Severe Mercy*. Sheldon Vanauken ne s'est jamais remarié après la mort de sa femme. Dante a perdu Béatrice alors qu'elle n'avait que vingt-quatre ans, mais il a passé le reste de ses jours à la pleurer. Si je devais te perdre, ce serait également mon cas. Il n'y aurait personne d'autre. Jamais, ajouta-t-il avec dans le regard une lueur férocement tendre.

— Je me demande si mon père va se remarier.

— Ça t'ennuierait ?

Elle haussa les épaules.

— Non. Il me faudrait certainement du temps pour m'y habituer, mais je suis contente qu'il fréquente une femme gentille. J'aimerais qu'il soit heureux. Qu'il puisse passer ses vieux jours auprès de quelqu'un de bien.

— J'ai hâte de pouvoir vieillir auprès de toi, déclara Gabriel. Tu es toi-même quelqu'un de très bien.

— Moi aussi, j'ai hâte de pouvoir vieillir auprès de toi.

Les deux époux échangèrent un regard avant de terminer leur repas dans une atmosphère détendue. Ensuite, Gabriel se leva et lui tendit la main.

— Je ne t'ai pas encore offert ton cadeau de mariage.

Elle lui prit la main, et ses doigts entrèrent en contact avec son alliance.

— Il me semblait que nos cadeaux, c'étaient nos alliances et l'inscription à l'intérieur : *J'appartiens à mon bien-aimé, et mon bien-aimé m'appartient*.

— Ce n'est pas tout.

Il la conduisit près du feu et s'immobilisa.

En entrant dans la maison, Julia n'avait pas remarqué que le tableau au-dessus de la cheminée avait été décroché. À la place se trouvait une toile impressionnante représentant un homme et une femme dans une étreinte passionnée.

Elle s'approcha de la peinture à l'huile, subjuguée par l'émotion qu'elle dégageait.

Les silhouettes étaient enlacées, l'homme torse nu légèrement plus bas que la femme, comme s'il était à genoux à ses pieds, la tête posée sur ses cuisses. La femme, nue, était penchée en avant, un drap négligemment jeté autour d'elle, serrant l'homme dans ses bras, la tête posée entre ses omoplates. À vrai dire, il était difficile de savoir où commençait et où se terminait son corps, tant ils étaient enlacés, presque en un cercle. La toile dégageait une impression de frustration et de désespoir, comme si le couple venait de se réconcilier après une dispute, ou de se retrouver après une longue séparation.

— C'est nous, lâcha Julia, clignant des yeux tant elle était bouleversée.

Le visage de l'homme était en partie caché par la jambe de la femme, la bouche pressée contre sa cuisse nue. Mais c'était le visage de Gabriel, elle n'en doutait pas. Le visage de la femme était celui de Julia, les yeux fermés de bonheur, un léger sourire au coin de ses lèvres charnues, faisant face au spectateur.

Elle semblait heureuse.

— Mais comment...

Gabriel se tint derrière elle et lui mit les mains sur les épaules.

— J'ai posé pour l'artiste et je lui ai remis des photos de toi.

— Des photos ?

Il se pencha pour l'embrasser dans le cou.

— Tu ne reconnais pas ta position ? Elle est inspirée de certaines des photos que j'ai prises au Belize. Tu te rappelles, le lendemain matin du jour où tu avais porté ton corset pour la première fois ? Tu étais étendue dans le lit...

La mémoire lui revenant, Julia écarquilla les yeux.

— Ça te plaît ?

Le ton habituellement assuré de Gabriel avait laissé place à une étonnante incertitude.

— Je voulais quelque chose de, euh... personnel, pour commémorer notre mariage.

— J'adore. Je suis simplement très surprise. (Il se détendit.) Je te remercie, c'est un merveilleux cadeau.

Elle lui prit la main et en embrassa la paume.

— Je suis content que ça te plaise. Mais il reste encore une petite chose.

Il s'approcha de la cheminée et récupéra une pomme golden que la jeune femme reconnut aussitôt.

— Comment est-elle arrivée ici ? sourit-elle.

— Ouvrez-la, madame Emerson.

Elle l'ouvrit et y découvrit une grande clé visiblement assez ancienne. Elle regarda Gabriel d'un air interrogateur.

— Une clé magique ? La clé d'un jardin secret ? Ou d'une armoire qui donne sur Narnia ?

— Très amusant. Viens.

Il lui saisit le poignet et le porta à ses lèvres, hésitant contre sa peau.

— Où va-t-on ?

— Tu vas voir.

Il lui fit franchir la porte d'entrée, refermant derrière eux. Ils restèrent sur le perron, seules quelques lumières sur les murs de pierre parvenant à percer les ténèbres.

— Essaie la clé.

— Quoi ? Ici ?

— Essaie-la.

Il trépigna, dissimulant mal son anxiété.

Julia enfonça la clé dans la serrure et la tourna. Elle perçut le cliquetis du mécanisme, et d'un mouvement du poignet déverrouilla la porte qui s'ouvrit grande.

— Merci d'avoir accepté de devenir ma femme, chuchota-t-il. Bienvenue chez nous.

Elle le dévisageait d'un air incrédule.

— On a été très heureux ici, poursuivit-il doucement. Je voulais qu'on ait un lieu où s'échapper, un endroit débordant de bons souvenirs.

Il lui toucha légèrement le bras.

— On pourra passer nos vacances ici, quand on ne sera pas à Selinsgrove. Tu pourras y rédiger ta thèse, si le cœur t'en dit. Même si je ne supporterai plus d'être séparé de toi plus d'une journée.

Elle l'embrassa, le remerciant sans cesse pour son fabuleux cadeau. Ils restèrent là plusieurs minutes, savourant mutuellement leur contact, les battements de leurs cœurs commençant à s'accélérer.

## 57

Sans interrompre leur baiser, Gabriel souleva Julia et la porta à l'intérieur, puis dans la chambre principale à l'étage. Il la fit tourner sur elle-même, admirant la façon dont sa robe violette se gonflait.

— Je crois que je te dois quelque chose.

— Et quoi donc ?

Elle éclata de rire quand il se pressa derrière elle.

Il se pencha par-dessus son épaule et lui murmura.

— Une réconciliation sur l'oreiller.

Le son de sa voix lui donna la chair de poule.

Il lui caressa les bras.

— Tu as froid ?

— Non, je suis excitée.

— Parfait.

Il lui écarta les cheveux pour pouvoir l'embrasser dans le cou, et la couvrit de baisers.

— Et pour ta gouverne, sache que j'ai beaucoup à me faire pardonner. En fait, j'ai bien l'impression que ça va me prendre toute la nuit.

— Toute la nuit ? demanda-t-elle en toussotant.

— Toute la nuit, et la matinée.

Quand il recula, après avoir avidement pressé ses lèvres et sa langue contre la courbe de ses épaules, elle commençait déjà à fondre entre ses bras.

— Pendant que tu te prépares, je voudrais que tu imagines toutes les façons dont je vais pouvoir te satisfaire.

Il suivit son décolleté du bout du doigt avant de la libérer avec un clin d'œil provocant.

Elle récupéra sa lingerie dans sa valise et alla s'enfermer dans la salle de bains. En allant acheter une tenue pour sa nuit de noces, elle avait été pour le moins intimidée. Elle ne savait pas vraiment ce qu'elle pouvait choisir qu'il n'ait jamais vu.

Dans une minuscule échoppe de la rue Newbury, elle avait trouvé exactement ce qu'il lui fallait : une longue chemise de nuit en soie bordeaux au décolleté plongeant. Mais le plus beau, c'était le laçage dorsal : il descendait si bas que c'en était presque indécent. Elle avait choisi cette chemise de nuit en sachant qu'il prendrait un malin plaisir à la lui ôter.

Elle conserva son chignon et se passa un peu de gloss sur les lèvres avant d'enfiler les escarpins noirs à talons aiguilles qu'elle avait achetés pour leur lune de miel. Puis elle ouvrit la porte de la salle de bains.

Gabriel l'attendait.

Des chandelles éclairaient la chambre parfumée au bois de santal, et elle perçut quelques accords de musique douce. Ce n'était pas la *playlist* qu'elle connaissait, mais elle lui plut tout autant.

Pieds nus, il s'approcha d'elle, sa chemise blanche sortie de son pantalon de costume et presque entièrement déboutonnée. Il lui tendit la main et, le prenant par la taille, elle se colla contre lui.

— Tu es d'une beauté divine, chuchota-t-il, lui caressant la peau entre les lacets, les mains tremblantes. J'avais presque oublié à quel point tu étais ravissante à la lueur des bougies. Presque, mais pas complètement.

Elle esquissa un sourire.

— Tu permets ?

Il désigna son chignon, et elle acquiesça.

Un homme ordinaire lui aurait ôté toutes les épingles d'un coup – en admettant qu'il les ait trouvées –, libérant prestement sa chevelure pour pouvoir passer à autre chose. Mais Gabriel n'était pas un homme ordinaire.

Minutieusement, il enfonça les doigts dans ses cheveux jusqu'à ce qu'ils se posent sur une épingle : il tirait alors délicatement, laissant filer une mèche après l'autre. Il répéta l'opération jusqu'à ce que la chevelure de Julia soit entièrement tombée en cascade sur ses pâles épaules, et que son corps soit gorgé de désir.

Prenant ses joues entre ses mains, il la regarda droit dans les yeux.

— Dis-moi ce que tu veux que je fasse. C'est ta soirée. Je suis à tes ordres.

— Je n'ai pas d'ordres à te donner, lui assura-t-elle en goûtant à ses lèvres à deux reprises. Contente-toi de me montrer que tu m'aimes.

— Je t'aime des quatre amours, Julianne. Mais ce soir, c'est la célébration d'*éros*.

Il couvrit ses épaules nues de baisers pressants et passionnés, avant de se placer derrière elle pour lui caresser le dos.

— Merci pour ton cadeau.

— Mon cadeau ?

— Ton corps, vêtu de manière affriolante rien que pour moi. (Il s'interrompit en posant son regard sur ses pieds.) Et tes chaussures. Je suis sûr qu'après une si longue journée, elles ne doivent pas être très confortables.

— Je n'y ai pas fait attention.

Il joua avec les diamants de ses boucles d'oreilles.

— Comment ça ?

— Parce qu'une seule idée m'occupait l'esprit… faire l'amour avec toi.

— Voilà des jours que je ne pense à rien d'autre. Des mois, même.

Il prit une brusque inspiration et lui caressa les bras.

— Je suis le seul homme à pouvoir te voir dans toute ta splendeur et à connaître les cris que tu pousses quand tu es comblée. Ton corps me reconnaît, Julianne. Il reconnaît mon contact.

En commençant par le bas, il défit le nœud, faisant minutieusement glisser les lacets de satin entre ses doigts.

— Tu es nerveuse ?

Il lui releva le menton sur le côté pour mieux voir son profil.

— Ça fait un moment.

— Je vais prendre mon temps. Les activités, euh… plus vigoureuses viendront plus tard, quand nous aurons refait connaissance.

Du bout du nez, il indiqua le mur, et Julia eut l'impression de s'embraser.

Il défit lentement les lacets, jusqu'à lui dénuder entièrement le dos. Puis il posa le plat de ses mains sur sa peau.

— Je brûle de désir pour toi. Pendant tous ces mois, j'ai attendu et attendu de pouvoir te faire l'amour.

Il la pressa de se retourner, et sans plus de cérémonie fit tomber les bretelles de sa chemise de nuit sur ses bras, regardant la soie glisser le long de son corps avant de toucher le sol.

Elle se tenait nue devant lui.

— Tu es magnifique, dit-il, contemplant de son regard avide chaque centimètre carré de sa peau.

Non contente d'être le centre de son attention, elle commença à déboutonner sa chemise, la lui ôta après avoir déposé un baiser sur son tatouage, mordillant et embrassant ses pectoraux avant de s'attaquer à son pantalon.

Il fut bientôt nu, lui aussi, et elle eut la preuve de son excitation. Il allait l'embrasser, elle l'en empêcha.

D'un geste impatient, elle lui passa les doigts dans les cheveux avant d'explorer son corps et de lui rendre hommage, aussi bien du bout des doigts que des lèvres. Son visage, sa bouche, sa mâchoire, ses épaules, son buste et ses abdominaux sculpturaux. Ses bras, ses cuisses et…

Il lui attrapa la main avant qu'elle ait pu le saisir, susurrant des mots doux contre sa bouche. Des paroles de dévouement en italien, qu'elle reconnut pour avoir été rédigées de la main de Dante. Il la souleva et la porta jusqu'au grand lit à baldaquin, au bord duquel il la reposa. Puis il s'agenouilla par terre, devant elle.

– Par où je commence ? demanda-t-il, son regard s'assombrissant légèrement tandis qu'il lui caressait le ventre et les cuisses. Dis-moi.

Elle prit une brève inspiration et secoua la tête.

– Par ici ? demanda-t-il en se penchant pour effleurer le contour de ses lèvres avec sa langue. Ou par là ?

Il lui caressa les seins avant de faire place à sa bouche, les léchant et les titillant. Elle ferma les yeux et poussa un petit cri.

– Et pourquoi pas par ici ?

Il suivit le contour de son nombril du bout des doigts avant de lui embrasser le ventre.

Elle gémit et lui tira les cheveux.

– Tout ce que je veux, c'est toi.

– Eh bien, je suis tout à toi.

Elle l'embrassa et il lui répondit en savourant lentement ce baiser, lui imprimant un rythme doux et langoureux. Quand il sentit les battements du cœur de la jeune femme s'accélérer, il lui saisit le pied gauche et commença à lui ôter sa chaussure.

– Tu ne veux pas que je les porte ? demanda-t-elle en le regardant faire. Je les ai achetées pour ce soir.

– Gardons-les pour plus tard, quand on inaugurera le mur, chuchota-t-il d'une voix rauque.

Il lui retira lentement ses chaussures et lui massa un moment les pieds, prêtant une attention particulière à sa voûte plantaire. Puis il la poussa au milieu du lit et s'étendit auprès d'elle.

– Tu me fais confiance ?

– Oui.

Il l'embrassa doucement sur les lèvres.

– Ça fait très longtemps que j'attends que tu me le dises en le pensant vraiment.

– Je le pense vraiment. Le passé est derrière nous.

– Alors, efforçons-nous de rattraper le temps perdu.

Tendrement, il commença à la caresser et à l'exciter par des gestes réfléchis, mais passionnés. Puis il la mordilla et la lécha au rythme de ses soupirs. Il sentit son cœur se gonfler de joie en voyant comme elle se tortillait en gémissant à son contact.

Lorsqu'elle lui caressa le dos de plus en plus vite et posa les mains sur ses fesses, il s'étendit sur elle, amenant leurs corps dans un alignement parfait.

Baissant les yeux sur elle, il chuchota :

– « Comme tu es belle, ma bien-aimée ; tes yeux sont des colombes... Tes lèvres sont comme un fil pourpre, et charmante est ta bouche. »

Julia se dressa pour l'embrasser, avant de lui répondre :

– Cesse de me faire languir.

– S'agit-il d'une invitation ?

Submergée par une vague de chaleur, elle hocha la tête.

– Mon époux.

– Mon ange au regard noisette.

Alors que leurs corps se cherchaient, il l'embrassa langoureusement. Ils ne furent bientôt plus qu'un, leurs soupirs étouffés par leurs dents et leurs langues.

Il imprima d'abord un rythme lent, telles les vagues patientes sur une plage. Il voulait que ce moment dure pour l'éternité, car en regardant sa femme dans ses grands yeux aimants, il comprit que leurs expériences passées, si excitantes qu'elles aient été, sembleraient bien pâles par rapport à leur sublime lien présent.

Elle était la chair de sa chair, son âme sœur et sa femme, et tout ce qu'il voulait, c'était son bonheur. Sa dévotion pour elle le consumait.

Elle caressa ses sourcils froncés à force de concentration, ses yeux à présent fermés.

– J'adore quand tu prends cette expression, murmura-t-elle.

– Quelle expression ?

– Quand tu as les yeux fermés, les sourcils froncés, les lèvres pincées... Tu ne prends cet air que lorsque tu es sur le point de... jouir.

Quand il ouvrit les yeux, elle aperçut des étincelles dans leur profondeur saphir.

– Oh, vraiment, madame Emerson ?

– Ça m'a manqué. C'est très sexy.

– J'en suis flatté, répondit-il d'un ton gêné.

– Je veux une toile ou une photo de toi avec cette expression.

Il fronça malicieusement les sourcils.

– Une photo comme ça ? Ce serait exagéré, non ?

Elle éclata de rire.

– Et celui qui dit ça orne les murs de sa chambre de photos de lui nu.

– Mes seules photos de nu dans ma chambre sont avec toi, ma délicieuse épouse.

Il accéléra le rythme, la prenant au dépourvu.

Tandis qu'elle haletait de plaisir, il enfouit son visage dans le creux de son cou.

– Tu es si séduisante. Ta chevelure, ta peau…

– C'est ton amour qui me rend belle.

– Alors, laisse-moi t'aimer à tout jamais.

Elle se cambra.

– Oh oui, je t'en supplie.

Il poursuivit sur le même rythme, lui effleurant le cou du bout des lèvres, lui léchant légèrement la peau.

En réponse, elle le saisit par les hanches, le poussant et le tirant jusqu'à ce qu'elle soit près, tout près.

– Ouvre les yeux, haleta-t-il, accélérant encore le rythme.

Elle croisa le regard sombre mais tendre de son mari, débordant de passion'.

– Je t'aime, déclara-t-elle en écarquillant les yeux et en les refermant tandis qu'elle se laissait submerger par ses sensations.

Gabriel fronça les sourcils mais ne ferma pas les yeux.

– Moi aussi, je t'aime, soupira-t-il à chacun de ses mouvements contre sa peau nue, jusqu'à ce qu'ils soient tous les deux comblés.

# 58

Juste avant le lever du soleil, Julia se réveilla en sursaut.

Son merveilleux mari était endormi à son côté, le visage poupon. C'était le visage du jeune homme qu'elle avait rencontré sur le perron chez Grace. Elle lui caressa les sourcils et le menton, envahie par un formidable sentiment d'amour. De satisfaction et de joie.

En prenant soin de ne pas le réveiller, elle descendit précautionneusement du lit. Elle ramassa la chemise qu'il avait jetée à terre la veille et l'enfila avant de se diriger vers le balcon sur la pointe des pieds.

Une légère lueur miroitait à l'horizon, par-dessus les collines ombriennes délicatement vallonnées. Il faisait frais, trop pour rester dehors, sinon dans un Jacuzzi ; mais la vue était somptueuse, et elle ressentit le besoin de s'imprégner de sa beauté. Seule.

En grandissant, elle avait eu l'impression de ne pas mériter la réalisation de ses désirs les plus profonds, de se sentir véritablement aimée. Ce n'était plus le cas. Ce matin-là, un immense sentiment de gratitude naquit au plus profond de son être et s'éleva vers le ciel.

Gabriel tendit la main vers le côté du lit où elle était censée se trouver, mais il n'y sentit que son oreiller. Il lui fallut un moment pour se réveiller, épuisé qu'il était par ses activités nocturnes. Ils avaient fait l'amour à plusieurs reprises et rendu grâce chacun leur tour au corps de l'autre avec leurs mains et leurs bouches.

Il esquissa un sourire. Toutes ses craintes et ses angoisses semblaient dissipées.

Était-ce simplement parce qu'ils étaient mariés à présent ? Ou parce que suffisamment de temps s'était écoulé et qu'elle n'avait plus aucun doute sur le fait qu'il ne chercherait jamais à profiter d'elle ?

Il l'ignorait. Mais il était ravi qu'elle soit heureuse. Et quand elle s'était donnée à lui d'une manière qu'elle n'aurait jamais pu envisager auparavant, il avait chéri ce présent, sachant qu'elle le lui offrait par amour, ayant désormais une absolue confiance en lui.

Toutefois, se réveiller dans un lit désert le rendit quelque peu nerveux. Aussi, plutôt que de se livrer à ses réflexions, il se lança rapidement à la recherche de sa bien-aimée. Il ne lui fallut pas longtemps pour la trouver.

— Ça va ? s'enquit-il en sortant sur le balcon.

— Merveilleusement. Je suis heureuse.

— Tu vas attraper une pneumonie, la réprimanda-t-il en quittant sa robe de chambre et en la lui posant sur les épaules.

Elle se retourna pour le remercier et remarqua qu'il était nu.

— Toi aussi.

Il sourit, se plaça devant elle et ouvrit la robe de chambre pour la refermer sur eux deux. Cette sensation agréable de leurs corps nus pressés l'un contre l'autre la fit soupirer.

— Tout se passe comme tu le souhaites ?

Il lui frotta le dos à travers la robe de chambre.

— Ça ne se voit pas ?

— On n'a pas tellement eu le temps de discuter, si tu te rappelles bien. Je t'ai peut-être fait veiller trop tard. Je sais bien qu'on se réconciliait, mais…

— Je manque un peu de pratique, et je suis délicieusement épuisée, avoua-t-elle en rougissant. J'ai trouvé que cette nuit, c'était encore mieux que notre première fois. Et en tout cas, comme tu le dis toi-même, nettement plus « vigoureux ».

Il gloussa.

— Je suis d'accord.

— On a traversé tellement d'épreuves. J'ai l'impression que le lien qui nous unit est encore plus fort, et je n'ai plus à craindre que tu disparaisses.

Elle lui caressa l'épaule du bout du nez.

— Je t'appartiens, chuchota-t-il. Et je sens moi aussi ce lien. C'est ce dont j'avais besoin. C'est ce que tu mérites. Quand je te touche, quand je te regarde dans les yeux, j'aperçois notre passé et notre avenir. C'est à couper le souffle.

Il marqua un temps d'arrêt et lui leva le menton pour mieux la voir.

Elle l'embrassa délicatement et se blottit dans ses bras.

— J'ai passé trop de temps dans les ténèbres, poursuivit-il d'un ton débordant d'émotion. Je suis impatient de regagner la lumière. Avec toi.

Elle lui prit le visage entre ses mains, l'obligeant à la regarder.

— On est dans la lumière, à présent. Et je t'aime.

— Moi aussi, je t'aime, Julianne. Je t'appartiens, pour cette vie et les suivantes.

Il l'embrassa de nouveau et la raccompagna dans la chambre.

# Remerciements

Je serai à tout jamais redevable envers feue Dorothy L. Sayers, feu Charles Williams, Mark Musa, mon amie Katherine Picton et The Dante Society of America, pour leur maîtrise de *La Divine Comédie* de Dante, à partir de laquelle j'ai pu façonner mon travail.

Je me suis inspiré des illustrations de Sandro Botticelli et de ce lieu incomparable qu'est la Galerie des Offices à Florence. Je me suis aussi laissé influencer par l'ambiance qui règne dans les villes de Toronto, Florence et Cambridge, ainsi que dans la municipalité de Selinsgrove.

Plusieurs archives électroniques se sont révélées très utiles, dont le Digital Dante Project de l'université Columbia, Danteworlds de l'université du Texas à Austin, et le World of Dante de l'université de Virginie. J'ai également trouvé la traduction de Gabriel Rossetti de *La Vita Nuova* de Dante, accompagnée de sa version originale en italien, sur le site d'Internet Archive. Je me suis aussi servi de la traduction de *La Divine Comédie* par Henry Wadworth. Quant au texte de la lettre d'Abélard à Héloïse, il est issu d'une traduction anonyme datant de 1901.

J'aimerais remercier Jennifer, qui a lu le tout premier jet de ce roman et m'en a fait une critique constructive, étape après étape. Son amitié et ses encouragements m'ont été très précieux. Je suis aussi très reconnaissant envers Nina pour son imagination et sa sagesse. Kris a lu le manuscrit pendant le processus de révision et m'a fait des suggestions fort perspicaces.

Merci à la fine équipe d'Omnific, en particulier Elizabeth, Lynette, C.J., Kim, Coreen, Micha et Enn. Ce fut un véritable plaisir de travailler avec vous.

Je voudrais également remercier les lecteurs des précédentes versions de mon manuscrit qui m'ont offert leurs critiques, leurs suggestions et leur soutien, et tout particulièrement mes muses, Tori, Elizabeth de Vos, Elena, Marinella et Erika.

Enfin, un grand merci à mes lecteurs et à ma famille. Votre soutien sans faille est inestimable.

Sylvain Reynard – Lent, 2012

*Composition PCA*
*44400 – Rezé*


*Impression réalisée par Marquis*

*pour le compte des Éditions Michel Lafon*

*Imprimé au Canada*

Dépôt légal : octobre 2013

ISBN : 978-2-7499-2076-4
**LAF** 1730